IBEROAMERICANA
AMÉRICA LATINA – ESPAÑA – PORTUGAL

CONSEJO EDITORIAL

Walther L. Bernecker
Peter Birle
Klaus Bodemer
Sérgio Costa
Ottmar Ette
Thomas Fischer
Luciano García Lorenzo
Frauke Gewecke

José Manuel López de Abiada
Andrea Pagni
Barbara Potthast
Stefan Rinke
Matthias Röhrig Assunção
Christoph Strosetzki
Manfred Tietz
Nikolaus Werz

CORRESPONSALES

Fernando Aínsa
Manuel Alcántara
João Barrento
Ilán Bizberg
Victor Bulmer-Thomas
John H. Coatsworth
Andrzej Dembicz
Juan Pablo Fusi Aizpurúa
Alberto Giordano

Beatriz González Stephan
Elena Hernández Sandoica
Graciela Montaldo
Hans-Jörg Neuschäfer
Julio Ortega
João José Reis
Hilda Sábato
Juan Villoro

REDACCIÓN

Sandra Carreras
Instituto Ibero-Americano
Potsdamer Straße 37, D-10785 Berlin, Alemania
e-mail: iberoamericana@iai.spk-berlin.de
http://www.iberoamericana.de

D1003137

Iberoamericana. América Latina – España – Portugal

Ensayos sobre letras, historia y sociedad. Notas. Reseñas iberoamericanas

Año VII (2007)   Nueva época   N° 27
Septiembre de 2007

Índice

Artículos y ensayos

Dossier: Después del Mundial = Antes del Mundial: el fútbol, la(s) historia(s) y sus construcciones identitarias en América Latina

Coordinado por *Ottmar Ette y Stefan Rinke*

Foro de debate

Notas. Reseñas iberoamericanas

Artículos y ensayos

Susana Skura*

⊃ "A por *gauchos* in *chiripá*...". Expresiones criollistas en el teatro ídish argentino (1910-1930)**

Resumen: En Argentina, entre 1890 y 1920, se desarrolló el fenómeno criollista, consistente en la difusión del gusto por lo gaucho como moda popular de consumos y usos culturales. Coincidió con el auge del proceso inmigratorio y atravesó los debates sobre el primer nacionalismo cultural y los festejos del centenario patrio. A partir del reciente hallazgo de una colección de textos dramáticos escritos en ídish con abundantes préstamos del español rioplatense trasliterados, y reunidos por la Fundación Iwo de Buenos Aires, se explora la inclusión de prácticas y terminología de la cultura dominante en un teatro escrito y actuado en la lengua de inmigración, como un aspecto del proceso de transculturación de los inmigrantes ashkenazíes y de las primeras generaciones nacidas en las colonias agrícolas judías argentinas.

Palabras clave: Teatro ídish; Criollismo; Código gaucho; Argentina; Siglo xx.

1. Introducción: el ídish, lengua judía por excelencia, en el contexto argentino

La perspectiva que adoptaremos en este trabajo es una perspectiva 'de contacto' que "pone de relieve que los sujetos se constituyen en y por sus relaciones mutuas [...] en términos de copresencia, de interacción, de una trabazón de comprensión y prácticas, muchas veces dentro de relaciones de poder radicalmente asimétricas" (Pratt 1997: 27). Abordaremos el estudio de la relación entre el ídish y el español en su variedad del Río de la Plata tal como ha sido representada en los textos dramáticos escritos en ídish en la etapa inicial del teatro ídish argentino. Se analizarán los personajes como la representación de sujetos pertenecientes a grupos heterogéneos con diferencias ideológicas, generacionales, de género, sector de la comunidad, cuyas identidades son múltiples y procesuales, y cuya elección lingüística refleja y constituye un escenario de reproducción y disputa de significados sociales.

Para caracterizar brevemente al ídish hemos retomado la afirmación de que es la lengua judía por excelencia, no sólo por la pertenencia de sus hablantes, sino porque cumple

*   *Susana Skura es antropóloga, investigadora y docente de la Universidad de Buenos Aires; publicó, además de artículos y compilaciones sobre el tema,* Usos y representaciones de la lengua de origen en la construcción de la identidad socio-étnica. El ídish en la comunidad ashkenazí de Buenos Aires *(2006) y* Oysfarkoyft/Localidades agotadas/Sold Out. Afiches del teatro ídish en la Argentina *(2006, en coautoría).*

** Agradezco los aportes de Cyril Aslanov (Universidad Hebrea de Jerusalem), Jorge Dubatti (Universidad de Buenos Aires), Mariana Gardey (Universidad Nacional del Centro), Silvia Hansman (IWO) y Carlos Masotta (UBA-CONICET).

con los cinco criterios para definir una judeo-lengua, a saber: 1. alto porcentaje de componentes léxicos provenientes del hebreo (*jewish interlinguistics*); 2. componentes léxicos de otros orígenes, que reflejan las migraciones judías a modo de memoria de la lengua (tal es el caso de la inclusión de términos romances); 3. existencia de términos que al ingresar al ídish cambian el significado que tenían en la lengua fuente; 4. coexistencia de dos términos con igual o similar referente, que reflejan opciones lingüísticas en las que se introducen dos términos de origen diferente, en virtud de matices de significado (*familye*, proveniente del alemán y *mishpokhe*, procedente del hebreo); 5. haber atravesado períodos de desprecio, índice de las judeo-lenguas. La consideración de esta lengua como 'jerga' y la ideología lingüística a la que se asociaba, tendiente a la vergüenza étnica, fue combatida por los pioneros del YIVO Institute for Jewish Research y tuvo su mayor oposición en la Conferencia de Czernowitz, en 1908. Cabe recordar que en este gran encuentro se debatió la posibilidad de que el ídish cobrara el estatus de lengua nacional.

A pesar de ser la lengua más utilizada durante el último milenio por los judíos ashkenazíes, sus orígenes siguen siendo debatidos por investigadores de Europa, Israel y Estados Unidos, pero este debate excede los límites del presente trabajo. Tomaremos la tesis de Max Weinreich (1968), que ubica el origen en la zona del Rhin, aunque consideramos que debe preferirse un modelo que diferencie el ídish oriental (de Polonia, Lituania, Bielorrusia) para el cual es aceptable una explicación monogenética, a diferencia del ídish occidental, para el que es más pertinente el modelo poligenético. En cuanto a sus componentes, este autor define al ídish como una *koiné*, es decir una lengua común que ha abrevado en diferentes dialectos, en la cual se entraman dialectos alemanes medievales, lenguas romances, aportes de lenguas eslavas (principalmente, polaco, ucraniano y bielorruso) y hasta elementos del griego (especialmente para el registro científico-técnico o político), pero sobre todo hebreo y, como destaca David Katz (2004: 46), arameo.

El ídish ingresó a la Argentina a fines del siglo XIX cuando, en el marco de un proyecto nacional que encontraba en el desarrollo del agro un futuro promisorio, se establecieron en el país –entre otros grupos de inmigrantes– judíos ashkenazíes que lo trajeron como su primera lengua. Como lengua étnica de inmigración, el ídish resistió a la presión de las políticas homogeneizadoras del Estado nacional basadas en un ideal monolingüe, y durante los inicios del siglo XX ocupó el lugar incuestionable de lengua de uso cotidiano para los judíos (incluyendo no sólo el ámbito doméstico sino también la interacción en ámbitos institucionales y artísticos) hasta las décadas de 1930 y 1940, en que comenzó a declinar lentamente.

Podemos vincular ciertos cambios sociopolíticos y económicos nacionales e internacionales con el proceso de merma en el uso de esta lengua. Además de la socialización lingüística de las nuevas generaciones que incorporaban en la escuela pública el uso del español, cabe señalar entre estos factores: a) las consecuencias de la Segunda Guerra Mundial en Europa, donde fueron asesinados, entre 1939 y 1945, la mayoría de los hablantes del ídish (Hagège 2002: 174); b) la consolidación de un ideal de clase trabajadora nacional, obrera, unida y homogénea propio del modelo de Estado peronista entre los años 1946 y 1955; y c) la incidencia del proyecto de nacionalización del grupo étnico, que se consolidó en 1948 con la creación del Estado como hogar nacional para los judíos hablantes de diversas lenguas, instaurando el hebreo moderno israelí como lengua común, a diferencia de la situación histórica de distribución complementaria en la que el ídish funcionaba como lengua de uso y el hebreo como lengua sagrada o culta (Aslanov en prensa).

El teatro, que era considerado a partir de la definición de Peretz como "di shul far dervaksene" ("la escuela para adultos", cit. en Weltman 1962: 2), fue uno de los ámbitos en los que el ídish siguió teniendo un espacio hasta la década de 1950. En él se reflejaron en parte las decisiones que acompañaron ese proceso de avance del español en detrimento de la lengua de origen, el "mame loshn ídish". Si bien los textos dramáticos analizados dan cuenta de un momento inicial en el que comienzan a incorporarse términos locales, cabe destacar que la pertenencia étnica no aparece cuestionada. Tanto los personajes como los actores, los autores y el público son judíos, la mencionada inclusión no impidió que la lengua que reconocían como propia siguiera siendo el ídish.

2. ¿Criollismo ídish?

Podemos ubicar el comienzo de la inmigración judía al campo argentino en 1889, año de la llegada del primer grupo organizado de 800 judíos rusos que se establecieron en Santa Fe. Algunos de ellos fundaron la primera colonia agrícola judía, Moisés Ville, y, dos años después, el barón Hirsch creó la Jewish Colonization Association convencido de que en Argentina se ofrecían las condiciones necesarias para albergar a judíos de Polonia, Rusia y Rumania. Este proyecto se fue consolidando y se mantuvo durante más de cincuenta años.

Durante los primeros cinco años la Jewish Colonization Association fundó cinco colonias en las provincias de Buenos Aires, Entre Ríos y Santa Fe, con una superficie de más de 200.000 hectáreas y una población de cerca de 7.000 colonos con sus familias. Al publicarse el primero de los textos dramáticos presentados en este trabajo, casi 20.000 personas vivían de la producción de 900 chacras (Senkman 1999) y el teatro ídish argentino se consolidaba, asentado en Buenos Aires pero con influencia en las comunidades judías del interior.

Hemos señalado en trabajos anteriores (Skura/Slavsky 2004; Slavsky/Skura 2002) que el movimiento teatral ídish comenzó con la representación en el Teatro Doria de Buenos Aires de la opereta cómica *Kunye Leml* (*El tartamudo*), de Abraham Goldfaden. El mantenimiento de la vitalidad de la lengua ídish facilitó el crecimiento de este teatro, ya que durante toda la primera década del siglo xx los actores más exitosos del teatro judío de los grandes centros de Europa y EE.UU. llegaron para poder trabajar en contratemporada, generalmente con su propio repertorio. En parte por esta razón el teatro ídish argentino ha sido interpretado por algunos investigadores del teatro judío como un mero eco de esos centros (Slavsky/Skura 2002: 294; Hansman/Skura 2005).

Si bien en gran parte esto es cierto, no es toda la verdad. Hasta entrada la década de 1910, se presentaron obras del padre del teatro judío, el mencionado actor rumano Abraham Goldfaden, así como de Jacob Gordin o Yosef Latayner y autores de la dramaturgia universal, pero luego comenzaron a incluirse textos dramáticos locales, con gran apoyo de los críticos de la época, durante aproximadamente veinte años. En la introducción a la obra *Erfolg* (*Éxito*), de M. N. Sprinberg, el autor y crítico Nekhemya Tsuker (1933) destaca la elección de este texto por parte del gran actor Maurice Moskovich en 1913. Cuando Tsuker escribía, veinte años más tarde, añoraba el apoyo que habían dado incluso los intérpretes extranjeros más famosos a los autores locales, no tan conocidos, situación que fue cambiando a medida que el auge del *star system* y el surgimiento del teatro independiente impusieron otras modas. Destacaba también la actitud de los actores hacia su misión social, que durante esta etapa privilegiaron la calidad de las obras y las expectativas artísticas por sobre las consideraciones acerca de la fama del autor –garantía del éxito de boletería– aun cuando poner una nueva pieza implicara mayor trabajo junto a los elencos locales.

En esos veinte años, autores como Marcos Alpersohn (1860-1947), Samuel Glasserman (1898-1952) y Jacobo Liachovitsky (1874-1937) escribieron textos dramáticos en ídish, que se presentaron en Buenos Aires y en giras por las provincias. La lectura de estos textos refleja la incidencia del auge del criollismo en el teatro de las comunidades durante las primeras décadas del siglo XX. En ellos es notable la profusión de términos híbridos y situaciones que podríamos pensar características del criollismo, como "a por *gauchos* in *chiripá*, sitsn in der mit va an *asado* un trinken *mate* un tenh'n mit di hent" ("un par de gauchos en chiripá están sentados durante un asado, toman mate y discuten con las manos"; en Alpersohn 1929: 45).[1]

3. El contexto de producción

Hemos ubicado los orígenes del teatro ídish en Argentina en el marco de los procesos de integración de los inmigrantes judíos al nuevo medio socio-cultural, rural y urbano. Para comprender cómo ingresa la moda criollista en este teatro comunitario debemos atender a otros aspectos relevantes de las prácticas culturales durante el período. Como se ha señalado, el fenómeno de la transculturación ocurre preferentemente en las zonas de contacto cultural y permite pensar cómo los modos de representación metropolitanos son percibidos y apropiados en la periferia y cómo los grupos minoritarios operan, al menos en parte, sobre los elementos y prácticas que toman de la cultura dominante y sobre el uso que les dan. A su vez, en el Centenario, el temor a la disolución del ser nacional ante la inmigración masiva tuvo como consecuencia la invención de una tradición destinada a proponer un modelo de argentinidad que se le opusiera. El gaucho, resignificado, se presentará entonces como prototipo de la nacionalidad.

La producción de estos textos dramáticos no fue ajena a las condiciones de producción cultural a nivel nacional en las tres primeras décadas del siglo XX. Brevemente, podemos señalar algunas características del período que consideramos relevantes:

1. Entre las producciones literarias más destacadas (tomando en consideración todo el espectro que va desde la literatura consagrada hasta los folletines por entregas) la novela de Alberto Gerchunoff, *Los gauchos judíos*, representa un tipo de criollismo judío: fue publicada como adhesión al Centenario, transcurre en las colonias judías de Entre Ríos, y está dirigida a un lector que trasciende los límites de la comunidad –el autor fue reconocido en su época justamente por su uso del español– inscribiéndose en

---

[1] En ídish en el original. Ésta y todas las transliteraciones siguen las normas YIVO. Las traducciones y los destacados son míos.

un proyecto más amplio. Difiere de los textos dramáticos analizados aquí no sólo por sus características genéricas, sino porque éstos fueron pensados para ser presentados por actores judíos, en el marco de un teatro en ídish concebido para un público que la tenía como lengua de uso cotidiano. En la novela *Der linshera* (*El linyera*), de Alpersohn, observamos la influencia del criollismo en la producción literaria escrita en ídish. También en la primera antología literaria en ídish, *Oyf di bregn fun Plata* (*En las orillas del Plata*) (Tsuker 1919), se abordaba la temática de la vida en las colonias de la Jewish Colonization Association y se incluía un glosario de términos locales rurales y urbanos. Un tercer tipo que muestra la consecuencia del interés por el criollismo lo constituyen las obras representativas que fueron traducidas al ídish, como *Don Segundo Sombra* o *Martín Fierro* (traducido por Samuel Glasserman).

2. A partir del Centenario surgen talleres gráficos, editores, librerías y se incrementa la edición nacional de publicaciones populares a precios módicos y de la folletería popular, como parte de la industria cultural menos prestigiosa: "pequeños cuadernillos de papel rústico, ilustrados con tapas de colores llamativos y diseño primario que generalmente ponen el acento [...] en los aspectos más catastróficos, sangrientos o grotescos del tema abordado" (Rivera 1985: 340). En 1915 se lanza un proyecto editorial conocido como las "publicaciones de quiosco", folletines como "La novela semanal" que no supera las veinte páginas, a 0,10 centavos, donde alternan textos de escritores de prestigio con otros que expresan el sentimentalismo estereotipado propio de la época. A nivel intracomunitario, la revista literaria *Bikhlekh far Yedn* (*Libritos para todos*), donde Liachovitsky publica en dos partes su obra *Di yiddishe firstin fun Patagonye* (*La princesa judía de la Patagonia*), es representativa de este género. El diseño de la tapa remite a la gráfica de las portadas de los libros judíos de la época con la iconografía característica (manos bendiciendo, candelabro, estrella de David). Lo mismo sucede con *Goles/El cautiverio* (*Diáspora/El cautiverio*), de Alpersohn, publicada y distribuida por la Librería Kaplansky o *Ven di nakht falt tsu* (*Cuando cae la noche*), de Nekhemya Tsuker que salió, a 0,25 centavos, en la colección "Populere Dram-biblyotek". Surgen proyectos editoriales cooperativos. Por otra parte, editores como Manuel Gleizer y Samuel Glusberg publican desde 1918 a jóvenes escritores. Se va consolidando una polarización entre imprentas y editoriales como Claridad que, por sus ideales socialistas, promueven publicaciones masivas y económicas y, por otro, las ediciones lujosas, destinadas a una elite ilustrada. Los escritores se profesionalizan. Los autores de los textos dramáticos estudiados fueron además periodistas, editores, traductores.

3. En cuanto al cine nacional, antes de 1920 se estrenan las películas *Nobleza gaucha*, *Juan Moreira*, *Gabino el mayoral*, *Ensalada criolla*, *Santos Vega*, *El matrero*, entre otras; posteriormente, *La canción del gaucho* (1930), de José Agustín Ferreyra y *Criollo viejo* (1925), de Rafael Parodi. En 1921 Federico Valle filma la película *¡Patagonia!*, estrenada en 1922, y luego *Allá en el sur.* El argumento de *¡Patagonia!* y la obra *Ven di nakht falt tsu* tienen mucho en común: si bien el texto dramático no especifica dónde se desarrolla la acción, en ambas obras un indígena espía a una mujer, llega un extraño que en la película la viola y en la obra dramática la seduce pero en ambos casos la abandona, y terminan con un nuevo acercamiento del indio.

4. Para caracterizar sintéticamente el contexto de producción de estos textos en el ámbito teatral podemos decir que durante el período inicial del teatro ídish, desde 1901 hasta la década de 1930, se consolidó el teatro comercial y creció el teatro de comunida-

des. Como en todo comienzo, las dificultades eran muchas: falta de recursos, huelgas de actores y elencos que se modificaban año a año. En 1921 se creó la "Sociedad dramática Jacob Gordin" y su ejemplo se multiplicó, tanto en la capital como en las provincias. La situación de indefinición llevó a los actores a comprometerse en favor de la profesionalización, llamando a apoyar la creación de un sindicato (Idishe Aktyorn Fareyn). En este período, los tratantes de blancas patrocinaban y tenían el control de la producción de espectáculos en ídish, lo que generaba conflictos, como en 1926 la oposición a la puesta en escena de la obra *Ibergus* (Regeneración), de Leib Malakh, cuyo argumento trata de la vida prostibularia en Brasil (aunque historiadores como Hayim Avni [2005] sostienen que en realidad la obra reflejaba la situación argentina, y que ubicando la acción en Brasil se intentaba vanamente eludir las reacciones adversas). Las obras de autores locales tuvieron gran repercusión y ellos, con el apoyo de la crítica, lograron adquirir renombre entre sus contemporáneos. En la década de 1930 se cierra esta etapa inicial, porque las condiciones cambian radicalmente: se produce un giro relacionado con factores como la pérdida de influencia de la ya desarticulada organización prostibularia "Tzvi Migdal" y la promoción de lo que en las críticas e incluso en los afiches de la época se definía como un "teatro familiar y de alto contenido moral" como consecuencias del juicio al *star system* organizado en 1932 por la "Sociedad de Escritores Nomberg"; la creación del IDRAMST (Idishe Dramatishe Studio), teatro independiente vinculado a la izquierda no sionista, antecedente del Idisher Folks Teater (IFT); el fallecimiento en 1934 del fundador del teatro ídish en Argentina, Bernardo Waissman, el actor local más convocado durante el primer período. Los autores locales sufrieron la desvalorización concomitante con el auge del *star system*, el repertorio local quedó relegado y el público local comenzó a consumir producciones extranjeras. Comenzaron a llegar actores como Joseph Buloff y Maurice Shwartz, que trajeron otro tipo de repertorio.

5. En relación a los usos del ídish, los estudios cualitativos y cuantitativos realizados señalan el alto porcentaje de hablantes competentes de ídish, e incluso de lectores, que caracterizó a la comunidad judía argentina durante el período de auge del teatro. La educación judía se inicia con el establecimiento del Talmud Torá de la "Asociación Poale Tsedek" en Buenos Aires (1891), donde se enseñaban materias generales en español y estudios judaicos en ídish. Este primer período continúa hasta 1909, momento fundacional en el cual se decide crear una organización federativa que centralice las actividades educativas. En 1911 se crea una institución (ligada a la Jewish Colonization Association y la "Congregación Israelita de la República de Argentina", CIRA) que marca el paso a la modernización de las escuelas judías de todo el país. Este período culmina en 1930 (Zadoff 1994: 47-77).

4. Las obras

Los textos dramáticos tienen como característica distintiva la confluencia del carácter literario y la virtualidad teatral (Dubatti 1997). Desde el punto de vista de la poética, el texto dramático se define por la relación entre forma y contenido, convenciones que por selección y combinación producen un efecto estético determinado y portan una cierta ideología en su práctica (Dubatti 2002). Es justamente su carácter escritural, aún no preformativo, el que produce la sorpresa de encontrar en medio de un texto en ídish préstamos

„גלות"

דראמע אין דריי אקטן

פון

מרדכי אלפערסאן.

"El Cautiverio"

Drama en 3 actos

de M. ALPERSOHN

ארויסגעגעבען פון פארלאג און בוכהאנדלונג

ג. קאפלאנסקי

CORRIENTES 2614   BUENOS AIRES.

. 1 9 2 9

del castellano. Observando los originales escritos en cuadernos de tapa blanda, incluso con lápiz, con tachaduras y anotaciones al margen, o los publicados en formato pequeño y popular, o los que se publicaron como obras completas, es la grafía ídish, que en la puesta se pierde, lo que produce un efecto de extrañamiento en el lector. No sabemos cómo fueron articulados esos ítems léxicos, cómo fueron recibidos por el público. Pero por su utilización podemos inferir que tanto los autores como el público eran competentes no sólo en el uso del español sino también en el código criollo, reconociendo los estereotipos del hombre de campo y a veces reconociéndose en ellos. No solamente en la comprensión de préstamos lingüísticos –por ejemplo, la inclusión de términos como "mate", "gaucho", "rebenque" o "alazán"–, sino también de modismos como "tá güeno", "pa lo que el patrón ha mandao", o situaciones tan ajenas a la vida judía en el hemisferio norte como un asado con cuero, el juego de la taba o la resolución de situaciones por medio del facón.

He trabajado sobre diecisiete textos dramáticos, en nueve de los cuales se hace mención a la vida rural; me centré en estos últimos para explorar la incorporación de elementos costumbristas. Aquí analizo principalmente *La princesa judía de la Patagonia* (*Di yiddishe firstin fun Patagonye*), de Jacobo Liachovitsky, *Los hijos de la Pampa* (*Di kinder fun der "pampa"*) y *Diáspora/El cautiverio* (*Goles/El cautiverio*), de Marcos Alpersohn, y *Zisye Goy*, de Samuel Glasserman. Estos autores optaron no sólo por el uso de recursos lingüísticos y estilísticos locales sino también por temáticas más cercanas a la nueva situación de un público compuesto por inmigrantes que concurrían asiduamente al teatro y alternaban obras de géneros diversos (melodrama, vodevil, cuadros costumbristas [*lebns bilder*], etc.) de autores consagrados a nivel internacional con estas obras, que presentaban en forma realista sus propios dilemas y experiencias.

Mientras que la pieza literaria de Gerchunoff ponía en escena la visión utópica del proyecto de la colonización agraria de los judíos en los campos de Argentina, como "la Tierra de promisión" o la "Tierra de Sión" reencontrada en las pampas argentinas (Senkman 1983: 19 21; Senkman 1999)[2], la mayoría de estos textos dramáticos, cuya acción también se desarrolla en las colonias agrícolas judías, muestra como uno de los conflictos habituales la relación compleja con los administradores. En *Diáspora/El cautiverio*[3] la colonia se presenta ya no como una tierra de promisión, sino como una forma de exilio: el campo es vivido por algunos de los integrantes de la familia como una tierra libre

---

[2]   Con la publicación de *Los gauchos judíos* en La Plata, en 1910, no sólo se inauguró la literatura judeo-argentina, sino también la literatura moderna sobre la utopía en Sudamérica (Senkman 1983: 19-29; Senkman 1999).

[3]   *Goles/El cautiverio* (*Diáspora/El cautiverio*, drama en 3 actos de Marcos Alpersohn; primera presentación: Buenos Ayreser Yiddishn Folks Teater 1926) presenta la historia de Isroel y su esposa Brakha, colonos desde hace trece años. Brakha desea que sus hijos estudien en la ciudad. Morits se recibe de abogado y Max, novio de Dora, de médico. Ambos aspiran a trabajar en la ciudad. León, por el contrario, valora el trabajo agrícola. Llegan de Europa el hermano de Brakha y su hija Aída, quien adhiere a nuevas ideas de amor e igualdad entre hombres y mujeres y se enamora de su primo León, pero añora la cultura y la participación política urbanas. Su padre, desilusionado por las persecuciones y la actuación de los judíos ve su rabinato como un exilio, mientras comparte el amor de Isroel y León por el campo. Morits y Brakha urden un plan para declarar insano a Isroel, vender su tierra y establecerse en la ciudad. Brakha se enferma e Isroel intenta volver a su casa en la colonia, que ya está en posesión de un comerciante inescrupuloso. León y su novia Aída deciden comenzar de nuevo en otra finca. Brakha lamenta su error, Isroel y el rabino lamentan que el pueblo judío siga viviendo en la diáspora.

y paradisíaca y por otros como un desierto, un destierro y un lugar de cautiverio. En *La princesa judía de la Patagonia*[4], en cambio, la acción se desarrolla en lo que la madre define como "el desierto". Lejos de los puertos y ciudades cosmopolitas con la influencia de los inmigrantes europeos, no hay más que dos familias, una aborigen, la otra judía y recién llegada desde Europa a la capital y de la capital a la Patagonia. Margarita, la madre judía, siente que en este desierto son completamente extraños, por la vida aislada que llevan, por no vivir como en las colonias, "entre la gente", "entre judíos". Se pregunta entonces, cómo ser judíos en el "desierto", entre los indios. "¿Te acordás cuando vivía-

---

[4]   *Di yiddishe firstin fun Patagonye oder Nekome fun indyaner* (*La princesa judía de la Patagonia o Venganza de indios*, drama en 4 actos de Jacobo Liachovitsky; primera presentación: Buenos Aires, 15 de agosto de 1919. Con otros títulos se presentó en Filadelfia, Boston y Nueva York): Por un fracaso económico en la ciudad la familia Toybes se instala en la Patagonia, donde es acogida por la tribu de Ñankuru, un cacique tehuelche. El padre, León Toybes, su hijo Adolfo y su sobrino Berl mantienen con los indios relaciones de comercio y amistad. Nioonti, hija del cacique Ñankuru, y Adolfo Toybes se enamoran, pero cuando ella queda embarazada Adolfo se va a la ciudad. La señora Toybes se queja del aislamiento en que vive la familia; teme que su hija Raquel quede soltera y termine como empleada doméstica, pero su esposo descalifica sus preocupaciones y confía en que va a casar a Raquel con algún judío bien posicionado. Creyendo que Nioonti ya tiene otro pretendiente, Adolfo regresa de la ciudad, y es atrapado por los indios y castrado como castigo por haber abandonado a Nioonti. En esta circunstancia el cacique resulta gravemente herido. Al comprender el peligro de muerte que amenaza a su familia, Raquel le ofrece a Ñupchukri, el hijo del cacique que había sido en otro tiempo criado por la familia Toybes, ser su esposa. En su lecho de muerte el cacique acepta el gesto de Raquel, bendice el matrimonio y permite que la familia de ella escape.

mos con gente?" y "¿Se puede ser judío aquí?" (Liachovitsky 1926: 25): en el desierto, sin calendarios, no saben cuándo son las festividades (tópico que abre la posibilidad de un fragmento pedagógico, de enseñanza de las tradiciones judías). El aislamiento y las relaciones interétnicas son el eje del drama: culturas en contacto, normas en conflicto. Los hombres jóvenes consideran la posibilidad de "volverse indio", adquieren hábitos y habilidades, cambian su vestimenta, adoptan un nuevo lenguaje, son competentes en el manejo del lazo y de las boleadoras; Raquel canta una vidalita acompañándose de la guitarra. La pregunta acerca de la identidad en el nuevo contexto está presente en todos los textos dramáticos. En *Los hijos de la Pampa*[5] Gregorio, el padre, compara: "*Pesakh* es la liberación de la Biblia y la cosecha es nuestra liberación" (Alpersohn s. f.: 3). Y festejan la cosecha con carrera de caballos, asado y taba.

5. El código gaucho

A comienzos del siglo XX el criollismo puede expandirse y diversificarse en base a la elaboración de un sistema de objetos y situaciones estereotipadas, el "código gaucho" (Masotta 2005: 87). Este código se expresa en la reiteración de motivos organizados en un sistema cuyos objetos característicos son la vestimenta (ver didascalias en *Zisye Goy* e ilustraciones de *La princesa judía de la Patagonia*), el caballo, el facón, el rebenque, el rancho, el mate, la guitarra, el lazo, las boleadoras, el asador, la botella de vino, la carreta, el ganado, la taba y los naipes. Las situaciones en las que estos objetos se exponen son el asado, la payada, la taba, el juego de naipes, el trabajo con la hacienda, el baile, la carrera, la pulpería y la cacería. Con excepción de esta última, todos estos objetos y situaciones considerados por Masotta (2005) aparecen en las obras analizadas.

Los autores de estos textos dramáticos, todos inmigrantes que vivieron tanto en la colonia como en la ciudad capital, estuvieron profundamente comprometidos con la dualidad de aún ser *gringos* pero ya sentirse locales. Son a la vez judíos y argentinos y han debido optar por la vida en el campo o en la ciudad, tensión que frecuentemente presentan en sus obras como asociada a su vez con la oposición naturaleza/verdad vs. modernidad/artificio (Hansman/Skura 2005). Los personajes de origen europeo se identifican con los aspectos positivos del estereotipo del gaucho, que, a diferencia del indio, domina la naturaleza. Dominar la naturaleza de un lugar es un modo de mostrar pertenencia, de apropiarse de ella. El padre en estas familias no es el *gringo* que no logra adaptarse y es objeto de burlas por su desconocimiento del entorno, sino un hombre que, aunque llegado de un contexto diferente, se ha adaptado al medio y lo domina. El ingreso de lo criollo

---

[5] En *Di kinder fun der "pampa"* (*Los hijos de la Pampa*; drama en 3 actos de Marcos Alpersohn) la familia festeja con una carrera de caballos la buena cosecha, que permitirá saldar las deudas. Dos jóvenes amigas se reencuentran tras el regreso de una de ellas de la ciudad e intercambian ideas sobre el amor y el matrimonio. El administrador de la colonia las acosa pero ellas lo rechazan; cuando intenta abrazar a la ganadora de la carrera, ésta lo empuja violentamente y él la acusa de haber ganado con trampa. El hermano de la joven, periodista, lo reta a duelo y lo echa de la colonia. El administrador, enojado por sus artículos críticos acerca de la empresa colonizadora, decide vengarse y logra que ejecuten la hipoteca antes de la venta de la cosecha. Cuando el joven intenta oponerse al desalojo es detenido, la madre enferma es arrojada de la casa y, aterrada, revive la experiencia del pogrom.

TEATRO EXCELSIOR

CORRIENTES 3234　　　　　　　　　　　　　　　U. T. 62 - 4637

Empresa: **J. M. ROSENBERG**

Compañía Israelita de Operetas, Dramas y Comedias

HOY　　　　　　**JUEVES 15 de JULIO**　　　　　　HOY

GRAN FUNCION DE GALA

En honor del Escritor Judeo-Argentino

SAMUEL GLASSERMAN

Traductor del **Martín Fierro** al Idish

Con motivo del vigésimoquinto aniversario de su labor literaria y sus seis
años de Dirección de Audiciones Hebreas

Organizado por un

COMITE DE MILITANTES SOCIETARIOS

● זיסיע גוי ●

ZISIE GOY (EL GAUCHO ZISIE)

Drama en 3 actos y prólogo original de **Samuel Glasserman**
Puesta en escena bajo la dirección del autor

R E P A R T O :

EN EL PROLOGO :

Zisie Rozmarin	Samuel Silberberg
Su esposa	Miriam Fish
LA ARGENTINA (Simbolizada)	Paulina Tajman

Inmigrantes

EN LA OBRA :

Zisie Rozmarin (el gaucho Zisie)	Samuel Silberberg
Schmelke (su hijo, un retardado)	Anita Rapel
Dobe (su hija)	Tzili Tex
Moische Aron	Herman Kosovsky
Guetzie Bik	Benzión Berdichevsky
Guedalie 〉 Labradores	Samuel Blum
Reb Itzik - Meier 〉	Nathan Klinguer
Benchik Kraiter (un colono casamentero)	Samuel Iris
Anchl Duner (esposo de Dobe)	Zalman Hirschfeld
Enie Schaposchnik (hija de un vecino de Zisie)	Paulina Tajman
Mendel (su hermano)	José Maurer
Aniceto (un gaucho)	Sr. Fontana

Paisanada, Vecinos, Muchachas, Jóvenes

Ocurre en una de las primeras Colonias judías en la Argentina

Utilería	Mariano Hornos
Decorados	Carlos Puig
Sastrería	Casa Schneider
Artefactos eléctricos	Casa Yoder
Peluquería	Gardé
Directores de Escena	B. Berdichevsky
	Zalmen Hirschfeld
Apuntador	Mauricio Goldstein
Traspunte	Samuel Blum
Delegado de la Compañía	José Maurer

PRECIO DE LAS LOCALIDADES

	Precio	IMPUESTO Ley 12.704	Total
Palcos bajos av. av.	$ 15.70	$ 0.80	$ 16.50
,, altos av. av.	,, 13.80	,, 0.70	,, 14.50
Entrada a Palco	,, 2.35	,, 0.15	,, 2.50
Plateas 1 a 12	,, 3.10	,, 0.20	,, 3.30
,, 13 a 15	,, 2.60	,, 0.15	,, 2.75
,, 16 a 18	,, 2.15	,, 0.15	,, 2.30
,, 19 a 23	,, 1.70	,, 0.10	,, 1.80
,, 24 a 26	,, 1.20	,, 0.10	,, 1.30
Tertulias 1 a 4	,, 1.—		,, 1.—
,, 5 a 8	,, 0.80		,, 0.80

T. Gráf. "Cultura" - Sarmiento 2157 - Bs. As.

a estas obras de argumento judío para un público judío no viene a nutrir el estereotipo del no-judío, sino que permite presentar a los protagonistas como judíos gauchos o como hijos de estas pampas. Los autores apelan a recursos léxicos, escenas, vestimenta y música para mostrar competencia en lo que se define como código gaucho: "Lo gaucho es representado como cultura local. Vestimenta, trabajo y formas de asociación y sociabilidad que diferenciaban a ese ser local del otro aborigen. Este último, mostrado, semidesnudo y pasivo" (Masotta 2005: 100). Este estereotipo del indio se reproduce en la obra de Tsuker, *Cuando cae la noche* (*Ven di nakht falt tsu*).

Por otra parte, lo que los define como judíos no es sólo el uso del ídish sino también los problemas que los preocupan, entre ellos, el casamiento endogámico, la continuidad en las tradiciones. En este aspecto incide una vez más el aislamiento o la pertenencia a una comunidad, que en algunos casos remite a la visión del campo y la ciudad como opciones de vida contrapuestas, que enfrentan a los miembros de estas familias ya sea entre las generaciones, o bien a los hermanos o a las parejas entre sí: muchos de los hijos se van a vivir a la ciudad, o al menos sueñan con hacerlo, buscando un desarrollo profesional o un arreglo matrimonial más satisfactorio, expectativas que no siempre se cumplen. Con la excepción de *La princesa judía de la Patagonia*, donde se define el contexto como "desierto", en la mayoría de los textos dramáticos el campo es la colonia agrícola judía. Es en la caracterización de las colonias donde aparece el criollismo; no hay criollismo arrabalero, urbano, la frontera entre el campo y la ciudad está claramente delimitada.

Es sorprendente que los elementos costumbristas introducidos en los textos dramáticos analizados no aparezcan presentados como prácticas o modos de hablar propios de los personajes no judíos, aunque en el caso de *Zisye Goy*[6], es principalmente el peón Aniceto o los que dialogan con él quienes usan términos en español. No sucede lo mismo con los otros textos dramáticos. El viejo gaucho Telvino que aprendió a hablar ídish en los veinte años de peón en la chacra del colono judío (*Los hijos de la Pampa*) o Linda, la empleada doméstica maltratada (*Diáspora/El cautiverio*) no son los que más términos criollos emplean. En general, no se utilizan sólo en los intercambios interétnicos; también los judíos gauchos muestran su competencia en español al comunicarse entre ellos: por ejemplo, "Feter, er iz a *macaneador*!" ("Tío, él es un macaneador"; *Diáspora/El cautiverio*). En ocasiones el término en español se usa para cerrar una discusión: en *La princesa judía de la Patagonia*, el padre repite "y nada más" y "un *basta*" ("y basta"). Este uso es tan frecuente que en *Los hijos de la Pampa*, los hijos llaman al padre Gregorio Caramba, porque es con esta fórmula retórica como termina las frases; y Zisye Goy lleva este apodo por su desdén hacia las tradiciones y costumbres judías.

Estas opciones a nivel discursivo se vinculan con prácticas frecuentes como apelar al rebenque o al facón para resolver disputas; pasar "todo el día dándole al mate", comer

---

6   *Zisye Goy* (drama de Samuel Glasserman; primera presentación: Teatro Excelsior de Buenos Aires 1930): Zisye Rosmarin es un colono judío apodado Goy por sus modales poco apropiados a las colonias judías. Rechaza a los tres pretendientes de su hija, dos trabajadores del campo y el capataz, y arregla un matrimonio con un hombre de la ciudad para mostrarles a sus vecinos su superioridad social. El marido solo tiene interés en usufructuar las tierras y los productos, engaña a su esposa con una vecina, la somete a malos tratos y descuida a su hijo. La pareja pelea, Zisye Goy sale en defensa de su hija y se enfrenta a su yerno. Un amigo fiel de la hija quema la cosecha para evitar que el yerno inescrupuloso se adueñe de la propiedad.

un asado cortándolo con el facón, ser capaces de ganar en una carrera de caballos. La generación que ha crecido en el campo se divide entre los que sueñan con irse a la ciudad, en algunos casos llevando también a sus padres (*Diáspora/El cautiverio*) y los que están comprometidos con la vida de colonos. Telvino, en *Los hijos de la Pampa*, define a los jóvenes de este modo: "los hijos de la pampa han de ser fuertes, valientes [...] el campo da sus bendiciones [...] tú tienes la belleza de la rosa, el puma te dio su fuerza y el pampero te dio su agilidad" (Alpersohn s. f.: 3). Pero también entre los colonos que han llegado de Europa hay experiencias de arraigo a la tierra, a tal punto que en *Diáspora/El cautiverio*, la familia del colono llega a tenderle una trampa al padre, declarándolo insano, como único modo de separarlo del campo, al que él llama "mame erd": "madre tierra".

Encontramos tres tipos de inclusión de elementos léxicos propios del telurismo:

a) Préstamos de ítems léxicos o frases en español, incorporados al texto usando la misma grafía, a veces entre comillas y otras sin distinción o traducción al ídish (esto es común en una etapa posterior, en la cual se incluyen como en eco las dos versiones en las dos lenguas). En *La princesa judía de la Patagonia*, León, el colono, al ver a su esposa llorar, dice "Vaybershe trern" ("lágrimas de mujer"); inmediatamente después le habla a su hijo Adolfo en español: "¿qué tal?". Adolfo le responde: "Bien, bien, ¿vi geyen di gesheftn?" ("¿cómo van los negocios?"), y continúan conversando en ídish (Liachovitsky 1926: 23). En *Zisye Goy*, de Glasserman, abundan las expresiones formularias como "hombre de dios", "que cosa bárbara", "buenos días", y modismos gauchescos como "es el patrón mesmo que ha llega'o", "una mano, patrón?", "'ta güeno".

b) Términos en ídish, como "verbe-boym" ("sauce"), "pompe" (bomba para extraer agua), que permiten armar una escena típica de la vida en el campo argentino, aunque totalmente en ídish.

c) Términos mixturados, donde a una raíz en español se le incorpora una terminación verbal o un plural siguiendo las normas gramaticales del ídish, como "*a por* mulites, *a por* peludes"; se apela a sintagmas en "castídish" como "kosetche-arbet" ("trabajo de la cosecha"), "gautch-nign" ("música gaucha").

Es, además, muy interesante el glosario de términos y frases que aparece al final de *Zisye Goy* y *Los hijos de la Pampa*. En la primera se encuentran entradas como "salut: (salud) tsu gesunt!, Güena: (Buena)". O en los casos en que se ha "idishisado" la terminación por medio de una "e", o un plural con "n" se aclara: "adelantirn: (faridishung fun "adelantar")–majn forshtrit"; "ranche: (rancho)–a heyske".

6. Conclusiones preliminares

Los textos dramáticos analizados aquí han sido, si no ignorados durante décadas, al menos poco estudiados. Esta ausencia en las historias del teatro puede adjudicarse a la dificultad que plantea la grafía, la cual exige cierta competencia lingüística. Pero consideramos que otro factor ha incidido fuertemente, y éste es que al quedar fuera del canon del teatro judío, la circulación de estas piezas fue muy limitada una vez concluido el período inicial del teatro ídish. Sin embargo, hasta la década de 1930, cuando perdieron prestigio y las preferencias del público se volcaron hacia otro tipo de obras, tuvieron gran repercusión. Algunas piezas fueron llevadas con éxito al exterior, y obras como *Zisye Goy* fueron representadas en reiteradas ocasiones, como dan cuenta los afiches y las memorias de la época.

El estudio de estos textos no sólo nos permite recuperar parte de la historia del teatro ídish argentino, sino que permite entender también el modo en que el teatro está involucrado en procesos sociales y culturales más amplios, articulando el punto de vista de una minoría en un momento fundacional de la conformación del discurso de la nacionalidad. Se accede de este modo a un aspecto que no ha quedado registrado en forma sistemática: la situación de contacto lingüístico y el ingreso progresivo del español en las interacciones desarrolladas principalmente en ídish, a medida que los inmigrantes y las nuevas generaciones iban adquiriendo mayor competencia en la lengua dominante.

Sabemos por Uriel Weinreich (1925-1967), autor de *Languages in Contact* (1952) y especialista en el estudio del ídish, que esta situación de contacto no es infrecuente en la extensa historia de las lenguas judías. Más aún, "el destino de las diferentes lenguas judías está orgánicamente vinculado a la identidad diaspórica y a la existencia tradicional en el seno de la religión ancestral" (Aslanov en prensa). En el caso estudiado aquí, se comenzó por usar el español en contextos interétnicos, y luego se fue extendiendo su uso a dominios más amplios, quedando el ídish relegado a ámbitos cada vez más restringidos pero manteniendo las variedades –reflejo de las diversas zonas de las cuales provino la inmigración– que coexistieron y aún se mantienen. El ídish como lengua común permitió a sus hablantes de diferentes posicionamientos ideológicos –algunos religiosos y otros laicos, instalados en la ciudad o en el campo– compartir una "marca de referencia identitaria" (Aslanov en prensa). Preservó el *mito* de la interacción al preservar la *posibilidad* de interacción a través de la inclusión de textos, metáforas, canciones, chistes, eslóganes, proverbios y otras formas de vínculo lingüístico compartidas (Fishman 1991: 334). El paso al español fue gradual pero irremediable. Los textos dramáticos analizados nos permiten recuperar ese momento en el que el ídish era la lengua compartida y sus hablantes empezaban a hacerse guiños en la lengua española que ya no les resultaba tan ajena

Bibliografía

Alpersohn, Marcos (1929): *Goles/El cautiverio*. Buenos Aires: Ed. Kaplansky.
— (1930): *Di kinder fun der "pampa"/Los hijos de la Pampa*. Buenos Aires: Ed. Kaplansky.
— (s. f.): *Die kinder fun der "pampa"/Los hijos de la Pampa*. Mimeo. Buenos Aires: Fundación Científica Judía Iwo.
Altamirano, Carlos/Sarlo, Beatriz (1983): *Ensayos argentinos. De Sarmiento a la vanguardia*. Buenos Aires: Centro Editor de América Latina.
Argentina, 50 años de vida judía en el país. Buenos Aires: Comisión XX Aniversario "Di Presse" 1938.
Aslanov, Cyril (en prensa): "Política de las lenguas judías: entre la etnia y la nación". En: Skura, Susana (comp.): *Reflexiones sobre el ídish*. Buenos Aires: Aviv Editora.
Avni, Haim (2005): "Argentina, the Country of Jewish Prostitution: the Image and Some Quantitative Data Referring to the Phenomenon in Buenos Aires". Ponencia presentada en el XIV Congreso Mundial de Estudios Judaicos. Universidad Hebrea de Jerusalem. Mimeo.

Dubatti, Jorge (1997): "Fundamentos para un modelo de análisis del texto dramático". En: *La escalera. Anuario de la Escuela Superior de Teatro*, 6 pp. 55-68.
— (2002): *El teatro jeroglífico. Herramientas de poética teatral.* Buenos Aires: Atuel.
Fishman, Joshua (1991): *Yiddish Turning to Life.* Amsterdam/Philadelphia: Benjamins Publishing.
Feierstein, Ricardo (1993): *Historia de los judíos en la Argentina.* Buenos Aires: Planeta.
Glasserman, Samuel (1932): *Teatro: Obras dramáticas del ambiente israelita en la Argentina.* Buenos Aires: Edición del autor.
Hagège, Claude (2002): *No a la muerte de las lenguas.* Barcelona: Paidós.
Hansman, Silvia/Skura, Susana (2004): "Curatorship, patrimonialization, and memory objects. Exhibition of Yiddish Theater Posters created in Argentina". En: Landis, Joseph/Glickman, Nora (eds.): *Yiddish-Modern Jewish Studies.* New York: Queens College, pp. 57-86.
— (2005): "La construcción de personajes femeninos en el teatro ídish en Argentina durante la primera mitad del siglo XX". Ponencia presentada en el XIV Congreso Mundial de Estudios Judaicos. Universidad Hebrea de Jerusalem. Mimeo.
— (2006): *Oysfarkoyft/Localidades Agotadas/Sold Out. Afiches del teatro ídish en la Argentina.* Buenos Aires: Editorial del Nuevo Extremo.
IFT (1962): *30 Aniversario del Teatro IFT.* Buenos Aires: Comisión Homenaje.
Kantor, Manuel (1969): *Alberto Gerchunoff.* Buenos Aires: Biblioteca Popular Judía.
Katz, David (2004): *Words on Fire. The Unfinished Story of Yiddish.* New York: Basic Books.
Liachovitsky, Jacob (1919): *Di yiddishe firstin fun Patagonye.* Buenos Aires: Fundación Científica Judía Iwo. Mimeo.
— (1926): "Di Yiddishe Firsten fun Patagonye. Ershte Heft". En: *Bikhlakh far Yeden. Revista Literaria Israelita* 1, 26, pp.1-35.
Ludmer Josefina (2000): *El género gauchesco. Un tratado sobre la patria.* Buenos Aires: Perfil.
Masotta, Carlos (2005): "Representación e iconografía de dos tipos nacionales. El caso de las postales etnográficas en la Argentina, 1900-1930". En: Penhos, Marta (ed.): *Arte y antropología en la Argentina.* Buenos Aires: Fundación Espigas/Fondo para la Investigación del Arte Argentino, pp. 65-114.
Observator (1945-1946): "Undzer Yidish Teater Vezn". En: *Yor Bukh fun Yiddishe Ishuv in Argentine.* Buenos Aires: Idish, pp. 203-217.
Peltz, Rakhmiel (1998): *From Inmigrant to Ethnic Culture. American Yiddish in South Philadelphia.* Stanford: Stanford University Press.
Pratt, Mary Louise (1997 [1992]): *Ojos imperiales: literatura de viajes y transculturación.* Buenos Aires: Universidad Nacional de Quilmes.
Prieto, Adolfo (1988): *El discurso criollista en la formación de la Argentina moderna.* Buenos Aires: Editorial Sudamericana.
Rivera, Jorge B. (1985): *El escritor y la industria cultural.* Buenos Aires: Centro Editor de América Latina.
Rollansky, Samuel (1940): *El periodismo, las letras y el teatro judíos en la Argentina. 50 años de vida judía en la Argentina.* Buenos Aires: Comité de Homenaje del Diario Israelita.
Rubione, Alfredo (comp.) (1983): *En torno al criollismo. Textos y polémica.* Buenos Aires: Centro Editor de América Latina.
Seibel, Beatriz (2002): *Historia del teatro argentino desde los rituales hasta 1930.* Buenos Aires: Corregidor.
Senkman, Leonardo (1980): "Gerchunoff y la crisis del liberalismo argentino (1938-1945)". En: *Revista* Coloquio, II, 4-5, pp. 45-68.
— (1983): *La identidad judía en la literatura argentina.* Buenos Aires: Pardés.
— (1999): "Los gauchos judíos, una lectura desde Israel". En: *Estudios Interdisciplinarios de América Latina y el Caribe*, 10, 1. Universidad de Tel Aviv. <http://www.tau.ac.il/eial/X_1/> (03/15/04).

Skura, Susana/Slavsky, Leonor (2004): "El teatro ídish como patrimonio cultural judío argentino". En: Feierstein, Ricardo/Sadow, Stephen (eds.): *Recreando la cultura judeoargentina: literatura y artes plásticas.* Buenos Aires: Editorial Milá, pp. 41-50.

Slavsky, Leonor/Skura, Susana (2002): "1901-2001. 100 años de teatro en ídish en Buenos Aires". En: Feierstein, Ricardo/Sadow, Stephen (eds.): *Recreando la cultura judeoargentina. 1894-2001: en el umbral del segundo siglo.* Buenos Aires: Editorial Milá, pp. 294-308.

Sprinberg, M. N. (1933): *Erfolg.* Buenos Aires: Ed. Kaplansky.

Tsuker, Nekhemya (1919): *Oyf di bregn fun Plata.* Buenos Aires: Idishe Tsaitung.

— (1933): "Forvort". En: Sprinberg, pp. 3-5.

Vasertsug, Zalmen (1960): "Geyt a yid in teater arayn". En: Roshansky, Samuel: *Fun Argentine, land un ishuv.* Buenos Aires: Alter Rozental Fond far Yiddishe Kinder Literatur, pp. 104-110.

Wald, Pinie (1955): *Idish-weltike kultur-bavegung in Argentine 1895/1920.* Buenos Aires: IWO.

Weinreich, Max (1968): "Yidishkayt and Yiddish: On the Impact of Religion on Language in Ashkenazic Jewry". En: Fishman, Joshua A. (ed.): *Readings in the Sociology of Language.* Den Haag/Paris: Mouton, pp. 382-413.

Weinstein, Ana/Gover, Miryam (1994): *Escritores judeo-argentinos (1900-1987).* Buenos Aires: Editorial Milá.

Weinstein, Ana/Toker, Eliahu (2005): *La letra ídish en tierra argentina. Bio-bibliografías de sus autores literarios.* Buenos Aires: Editorial Milá.

Weltman, Grischa (1962): "En qué consiste la idea del IFT". En: Zatskin, M./Guelman, G./Kohn, V. (eds.) (1962): *Treinta Aniversario del Teatro IFT.* Buenos Aires: sin editorial, p. 2.

Zadoff, Efraím (1994): *Historia de la educación judía en Buenos Aires (1935-1957).* Buenos Aires: Editorial Milá.

M.ª Teresa García-Abad García*

Ꙩ *Mnemosyne* o el imperio de los sentidos. Literatura e imagen en Almudena Grandes: *Malena es un nombre de tango***

Resumen: Si bien los códigos de la imagen han acompañado a la escritura desde sus orígenes, la irrupción del cine afianza su consagración en nuestro panorama cultural, y su rastro reclama una atención cada vez más necesaria para alcanzar una adecuada competencia lectora. La literatura de Almudena Grandes acude a intertextos visuales como herramienta básica de construcción ficcional, un recorrido que rescata a través de la memoria un paisaje de sensaciones en el que la palabra puede deshacerse en la boca "como un buñuelo de viento" o ser escrita con los ojos como afirmara Gertrude Stein: "Las palabras realmente importantes son aquellas que escribo con los ojos. Los oídos y la boca no cuentan". El artículo indaga asimismo en claves de comprensión para la reciente adaptación cinematográfica de la novela *Malena es un nombre de tango*.

Palabras clave: Grandes, Almudena; Novela española; Literatura y cine; Siglo xx

1. Introducción

El filósofo italiano Antonio Russi afirma en su libro *L'Arte e le Arti* la función de la memoria para la aprehensión sensorial: "En la experiencia normal, cada sentido contiene, a través de la memoria, a todos los demás", principio que no tarda en aplicar a la experiencia estética para concluir que "cada arte contiene, a través de la memoria, a todas las demás", es decir, que las sensaciones estéticas sólo se aprehenden en virtud de su intermediación. Por consiguiente, la memoria "no desempeña en el arte una función subsidiaria o ancilar, como en la vida normal, sino que es en sí misma *Arte* y en ella se funden completamente las diferentes artes. En cierto sentido, la mitología antigua percibió esto con claridad al imaginar a Mnemosyne como la madre de las Musas" (Praz 1981: 60-61).[1]

*   M.ª Teresa García-Abad García es investigadora contratada en el CSIC de Madrid en donde dirige el proyecto de investigación "Entre el papel y la pantalla: literatura y cine". Entre sus publicaciones destacan los libros La novela cómica (1997), Perfiles críticos para una historia del teatro en Madrid (2000) e Intermedios. Estudios sobre literatura, teatro y cine (2005), además de numerosos artículos sobre teatro y literatura del siglo xx, especialmente de sus relaciones con la crítica y el cine.

** Este trabajo ha sido posible gracias a la financiación del Ministerio de Ciencia y Tecnología dentro del Programa Ramón y Cajal "Del papel a la pantalla: Literatura y cine", que se desarrolla en el Consejo Superior de Investigaciones Científicas de Madrid a mi cargo.

1   Entre la inspiración y la memoria, Almudena Grandes reflexiona en *Guardianes de la memoria. Pintura y Literatura*, sobre el oficio de la literatura para cuestionar desde su propia experiencia el tópico del

En la Antigüedad clásica, Plutarco atribuyó a Simónides de Ceos el famoso tópico que afirma: "La pintura es poesía muda, mientras que la poesía es una pintura que habla". Simónides de Ceos es considerado asimismo como el fundador del arte de la memoria, precisamente porque la famosa frase habría sido formulada para demostrar la superioridad del sentido visual en el momento de desarrollar la mnemotecnia, según ha interpretado Frances Yates, en una de las múltiples revisiones que esta ambigua afirmación ha suscitado, aunque fue Horacio quien presentó una formulación algo más definitiva del tema, e incluso fijó la terminología en su *Arte Poética* con el símil famoso, *Ut pictura poesis*.[2]

La escisión entre la forma y el contenido es la fuente de una de las principales líneas de argumentación en la controversia sobre la afirmación *Ut pictura poesis*. El poder simbólico e inexplícito en el funcionamiento de las imágenes es la base subterránea de la raíz común de todas las artes. De acuerdo con ello, su rasgo común se cifraría en la capacidad para la evocación de imágenes convocadas por los sentidos, especialmente, la vista. La literatura, en tanto que utiliza imágenes visuales, es una "pintura hablante" y, puesto que las imágenes pictóricas se ofrecen abiertamente para ser vistas, sería claramente un arte imaginístico (Steiner 2000: 37).

Lo visual contribuye además a la pretensión de presencia en la obra literaria, ayudándola con ello a acercarse al ser de las cosas. El término retórico para esta vividez de la presentación es la *enargeia*. Dotar de *enargeia* a un texto equivale a servirse de la palabra para dar una descripción tan vívida que ponga el objeto representado ante el ojo interno del lector, cualidad máxima a la que puede aspirar un escritor. Hagstrum ha definido la *enargeia* como la actualización de dicha potencia, la realización de la capacidad o habilidad, "la culminación en el arte y en la retórica de la vida, dinámica y llena de sentido, de la naturaleza" (Steiner 2000: 39).[3] Dicha cualidad en virtud de la cual literatura y pintura vienen a confluir se hace presente merced, entre otros, al concepto de sinestesia que privilegia la sensualidad de las palabras, la indagación sobre su virtualidad para incitar y deleitar los sentidos hasta su confusión, una cualidad por la que Almudena Grandes conjura el deseo de dedicarse a cualquier otro arte que no sea la literatura y que, según Antonio Russi, hallaría su mejor cobijo en la memoria:[4]

> P: Demuestra ser una experta en arte… De haber sido pintora, ¿quién le hubiera gustado ser?
> R: Francisco de Goya, sin duda.

---

escritor tocado exclusivamente por el capricho de su musa: "Cualquiera de ellos se retorcería de risa si algún incauto les informara de que muchos novelistas suelen construir una historia en su cabeza durante años enteros antes de atreverse a escribir la primera página del libro en el que la van a contar. ¿Y para qué?, se preguntarían, ¿si la inspiración, que es una de las encarnaciones de Dios, habita permanentemente en ellos?" (Massana 2004: 69).

[2] Sobre diferentes interpretaciones del tópico *Ut pintura poesis* véanse los ensayos de Bou (2003), García Berrio/Hernández Fernández (1988), Braida/Pieri (2003), Vidal Claramonte (1989) y Monegal (2000).

[3] Críticos como Wendy Steiner (2000) y W. J. Thomas Mitchell (2000) han descrito una epistemología de la intersección entre arte y literatura en la modernidad.

[4] "Cuando levanté la vista, ya estaba segura de que la madre Gloria fruncía sus terribles cejas sólo para mí. Estreché el tallo de la flor entre los dedos y sentí que mi piel se teñía de sangre verde. La vara sólida y tiesa, casi crujiente, que había sacado apenas dos horas antes del jarrón del comedor, se doblaba ahora sobre sí misma, exhausta, fofa como un espárrago demasiado cocido, en pos de un capullo enfermo de vértigo cuyos pétalos codiciaban alarmantemente el suelo" (Grandes 2002: 23).

P: ¿Qué le parece que ganaría siendo pintora en vez de narradora?

R: Trabajaría con las manos, y podría tocar los materiales de mi trabajo, y hasta mancharme con ellos. Eso es algo que siempre me ha dado mucha envidia de los artistas plásticos.

P: ¿Y qué perdería?

R: Los adjetivos, que son mi casa. Y los *zeugmas*, que se deshacen en la boca como un buñuelo de viento, y saben dulce, y me gustan tanto.

P: ¿Con qué gesto saldría en un retrato psicológico?

R: Pues me gustaría salir guapa, la verdad…

P: Si su vida pasara en un cuadro, ¿en cuál le gustaría que fuese?

R: En la versión más amable de *La pradera de San Isidro*.

P: ¿Se arrepiente de algo Almudena Grandes?

R: De muchísimas cosas. No sólo soy mortal, también soy imperfecta (López-Vega 2004).

Si el cinematógrafo supone la consagración de la imagen en nuestro panorama cultural, su rastro en la escritura de Almudena Grandes se evoca a través del protagonismo extraordinario que dichos códigos adquieren entre sus herramientas de construcción ficcional, un recorrido que rescata, a través de la memoria, un paisaje de sensaciones en el que la palabra puede deshacerse en la boca "como un buñuelo de viento", o ser escrita con los ojos como afirmara Gertrude Stein: "Las palabras realmente importantes son aquellas que escribo con los ojos. Los oídos y la boca no cuentan" (Vidal Claramente 1989: 24).

2. Escribir con los ojos: retratos de mujer/memoria de mujer

La mirada se muestra desde los comienzos de sus tanteos literarios como un eficaz medio de aprendizaje en el repetido proceso de búsqueda, de crecimiento e indagación en la identidad de sus personajes, además de resultar un estimulante recurso para la imaginación, para la ficción.[5] Las criaturas de Grandes parecen sustentar pilares básicos de este proceso en la mirada del otro sumergiéndose en una fatalidad divergente que frustra, con el sentimiento, sus posibilidades de instalación en el mundo. Así la indagación de Lulú (*Las edades de Lulú*) a través del sexo, el desgarrado retrato de la intimidad de Benito (*Te llamaré Viernes*) o las "penas de bandoneón" de Malena (*Malena es un nom-*

---

[5]   La relevancia del sentido visual, del privilegio de la mirada en los modos expresivos desencadenados por la memoria acompañan el itinerario narrativo de escritores como Muñoz Molina y Luis Mateo Díez. Memoria e imagen construyen la imaginación, la ficción, de un modo similar a como tiene lugar en el sueño, como ha observado Adolfo Sotelo Vázquez en un artículo sobre este último encabezado por unas palabras extraídas de *La mirada del alma*. "De esa mirada arranca esta historia, aunque para llegar a ella todavía tenga que contar otras cosas, como casi todas las cosas especiales de la vida, en las simetrías que nos hacen volver a lo que fuimos, en esas reproducciones del pasado que tantas veces acumula el presente, ya que el pasado es un presente sin tiempo y el presente un pasado sin distancia" (Sotelo Vázquez 1999: 121). No en vano el escritor leonés titulaba su discurso de ingreso en la Real Academia Española, "La mano del sueño. Algunas consideraciones sobre el arte narrativo, la imaginación y la memoria", un breve pero definitivo recorrido por los cimientos que sustentan su poética. Sobre la relación de la memoria con la visión espectatorial del narrador en *Beatus ille*, véase López de Abiada (1997). Resulta asimismo de interés para la indagación sobre el papel de la memoria en la transición española el dossier coordinado por López de Abiada (2004).

bre de tango) se asocian a ese vaciamiento propio del amor, su naturaleza bifronte, creadora o aniquiladora del sujeto: "Pero antes de acostarme cedía a la tentación de encerrarme en el baño para mirarme en el espejo, y aprendí poco a poco que aquellos ojos, y aquella piel, y aquellos rizos, y aquellos labios eran los míos, porque eran el reflejo del rostro que él había querido mirar, y mi repentina belleza no era sino la huella más profunda de su mirada" (Grandes 2002: 187). "El vocabulario de los balcones" y la lectura de Juan Vicente Córdoba para el cine, *Aunque tú no lo sepas*, exploran el diálogo de la mirada de Juan y Lucía, del sentimiento, la memoria y de la emoción lírica.[6]

De entre las prolíficas formas de hibridación interartística que pone a nuestro alcance la cultura moderna se ha señalado la necesidad de aceptar que la lectura de una obra literaria concreta pueda poner en juego el reconocimiento de un intertexto visual pertinente –un cuadro, una película, una fotografía...– que afecta nuestra interpretación de la obra, sin olvidar la existencia de innumerables productos mixtos que requieren para su manejo e interpretación el recurso a su naturaleza múltiple, escindida entre lo verbal y lo visual (Monegal 2000). Así, los cuadros que ilustran las portadas de los textos de Grandes concentran a través de un trazo inequívoco claves de interpretación necesarias para el desarrollo narrativo posterior, para la fijación de su significado, para la verificación del grado máximo de presencia revelada del discurso verbal. Sobre ello reflexiona la autora a propósito de la invitación recibida por los responsables del Museo Thyssen-Bornemisza dentro del ciclo "El cuadro del mes", un sugerente ejercicio ecfrástico que se inicia con la elección de un cuadro, *Último retrato*, de Lucian Freud (1976-1977), nieto de Sigmund Freud, "un retrato desolador, tremendo, tristísimo, una rara elección para una mirada optimista, pero también un espejo abrumadoramente preciso del precio que pagan quienes se han atrevido alguna vez a afirmar que están vivos" (Grandes 1998: 58).[7]

La pintura de Freud da vida y expresión a la agonía del desamor de unas mujeres que flotan como un espíritu, como un alma en pena, tras vaciarse en "ese ejercicio de anulación total que siempre encierra el hecho de entregarse completamente a otro" (Grandes 1998: 67), que se inmolan en las llamas de la pasión –"No hay nada peor que el desamor y rechazar a alguien que se ofrece por completo", afirma Almudena Grandes (W. M. S. 1998)–. El descubrimiento acaba siendo una clave de interpretación para su propio universo literario, la revelación de una estética que la autora parece ir desentrañando como los misterios: "Sin embargo, y como descubrirán enseguida, yo ya tenía una relación muy especial con este pintor, de quien siempre he pensado que debe ser mucho más temible de lo que jamás logró resultar su abuelo Sigmund, el celebérrimo padre no sólo del padre del autor de este cuadro, sino también de la psiquiatría moderna, un viejecito pacífico y adorable en comparación con el atormentadísimo temblor que agita los pinceles de su nieto" (Grandes 1998: 57).

El cuadro elegido por Grandes, el que llama su atención tras recorrer por orden cronológico toda la colección y le grita, "eh, soy yo, estoy aquí" (Grandes 1998: 58), lo hace

---

[6]   Véanse los estudios de Bonilla (2004) y García-Abad García (2006). Pilar Rus (2003) ha indagado asimismo en el tema de la mirada como trasgresión sexual y social en Almudena Grandes y la versión para el cine de "El vocabulario de los balcones" de Juan Vicente Córdoba.

[7]   Michel Beaujour ha indagado en la relevancia del autorretrato como *speculum* enciclopédico, como una "memoria que media entre el escritor y su cultura" (1991: 35).

por la capacidad de su imagen para sugerir una historia, por su fuerza narrativa, ese veneno que, en definitiva, comparte la pintura con ella misma: "Al fin y al cabo, contar historias es casi lo único que sé hacer con soltura, y desde que era niña que hablaba sola por el pasillo de casa, la verdad es que necesito bien poco para empezar" (Grandes 1998: 57). No era la primera vez que las miradas de Lucian Freud y Almudena Grandes se cruzaban en una fatalidad del destino que no deja de sorprender. *Girl in a Dark Dress* ("Chica con un vestido oscuro") sugiere una posible contrafigura de Manuela, personaje de su segunda novela *Te llamaré Viernes*[8], para cuya portada había sugerido Beatriz de Moura este cuadro fascinante hasta el punto de negarse a aceptar cualquier otro cuando el representante del pintor incluyera entre las condiciones para su reproducción la obligación de no alterar la proporción del original, lo que hace del libro el único de la colección Andanzas cuya ilustración no se alinea ni por la izquierda ni por la derecha con la caja que marca el título. Freud quedaba incorporado desde aquel momento al imaginario de Almudena Grandes por "esa particular manera de mirar los personajes por dentro para reproducir lo que hay en su interior, y no su aspecto físico, que siempre será un paisaje infinitamente más trivial" (Grandes 1998: 60).[9] Ambos retratos comparten una emoción, una fuga detenida en lágrimas estancadas, la de la pérdida de la felicidad, "porque sólo se puede perder lo que se ha tenido, y para que un rostro refleje una pérdida tan abrumadora, es preciso que antes haya resplandecido al contemplar el mundo entero en el hueco de sus manos. Ella lo poseyó, lo acarició como si fuera un juguete, lo hizo bailar entre sus dedos y de repente está roto, ha estallado, se ha desvanecido sin dejar otro rastro que el recuerdo que la atrapa en la doliente expresión de melancolía que sugiere su rostro cuando se mira por primera vez" (Grandes 1998: 65).

Un rostro femenino oscurecido por la sombra del contraluz de un as de corazones es el motivo del cuadro de Adam Niklewicz que ilustra el viaje a los abismos del sentimiento de las siete mujeres protagonistas de *Modelos de mujer*.[10] De igual modo, la ilustración de la cubierta de *Malena es un nombre de tango* está presidida por una pintura de Sylvia

---

8   "Mi personaje era una mujer no demasiado joven, decididamente no muy guapa, no muy lista, no muy atractiva, pero con ciertos rasgos especiales y especialmente brillantes, una chica de un pueblo de León que se había venido a vivir a Madrid y no acababa de entender muy bien lo que ocurría a su alrededor. Tal vez por eso se enamoraba de quien no debía, el protagonista de mi libro, un hombre solitario, feo, opaco en casi todo, que vivía en un piso de la calle Divino Pastor como si fuera un náufrago en una isla desierta, sin relacionarse apenas con su entorno, temeroso de todo y convencido de que la impasibilidad constituía la única versión de la felicidad que la vida llegaría a poner jamás a su alcance. Manuela, la chica, entraba en la vida de Benito, el chico, como Viernes en la isla de Robinson Crusoe, algo así como un elefante en una cacharrería, para ofrecerle una posibilidad, la que él no se merecía, de llegar a estar vivo de una vez" (Grandes 1998: 58). Fernando Valls alude también a esta imagen del cuadro "una mujer tan fea y vulgar como Benito pero con un pelo y unos ojos preciosos aunque "estaba gorda y se le notaba que era de pueblo" (2000: 17).

9   Grandes confluye con el universo freudiano en aspectos cardinales de su narrativa como el peso que adquiere la infancia en el desarrollo psicológico del ser humano: "Volver a ese espacio me ayuda a comprenderme, a saber quién soy realmente", confiesa, "pero no me considero una freudiana en el sentido en que creo en la capacidad de la memoria para reinventarnos a nosotros mismos", apuntilla (Rodríguez 1996: 91).

10 Pilar Nieva de la Paz (1999) indaga en los nuevos modelos femeninos que explora la narrativa de Grandes y Etxebarría.

Sanders: el retrato de una mujer de extraordinaria belleza que pudiera sintetizar los rasgos femeninos de la herencia de Rodrigo, la mala vena que arrastra la familia desde la maldición de Ramona, su mujer, una mestiza hija legítima de un hidalgo vizcaíno y de una india de familia noble cuando es sorprendido en actitud poco decorosa con los esclavos de servicio. Transmitida a lo largo de generaciones en los destinos de Magda, Lala, Pacita y la propia Malena, la sangre de Rodrigo corre por una tipología cuya prosopografía ocupa el primer párrafo de la novela y establece cierta analogía con la pintura de Sanders: "Pacita tenía los ojos verdes, siempre abiertos, los labios de india, como los míos, que cerraba rozándolos apenas [...]. Era una criatura abrumadoramente hermosa, la más guapa de las hijas de mi abuela, el cabello espeso, castaño, ondulado, una nariz difícil, perfecta en cada perfil, el cuello largo, lujoso, y una línea impecable, de arrogante belleza, uniendo la rígida elegancia de la mandíbula con la tensa blandura de un escote color caramelo, al que aquellos grotescos vestidos de mujer consciente de su cuerpo que ella nunca eligió otorgaban una fabulosa y cruel relevancia" (Grandes 2002: 15).[11]

La representación de esta figura de manos nervudas y firmes que sujetan un cigarrillo delimita una silueta, la de la persona y su sombra nítidamente dibujada por el contraluz del foco que la ilumina, y con ella, uno de los motivos cardinales de la novela: el tema del doble. Magda/Reina, Malena/Reina, Teófila/Reina, Mercedes/Paulina, no son sino reflejos bifurcados de un mismo origen, de una misma verdad que se extasía en la concepción gemelar de Reina, su dificultad para aceptar la diferencia radical entre sus hijas y la narración paralela del destino de ambas desde la voz narrativa de una de ellas, de Malena, la heredera de la mala sangre de Rodrigo, la que se conculca en la ficción con la misma pasión con la que es rescatada por la memoria del relato de su protagonista.[12]

La metáfora del espejo supone por tanto una constante en el proceso de indagación de la protagonista por cuanto permite rescatar su historia completa atendiendo a esta doble realidad. La fatalidad de la herencia se impone a Malena desde la infancia cuando percibe desconcertada cómo los modelos más próximos, los de su madre, los que deberían determinar sus opciones vitales de modo preferente, se van quebrando en favor de reflejos dictados por el vínculo que la une a su tía Magda:

> Yo la amaba, y le debía obediencia, de mayor quería ser una mujer como ella, una mujer como Reina, pero su hermana me reflejaba como un espejo, y los espejos rotos solamente traen desgracias. Ahora sé que si hubiera vendido a Magda, habría hecho algo mucho peor

---

[11] Obsérvese el paralelismo genético entre la fisonomía de Pacita y la de Lala, la cuarta hija de Teófila, heredera también de la mala vena de Rodrigo. "Mi tía Lala, la cuarta hija de Teófila, era la mujer más guapa que había visto en mi vida. Bastante más alta que yo, porque debía de rondar el metro ochenta, tenía unos ojos pardos inmensos, rasgados en los extremos, y había heredado la boca de los Alcántara, pero su nariz era perfecta, como la de su madre, y perfecto el óvalo de su cara, enmarcado por dos pómulos que sobresalían lo justo, y no como los míos, que me dan a veces un aspecto famélico, bajo una piel impecable, como la de Pacita, color de caramelo" (128).

[12] "[...] y ya entonces, cuando lo compartíamos todo, desde las tostadas del desayuno hasta la bañera de por las noches, a veces me asaltaba la sospecha de que Reina estaba lejos, mucho más lejos de mí que el resto de las personas que conocía, y la sensación de que las tostadas que yo me comía eran sus tostadas, y la bañera donde yo me sumergía era su bañera, porque todo lo que yo poseía no era más que un indeseable duplicado de las cosas que ella parecía haber elegido libremente poseer, contribuía a incrementar esa distancia" (86).

que vender mi propia piel, pero entonces sólo me atreví a decirme que mi tía me gustaba, que me gustaba mucho y que siempre parecía necesitarme, y sin embargo, mamá, ajena por principio a las convulsiones que me desgarraban por dentro, nunca me había necesitado antes de ahora, mientras seguía interrogándome con suavidad, y su excelente técnica (31).

Las constantes huidas de Magda del núcleo familiar arrebatan los reflejos que sirven de brújula a Malena y con ellos, también la esperanza en cuyo vacío se instala una callada soledad que sólo puede cubrir la memoria de las palabras: "Entonces comprendí que Magda se marchaba, que se iba lejos, a esa casa blanca que era mía, al desierto donde no había pájaros, y que allí se llevaba los espejos, y mi esperanza, y me dejaba sola, con un cuaderno forrado de fieltro verde entre las manos" (81). La fatalidad de la sangre impone pues al relato una estructura paralela que Mercedes y Paulina, las criadas de la casa, en la cocina de la finca de Almansilla, confirman con su salmodia, con el relato oral de la doble cara de una misma verdad, cuyo rescate justifica la razón de ser de la novela de Grandes.[13]

3. Desbordante imagen de la letra

3.1. Morbidezza *literaria*

El rastro de la imagen, de la fotografía, del mundo del cine, de la pintura es una referencia constante en el tejido narrativo de *Malena es un nombre de tango*, salpicado de retratos, fotografías, espejos, referencias a películas, alusiones iconográficas que se diseminan en variedades diversas y funcionan con sentidos diferentes. Los retratos de la familia Fernández Alcántara estimulan desde niña la imaginación de Malena y la invitan a recrear historias surgidas al hilo de su penetrante observación infantil, de igual manera que Almudena Grandes desata ante los cuadros de Freud su inagotable flujo ficcional.[14] La pintura de santa Águeda en la capilla del colegio sirve de alegoría a Magda, un personaje que "oscilaba entre la luz y la sombra como una luciérnaga herida" (62), para llamar la atención sobre las contradicciones que están en el origen de su vida, de la misma manera que *La República guía al Pueblo hacia la Luz de la Cultura*, de la abuela Soledad, le devuelve la mirada por primera vez para rescatar la memoria de su familia paterna:

---

[13]   "Y el sol recorrió un buen trecho mientras ellas continuaban retándose con los ojos, escupiéndose a la cara las dos mitades distintas de la misma verdad, coloreando de violeta, con ambiguos matices, brillantes y sombríos a un tiempo, las mejillas pálidas, del tono de la cera consumida, de aquel a cuyo retrato había impuesto yo años atrás el título de Porfirio el Ojeroso, el arrogante suicida que estaba enterrado en el suelo pagano de nuestro jardín, a la sombra de un sauce y de ninguna lápida, y cuyo nombre, vetado por mi abuela para sus hijos varones, había heredado por fin el menor de los hijos de Teófila" (105).

[14]   "Me divertía tanto inventando su historia que antes de darme cuenta me encontré explorando rincones en los que nunca hasta entonces me había atrevido a aventurarme sola. Me divertía escrutando los rostros de todos aquellos conquistadores melancólicos, al acecho de cualquier rasgo familiar, los ojos achinados de mi primo Pedro, el mentón del tío Tomás, o un lunar en el dorso de la mano, exactamente en el mismo sitio donde otra diminuta manchita negra interrumpía la uniforme blancura de la piel de mi madre, y les ponía motes, Francisco el Chulo, porque había posado con los brazos en jarras y una mueca insolente en sus labios fruncidos [...]" (38).

Cuando buscaba cualquier hilo del que tirar, cualquier clave que me ayudara a descifrar el sentido de aquellas extrañas palabras, *ojalá pudiera*, la abuela me pidió una noche que fuera a cerrar el balcón de su cuarto, porque el olor del aire había cambiado para anunciar que se estaba avecinando un vendaval, el clásico prólogo de las tormentas de verano, y entonces, mientras luchaba contra un visillo que no quería deslizarse por el riel, miré por primera vez con atención un cuadro que había visto ya cientos de veces, y por primera vez, el cuadro me devolvió la mirada (250).

La referencia a técnicas pictóricas como término de comparación en algunas proso-pografías de personajes constata una analogía presumible en ciertos recursos narrativos de la autora cuando hace describir a Malena la inquietante y extraña belleza de Reina, una "hermosura a su manera",

a la manera de un pintor manierista obsesionado por las texturas de la piel y la precisión en los detalles, porque considerados en sí mismos, de uno en uno, sus rasgos eran casi perfectos, y sin embargo, al integrarse en el conjunto del rostro, parecían incomprensiblemente conde-nados a perder alguna nota de su belleza, como si su cara redonda se ensanchara en los extre-mos, y sus ojos verdes se tiñeran de castaño, y sus labios finos se sumieran hacia adentro, y su piel pálida adelgazara hasta rozar la transparencia, delatando el rastro pequeño y agudo de una vena que coloreaba de violeta su sien derecha" (88).

Un retrato, el de Reina, que parece querer transmitir un desajuste entre las partes y el todo, entre la belleza y el sentimiento de una imagen carente de vida, de sentimiento, de aquello que los italianos denominaron *morbidezza* para referirse a la expresión del tono carnoso de las figuras de Tiziano: "No es solamente que sus bustos parezcan pensar, sino que incluso sus cuerpos parecen sentir [...]. Parece ser sensible y estar vivo por todos lados: no sólo tiene el aspecto y la textura de la carne, sino también la sensación" (Haz-litt 2004: 36-37).[15]

Tanto la pintura como la fotografía requieren una colaboración del espectador, una "puesta en imagen" necesaria para completar su significación: "En este sombrío desierto, tal foto, de golpe, me llega a las manos; me anima y yo la animo. Es así, pues, como debo nombrar la atracción que la hace existir: una *animación*. La foto, de por sí, no es animada, pero me anima: es lo que hace toda aventura" (Barthes 1999: 55). Las fotogra-fías del álbum familiar de Malena detienen para la posteridad el testimonio de una natu-raleza que dicta desequilibrios trágicos desde el nacimiento, del mismo modo que los espejos devuelven su gloria o su miseria.[16]

---

[15] El crítico inglés William Hazlitt (1778) se sirve de este ejemplo para definir el gusto en el arte: "El gusto consiste precisamente en dar la verdad del carácter a partir de la verdad de los sentimientos" (2004: 36).

[16] "[...] en las fotos que conmemoran nuestro primer trimestre de vida aparecemos ya las dos juntas, yo gorda y reluciente, con la piel brillante y un lacito prendido en el pelo, ella calva y delgadita, su cuerpo reseco flotando, perdido en el hueco del pañal, y una mano protegiendo siempre su rostro del flash, como si la cámara le recordara esas máquinas de pruebas que tanto la habían martirizado durante su estancia en el hospital, a lo largo del proceso que había ido descartando, una tras otra, todas las lesiones que podrían haberse derivado de su doloroso desembarco en este mundo" (Grandes 2002: 33).

3.2. *El cine, un arte imaginístico, al texto*

La influencia de la pantalla en el universo narrativo de Almudena Grandes se vierte en un horizonte de referencias poliédrico. La mitología del cine se deja traslucir en la pasta ficcional de sus tramas y personajes. La protagonista de "Modelos de mujer", una colaboradora editorial a quien se ofrece un contrato millonario por servir de *coach* de una actriz en auge, declara: "A mí me gusta el cine. Mucho. Había visto todas las películas de Andrei Rushinikov, y conocía tan bien los escasos límites de su talento como la fama de director tiránico, perfeccionista hasta la crueldad, que había sembrado en dos continentes" (Grandes 1996: 170). "Los ojos rotos" (*Modelos de mujer*) describen un efecto de transmutación de la cara y la piel de la protagonista que emula efectos de acelerado de las películas, "las del Spielberg ese en que todo pasa muy rápido y como de mentira" (36). Son frecuentes en su escritura perspectivas que enlazan con una planificación visual heredera del cinematógrafo, difuminados, picados, contrapicados, o planos consagrados por la poética de un objetivo[17]: "Cuando me senté en el coche, al lado de mi padre, volví la cabeza por última vez, por si Fernando se asomaba para verme marchar, como en las películas, pero ni siquiera entonces se acercó a la ventana" (244).

El cine está presente asimismo en la selección de las citas, de esos fragmentos de literatura que resumen, sentencian o ironizan con trazos rotundos, desarrollos narrativos posteriores. La mención de Bigas Luna anticipa con un aforismo grotesco e irónico la relevancia del universo femenino en el discurso narrativo de Grandes, a la vez que proporciona una clave de lectura imprescindible, el humor[18]: "Existen tres tipos fundamentales de mujeres: la puta, la madre y la puta madre".[19]

---

[17] El encuentro entre Teófila y Malena cuando ésta acude, desesperada, en busca de Fernando se describe en los términos siguientes:
"Levanté los párpados y mis ojos, empañados por la oscuridad de la que emergían, se dolieron de la luz antes de descifrar lentamente la figura de Teófila, una anciana todavía imponente que me miraba desde el centro de la calle, dos bolsas de nailon repletas de comestibles flanqueando sus tobillos.
–Yo no soy como mi abuela –contesté–. Yo soy de los otros, así que no se crea que va usted a levantarme de aquí a fuerza de decir burradas" (242).

[18] Almudena Grandes reconoce en una entrevista la importancia del sentido de humor en su escritura y apunta a modelos literarios: "Desde luego, la ironía es intencionada, y en mi opinión, desde Dickens y Galdós para acá, se trata de un ingrediente esencial de cualquier escritura, puesto que la literatura siempre acaba siendo una mirada irónica sobre el mundo. Por otro lado, teniendo en cuenta que yo tiendo a complicarme la vida, y a escribir sobre temas 'fuertes' –la Familia, la Infancia, el Amor, el Abandono, la Soledad, el Deseo, y todo eso, así con mayúsculas–, que son precisamente los que la novela comparte con el melodrama, el folletín, y algunas versiones contemporáneas de estos géneros, como los culebrones televisivos y hasta la canción melódica, la ironía me resulta fundamental para distanciarme de cualquier exceso, y fijar con precisión mi voz narrativa" (Añover 2000: 812).

[19] Se trata de una de las citas, la de Bigas Luna, que precede al texto a modo de dedicatoria. Almudena del Olmo Iturriarte insiste en la funcionalidad de las citas y su correspondencia con la estructura de la novela: "Por otro lado, esas cuatro citas, cuyo sentido previo tan solo puede intuirse, adquieren una significación plena tras la lectura de cada una de las partes de la novela, convirtiéndose en una especie de balance quintaesenciado del crecimiento de la protagonista y de lo aprendido en cada una de sus fases vitales" (2000: 285). El paralelo cobra especial sentido si se considera a la luz del extraordinario cuidado que para Grandes cobra la planificación de la estructura narrativa: "[...] una novela debe ser algo parecido a un cálculo de precisión, e incluso debería poderse expresar aritméticamente. Las partes que la componen, los capítulos en los que se divide cada parte, los subcapítulos en los que se divide cada

El espejo del dormitorio de Malena devuelve un doble reflejo, el de su cuerpo de adolescente en pleno cambio y el de la imagen cinematográfica asociada a dicho tipo que bien pudiera haber sido calcado de un cartel de propaganda de cualquier película italiana de los años cincuenta, "aquellas rollizas tetonas que se arremangaban la falda hasta la cintura nada más y nada menos que para cosechar cereales" (94). También la arrogancia de Fernando en su primera aparición se afirma apelando a "su pinta de nazi" o a una más que probable indigestión de películas, "Del Oeste, sobre todo. Se debe saber de memoria los diálogos de *Solo ante el peligro*, lo único que le falta es el caballo..." (139).

La memoria, su rescate, se entiende como un proceso de recuperación de imágenes sueltas, "como viejas fotografías descoloridas, desterradas en un cajón remoto, que parecen recobrar el brillo, y el esmalte del papel intacto, apenas poso mis dedos en su filo, y mi piel muda lentamente, se estira hasta reconquistar la gratuita elasticidad cuya paulatina pero implacable deserción me está empezando ahora a preocupar, y me miro el borde de las uñas y lo encuentro más blanco, y ésta es la señal de que ha llegado el momento de empezar a pensar en otra cosa" (183). Un exorcismo capaz de animar las figuras congeladas entre los contornos de una foto, una necesidad presentida, la de una historia vieja, "tan vieja que ya algunos de sus detalles me resultan difíciles de creer como los argumentos de esas viejas películas en blanco y negro que me había tragado aquel verano ante el televisor, llegaría a tener en los momentos más oscuros, y en los más espléndidos de mi vida" (119).

3.3. *Cine y literatura: cuando se traiciona la memoria*

Almudena Grandes irrumpe en el panorama literario con la obtención del XI premio de literatura erótica "La Sonrisa Vertical" por *Las edades de Lulú*. De su biografía se destacaba entonces, entre otros detalles, el de ser hija mayor de una familia "muy liberal y extraordinariamente peculiar", con cuatro hijos, que estudió COU en el colegio de los Sagrados Corazones de Madrid y después Geografía e Historia, vivía en el barrio de Malasaña y era muy aficionada al cine (Valls 2000: 11).[20] Bigas Luna se interesa de inmediato por la historia para llevarla a la pantalla en 1990 e iniciar así un idilio, o una bastardía más o menos afortunada, sobre los que la escritora no ha dejado de pronunciarse, según el caso, evocando opiniones que, como la de Susan Langer, afirman: "no hay matrimonios felices en el arte", sino sólo "violaciones exitosas"[21]:

P. ¿Cómo es su relación con el cine al trasladar el misterio tan personal de la creación literaria a la pantalla? R. Lo vivo mal. Veo una película mía y veo mucho más de lo que pro-

---

capítulo, deben estar siempre minuciosamente compensados, como cifras en una suma o en una resta cuyo resultado debería ser siempre 100, ó 0, y jamás 72 ó 14" (Grandes 1999: 19).

[20]   "También me gusta el cine; tengo una relación con él muy distinta a la que tengo con la literatura, que se concreta mucho en mi nivel de exigencia. Le doy a los libros un crédito determinado, me quedan muchos por leer, se escriben muchos para perder el tiempo, y soy una lectora exigente. En cambio, en el cine soy una espectadora nada exigente. [...] El otro día, Maruja Torres me afilió a una liga de enemigas de Juliette Binoche y de Emma Thompson. Es porque no me da la gana ver a la Binoche haciendo de Cathy. Ya tengo mi versión, no quiero que me la contaminen" (Bonilla 2004: 173).

[21]   Citado por Gilman 2000b: 211.

yectan. Además, el cine es una fuente de historias para mi, las veo sobre todo en casa y cuando no tengo tiempo para leer. Me trago lo que me echen porque el cine me da muy poco. Soy muy poco cinéfila y además, el cine está muy subordinado a la literatura (Camacho 1999).

Por la pantalla han pasado también *Malena es un nombre de tango* y "El vocabulario de los balcones", cuento que está en el origen de *Aunque tú no lo sepas*, de cuya adaptación ha afirmado la escritora madrileña, "me ha reconciliado con el cine" (Cuadrado 2001).[22]

Malena es un nombre de tango (1994), tercera novela de Almudena Grandes, se adentra en el baúl de la memoria de Malena Fernández de Alcántara, una joven de la alta burguesía madrileña que se rescata a sí misma a través de la búsqueda en la saga de tres generaciones familiares y de la trayectoria de su vida en paralelo con la de su hermana melliza, Reina. La atención simultánea a la peripecia individual de la protagonista y a la recuperación fragmentaria de su historia familiar no deja de asentarse en el sólido pilar de la historia colectiva de todos y cada uno de los tiempos en los que se sucede. Un tejido que, según Juristo, sitúa a la autora en una extraña categoría, la de los novelistas de raza, la de los narradores torrenciales capaces de desarrollar mundos mediante una prodigiosa capilaridad que actúa a modo de tentáculos sobre la sociedad de su tiempo y se despliega en una vitalidad reconocible, "cuyo reino es de este mundo con todas sus confusiones, claroscuros y bajadas de tensión" (Juristo 1996: 56).[23]

Con el estreno de la película de Gerardo Herrero, su tercer largometraje, se afirma un maridaje, el de la literatura y el cine –"está convirtiéndose en un auténtico filón para el cine" (Ballesteros 1996: 37)– cuyo auge se explica por motivos que exceden discusiones de propiedad poética para referirse a razones de orden puramente crematístico ya que, según su opinión, la literatura, la condición de *bestseller* de la novela de Grandes, es "algo que en principio perjudica a la película porque los lectores acuden con ideas preconcebidas al cine" (Sartori 1995).[24]

La fascinación de Gerardo Herrero por el relato de Grandes, su inmediato deseo de trasladar la narración a la pantalla tiene lugar como consecuencia de la atracción que su personaje principal ejerce sobre el director: "Sólo dirijo películas en las que creo –afirma–. Malena es un ejemplo. Leí la novela y me enamoré de la protagonista. Cuando la terminé, quería convertirla en película. Me parece una historia muy bonita, me creía el libro. Se trata de personaje reales, que he conocido o tratado en algún momento, gente de carne y hueso" (Ballesteros 1996: 37). No obstante, las dificultades de llevar a la pantalla una novela de las características que se propone dejan huella en su puesta en imágenes como reconoce la propia Almudena Grandes al hacer un balance de su literatura llevada a la pantalla: "Dejando al margen la adaptación de mi novela *Las edades de Lulú*, mis relaciones con el cine no han sido precisamente afortunadas. Aunque esos contactos no han sido fructíferos, eso no

---

22   Gerardo Herrero, director de *Malena es un nombre de tango*, ha adquirido recientemente los derechos de *Los aires difíciles* (Tusquets, 2002) para rodar dos versiones de la novela (Silió 2003: 30).
23   "Una de las virtudes literarias más significativas de Almudena Grandes consiste en haber hallado el tono de las grandes cuestiones y haberlas sabido llevar a un aquí y ahora muy concreto, tan concreto que muchos pueden confundirlo con una nueva modalidad de costumbrismo" (Juristo 1996: 56).
24   "Es una cuestión de dinero. En Estados Unidos o en Francia, se trabaja con presupuestos muy altos y pueden adquirir los derechos de un libro de éxito. En España, dada la penuria de medios, imperaba hasta ahora un cierto cine de autor en el que el director asumía todas las funciones" (Ballesteros 1996: 37).

impide seguir queriendo y admirando a Bigas Luna [...]" (Satué 1994).[25] El fenómeno afecta además de su propia narrativa a la percepción general que la adaptación le merece cuando afirma: "Para mí, como escritora, las adaptaciones literarias al cine son casi siempre frustrantes. La tortura que sufre un escritor cuando ha de enfrentarse al hecho de que manipulan una obra suya para llevarla a la pantalla, se resuelve pensando que debe olvidarse de todo el asunto. En cuanto un autor vende los derechos de su libro, la responsabilidad pertenece al director, al productor y a los guionistas [...]" (Satué 1994).

La fascinación por el personaje principal, por Malena, no evita el descuido de parámetros determinantes de la configuración del mismo cuya solidez descansa, entre otras, en la perspectiva desde la que ésta se sumerge en su biografía, en una mirada subjetiva que se justifica por el peso de la memoria y la indagación en el interior de unos conflictos cuyo punto de vista Herrero desplaza del recuerdo, de la memoria, al relato epidérmico de una sucesión de acontecimientos sin anclaje en la historia.[26] El tono de la narración torrencial de la novela se deshace así en una sintaxis fragmentada que, no por traicionar el modelo original, lo cual no es en sí ni bueno ni malo, se muestra ineficaz, sino porque no consigue levantar una lectura alternativa coherente y e imprimirle un ritmo personal, de modo que, como ha señalado la crítica, resulta un poco entrecortada y un tanto abrupta de ver.[27]

En definitiva, un olvido imperdonable, el de Mnemosyne que parece haberse tomado la venganza interfiriendo la inspiración de cualquiera otra de las musas que habitan los imperios del arte.

Bibliografía

Amiot, Julie/Seguin, Jean-Claude (eds.) (2006): *Image et pouvoir*. Lyon: Université Lumière (Cahiers du GRIMH).

Añover, Verónica (2000): "Encuentro con Almudena Grandes". En: *Letras Peninsulares* 13, 3, pp. 803-813.

Arkinstall, Christine (2001): "'Good-Enough' Mothers and Daughters in Almudena Grandes' Short Fiction". En: *Anales de la Literatura Española Contemporánea* 26, 2, pp. 5-27.

Arnáiz, Joaquín (1996): "Seis autores del medio siglo: entrevistas a Francisco Ayala, José Luis Sampedro, Miguel Delibes, Soledad Puértolas, Arturo Pérez Reverte, Almudena Grandes". En: *República de las Letras* 50, pp. I-XXIX.

---

[25] El primer desacuerdo de lectura entre Herrero y Grandes se traduce en la tipología física de la protagonista, para el primero una irrenunciable Ariadna Gil, cuya imagen queda, sin embargo, lejos de lo imaginado por la autora del relato.

[26] Algo percibe Senel Paz, el guionista, cuando apunta a su exuberancia y a la amplitud temporal de la historia –"El tiempo está transcurriendo constantemente"–como desafíos difíciles de abordar (Huelbes 1995).

[27] Susanne Hartwig ha percibido señales de cansancio con respecto a "esta estética de la hiperestimulación asintáctica" en el reciente cine español y propone la existencia de un cine en búsqueda de una nueva sintaxis que responde a un cambio en la percepción moderna, el "montaje rizomático": "El montaje rizomático parece responder a las costumbres perceptivas del nuevo siglo con una profundización de la polifonía de las imágenes que no multiplica sino que intensifica los lugares de indeterminación. Así puede volver a la narración tradicional sin prescribir una sintaxis completa, contar historias sin fijar su coherencia para que la sensibilidad del espectador se desarrolle. En este sentido, la metamorfosis del montaje es un mensaje suplemental: una invitación a la percepción nómada" (2003: 330).

Ballesteros, Cecilia (1996): "Gerardo Herrero. 'Me creí el libro'". En: *El Mundo* (5 de abril), p. 37.

Barthes, Roland (1999): *La cámara lúcida. Nota sobre la fotografía*. Barcelona: Paidós.

Beaujour, Michel (1991): *Poetics of the Literary Self-Portrait*. New York: New York University Press.

Beisel, Inge (ed.) (1997): *El arte de la memoria: incursiones en la narrativa española contemporánea*. Mannheim: Universität Mannheim.

Bonilla, Rafael (2004): "Literatura y Filmicidad: *El vocabulario de los balcones* (Almudena Grandes, 1998) en *Aunque tú no lo sepas* (Juan Vicente Córdoba, 2000)". En: *Revista de Literatura* 66, 131, pp. 171-200.

Bou, Enric (2003): *Pintura en el aire. Arte y literatura en la modernidad*. Valencia: Pre-Textos.

Braida, Antonella/Pietri, Giuliana (eds.) (2003): *Image and Word. Reflections of Art and Literature from the Middle Ages to the Present*. Oxford: Legenda.

Camacho, Isabel (1999): "Es repugnante la tiranía física que la sociedad impone a las mujeres". En: *El País* (13 de febrero) <www.elpais.es>.

Cuadrado, Nuria (2001): "Almudena Grandes vuelve a la pantalla. Silvia Munt y Gary Piquer protagonizan los amores de *Aunque tú no lo sepas*. Juan Vicente Córdoba debuta en la dirección con esta adaptación". En: *El Mundo* (4 de enero) <www.elmundo.es>.

Frutos Esteban, Francisco Javier/García-Camino Mateos, Cristina (2003): "La magia de la imagen". En: Herrera, pp. 20-35.

García-Abad García, M.ª Teresa (2006): "Lirismo, narración y memoria en Almudena Grandes y Juan Vicente Córdoba: buscando una película, *Aunque tú no lo sepas*, en "El vocabulario de los balcones". En: Amiot/Seguin (eds.), pp. 447-457.

García Berrio, Antonio/Hernández Fernández, Teresa (1988): *Ut poesis pictura. Poética del arte visual*. Madrid: Tecnos.

Gilman, E. B. *et al.* (2000a): *Literatura y pintura*. Introducción, compilación de textos y bibliografía, Antonio Monegal. Madrid: Arco/Libros.

— (2000b): "Los estudios interartísticos y el 'imperialismo' del lenguaje". En: Gilman *et al.*, pp. 187-222.

Grandes, Almudena (1991): *Te llamaré Viernes*. Barcelona: Tusquets.

— (1996): *Modelos de mujer*. Barcelona: Tusquets.

— (1998): "Último retrato". En: *El cuadro del mes 2*. Madrid: Fundación Colección Thyssen-Bornemisza.

— (1999): *Arquitectura de la novela*. Granada: Fundación Caja de Granada.

— (2002 [1994]): *Malena es un nombre de tango*. Barcelona: Tusquets.

Guerrero Ruiz, Pedro/Vásquez, Mary S. (eds.) (2003): *Estudios sobre el cine peninsular. In Memoriam Paco Rabal*. En: *Letras Peninsulares* 16, 1, pp. 227-248.

Gubern, Román (2003): "Cine-fantasmas sexuales lorquianos". En: Herrera, pp. 182-188.

Hartwig, Susanne (2003): "Nómadas perceptivos. Historias en el cine español de nuestro siglo". En: Guerrero Ruiz/Vásquez, pp. 317-336.

Hazlitt, William (2004): *Ensayos sobre el arte y la literatura*. Introducción, selección y traducción, Ricardo Miguel Alfonso. Madrid: Espasa Calpe.

Herrera, Javier (Coord.) (2003): *La poesía del cine*. Monográfico de la revista *Litoral* 235. Málaga: Diputación Provincial de Málaga.

Huelbes, Elvira (1995): "Cultura. El autor de *Fresa y chocolate* colabora con Gerardo Herrero. 'Mi obra vincula cine y literatura'". Senel Paz ultima el guión de *Malena es un nombre de tango*". En: *El Mundo* (12 de junio) <www.elmundo.es>.

Juristo, Juan Ángel (1996): "Libros. Variaciones sobre una condición". En: *Esfera. El Mundo* (30 de marzo), p. 56.

Kibédi Varga, Aron (2000): "Criterios para describir las relaciones entre palabra e imagen". En: Gilman *et al.*, pp.109-138.

López de Abiada, José Manuel (1997): "*Beatus ille* y los recovecos de la memoria. La escritura como salvación e invención de una memoria proscrita". En: Beisel, pp. 27-48.

— (coord.) (2004): "Memoria y transición española: historia, literatura, sociedad". En: *Iberoamericana (nueva época)*, IV, 15, pp. 79-154.

López-Vega, Martín (2004): "Almudena Grandes. 'Prefiero los vértigos inconfesables'". En: *El Cultural* (14 de septiembre) <www.elmundo.es>.

Massana, Juan (2004). *Guardianes de la memoria. Pintura y literatura*. Madrid: Biblioteca Nacional.

Mateo Díez, Luis (2001): *La mano del sueño. Algunas consideraciones sobre el arte narrativo, la imaginación y la memoria*. León: Diputación Provincial de León/Instituto Leonés de Cultura.

Mayock, Ellen (2004): "Family Systems Theory and Almudena Grandes' *Las edades de Lulú*". En: *Anales de la Literatura Española Contemporánea* 29, 1, pp. 235-256.

Mitchell, W. J. Thomas (2000): "Más allá de la comparación: imagen, texto y método". En: Gilman *et al.*, pp. 223-254.

Monegal, Antonio (2000): "Diálogo y comparación entre las artes". En: Gilman *et al.*, pp.9-24.

Morin, Edgar (2001). *El cine o el hombre imaginario*. Barcelona: Paidós.

Morris, C. Brian (2003): "La pantalla cinematográfica como espejo en Cernuda, Lorca y Alberti". En: Herrera, pp.196-211.

Nieva de la Paz, Pilar (1999): "Modelos femeninos e indeterminación de la identidad: *Amor, curiosidad, prozac y dudas* (1997), de Lucía Etxebarría, y *Atlas de geografía humana* (1998), de Almudena Grandes". En: *Hispanística XX*, 17, pp.199-212.

Olmo Iturriarte, Almudena del (2000): "*Malena es un nombre de tango*, de Almudena Grandes". En: Villalba Álvarez, pp. 281-294.

Praz, Mario (1981): *Mnemosyne. El paralelismo entre la literatura y las artes visuales*. Madrid: Taurus.

Riffaterre, Michael (2000): "La ilusión de écfrasis". En: Gilman *et al.*, pp.161-186.

Rodríguez, Emma (1996): "Está a punto de estrenarse en cine *Malena es un nombre de tango*. Los motivos de Almudena Grandes. La escritora publica *Modelos de mujer*, un conjunto de relatos". En: *El Mundo* (14 de marzo), p. 91.

Rus, Pilar (2003): "La mirada como transgresión sexual y social: Almudena Grandes y Juan Vicente Córdoba". En: Guerrero Ruiz/Vásquez, pp. 87-98.

Sartori, Beatrice (1995): "Ariadna Gil protagoniza la apasionante historia de una mujer de hoy. Gerardo Herrero seducido por Malena". En: *El Mundo* (29 de noviembre) <www.elmundo.es>.

Satué, Francisco J. (1994): "El Escorial/Seminario. 'En España no hay guionistas'". En: *El Mundo* (17 de agosto) <www.elmundo.es>..

Silió, Elisa (2003): "Cine. Dos films centrarán *Los aires difíciles*, de Almudena Grandes. Gerardo Herrero producirá ambas películas". En: *El País* (25 de julio), p. 30.

Sotelo Vázquez, Adolfo (1999): "La mirada y la memoria: Luis Mateo Díez". En: *Cuadernos Hispanoamericanos* 587, pp. 121-124.

Steiner, Wendy (2000): "La analogía entre la pintura y la literatura". En: Gilman *et al.*, pp.25-50.

Valls, Fernando (2000): "Por un nuevo modelo de mujer (Sobre la trayectoria narrativa de Almudena Grandes, 1989-1998)". En: *Iberoromania* 52, pp.10-29.

Vidal Claramente, M.ª del Carmen África (1989): *Arte y literatura. Interrelaciones entre la pintura y la literatura del siglo* XX. Madrid: Palas Atenea.

Villalba Álvarez, Marina (coord.) (2000): *Mujeres novelistas en el panorama literario del siglo* XX. Cuenca: Universidad de Castilla-La Mancha.

W. M. S. (1998): "Almudena Grandes recrea la historia de un cuadro del nieto de Freud". En: *El País* (22 de febrero) <www.elpais.es>.

Alfredo Ruiz Islas*

⊃ Hernán Cortés y la Isla California

Resumen: Uno de los elementos que impelieron a los exploradores españoles para internarse en las vastas y a menudo hostiles regiones del Septentrión de la Nueva España lo constituyó la búsqueda de entidades que, habiéndose generado en el imaginario medieval, parecían hallar acomodo en el Nuevo Mundo a partir de labores exegéticas de diferente índole. Dentro de este rubro destaca la llamada Isla California, insertada en el saber geográfico desde la primera mitad del siglo XVI. El artículo explica los procesos que llevaron al descubrimiento de la tierra entonces tenida como isla, junto con el desarrollo de las expediciones subsiguientes, poniendo especial énfasis en la forma en que la transmisión de las noticias, o la ausencia de ellas, jugaba un papel importante en la efectiva incorporación de nuevos territorios al Imperio español y en la imposición de una nomenclatura que permitiera la transformación de los mismos datos en información útil.

Palabras clave: Hernán Cortés; Historia; Imperio español; Nueva España; Mar del Sur; Siglo XVI.

La figura de Hernán Cortés, prototipo del conquistador que, merced a sus inagotables esfuerzos e infinita astucia, obraba en pro de la vertiginosa expansión de los pendones de Castilla, ha sido objeto de numerosos estudios, en su mayoría de tipo biográfico, en los cuales las distintas empresas en que el extremeño se vio involucrado son tratadas con distintos grados de amplitud, dependiendo de los intereses y la orientación de cada investigador en particular.

Sin embargo, los viajes cortesianos a la Mar del Sur, y el consiguiente hallazgo de la ulteriormente denominada Isla California, han recibido escasa atención como problemas específicos de estudio, encontrándose por lo general englobados, ya sea en los tratados biográficos recién mencionados, de entre los que valdrían destacarse por su novedad las obras de Martínez (1990), Miralles (2004), Streissguth (2004), Vaca de Osma (2004), o West (2005); en textos generales sobre las expediciones hispanas a la Mar del Sur, campo en el que destaca la obra de O'Donnell (1992); o en aquéllos que relatan las distintas etapas por las que atravesó la ocupación del quersoneso califórnico, siendo de mencionarse en este rubro los textos de Portillo (1947), Río (1990), Río y Altable (2000) o León-Portilla (2000).

*   *Alfredo Ruiz Islas (Ciudad de México, 1975), miembro del cuerpo académico de la Facultad de Filosofía y Letras, Universidad Nacional Autónoma de México. Ha publicado dos libros de divulgación y artículos en revistas especializadas. Ponente en múltiples encuentros y coloquios, sus investigaciones abordan la vida cotidiana, desde una perspectiva cultural, abarcando la historia novohispana y el México contemporáneo.*

Mención aparte merece un trabajo del propio León-Portilla (1985) en el que la inserción de Cortés en las aguas del desconocido océano, si bien es tratada a manera de proceso unitario, posee como elemento desfavorable el que el aparato explicativo propenda a la descripción y la reproducción testimonial por sobre el análisis o la interpretación de los eventos acaecidos, situación en la que se encuentra, de manera general, el común de las obras recién citadas. Por último, el problema nominativo suscitado en torno a la California, mismo que habrá de plantearse en el postrer apartado del presente estudio, fue en su momento abordado por Díaz (1952), quien, guiada más por las simpatías personales que por la rigurosa argumentación histórica, buscó refutar la explicación de Portillo (1947) en torno a la autoría y las razones del nombre asignado a la entidad peninsular, siendo sus conclusiones cuestionables en más de un sentido.

Para entrar en materia, el arribo en 1513 de Vasco Núñez de Balboa a las costas de la Mar del Sur significaría el primer paso, distante de ser percibido en dicho momento como tal, rumbo a la consecución de las metas que habían impelido al montaje de las expediciones colombinas, esto es, el arribo de los navíos hispanos a las tierras y los mercados del Asia, cuyas fabulosas descripciones habían poblado la mente de los europeos desde el siglo XIII. De forma natural, los avances tenidos en el conocimiento de las aguas que, junto con sus contenidos, se integraban a los saberes geográficos del siglo XVI, irían en consonancia con los progresos logrados por los diferentes grupos de conquistadores en cuanto a la dominación de los territorios indianos, junto con la recolección de los datos que les facultaran dar principio al trazado de las rutas más viables para acceder a las regiones costeras y la ulterior delimitación de las mismas, lo cual daría paso, una vez ponderada la naturaleza de los litorales, a la fundación de aquellos enclaves coloniales que permitieran el armado y aprovisionamiento de los buques que se hicieran a la mar.

La toma de la urbe mexica de Tenochtitlan por parte de Hernán Cortés, acaecida en 1521, y el subsiguiente ensanchamiento de lo que, a partir de ese momento, se conocería como la Nueva España, pondría al imperio de Carlos I en contacto con zonas costeras cuya extensión potenció las expectativas poseídas por la Corona en torno al sondeo de la Mar del Sur, teniendo capital importancia en el proceso los planes de similar talante que acariciaba el propio Cortés al menos desde mediados de 1521 (Martínez 1994: I, 204). Las distintas labores emprendidas por el conquistador para llevar a cabo la exploración de las aguas que bordeaban sus dominios, comprendidas desde la solicitud de los permisos que le autorizaran para tal efecto, la construcción de los navíos, su envío en misiones de disímil naturaleza, la recolección de los informes en ellas generados, hasta la eventual toma de posesión de las tierras encontradas, aun cuando no alcanzarían la trascendencia y el éxito por Cortés anhelados, permitirían una cierta ampliación de los límites indianos, siendo su punto culminante, si bien fugaz, el desembarco en la península que, con el andar del tiempo, recibiría el nombre de California.

Visto lo anterior, las siguientes cuartillas se dedicarán a realizar una exposición de las exploraciones cortesianas llevadas a cabo en la Mar del Sur a partir de las prácticas discursivas en ellas involucradas, siendo sus puntos de inicio y conclusión la empresa enviada por Cortés hacia las islas del Maluco y el viaje postrero de Francisco de Ulloa con rumbo a las tierras reclamadas en posesión por el marqués del Valle, respectivamente. El principal objetivo que ha movido a la confección del presente estudio estriba en echar un vistazo a las distintas maneras en que se abordaban las labores de descubrimiento en las primeras décadas de existencia de la Nueva España, tomando como base los elementos que intervenían en la percepción y posterior incorporación de las tierras ignotas en los saberes geográficos, poniendo especial énfasis en el papel jugado por la transmisión de los datos extraídos. Asimismo, y de modo conexo, la revisión del proceso desde sus fases inaugurales aportará elementos para explicar los motivos que pueden guiar a la descalificación de aquellas interpretaciones tendientes a afirmar que alguno de los subalternos de Hernán Cortés, o el propio conquistador, habrían impuesto el nombre de California al sitio encontrado durante la malhadada travesía de Diego Becerra de Mendoza llevada a cabo en 1533-1534, lugar que, como podrá observarse en las diferentes partes del escrito a dicho tema dedicadas, a todas luces no hallaba correspondencia con los contenidos simbólicos al mismo asignados.

1. Los antecedentes. El acercamiento a la Mar del Sur

Como ha sido mencionado líneas atrás, es muy probable que Hernán Cortés abrigara algún tipo de plan respecto a la exploración del mar descubierto por Vasco Núñez de Balboa desde las etapas iniciales de la campaña que habría de concluir con la toma de Tenochtitlan, visto el testimonio contenido en la información que Diego Velázquez remitió a Carlos I en julio de 1521, a fin de desacreditar las labores llevadas a cabo por su antiguo subordinado (Martínez 1994: I, 204). Por ende, no resulta extraño que desde una fecha tan temprana como 1522, a la par que daban comienzo las tareas de remoción de escombros y edificación de la flamante capital de la Nueva España, el extremeño enviara a dos pares de los suyos, junto con algunos indígenas que sirvieran de guías y tal vez de intérpretes, a que encontraran las rutas que le enfilaran a algún punto situado en las costas, indagando a la vez sobre las condiciones generales de los territorios que atravesaran. Las noticias contenidas en la Tercera carta-relación indicaban que, según los expertos consultados por el conquistador, el reconocimiento de la Mar del Sur habría de brindar a la Corona un crecido número de beneficios, lo cual parecían probar las ricas muestras de metales preciosos y pedrería que había caído en manos de los expedicionarios (Cortés 1992: 163).

A partir del primer encuentro con la Mar del Sur, el tema se tornó en una obsesión para Cortés, tanto es así que las siguientes expediciones por él enviadas en distintas direcciones para implantar la soberanía española en ellas, confirmarla, o sofocar algaradas indígenas de distinta magnitud, parecían tener como fin último lograr el control de la mayor cantidad posible de regiones costeras sobre la Mar del Sur (Cortés 1992: 164, 166, 169). Una semana antes de enviar la carta mencionada a Carlos I, había redactado otra, por la que confería a su padre o, en su defecto, a Francisco de las Casas, plenos poderes para presentarse ante el monarca, la reina Juana, o cualquier funcionario de alto rango que lo solicitara, a fin de dar cuenta del descubrimiento de la Mar del Sur y las subsiguientes labores emprendidas con dineros provenientes de su propia hacienda, esperando le fueran remunerados con justicia (Martínez 1994: I, 225-226). Dichas tareas, además del reconocimiento geográfico, comprendían la construcción de dos carabelas medianas para llevar a cabo los descubrimientos y dos bergantines para explorar la costa (Cortés 1992: 169-170). Además, buscando que al menos una de las tres zonas costeras por los suyos descubiertas, Colima, Zacatula y Tehuantepec[1], estuviese bien defendida, y

---

[1] Para la ubicación precisa de las entidades geográficas mencionadas a lo largo de todo el estudio, sírvase el lector remitirse al mapa incluido al final del texto.

permitiera de tal suerte el avance de sus planes sin sobresaltos, Cortés había trasladado a la segunda al menos a doscientos cincuenta españoles, de los cuales cuarenta eran jinetes y otros más los trabajadores encargados directamente de la construcción de los navíos (Martínez 1994: I, 230-231).

A comienzos de 1523, los subalternos de Cortés se internaron en las tierras costeras situadas al occidente de la Nueva España, donde se hicieron con la zona de Colima, fundando un par de villas de españoles en la región (Gerhard 2000: 80). En octubre de 1524, el conquistador remitía al emperador Carlos V los informes recogidos por sus enviados de entre los habitantes del lugar:

> [Me han informado sobre] una isla, toda poblada de mujeres, sin varón ninguno, y que en ciertos tiempos van de la tierra firme, con los cuales han acceso, y las que quedan preñadas, si paren mujeres las guardan, y si hombres los echan de su compañía, y que esta isla está a diez jornadas de esta provincia, y que muchos de ellos han ido allá y la han visto. Dícenme asimismo que es muy rica de perlas y oro; yo trabajaré, en teniendo aparejo, de saber la verdad y hacer de ello larga relación a vuestra majestad (Cortés 1992: 183-184).

Aun cuando existe un buen número de estudiosos que se han empeñado en asimilar la anterior mención con los futuros esfuerzos del conquistador por encontrar una entidad fantástica que, a su vez, sería equiparada con la isla California contenida en *Las Sergas de Esplandián*, pocas son las evidencias que apoyan tal afirmación, como podrá verse en el apartado respectivo. De momento, vale apuntar que el contenido de los testimonios redundaría en el nombramiento dado por Hernán Cortés a su primo Francisco Cortés de San Buenaventura como su lugarteniente en la Villa de Colima y sus comarcas, siéndole encomendada la misión de reconocer los territorios a él asignados y dar cuenta de la riqueza de las minas ahí presentes, el desarrollo de las interacciones entre los colonos españoles y los pueblos indígenas cercanos a ellos, la cantidad y calidad de los armamentos poseídos por los primeros, y los avances que se tuvieran en materia de evangelización de los naturales, por ser la única justificación posible para haberlos reducido a la calidad de siervos. Finalmente, debía confirmar la existencia de la tierra citada en el anterior párrafo, en la cual Cortés encontraba ya elementos que le mostraban una cierta similitud con los relatos míticos que mencionaban las formas de vida propias de las Amazonas, aunque todavía se guardaba de situar de modo determinante al relato grecolatino en el contexto americano. Por último, y a fin de coronar con éxito su misión, el conquistador encomendaba a su primo abstenerse de mostrar cualquier indicio de su interés por apoderarse de los metales preciosos presentes en la región, intentando con ello que fueran los indígenas mismos quienes, de buena gana, se los entregaran (Martínez 1994: I, 310-315).

Los informes contenidos en las detalladas cartas que envió Cortés de San Buenaventura al conquistador del Anáhuac como resultado de la amplia exploración que llevaba a cabo tuvieron prontas consecuencias de índole práctica, siendo la más notable la decisión de Hernán Cortés de trasladar su base de operaciones del recién construido puerto de Zacatula, debido a que distaba mucho de ser un sitio idóneo para lanzarse hacia la Mar del Sur con amplias posibilidades de éxito, y dar comienzo a la edificación de nuevas instalaciones en el poblado de Acapulco que, amén de poseer condiciones marineras más favorables, se encontraba a menor distancia de la Ciudad de México, por lo que el tránsito entre ambas costas de la Nueva España sería más expedito (Gerhard 2000: 13-

15, 403). Así, el extremeño decidió poner manos a la obra y, en tanto se verificaba la construcción de las instalaciones apropiadas, ordenó formar en el lugar una villa o pueblo de españoles quienes, ayudados por los indígenas que fueran necesarios, deberían de edificar las viviendas para los futuros viajeros y sembrar el suficiente maíz, ya incorporado de plano a la dieta de los peninsulares, para brindar el abasto suficiente a quien hubiera menester (Martínez 1994: I, 316-318).

De mayor importancia para el conquistador de Tenochtitlan y capitán general de la Nueva España resultó el nombramiento de *adelantado* a él otorgado mediante cédula real del 7 de marzo de 1525 (Martínez 1994: I, 328-3330) aunque, muy posiblemente, la concesión del título no implicaba una automática licencia para dedicarse al sondeo de la Mar del Sur pues, como se verá en los apartados subsiguientes, el extremeño no cejaría en su intento por obtener una merced que, específicamente, le autorizara para ello, dándose en el ínterin a la tarea de construir los navíos que se consideran adecuados, tanto en número como en características, para que sus faenas de reconocimiento rindieran los frutos esperados.

La pretensión cortesiana de internarse en las aguas al surponiente de la Nueva España, la autorización que para ello terminaría por obtener de la Corona, y el ulterior arribo a la isla California, deben inscribirse en el proceso de larga duración que, *grosso modo*, daría inicio con el cierre de las rutas comerciales que unían al Oriente con Europa, y el subsiguiente encarecimiento de los productos asiáticos, debido a la postura hostil mostrada por los otomanos en el Próximo Oriente, prosiguiendo con los viajes colombinos y concluyendo de manera transitoria con el periplo de circunnavegación llevado a cabo por Magallanes y Elcano entre 1519 y 1522. A través de este último, un amplio número de los saberes del siglo XVI, entre los que podrían contarse el geográfico y el económico, se enriquecerían con el conocimiento objetivo de las múltiples maravillas encerradas en las distintas entidades que componían. El viaje de Magallanes permitió, aunque fuera de manera superficial y a costa de grandes penalidades, echar un vistazo a los contenidos que poblaban las numerosas ínsulas situadas en el extremo sudeste del Asia, de entre las que las islas nombradas Malucas o del Maluco, el archipiélago de Banda, y las posteriormente bautizadas como Filipinas, ocuparían un sitio preponderante, en razón de ser el punto de origen de las codiciadas especias (Pereyra 2000: 148-150).

El simple conocimiento de la existencia de los lugares citados no era suficiente para la Corona hispana: había que emprender las labores necesarias para que fueran incorporados a sus dominios y, debidamente explotados, produjeran cuantiosos beneficios. De ahí que en 1525 se montara una nueva expedición, mandada en esta ocasión por Jofre de Loaiza, comendador del rey, y en la que participaba el propio Elcano, destinada a hacerse con un cargamento de especias de magnitud considerable; de ser posible, debían también comenzarse las faenas de apropiación a favor de España de las regiones ricas en plantíos y encontrarse el tornaviaje que ahorrara a futuras flotas el tránsito por las aguas bajo control de portugueses o musulmanes. No obstante, la empresa encontró en su camino más dificultades de las que era capaz de sobrellevar, al morir tanto Loaiza como Elcano, ser desmembrada la flota por la acción de los vientos, amotinarse los miembros de una de las carabelas y ser otra tomada de forma temporal por piratas, de modo que sólo un navío logró arribar a costas asiáticas, mientras que otro terminó por fondear en el muelle novohispano de Tehuantepec, establecido por Cortés como parte del sistema portuario que le facultaría para comenzar su anhelado sondeo de la Mar del Sur (Cortés 1992: 280-282).

Con algunos meses de diferencia, en abril de 1526, una nueva armada, al mando de Sebastián Caboto, fue enviada a explorar las regiones de Catay y Cipango. Sin embargo, el capitán decidió no poner proa con rumbo al Asia y, en cambio, dedicarse a la búsqueda de una montaña de plata que, según los relatos que corrían entre los círculos de exploradores hispanos, debía encontrarse en algún punto de la América Meridional. Al ser imposible para la Corte conocer las eventualidades en que se hubieran visto inmiscuidas ambas flotas, resolvió ponerse en contacto con Hernán Cortés y encomendarle la localización de quienes, según se suponía, debían ya encontrarse en alguno de los archipiélagos asiáticos pretendidos por la monarquía hispana. Así, en la segunda mitad de 1526, Cortés recibió una cédula real en la que se le ordenaba preparar una armada que encontrara las de Loaiza y Caboto. De especial interés resulta que, aunque en primer término se pretendía sujetar al adelantado de Nueva España a las disposiciones que le fueran impuestas desde la administración imperial, en última instancia se le dejaba llevar a cabo la empresa según dictara su criterio, "porque como persona de tanta experiencia y que tan adelante tiene la cosa lo sabréis mejor hacer que de acá se os puede decir" (Martínez 1994: I, 373-376).

La base en la cual se fundaba la anterior afirmación requiere de una pequeña explicación, dado que, con la salvedad que implica la intervención de los bergantines cortesianos en la toma final de Tenochtitlan, y que de ninguna forma es comparable con la nueva tarea asignada por el monarca, Cortés no contaba con experiencia alguna en cuestiones marineras. Ciertamente, había probado su valía como militar, sus dotes de organizador y administrador de la naciente Nueva España amén de, en el caso concreto de lo que se le ordenaba, su aptitud para reclutar a los individuos que pudieran hallar los sitios de que sería conveniente lanzarse a las aguas, o que supieran construir barcos y astilleros, todo lo cual no implicaba que poseyera los conocimientos necesarios para montar un viaje que cruzara un océano casi por entero inexplorado, dar con un número *indeterminado* de españoles asentados en *alguna* isla, y dirigirlos de modo que sus faenas redundaran en provecho de la Corona.

Entonces, ¿en qué se basaba el rey para declarar a Cortés como experimentado? Dos son, al menos, las posibles respuestas a esta pregunta: la primera de ellas estribaría en que la pericia específicamente marinera y los muchos trabajos preparatorios montados por el extremeño se habrían equiparado; de esta manera, las labores asociadas a poner barcos en el mar serían sinónimos de saber qué hacer con ellos en el encargo preciso ya comentado. En tanto, la segunda respuesta giraría en torno a la asignación de categorías intermedias o definitivas a los componentes de un discurso, lo cual estaría en relación directa con el grado de credibilidad atribuido a cada uno de ellos y el peso que tendrían en la respectiva toma de decisiones. Siguiendo este postulado, los elementos intermedios contenidos en los relatos enviados por Cortés a su señor serían aquéllos donde narraría todas las obras verificadas en las costas novohispanas que, como se ha hecho notar, probaban su disposición para acometer el examen de la Mar del Sur, antes que su capacidad para sacar provecho del mismo. A la vez, sus redoblados afanes por emprender la exploración, junto con el hecho de que se encontraba en posesión de los medios para levar anclas en cualquier instante, habrían adquirido un carácter definitivo, por lo tanto verídico y justificador a los ojos de la administración imperial, haciendo a un lado las evidencias existentes sobre la impericia del extremeño para los menesteres que le serían delegados y que, de acuerdo con la manera en que se expresan en el documento, parecía que debía llevarlos a término de manera personal, siendo el nombramiento de un comisionado una opción menos agradable a los ojos de la Corona.

Los preparativos para poner la flota en ruta hacia la Especiería tomaron a Cortés más de un año, desde el momento en que recibió la cédula hasta que el grupo, compuesto por tres embarcaciones, se hizo a la mar. El retraso se debió, con toda posibilidad, a la demora habida en la recepción de las armas que se instalarían en los buques, pudiendo añadirse a ello el excesivo cuidado puesto por el conquistador en vigilar que cada eventual contingencia y cada detalle anormal que aparecieran, tanto a lo largo del viaje como tras producirse el arribo a las Molucas, se hallaran debidamente cubiertos. Así, la larga serie de instrucciones dadas al capitán de la empresa, fechada en mayo de 1527, contiene disposiciones relativas a la revisión de los navíos y su equipamiento, el reclutamiento de las tripulaciones, la prohibición expresa de incluir mujeres en las dotaciones, la conducta a observarse durante y después de la travesía, y las formas que guiarían las relaciones que se tendieran con los señoríos aborígenes de las islas, siendo notorio que, en este último particular, se prohibiera explícitamente la enunciación del requerimiento, al tiempo que se incluían procedimientos tendientes a formar alianzas con los naturales en contra de los portugueses y se mandaba reconocer el terreno para determinar las posibilidades que existirían de emprender su posterior conquista armada (Martínez 1994: I, 439-449), tratando así de dar cumplimiento a lo prometido por el extremeño a Carlos I en un momento previo (Cortés 1992: 281-282).

Para abreviar el relato, el 31 de octubre de 1527 zarparon los navíos desde el puerto de Zihuatanejo hacia la Especiería, fondeando sólo uno de ellos en la isla de Tidore el 30 de marzo de 1528 tras un viaje lleno de reveses. Aun cuando lograron hallar a algunos individuos pertenecientes a la armada de Jofre de Loaiza en condiciones cercanas a la desesperación, dado que carecían de armas, medicinas o incluso alimentos (Martínez 1990: 491), la misión se vería impedida para retornar a la Nueva España, al no encontrar las corrientes marítimas y los vientos que favorecieran el tornaviaje. La nave y sus tripulantes, junto con una parte de los náufragos encontrados, serían apresados por los portugueses a principios de 1530, para permanecer en su poder al menos hasta 1534, año en que retornarían a España (León-Portilla 2001: 43-45).

2. La ruta hacia la California

Las provisiones, armamentos, baratijas para intercambio con los aborígenes y demás objetos relacionados con el buen desempeño del viaje al Asia habían significado a Cortés la astronómica suma de 40.251 pesos, 12 tomines, sin considerar el costo de los navíos (Martínez 1994: I, 491-503), equivalentes a treinta años del salario que le había sido asignado como gobernador y capitán general de la Nueva España, fijado en 360-000 maravedíes. Aunque la Corona había prometido reembolsarle íntegramente el importe de los gastos en que incurriera para montar el viaje, lo cierto es que la Real Hacienda jamás le entregó siquiera una parte de tal dinero a pesar de sus múltiples súplicas al respecto, lo cual supuso un quebranto considerable a las finanzas del conquistador, habida cuenta de que la travesía no le reportó, en el corto, mediano o largo plazo, ninguno de los beneficios que esperaba conseguir. Como respuesta a su petición inicial, redactada en 1528, no recibió el ansiado dinero, sino una cédula real, fechada en Zaragoza, a 1º de abril de 1529, por la que obtenía el nombramiento de

> [...] nuestro capitán general de toda la Nueva España y provincias y costas de la Mar del Sur [por lo que] entenderéis en esto y en lo del descubrimiento y población que queréis hacer [...] y en todo recibiréis mi merced, que para hacérosla tengo la voluntad que os he dicho y vos habéis comenzado a ver en otras cosas (Martínez 1994: III, 37).

La disposición del monarca fue emitida mientras el conquistador se hallaba en la Península Ibérica, adonde había sido requerido en virtud de un mandamiento real del 5 de abril de 1528 que le ordenaba presentarse ante Carlos I para dar cuenta de su actuación en la Nueva España (Martínez 1994: III, 11-12). La cédula implicaba, de hecho, que Cortés podría darse a la exploración intensiva de las aguas ignotas ya sin pasar por el engorroso trámite que le significaba elaborar solicitudes específicas conforme fuera avanzando en las tareas respectivas, aunque no por ello le era excusada la redacción de los informes debidos. En el mismo tenor, la reina Juana capitularía en un par de ocasiones con el gobernador de la Nueva España las condiciones que regirían esta nueva faceta del descubrimiento de la Mar del Sur y el poblamiento de las islas y tierras que en ella encontrara.

Como punto de partida, debe tenerse en cuenta que la naturaleza contractual inherente a la celebración de capitulaciones se veía reflejada en el otorgamiento de una serie de prerrogativas a favor del solicitante, quien a su vez se comprometía a la realización de una empresa, a la que por lo común se intentaba dejar establecida en los términos más concretos posibles, bajo su cuenta y riesgo. Tal materia era notoriamente resaltada por la reina en el primero de los escritos que ahora ocupan a esta investigación, fechado en Madrid, a 27 de octubre de 1529, donde era dejado en claro que las empresas que montase el conquistador

> que no sea en paraje de las tierras [para las] que hasta ahora hay proveído[s] gobernadores, [se haga] todo a vuestra costa y mención sin que en ningún tiempo, seamos obligados a vos pagar los gastos que en ello hiciereis, más de lo que en esta capitulación [a] vos fuese otorgado (Martínez 1994: III, 78, 280-281).

Tal pago ascendía a la doceava parte de los beneficios que extrajese. Cortés podría asumir los cargos vitalicios de gobernador y alguacil mayor de las tierras que hallase, siempre y cuando cumpliera con dos condiciones que le eran impuestas de manera inicial: una, que no se localizasen en los dominios de Pánfilo de Narváez o de Nuño de Guzmán; otra, que no se limitara a efectuar las faenas relativas al descubrimiento, sino que debía además de emprender la conquista, poniendo para ello en marcha todas las tareas que se necesitare, las cuales el documento se abstenía de precisar .

La mención a las tierras que le estarían vedadas a Hernán Cortés para incorporar a sus dominios deja ver el estado que guardaba el conocimiento geográfico sobre el Nuevo Mundo en la primera mitad del siglo XVI, así como una parte de los mecanismos por los que se verificaba la supervivencia de las entidades fantásticas al lado de las empíricamente probadas. Debe recordarse que, al momento en que las capitulaciones eran signadas, Nuño de Guzmán tenía bajo su jurisdicción la provincia de Pánuco, cuyo litoral daba a la Mar del Norte, misma situación que acontecía con las vagas regiones asignadas a Narváez. De lo anterior se desprende que aun cuando, en el plano de lo explícito, la misión de Cortés sería "descubrir, conquistar y poblar cualquier isla que hay[a] en la Mar del Sur, de la dicha Nueva España que estén en su paraje y todas las que hallases hacia el *poniente*[2]" (Martínez 1994: III, 78), al indicarle que debía evitar entremeterse con las posesiones de los sujetos arriba mencionados, la Corona guardaba todavía alguna esperanza de que los afanes descubridores del gobernador novohispano permitieran localizar al estrecho de Anián que, según se pensaba, conectaba la Mar del Norte con la del Sur en algún punto de las Indias.

Además de lo ya comentado, en el texto de las capitulaciones celebradas entre la reina y Cortés se incluían, de forma íntegra, las ordenanzas reales relativas al desarrollo general que habrían de tener las empresas de conquista y colonización, sancionadas por Carlos I en noviembre de 1527 (Martínez 1994: III, 79-85). El contenido general de los preceptos, dada la manera en que gravitaba hacia la modificación en las prácticas comunes asociadas a la ocupación de nuevos territorios y, en consecuencia, a la protección de los aborígenes, pudiera considerarse un antecedente de las Leyes Nuevas de 1542 e, incluso, de las redactadas por órdenes de Felipe II en 1573. No obstante, si se miran con atención las ordenanzas que debería de tener presentes cualquier sujeto que decidiera emprender las labores encaminadas al acrecentamiento de los dominios hispanos, es posible encontrar en su interior una serie de contradicciones fundamentales, bajo cuyo amparo subsistirían las formas tradicionales de explotación de los indígenas, con la salvedad de que su empleo ya no estaría al margen del dispositivo legal, o incluso en los espacios vacíos dejados por éste, sino que existirían amplias posibilidades de blandir los argumentos que defendieran su existencia apelando a la normatividad vigente. Así, la protección de los indígenas, elemento sustancial de los mandamientos podía, en un instante dado, quedar sin aplicación si los participantes en una travesía de exploración, descubrimiento, conquista o colonización, lo juzgaban conveniente y podían encontrar los argumentos que justificaran su esclavización, reducción al régimen de encomiendas o sometimiento a trabajos que, siendo forzosos, bajo algún subterfugio lograban explicarse como voluntarios.

Las capitulaciones celebradas entre Hernán Cortés y la reina Juana serían confirmadas por medio de una provisión real, fechada en Madrid a 5 de noviembre de 1529 (Martínez 1994: III, 86-89); en ésta, además de las ya señaladas prerrogativas adjudicadas al conquistador de Tenochtitlan, se le permitía nombrar a las autoridades que tuviera a bien para el adecuado gobierno de las tierras que ingresaran en su jurisdicción. Asimismo, le era consentida la delegación de las funciones administrativas en las maneras que fueran convenientes, siéndole sólo necesario efectuar los nombramientos en presencia de un escribano y los testigos pertinentes.

Aun cuando el camino a la exploración de la Mar del Sur parecía hallarse expedito a los deseos de Hernán Cortés, vista la posesión de los documentos que lo autorizaban plenamente para llevar a cabo las empresas que tuviera a bien, las dificultades no habrían sino de comenzar. El principal obstáculo lo constituían los miembros de la Primera Audiencia de la Nueva España, presidida por Nuño Beltrán de Guzmán, quienes por todos los medios buscaban limitar las atribuciones recibidas por el extremeño de manos del emperador y la reina.

El problema alcanzó con presteza a las obras constructivas de los navíos cortesianos dado que, por un lado, Nuño de Guzmán reclamaba derechos jurisdiccionales sobre las

---

2   Las cursivas se han agregado.

tierras en que se verificaba el armado de las naves, al hallarse en las inmediaciones del reino de la Nueva Galicia, recientemente fundada por él al noroeste de la Nueva España; al mismo tiempo, se negaba a aceptar el poder obtenido por el extremeño en torno a la Mar del Sur. En carta del 10 de octubre de 1530, Cortés explicaba a Carlos I que el presidente y los oidores de la Audiencia, por diversos medios, perjudicaban grandemente la administración del territorio y el óptimo desarrollo de las empresas destinadas a la pacificación de las tierras ya dominadas y a la ampliación de las mismas (Martínez 1994: III, 151-153). Las múltiples dificultades ocasionadas por los malos manejos de Guzmán y los suyos llevarían a la Corona a nombrar en 1530 una nueva Audiencia, presidida por Sebastián Ramírez de Fuenleal, si bien a Nuño de Guzmán se le otorgaba el nombramiento de capitán general de la Nueva Galicia. Más importante para Cortés fue que esta Segunda Audiencia, además de tener instrucciones precisas para solucionar con apego a la ley las discrepancias existentes entre el conquistador y sus adversarios (Martínez 1994: III, 143-144), había recibido órdenes expresas de cooperar con el recientemente nombrado marqués del Valle en las tareas relativas a la conquista y poblamiento de la Mar del Sur (Torre Villar 1991: I, 60-61). Solventadas, según el punto de vista de la Corona, las causas que podrían llevar a eventuales dilaciones, la reina procedió a emitir, ya en 1531, una nueva cédula, en la que se mandaba a la Audiencia

> [...] hagáis notificar al dicho marqués, que dentro de *un año* primero siguiente comience a hacer la armada que para el dicho descubrimiento fuere menester y dentro de *dos años*, luego siguientes, esté pronta y hecha a la vela, con apercibimiento, que pasado el dicho término, el dicho asiento y capitulación sea en sí ninguna, y nos[otros] lo podamos tomar con otras personas que fuéremos servidos (Martínez 1994: III, 151-153)[3].

La construcción de los navíos no habría de transcurrir sin sobresaltos. Así, por medio de la Audiencia, la Corona fue informada en abril de 1532 que las gentes de Cortés habían armado dos bergantines en Acapulco y una carabela en Tehuantepec, al tiempo que en este último puerto se llevaba a cabo la fabricación de otros dos navíos medianos, todos los cuales estarían listos para zarpar a finales de junio de ese mismo año. Sin embargo, en el traslado de los aparejos destinados a los bergantines, el marqués había empleado a numerosos indígenas en calidad de porteadores, por lo que se solicitaba la imposición del castigo que fuera conveniente (Martínez 1994: III, 294-295; León-Portilla 1985: 85-86).

Casi al mismo tiempo, Cortés refería en una misiva dirigida al monarca las novedades que se suscitaban al occidente de la Nueva España, donde Nuño de Guzmán entorpecía todas las acciones que el extremeño emprendía a fin de pacificar los diferentes territorios. De esta manera, no sólo había detenido a Luis de Castilla, enviado junto con algunos individuos más a poblar las provincias que, según el discurso de Cortés, "había muchos días que las tenía descubiertas y pacíficas" sino que, junto con los antiguos oidores, había dado cuenta de los cinco navíos que, al parecer, eran preparados en las inmediaciones de Colima (Martínez 1994: III, 296-299).

A pesar de las dificultades halladas, en mayo de 1532, Cortés giró a Diego Hurtado de Mendoza, su primo, quien fungiría como capitán de la armada, las instrucciones que

---

3   Las cursivas se han añadido.

habrían de regir el viaje de descubrimiento a la Mar del Sur. Es posible apreciar que el espíritu de estas ordenanzas era similar al de aquéllas que se habían dictado con relación al viaje a las Molucas, y se veía reflejado en elementos como las precauciones que deberían de tomarse en torno a la realización de desembarcos; la intervención que, en todo momento, deberían de tener el escribano, el tesorero y el veedor que acompañarían a Hurtado, sobre todo al momento de entrar en contacto con los aborígenes y efectuarse la entrega de rescates y la toma de objetos preciosos; la extracción de la información geográfica que se considerara pertinente y que serviría como guía para retornar al puerto de salida sin contratiempos, o para ser empleada por posteriores empresas; la obligatoriedad de acercarse a los naturales siempre en son de paz, y atraerles mediante halagos o al enseñar los rescates; finalmente, el cuidadoso análisis de la organización política de los habitantes de las tierras a las que se arribara, poniéndose especial atención en los conflictos que existieran entre los diferentes señoríos que se ubicasen en un punto determinado (Martínez 1994: III, 300-304).

Una diferencia sustancial la constituye el tema de la religión, en el cual, si los enviados a las Molucas fueron instruidos para no entrar en conflicto con los nativos que hallaran, a Hurtado se le conminó a que, tras indagar la ley y el rito que eran seguidos en el lugar, diera a conocer a los naturales el supremo poder de que por voluntad del dios cristiano se hallaba revestido el monarca español, junto con la tradicional arenga sobre la exclusividad del catolicismo como sistema de creencias, amén de la obligada mención sobre la paz y amistad que el emperador habría de guardar con los aborígenes en caso de acatar de manera voluntaria su autoridad. En pocas palabras, y omitiendo en la última parte citada las graves consecuencias que tendría hacer la guerra a los viajeros, Hurtado debía enunciar un requerimiento formal a todo aquél que encontrara. El inconveniente mayor radicaba en que el mismo Cortés indicaba que, para ello, el diálogo precisaba ser en "lengua que podáis entender y entenderos" (Martínez 1994: III, 302), lo cual difícilmente podría tener verificativo, dado que entre los que seguían a Hurtado no se encontraba intérprete alguno. Además, contraviniendo las disposiciones expresadas en las ya comentadas ordenanzas de 1527, a los expedicionarios no acompañaban los dos religiosos que, siguiendo con el nuevo canon, debían haber emprendido el viaje, a fin de cuidar que las relaciones entre españoles y aborígenes se establecieran de una forma que, según se pensaba, guardaría una mayor paridad.

3. El encuentro con la Isla California

Los navíos comandados por Diego Hurtado de Mendoza se hicieron a la vela en el puerto de Acapulco el 30 de julio de 1532, siguiendo el derrotero que marcaba el litoral. Habiendo avanzado doscientas leguas del puerto neogallego de Matanchel, la tripulación de uno de los buques se amotinó y forzó al capitán a ordenar el regreso; la otra nave, en la que viajaba Hurtado, prosiguió su travesía y, en algún momento, se perdió, no volviéndose a saber más del capitán o sus hombres (León-Portilla 1985: 89-90; Río 1990: 17). Los amotinados, a su vez, tornaron costeando hasta que, a la altura de bahía de Banderas, cerca del límite meridional de la Nueva Galicia, el buque dio de través, lo que resultó en que los navegantes debieron ganar la playa como mejor pudieron para, una vez en sitio seco, perder la vida a manos de los naturales. Como corolario de la calamitosa expedi-

ción, los restos aprovechables del navío fueron saqueados por hombres de Nuño de Guzmán, lo cual motivó que Cortés le dirigiera en julio de 1534 un airado requerimiento,
exigiéndole por conducto de su apoderado Alonso de Zamudio que devolviera las armas
robadas y liberara a los tripulantes que había aprehendido (Martínez 1994: IV, 86-88). A
su vez, la Audiencia comisionaría en agosto del mismo año a Gonzalo Ruiz para que se
presentara en la Nueva Galicia y, efectuadas las indagaciones correspondientes, proce-
diera a hacer justicia (Martínez 1994: IV, 91- 96).

Entretanto, Cortés ignoraba el destino corrido por el buque de su subalterno, conser-
vando todavía en enero de 1533 la esperanza de que el barco retornaría con noticias por
las que "la fe sea acrecentada y Vuestra Majestad muy servido y todos sus vasallos de
estas partes aprovechados" (Martínez 1994: IV, 15-17). De momento, y basado en que la
única información de utilidad proporcionada por los supervivientes del viaje había sido
el descubrimiento de unas islas, a la postre bautizadas Marías, el conquistador se había
trasladado en persona al puerto de Tehuantepec, a dirigir a un grupo de operarios que se
afanaban en la construcción de dos naves más (Martínez 1994: IV, 34-35). Como capita-
nes de las naves fueron designados Diego Becerra de Mendoza, también primo de Cortés, y Hernando de Grijalva, mientras que sus respectivos pilotos fueron Ortún (o Fortún)
Jiménez[4] y Martín de Acosta. Si bien no existen las ordenanzas concretas entregadas por
Cortés a los miembros de esta expedición, a partir de la relación presentada por Grijalva
y Acosta (Martínez 1994: IV, 51-59) es posible adivinar que no debieron diferir en gran
medida de las instrucciones dadas a Hurtado de Mendoza, siendo además factible que se
observara la misma displicencia en cuanto al reclutamiento de la oficialidad y marinería;
la salvedad estriba en que, en esta ocasión, dos religiosos de la orden de San Francisco se
embarcaron en la nave capitana, cumpliendo así con el real mandamiento antes referido.

El destino de esta segunda empresa no variaría demasiado del corrido por la precedente. El viaje dio inicio el 30 de octubre de 1533, zarpando las naves del puerto de Santiago, en la jurisdicción de Colima. A los pocos días, el mal tiempo separó a las embarcaciones, por lo que la de Grijalva tomó ruta hacia el occidente, siendo semidesmantelada
por un temporal; a pesar de ello, logró encontrar una isla a la que llamaría de Santo
Tomás. Después de efectuar un reconocimiento a conciencia del lugar, su flora, su fauna,
y las posibilidades que tendría de desembarcar o de recomendar la isla como un posible
fondeadero para ulteriores expediciones, siendo en ambos casos negativa su pondera-
ción, retornó siguiendo la línea de la costa, hasta arribar a Tehuantepec a fines de febrero
de 1534 (Martínez 1994: IV, 51-59).

Por su parte, la otra mitad de la pequeña flota se dirigió hacia el norte y, en algún
punto a la altura de las costas de la Nueva Galicia, una parte de la tripulación, encabezada por el piloto Jiménez, se amotinó y asesinó a Becerra, junto con algunos de los solda-
dos embarcados. Acercándose a la costa, procedieron a desembarcar a los franciscanos,
los heridos y los disconformes para, posteriormente, enfilarse hacia el noroeste (Río
1990: 18). El navío arribó a lo que, según una carta enviada por Cortés a Carlos I, los
marineros tomaron por *una isla*, que de momento permaneció innominada[5] donde, al

---

4   En el documento de referencia, se alude al sujeto en cuestión como "Hortuño" nombre que, moderni-
     zando la ortografía, correspondería al de Ortuño.
5   Clavijero (1990: 72) indica que los amotinados llamaron al puerto en que desembarcaron El Seno de la
     Cruz lo cual es un error, como podrá verse más adelante, dado que tal nombre, con una ligera variación,

efectuar una batida de exploración, hallaron un criadero de ostras perlíferas. Empero, en una escaramuza posterior con los aborígenes, resultaron muertos Jiménez y algunos otros, por lo que la búsqueda de perlas debió ser abandonada, zarpando los individuos restantes hacia el continente. Tras un viaje de cuyos pormenores no queda constancia, arribaron a las costas de la Nueva Galicia, en cuyo territorio se internaron, terminando por rendir cuentas de su viaje a Nuño de Guzmán quien, como es de suponerse, guardó para sí la información recibida, posiblemente con vistas a aprovecharla para su beneficio.

Con base en los datos expuestos, es de hacerse notar que, al menos en lo que a los informes presentados por los supervivientes de esta última expedición se refiere, en ningún momento se hace mención alguna sobre haber encontrado la mítica *Isla California*; por el contrario, y según se ha anotado con toda oportunidad, los informes se limitaban a referir el descubrimiento de una isla de la que, vistas las evidencias encontradas, podrían llegar a extraerse cantidades de perlas que hicieran rentables posteriores viajes a la misma. En vista de los pobres resultados obtenidos por sus enviados, pero alentado por las riquezas que parecía albergar el territorio hallado, Cortés personalmente habría de dirigirse al sitio en abril de 1535, después de sortear una serie de dificultades surgidas con Nuño de Guzmán en virtud de haberse internado en la jurisdicción de este último acompañado por numerosos individuos armados (León-Portilla 2001: 48-51). En el primero de los documentos por los que se hacía constar la toma de posesión hecha por el extremeño de la tierra en que efectuó su desembarco, queda constancia de lo siguiente:

> En tres días del mes de mayo, año del Señor de mil y quinientos y treinta y cinco; en este dicho día, podía ser a hora del medio día, poco más o menos, el muy ilustre señor don Fernando Cortés, marqués del Valle de Oaxaca, capitán general de la Nueva España y Mar del Sur por [gracia de] Su Majestad, llegó a un puerto y bahía de una tierra nuevamente descubierta en la dicha Mar del Sur [...] Por tanto que él, en nombre de Su Majestad, quiere tomar posesión de la dicha tierra y de todas las demás que desde allí prosiguen y se hallaren y descubrieren; por tanto, que pedía y pidió y mandó a mí, el dicho escribano [Martín de Castro], que de lo dicho ha y adelante pasare, le dé testimonio (Martínez 1994: IV, 146-147).

Por su parte, el segundo escrito, elaborado siete días después, proporciona la siguiente cadena de datos complementarios:

> En lunes, diez días del mes de mayo, año del nacimiento de Nuestro Señor Salvador Jesucristo de mil y quinientos y treinta y cinco años, estando en la bahía del puerto de *Santa Cruz de la Mar del Sur*, en la tierra nuevamente descubierta por el muy ilustre señor don Fernando Cortés [...] la cual en nombre de Su Majestad viene a conquistar y poblar, en presencia de mí, Martín de Castro, escribano de Sus Cesáreas y Católicas Majestades, y de los testigos de suyo escritos, estando presentes los capitanes y gentes del ejército de su señoría, el dicho señor

---

sería puesto a la bahía junto con el puerto por Cortés en 1535. El extremeño menciona, a la letra, "una isla que habían descubierto", sin mayores indicaciones. (Martínez 1994: IV, 132-135). De hecho, en *ninguno* de los documentos revisados, ya fueran dirigidos al conquistador o remitidos por él a alguna instancia en la Península Ibérica o de la Nueva España, aparece el nombre de California, haciéndose por lo común alusión, de forma genérica, a los viajes de descubrimiento llevados a cabo en la Mar del Sur.

marqués mostró y exhibió la provisión real de Su Majestad [...] la cual mandó que se lea y se pregone públicamente (Martínez 1994: III, 89)[6].

Hasta este momento, tras haber corrido ríos de tinta a lo largo de múltiples investigaciones respecto, tanto al origen del nombre de *California*, como a la ocasión en que el mismo se impuso a la todavía considerada isla, y aun a los motivos que habrían conducido a ello, subsiste una considerable cantidad de discrepancias en cuanto a la solución de las anteriores interrogantes. Al considerarse, por mor de preservar la unidad metodológica del presente trabajo, sólo a las fuentes generadas durante el periodo virreinal, cuyos informes han servido como punto de apoyo para los estudios posteriores, puede hablarse de la existencia de tres corrientes principales que, dichas brevemente, agruparían a quienes, por un lado, afirman sin mayores vacilaciones que el epíteto de California fue dado a la región por Hernán Cortés en su travesía al lugar, ocurrida en 1535, quien a su vez lo habría tomado de la obra *Las Sergas de Esplandián*, razonando que la afición del conquistador por la lectura de las novelas caballerescas, junto con la correspondencia entre los elementos asignados a tal lugar en el imaginario con los que se pretendía darle en la realidad, habrían sido los móviles por los que el extremeño se guiaría al bautizar a las tierras encontradas[7].

El segundo grupo estaría integrado por quienes, si bien conceden que el nombre de California pudiera haber sido dado a las tierras nuevas por Cortés, terminan por abstenerse de hacer una enunciación concreta, insertando una expresión que pudiera sembrar la duda o dejar un margen considerable a la especulación respecto a lo aseverado en un primer término. En esta misma categoría se ubicarían aquellos autores que remiten la responsabilidad de clarificar la identidad de quien habría verificado la labor nominativa original a un tercero, al cual es confiada la autoridad necesaria para validar el acontecimiento[8]. De esta manera, y siguiendo un procedimiento por demás común, quien escribe evita recibir un juicio desfavorable con posterioridad, al no ser él quien se ubica en una posición de saber, sino que endosa tal peso a quien supone posee más elementos para validar su discurso.

El tercer grupo, como es de suponerse, lo componen aquéllos que, de forma explícita o velada, apuntan que Hernán Cortés *no* fue quien bautizó a la California de tal manera, siendo menester presentar una pequeña explicación sobre los distintos motivos que habrían guiado a los autores incluidos en este rubro a negar un hecho tenido como cierto por amplios sectores. De tal suerte, en primer lugar se encontrarían quienes, al no hacer una mención expresa de *la California* como las tierras a que habría arribado Cortés, permiten inferir que tal nombre no hallaría correspondencia con la forma en que los acontecimientos habían fluido, siendo posible que contemplaran a la nomenclatura de un modo tal que no formaba parte de la cotidianidad específica del proceso referido o, al menos, un motivo válido no encontraban para llevar tal denominación al interior de sus respectivos dis-

---

6   Ostensiblemente, el escribano indica la Mar del Sur como el sitio a que debería de remitirse la pertenencia del puerto de Santa Cruz, y no a alguna otra entidad, siendo por tanto claro que la idea de la California no se encontraba en las mentes de los viajeros. (Las cursivas se han añadido.)

7   Algunos ejemplos notables de ello se encuentran en Díaz del Castillo (2000: 543-544); Clavijero (1990: 9-10, 72-73); Barco (1988: 381); Humboldt (2004: 197-198).

8   Para un ejemplo, véase Venegas (1943: I, 23-25, 122-124).

cursos, prefiriendo aludir al marco más amplio en que había tenido lugar la exploración cortesiana, esto es, la Mar del Sur o, simplemente, a tierras sin un apelativo específico que las diferenciara de otras y las ubicara en los contextos geográficos apropiados[9].

Finalmente, conviene anotar que existe un sector de estudiosos que han atribuido la autoría del bautismo de las tierras mencionadas a algún individuo, siendo su preferido Hernando de Alarcón, quien habría dado a la yerma California dicho nombre movido por el afán de escarnecer a Cortés, evidenciando de tal manera la discrepancia entre la riqueza que habría en el sitio, según hacía suponer la fantasía, y la pobreza real que se abría ante los ojos de los viajeros[10].

La naturaleza explicativa del presente estudio fija como tarea obligatoria, si no dar una respuesta definitiva a la anterior cuestión, sí al menos efectuar un ejercicio minucioso de revisión de las fuentes, con miras a proponer una o varias hipótesis plausibles que contribuyan a la dilucidación de las interrogantes señaladas. De esta manera, y sin poderse de momento encontrar la precisa ubicación temporal en que la *tierra nuevamente descubierta* habría comenzado a denominarse como California, la evidencia presentada permite, como punto de partida, afirmar sin titubeos que tal nombre no fue asignado al lugar por los hombres que mandaba Ortún Jiménez en 1534 ni por Hernán Cortés, al menos no en 1535; asimismo, puede aseverarse que el extremeño tampoco tenía como una certeza que el destino de las armadas por él enviadas a la Mar del Sur habrían de dar con algo que se correspondiera con la imagen creada para *la* California, tal y como había sido descrita en los pliegos de cordel de la época y que, al parecer, pudiera considerarse como un lugar común que funcionara para denotar un sitio en extremo exótico y ajeno, dada la similitud que existe entre la descripción hecha por Garcí Ordóñez sobre California y la que, en un texto contemporáneo, aparecía respecto a la tierra de las Amazonas (Mandavila 1984: 102).

Retomando la información contenida en los autos de toma de posesión citados páginas arriba, se verá que, en ningún momento, Hernán Cortés refiere haber pisado el suelo de la California; de la misma forma, una revisión profunda de su correspondencia, tanto anterior como posterior a la expedición de 1535, permite observar que el conquistador no menciona el dicho nombre como aquél bajo el que, posteriormente, habrían de ser conocidas las tierras nuevas situadas en la Mar del Sur. Aun cuando sería tal vez necesario efectuar un trabajo hermenéutico que forzara de cierto modo al discurso a amoldarse con los acontecimientos y las descripciones, con lo cual existiría siempre el riesgo latente de incurrir en alguna falsedad, las menciones más próximas a ello se encuentran en la Cuarta Carta-relación, donde el extremeño confiaba a Carlos I el comentario recibido acerca de una *isla poblada toda por mujeres*, en la cual sería posible hallar incontables riquezas. Empero, Cortés no explicita el que tal isla sea la California del imaginario europeo o la Cihuatlán de la mitología mesoamericana, situación que, en algún momento, ha tendido a generar alguna confusión. Así, León-Portilla (1985: 89) asume que, al momento de girar las instrucciones que habrían de guiar a Hurtado de Mendoza, Cortés tenía como una certeza el que las islas de Cihuatlán y California eran susceptibles de asi-

---

[9]   Destacan en este rubro López de Gómara (1979: 309-311, 689); Beltrán de Guzmán (1955: 82-85); Tello (1973: 97-98); Torquemada (1979: VI, 84-86); Vetancurt (1971: 116-118).

[10]   El caso más destacado de esta posición se encuentra en Portillo y Díez de Sollano (1947: 133-137).

milarse en una sola entidad, argumentando que existía una notoria correspondencia en la prosopografía dedicada a ambos sitios. Empero, tal similitud en los significados resulta no apegarse a lo mostrado por las evidencias al pertenecer a significantes de distinta naturaleza, siendo posible ubicar a uno de ellos (California) como una isla, mientras que el otro (Cihuatlán) estaría, para todo efecto práctico, situado en un contexto continental.

Luego entonces, si según sus propias palabras Cortés no llegó a la isla California, e incluso evitó en ocasiones ulteriores referirse al sitio de tal forma, prefiriendo llamarle *las tierras descubiertas en la Mar del Sur*, no existiendo por tanto hasta este momento una relación clara entre el comentario del conquistador y las futuras exploraciones que pretenderán haber hallado la mítica *Isla California*, ¿cuál fue el origen de tal denominación? ¿Cómo fue posible que las atribuciones con que el lugar ficticio contaba se adjudicaran a un lugar que, a todas luces, no se correspondía con aquél? Una respuesta inicial apuntaría a que, en efecto, el nombre habría sido una ironía lanzada por la gente de Alarcón al no encontrar ni las riquezas esperadas, ni a las amazonas que buscaban al hombre ideal para lograr la continuidad del conjunto social. Aunque lo anterior pudiera tener un basamento sólido, vistas las preguntas que se han planteado y el razonamiento que las ha acompañado, aún es susceptible de ser eliminado, o al menos de contemplarse desde un enfoque distinto, si se piensa que, entre el relato fantástico y la evidencia recabada en el terreno, existía como elemento concordante la presencia de las perlas, amén de la ubicación de las tierras *a la diestra mano de las Indias*, según señalaba el relato original, lo cual daría soporte a la imagen completa de la *isla* hallada, siendo por tanto natural y apegado a la lógica vigente el bautismo de las tierras como California en el momento en que éste ocurriera.

4. La travesía postrera

El viaje de Cortés en 1535, amén de haber sido aderezado por una nutrida cantidad de dificultades en el trayecto a la *isla*, la permanencia de los exploradores en el lugar, y el viaje de regreso a la contracosta, terminó por resultar un fiasco total, al no ser capaz el conquistador del Anáhuac de establecer una colonia permanente en el sitio que le habilitara para clamar, como había sido habitual en él, la tarea verificada en pro del acrecentamiento de los dominios de Carlos I. De esta manera, la trascendencia del periplo realizado se limitaría a la inserción en el conocimiento geográfico del siglo XVI, si bien fragmentaria y atenida a los vaivenes que presentara el contexto político, de una pequeña porción de tierra donde, según mostraba la experiencia, las condiciones para la supervivencia de quienes eventualmente decidieran establecerse resultaban en extremo arduas, al grado de depender casi por completo de los suministros que les fueran proveídos de algún lugar del continente.

Después de su viaje, Hernán Cortés regresó a la Ciudad de México en la primera mitad de 1536, para encontrarse con quien, según las disposiciones dictadas por la Corona, llegaba a relevarle de todas las funciones que hasta el momento había desempeñando, salvo aquéllas específicamente dirigidas al ejercicio castrense: el virrey Antonio de Mendoza. La cordialidad que, en un principio, prevalecería entre ambos personajes, no tardaría en esfumarse, al aparecer a finales de julio del mismo año en la capital de la Nueva España Álvar Núñez Cabeza de Vaca, y ser del conocimiento de Mendoza algunos de los pormenores de su azaroso viaje por las comarcas ignotas del Septentrión novohispano.

Tiempo después, hacia la mitad de 1537, haría su arribo el franciscano Marcos de Niza, siendo el segundo de los individuos que, en función de lo relatado al virrey, despertarían el vivo interés de éste por dar inicio, bajo su cuenta y riesgo, a la exploración de un norte configurado en mayor medida por la ficción que por la realidad. El religioso, aun cuando carecía de la experiencia que acompañaba a Cabeza de Vaca en cuanto a la exploración de las regiones desconocidas, decía tener conocimientos ciertos, que a su vez había obtenido durante su estadía en el Perú, sobre la riqueza de las tierras situadas en la periferia boreal de la Nueva España (León-Portilla 1985: 122-124).

El deseo de Antonio de Mendoza por complacer al monarca e incorporar nuevos territorios a su jurisdicción se contraponía a las aspiraciones que en el mismo sentido abrigaba Cortés, incluso después de los nulos resultados obtenidos de la exploración de la Mar del Sur, todo lo cual tuvo como consecuencia que se desatara una feroz competencia entre el virrey y el capitán general por enviar en la misma dirección a individuos capaces de proporcionar informes fidedignos sobre las condiciones del terreno y las posibilidades de establecer algún enclave colonial o, al menos, un puesto avanzado que facilitara las posteriores tareas que se decidiera emprender. Así, aprovechando que a Cortés le ocupaban de momento otros afanes, Mendoza envió a Marcos de Niza a examinar las comarcas por las que Cabeza de Vaca había transitado y que, con el tiempo, serían conocidas como Nuevo México, hallándose el examen de los pormenores de su travesía fuera de los límites del presente estudio.

A pesar de los obstáculos puestos por el virrey, el extremeño consiguió armar una nueva escuadra, compuesta por tres navíos que, al mando de Francisco de Ulloa, partió de Acapulco el 8 de julio de 1539, haciendo una pequeña escala de abastecimiento en Santiago el 23 de agosto para, finalmente, dirigirse hacia Santa Cruz, con el objetivo de delimitar el contorno de la isla y extraer la mayor cantidad posible de datos del brazo de mar que le separaba del continente. Tras perderse uno de los barcos, los dos restantes siguieron la línea de la costa hasta un punto desde el cual, atravesando el mar, podrían arribar a Santa Cruz; más tarde, volvieron a internarse en las aguas hasta dar con el litoral opuesto, prosiguiendo su avance hacia lo desconocido, el cual terminaría en el sitio en que las aguas parecían finalizar, las dos costas unirse, y aparecer la desembocadura de un río. Nuevamente costeando, aunque ahora por el rumbo opuesto, emprendieron el viaje de regreso, hasta doblar el extremo sur del cabo hoy conocido como de San Lucas y continuar hacia el norte, llegando a la isla que sería bautizada como Cedros, tomando posesión de la misma el 20 de enero de 1540 en nombre de Hernán Cortés y Carlos I (León-Portilla 2000: 135-140). Habiéndose efectuado el reconocimiento ordenado por el marqués del Valle, uno de los barcos de Ulloa retornó al puerto de Santiago, a fin de rendir los informes pertinentes al armador sobre los resultados de la travesía. Aunque el capitán decidió permanecer en el lugar para proseguir su marcha hacia el norte, debió desistir al encontrar vientos contrarios, regresando tiempo más tarde a algún puerto novohispano, sin mayores haberes que los datos obtenidos (León-Portilla 1985: 135).

5. Conclusiones

Como ha podido apreciarse en los párrafos precedentes, en cuatro ocasiones, o cinco, si en el recuento se incluye el viaje primigenio a las Molucas, la exploración de la Mar del Sur habría de significar sólo pérdidas a la hacienda de Hernán Cortés, al no obtener sus enviados algo que se tradujera en un beneficio material para el conquistador. No obstante, es menester señalar que, en el ámbito de la ampliación del conocimiento geográfico tocante a la porción costera que daba al extremo noroeste de la Nueva España, los viajes cortesianos implicaron un incremento en las nociones que al momento se poseían, al dejar constancia de la existencia de un *más allá* susceptible de añadirse a los dominios de la Corona española, si bien ello requeriría de onerosos desembolsos de metálico, considerables obras constructivas en diferentes puntos de la costa novohispana y, posiblemente el obstáculo de más difícil solución, la habilitación de toda la infraestructura administrativa indispensable para que la incorporación de tales territorios rebasara las fronteras de la palabra y pudiera, en un breve lapso, insertarlos en las dinámicas generales del imperio. Asimismo, los viajes patrocinados por el conquistador extremeño constituyeron el primer atisbo certero a las posibilidades que podrían existir en cuanto a la navegación entre el Asia y la Nueva España, mismas que se materializarían en 1565 al hallar la expedición de Miguel López de Legazpi y Andrés de Urdaneta el tornaviaje desde las Filipinas a la costa occidental de las Indias.

Empero, debido a la falta de una transmisión adecuada de la información, a la rivalidad de los distintos individuos que se encontraban inmiscuidos en las empresas de exploración territorial sucedidas a lo largo del tiempo, así como al ansia de los expedicionarios por alcanzar la fama y tal vez la fortuna, el conocimiento obtenido por los enviados de Cortés tendería a fragmentarse y, lo que tendría mayores alcances, se constituiría como una entidad efímera, presta a desvanecerse, no merced a lo que pudiera considerarse una labor aditiva de datos, la cual redundaría en un perfeccionamiento de los saberes correspondientes, sino debido a la acción de supresión que implicaría difundir las nuevas referencias como si de algo previamente desconocido trataran. Los argumentos vertidos en torno a las faenas nominativas de las que la California fue protagonista dan pie para afirmar que, al menos en la década de 1530, el sitio no obtuvo tal denominación, siendo aún una incógnita el momento preciso en que habría recibido el nombre con el que hasta la fecha se le conoce. Al mismo tiempo, permiten observar las dinámicas, cercanas al caos, que privaban en cuanto a la circulación de la información geográfica generada por las numerosas empresas de descubrimiento y conquista que se llevaban a cabo en la primera fase expansiva del Imperio español en las Indias, lo cual obraba en detrimento de la incorporación de territorios e individuos, privando a la administración imperial de los hipotéticos beneficios que los mismos pudieran haberle brindado.

En conclusión, aun cuando los resultados de las empresas cortesianas serían utilizados por los viajeros que les sucederían en el curso de la siguiente década, antes de cincuenta años lo visto y relatado por ellos quedaría casi por completo sumido en el olvido, subsistiendo tan sólo los datos relativos a las rutas que llevaban al encuentro de la California, no así su calidad de península o lo agreste de su naturaleza. De hecho, al redactar hacia 1590 su *Historia natural y moral de las Indias*, José de Acosta (1962: 131-133) situó a la California en el rubro de las tierras que sólo eran conocidas por su nombre y ubicación, pero cuyas características resultaban por completo ignoradas a los pobladores de la Nueva España, siendo necesario que transcurriera una centuria hasta que, de algún modo, la expedición de Kino y Salvatierra comenzara a corregir los equívocos imperantes.

MAPA[11]

Río del Tizón

N

Isla de Cedros

Chimetla

Santa Cruz

NUEVA GALICIA

Islas Marías

Cihuatlán

MAR DEL SUR

NUEVA ESPAÑA

Colima

Tecomán

Ciudad de México

Isla de Santo Tomás

Puerto de Santiago

Michoacán

Tepeaca

Zacatula

Zihuatanejo

Oaxaca

Acapulco

Tututepec

Tehuantepec

MAR DEL NORTE

Bibliografía

Acosta, José de (1962): *Historia natural y moral de las Indias. En que se tratan de las cosas notables del cielo, elementos, metales, plantas y animales de ellos y los ritos y ceremonias, leyes y gobierno de los indios*. México, D. F.: Fondo de Cultura Económica.

Barco, Miguel del (1988): *Historia natural y crónica de la Antigua California. [Adiciones y correcciones a la noticia de Miguel Venegas]*. México, D. F.: Universidad Nacional Autónoma de México, Instituto de Investigaciones Históricas

Beltrán de Guzmán, Nuño (1955): *Memoria de los servicios que había hecho Nuño de Guzmán desde que fue nombrado gobernador de la provincia de Pánuco en 1525*. México, D. F.: José Porrúa e Hijos.

Clavijero, Francisco Xavier (1990): *Historia de la Antigua o Baja California*. México, D. F.: Porrúa.

Cortés, Hernán (1992): *Cartas de relación*. México, D. F.: Porrúa.

Díaz del Castillo, Bernal (2000): *Historia verdadera de la conquista de la Nueva España*. México, D. F.: Porrúa.

Díaz y de Ovando, Clementina (1952): "Baja California en el mito". En: *Historia Mexicana*, II, 1, pp. 23-45.

---

[11] Fuente: Gerhard (1996: 306, 335, 360; 2000: 16, 39, 126).

Gerhard, Peter (2000): *Geografía histórica de la Nueva España 1519-1821.* México, D. F.: Universidad Nacional Autónoma de México, Instituto de Investigaciones Históricas.

—— (1996): *La frontera norte de la Nueva España.* México, D. F.: Universidad Nacional Autónoma de México, Instituto de Investigaciones Históricas.

Humboldt, Alexander von (2004): *Ensayo político sobre el reino de la Nueva España.* México, D. F.: Porrúa.

León-Portilla, Miguel (2001): *Cartografía y crónicas de la Antigua California.* México, D. F.: Universidad Nacional Autónoma de México, Instituto de Investigaciones Históricas.

—— (2000): *La California mexicana. Ensayos acerca de su historia.* México, D. F.: Universidad Nacional Autónoma de México, Instituto de Investigaciones Históricas/Universidad Autónoma de Baja California.

—— (1985): *Hernán Cortés y la Mar del Sur.* Madrid: Cultura Hispánica/Instituto de Cooperación Iberoamericana.

López de Gómara, Francisco (1979): *Historia de la conquista de México.* Caracas: Biblioteca Ayacucho.

Mandavila, Juan de (1984): *El libro de las maravillas del mundo.* Madrid: Visor.

Martínez, José Luis (ed.) (1994): *Documentos cortesianos.* México, D. F.: Fondo de Cultura Económica/Universidad Nacional Autónoma de México. 4 Vols.

—— (1990): *Hernán Cortés.* México, D. F.: Fondo de Cultura Económica/Universidad Nacional Autónoma de México.

Miralles Ostos, Juan (2004): *Hernán Cortés, inventor de México.* Barcelona: Tusquets.

O'Donnell, Hugo (1992): *España en el descubrimiento, conquista y defensa de la Mar del Sur.* Madrid: MAPFRE.

Pereyra, Carlos (2000): *La conquista de las rutas oceánicas.* México, D. F.: Porrúa.

Portillo y Díez de Sollano, Álvaro del (1947): *Descubrimientos y exploraciones en las costas de la California.* Madrid: Escuela de Estudios Hispanoamericanos de Sevilla.

Río, Ignacio del (1990): *A la diestra mano de las Indias. Descubrimiento y ocupación colonial de la Baja California.* México, D. F.: Universidad Nacional Autónoma de México, Instituto de Investigaciones Históricas.

Río, Ignacio del y María Eugenia Altable Fernández (2000): *Breve historia de Baja California Sur.* México, D. F.: El Colegio de México/Fideicomiso de Historia de las Américas/Fondo de Cultura Económica.

Streissguth, Thomas (2004): *Hernán Cortés.* Mankato: Capstone Press.

Tello, Antonio (1973): *Libro segundo de la crónica miscelánea, en que se trata de la conquista espiritual y temporal de la Santa Provincia de Xalisco en el nuevo Reino de la Galicia, y Nueva Vizcaya, y descubrimiento del Nuevo México.* Guadalajara: Gobierno del estado de Jalisco/Universidad de Guadalajara/Instituto Jalisciense de Antropología e Historia/Instituto Nacional de Antropología e Historia.

Torquemada, Juan de (1979): *Monarquía Indiana. De los veinte y un libros rituales y monarquía indiana, con el origen y guerras de los indios occidentales, de sus poblazones, descubrimiento, conquista, conversión y otras cosas maravillosas de la misma tierra.* México, D. F.: Universidad Nacional Autónoma de México, Instituto de Investigaciones Históricas.

Torre Villar, Ernesto de la (ed.) (1991): *Instrucciones y memorias de los Virreyes Novohispanos.* México, D. F.: Porrúa. 2 Vols.

Vaca de Osma, José Antonio (2004): *Hernán Cortés.* Madrid: Espasa Calpe.

Venegas, Miguel (1943): *Noticia de la California y de su conquista temporal y espiritual hasta el tiempo presente.* México, D. F.: Porrúa.

Vetancurt, Agustín de (1971): *Teatro mexicano. Descripción breve de los sucesos ejemplares, históricos y religiosos del Nuevo Mundo de las Indias.* México, D. F.: Porrúa.

West, David y Jackie Gaff (2005): *Hernán Cortés: the life of a Spanish conquistador.* New York: Rosen Publishing Group.

Arturo Almandoz*

⊃ Modernización urbanística en América Latina. Luminarias extranjeras y cambios disciplinares, 1900-1960¹

Resumen: Buscando una perspectiva comparativa de alcance continental, el artículo trata de relacionar visitas de expertos extranjeros con cambios académicos y profesionales, ocurrencia de eventos y aparición de libros que ayudaron a consolidar y desarrollar la disciplina urbanística en América Latina, entre las reformas novecentistas de la Bella Época y el apogeo del modernismo en los años 1950. Sobre la base de elementos contextuales de corte político, económico y demográfico que apuntalaron la modernización, se intenta entretejer una tal formación discursiva de cambios epistemológicos, profesionales y académicos, a lo largo de dos grandes episodios: el europeizado urbanismo academicista que predominara hasta los años 1930, y la planificación tecnicista y de corte norteamericano después de la Segunda Guerra Mundial.

Palabras clave: Urbanismo; Planificación; América Latina; Siglo XX.

Introducción

Si bien ha sido profusamente abordado en términos de expresiones literarias y artísticas, así como también propiamente arquitecturales, el estudio de la modernización urbana de entresiglos en América Latina ha sido menos revisado desde las tendencias y movimientos urbanísticos que buscaron colocar a la región en un nuevo estadio de modernidad para mediados del siglo XX. Tal carencia quizás se deba a que el urbanismo y la planificación urbana suelen ser vistos como temas demasiado técnicos, cuando en buena parte resultaron del mismo clima cultural que propiciara los cambios en las vanguardias artís-

* *Arturo Almandoz es profesor titular del Departamento de Planificación Urbana de la Universidad Simón Bolívar, Caracas. Investiga en modernización urbana e imaginarios en América Latina. Además de numerosos artículos en revistas especializadas y volúmenes colectivos, ha publicado ocho libros, entre los que destacan* Urbanismo europeo en Caracas (1870-1940) *(1997; 2006) y* La ciudad en el imaginario venezolano *(2 Vols.). Ha editado* Planning Latin America's Capital Cities, 1850-1950 *(2002).*

¹ Una primera versión de este artículo fue presentado como ponencia libre: "Fecundación y colonialismo tardíos. Luminarias europeas y Fecundación y colonialismo tardíos. Luminarias europeas y propuestas urbanas en América Latina, 1900-1960", en el XIV Congreso Internacional AHILA. Europa-América: Paralelismos en la Distancia. Castellón, España: Universidad Jaime I, 20-24, 2005. He tratado de incorporar los comentarios y sugerencias de los compañeros participantes en el simposio en el que la ponencia fue presentada.

ticas; la existencia de ese parentesco se destaca al aproximar el tema desde la perspectiva de la historia cultural urbana, la cual busca precisamente relacionar los cambios en la ciudad y sus disciplinas con los imaginarios y otras formas de representación (Almandoz 2004). Partiendo de una tal concepción culturalista, creemos que la modernización urbanística resulta interesante para un público no especializado, especialmente si se la aborda desde una perspectiva panorámica y comparativa de alcance latinoamericano, como aspira este artículo desarrollar, más allá de la proliferación de casos de estudio.[2]

La modernización urbanística buscada en este artículo revisa principalmente las visitas y asesorías de luminarias extranjeras, pero también la celebración de eventos y la publicación de libros en tanto "unidades discursivas" a través de las cuales pueden ser trazadas relaciones epistemológicas y profesionales. Estoy consciente de las objeciones planteadas por Foucault (1992), por ejemplo, con respecto al cuestionable uso de las *unités de discours*, tales como las nociones de continuidad (tradición, desarrollo, influencia, evolución, mentalidad, espíritu), la vaga entidad atribuida a libros y obras, así como las supuestas separaciones entre disciplinas, entre otros de los estratagemas epistemológicos sobre los que han sido establecidas las "regularidades discursivas", sobre todo en las ciencias sociales. Con todo y ello, creo que ese corpus de unidades discursivas refleja, de manera algo caleidoscópica, un complejo de relaciones con los contextos sociales y la modernización latinoamericana de la primera mitad del siglo XX, así como con los cambios académicos y de la práctica profesional de la disciplina, todos los cuales configuran un "sistema de dispersión" epistemológica que este artículo trata de ensamblar.

Para bosquejar la modernización urbanística a través de esa formación discursiva, el artículo se propone, primeramente, tipificar y pasar revista a algunas de las propuestas formuladas por una serie de luminarias extranjeras que visitaron capitales latinoamericanas en la primera mitad del siglo XX: Joseph Bouvard al Buenos Aires y el Sâo Paulo de la Bella Época; Jean-Claude Nicholas Forestier a Buenos Aires y La Habana en los años 1920; la famosa giras de Le Corbusier desde finales de la misma década; las colaboraciones de Léon Jaussely y Werner Hegemann en Buenos Aires; las prolongadas contribuciones de Karl Brunner en los medios urbanísticos de Chile y Colombia desde finales de los veinte, así como las de Hannes Meyer en México; las coordinaciones de Alfred Agache y Maurice Rotival en los primeros planes urbanos de Río de Janeiro y Caracas, respectivamente. Dentro del segundo episodio, son puestas en perspectiva las contribuciones y asesorías de Le Corbusier, José Luis Sert y otros voceros de los Congresos Internacionales de Arquitectura Moderna (CIAM), entre otras vertientes, en organismos nacionales de planificación urbana emergentes en países latinoamericanos desde los años 1940 hasta finales de la década siguiente. Ésta es tomada como epígono de un ciclo en el que buena parte de esas visitas y propuestas tuvieron un carácter protagónico, al que la historiografía regional, nacional y local ha llegado incluso a atribuir una condición heroica en algunos casos (Pérez Oyarzun 1991; Berjman 1998). En el marco de tal modernización urbanística, el artículo se plantea también identificar cuáles de los visi-

---

[2]   En vista de tal concepción, así como de las limitaciones de extensión de este artículo, la bibliografía a referir será principalmente general o comparativa sobre América Latina, con la excepción de referencias de casos nacionales que resulten indispensables.

tantes señalados ayudaron a la consolidación de los estudios urbanos en los medios académicos, con énfasis en la enseñanza de la historia.[3]

I. Auge y ocaso del urbanismo academicista

Urbanización y masificación tempranas[4]

Ya para los años 1920, algunas regiones de América Latina albergaban dos habitantes en las ciudades por cada campesino que había permanecido en las pampas, llanos o *sertão* de su vasta geografía. Es un indicador muy grueso que oculta quizás contrastantes diferencias entre países: Argentina y el Cono Sur tenían más del 50 por ciento de su población urbanizada desde 1914, mientras que las repúblicas andinas o centroamericanas serían predominantemente rurales hasta los cincuenta (Beyhaut 1985: 210-211). A pesar de su relativa simplificación, los indicadores demográficos registraban una realidad inequívoca: disparado desde el mismo comienzo del siglo XX en algunos países, el proceso de urbanización sería indetenible en la mayor parte de Latinoamérica durante el segundo tercio del siglo. Y aunque sólo en términos demográficos, en pocas décadas se completaría un ciclo que había tomado más de una centuria en Gran Bretaña y otros países industrializados y urbanizados a lo largo del siglo XIX (Potter/Lloyd-Evans 1995: 9-11).

Como en otras regiones del hoy llamado Tercer Mundo, la acelerada urbanización de América Latina en el siglo XX acentuó las concentraciones de un mapa que contrastaba con la dispersión y el atraso rurales. Atiborradas de de migrantes campesinos y foráneos, antiguas capitales coloniales y urbes emergentes pronto alcanzaron magnitudes que rivalizaban con metrópolis europeas y norteamericanas. Buenos Aires saltó de 663.000 habitantes en 1895 a 2.178.000 en 1932; Santiago, de 333.000 en 1907 a 696.000 en 1930; y Ciudad de México, de 328.000 en 1908 a 1.049.000 en 1933. Caso análogo al explosivo crecimiento de ciudades industriales como Manchester y Chicago, São Paulo pasó de 240.000 habitantes en 1900 a 579.000 en 1920 y 1.075.000 en 1930; mientras que Río disminuyó su primacía urbana, con una población que sólo se incrementó de 650.000 habitantes en 1895 a 811.433 en 1906. La expansión de las capitales fue en parte impulsada por un incipiente proceso de industrialización en Argentina, Uruguay, Chile y Cuba, los cuales figuraban entre los países más urbanizados del mundo para el primer cuarto de siglo. La población de La Habana se duplicó de 250.000 habitantes en 1900 a medio millón en 1925. Impulsadas por la migración del campo a la ciudad, las capitales de países andinos crecieron también de manera considerable: Bogotá pasó de 100.000 habitantes en 1900 a 330.000 en 1930, y Lima de 104.000 en 1891 a 273.000 en 1930. Aunque Caracas sólo creció de 72.429 habitantes en 1891 a 92.212 en 1920, los primeros efectos

---

[3]   Resultante de una línea de investigación y enseñanza sobre "Modernización urbana en América Latina, 1850-1950" (Almandoz 2002), el artículo se vincula al mismo tiempo con una investigación posdoctoral sobre la emergencia de la historiografía urbana, desarrollada en el Centro de Investigaciones Posdoctorales (CIPOST), Facultad de Ciencias Económicas y Sociales (FACES), Universidad Central de Venezuela.

[4]   Para las secciones contextuales me apoyo en Almandoz (2006).

de la bonanza petrolera la harían pasar de 135.253 en 1926 a 203.342 en 1936 (Hardoy 1988; Almandoz 2002).

Sin alcanzar el dramatismo de la Revolución Mexicana de 1910, la cual fuera en parte desatada por el descuido hacia el campo feudal por parte de los gobiernos modernizadores de Porfirio Díaz (1877-1880, 1884-1911), los estados latinoamericanos no pudieron prolongar el liberalismo y positivismo decimonónicos hasta el siglo XX, como el porfiriato había tratado de hacer. Desafiados por las demandas de sufragio universal, constitución de sindicatos y otros derechos políticos, los gobiernos de José Batlle y Ordóñez (1903-1907, 1911-1915) en Uruguay, Roque Sáenz Peña (1910-1913) e Hipólito Irigoyen (1916-1922) en Argentina, seguidos del primer Arturo Alessandri (1920-1924, 1925) en Chile, ejemplificaron tempranos intentos del estado posliberal por adaptarse a las demandas de la rápida urbanización. Muchas de las reivindicaciones de la masa heterogénea que engrosaba en las metrópolis tenía que ver con problemas de alojamiento y condiciones sanitarias en volátiles ciudades que no podían seguir manteniendo, por razones tanto políticas como demográficas, sus deficiencias poscoloniales de servicios e infraestructura (Romero 1984; Pineo y Baer 1998).

Respuestas oficiales y privadas a esas demandas configuraron la agenda urbana de las dos primeras décadas del siglo XX, especialmente en términos de reformas higiénicas y habitacionales de los centros históricos, completada por los suburbios residenciales para una burguesía que se hacía cada vez más cosmopolita (Almandoz 2002: 28-31). Coqueteando, por un lado, con tempranas muestras del reluciente funcionalismo del Estilo Internacional y el Art Déco, importados para sus lujosas quintas en los barrios chic de Buenos Aires o São Paulo, esta clientela esnobista de recién urbanizados hacendados y barones del café todavía gustaba, por otro lado, del repertorio más academicista heredado de la Bella Época, incluyendo los refinados pero exhaustos motivos del Beaux Arts y Art Nouveau. Era una ambivalencia estilística que también mostraba el sector oficial en sus programas de edificios cívicos o administrativos, como fuera manifiesto en las celebraciones que, desde 1910, conmemoraran el primer centenario de independencia republicana.

Agenda de la Bella Época[5]

En el europeizado clima de la Bella Época, pueden distinguirse tres vertientes principales de modernización urbanística de las capitales latinoamericanas, a saber: las reformas sanitarias, las propuestas de renovación urbana y la expansión residencial. Con relación a la primera, debe considerarse que, como la industrialización fue menos intensa que en Europa, las preocupaciones sanitarias en la Latinoamérica decimonónica no estuvieron tan directamente relacionadas a los problemas de vivienda para inmigrantes. Las ordenanzas de construcción y control ambiental en las grandes capitales fueron en parte inspiradas por el debate europeo sobre higiene pública, siendo prominente el ejemplo británico: las actas de 1848 y 1875 fueron estudiadas en algunos países, especialmente en Argentina, donde aparentemente inspiraron las propuestas de Guillermo Rawson y

---

[5]   Me apoyo en esta sección en pasajes de Almandoz (2002), donde la bibliografía más específica es referida.

Samuel Gache (Hardoy 1988: 102-103). Hacia los años 1880, Buenos Aires lideró con Montevideo la creación de instituciones especializadas en investigación sobre higiene, seguidas por similares en Ciudad de México, Santiago y Lima, mientras propuestas para viviendas obreras eran desarrolladas por promotores privados en Río (Wilson 1972: 33-35; Pino/Baer 1998). El intercambio de experiencias a través de las Américas también jugó un papel importante al difundir las nuevas ideas y adelantos. Las Conferencias Interamericanas de 1897 y 1902, que tuvieron lugar en Ciudad de México, discutieron la agenda higienista y promovieron la adopción de acuerdos internacionales, algunos de los cuales fueron alcanzados en la Convención Sanitaria de 1905 (Conferencias Internacionales Americanas 1938: 98). Sobre la base de tales eventos, para comienzos del siglo xx, los avances logrados en Buenos Aires, Montevideo, Santiago, Río y La Habana pudieron servir de modelo a las reformas higienistas de capitales rezagadas como Caracas y Lima.

Además de la publicación de significativas obras como *La higiene aplicada a la construcción de las ciudades* (1909-1910), del chileno Ricardo Larraín Bravo, durante las primeras décadas del siglo xx el debate sanitario influenciaría diversas propuestas de renovación y extensión urbana en las capitales latinoamericanas. No sólo se modernizaron redes de acueductos y alcantarillado, sino que también se emprendieron obras de más envergadura, como la demolición del Morro do Castelo durante la administración de Carlos Sampaio, prefecto de Río, buscando erradicar los enclaves de *tugurizados cortiços* del centro carioca, a la vez que mejorar la circulación de los vientos. También puede mencionarse las "propuestas lineales" para la expansión de Santiago, desarrolladas desde 1909 por el ingeniero y arquitecto chileno Carlos Carvajal, sobre la base del ejemplo de la madrileña Ciudad Lineal de Arturo Soria en los años 1890, que intentaba desconcentrar los congestionados centros tradicionales mediante la creación de modernas urbanizaciones a lo largo de líneas de tranvía y ferrocarril.

Pero la mayoría de los proyectos urbanos eran más cercanos al linaje del "urbanismo académico" representado por la École des Beaux-Arts y, más tarde, por el Instituto de Urbanismo de la Universidad de París; la revista de éste, *La vie urbaine*, publicada desde 1919, llegaría a tener gran impacto entre las nuevas generaciones de profesionales latinoamericanos (Gutiérrez 1996). Contribuyeron a la prolongación de ese academicismo formalista y poco innovador las celebraciones del centenario de la independencia republicana, que fueron señaladas ocasiones para organizar competencias arquitectónicas e invitar a diseñadores foráneos a hacer propuestas. Preparándose para la celebración del centenario de la independencia argentina en 1910, el Intendente de Buenos Aires invitó a Joseph Antoine Bouvard en 1907; el arquitecto de la ciudad de París, en la que había organizado la ecléctica exposición de 1900, diseñó un conjunto de avenidas diagonales para el centro de Buenos Aires, incluyendo un proyecto para la plaza de Mayo que no fue construido (Berjman 1998: 175-213). Invitado también durante la prefectura de Raimundo Duprat en São Paulo (1911-1914), las propuestas de Bouvard para la entonces segunda ciudad brasileña, que ya evidenciaba su rivalidad con la capital carioca, apelaron a la misma concepción barroca y monumental del espacio, a la vez que evidenciaban la tardía admiración de Bouvard por Camillo Sitte. Si bien los principios artísticos de este urbanista austriaco habían significado una renovadora alternativa frente a la concepción ingenieril del ensanche que predominaba a finales del xix en el mundo germano, ya para el momento de su invocación en las propuestas Bouvard no representaba el organicismo sitteano una modernidad secular para la expansiva metrópoli latinoamericana.

La expansión de las áreas residenciales articuló otro capítulo de la agenda en las grandes capitales de América Latina. Como hemos visto, la imagen, composición social y estructura funcional de las ciudades más populosas cambiaron drásticamente desde los años 1900: abarrotados desde finales del siglo XIX con actividades administrativas y comerciales, los centros tradicionales albergaron también inmigrantes rurales y extranjeros atraídos por la industrialización incipiente, mientras que las clases medias y altas habían comenzado a buscar nuevas localizaciones residenciales, estableciendo así la dirección para el crecimiento de sus capitales (Harris 1971). El arribo del automóvil había ampliado las posibilidades de expansión urbana, limitadas hasta entonces en las capitales que contaban con sistemas de tranvías y trenes suburbanos desde finales del siglo XIX. Éste fue el momento en el que, supuestamente, llegaron las "ciudades jardín", cuya propuesta original había sido formulada en la Inglaterra de entresiglos por Ebenezer Howard, como respuesta de desconcentración urbana frente al excesivo crecimiento y deterioro ambiental de la ciudad industrial.

Un uso lato del término ha clasificado como "ciudades jardín" ejemplos decimonónicos, desde "colonias" del México del porfiriato; incluyendo el *bairro* de Higienópolis en São Paulo, desarrollado desde los años 1890 por los empresarios Martin Burchard y Victor Nothmann; hasta la "urbanización" El Paraíso, en la Caracas de los años 1900. También el Vedado, en La Habana, ha sido visto como anticipada expresión de las cualidades suburbanas de la ciudad jardín, complementadas con los ingredientes naturalistas del diseño de Frederick Law Olmsted –creador del Parque Central neoyorquino– así como con la combinación de actividades logradas en las manzanas del ensanche de Ildefonso Cerdá en Barcelona. Pero otros han señalado que la ciudad jardín de Howard "nunca fue trasladada a América Latina", la cual habría sido atraída más bien por la idea del "suburbio-jardín" y el "suburbio-jardín-dormitorio" para las clases media y trabajadora, respectivamente (Hardoy 1988: 104). Sin embargo, los proyectos más directamente relacionados con los principios de la ciudad jardín inglesa fueron algunos de los nuevos suburbios de São Paulo, tales como Jardim America, desarrollado en 1915 con la participación de Barry Parker, colaborador en la materialización de la propuesta original de Howard en Inglaterra (Almandoz 2004a).

Con todo y la difusión de las supuestas ciudades jardín en las afueras de metrópolis latinoamericanas que valoraban ya los atributos suburbanos del *planning* anglosajón, la predominancia gala en el emergente urbanismo de la región ilustra equivocidades técnicas atribuibles a factores culturales y geopolíticos de la Belle Époque. A pesar de su relativo retraso con respecto a las reformas y legislaciones sanitarias y habitacionales en Gran Bretaña y Alemania antes de la Primera Guerra Mundial (Sutcliffe 1981: 190-94; Choay 1983: 158-271), Francia mantuvo su prestigio en el diseño urbano, ganado desde el siglo XIX, gracias a la prolongación de su influencia en el repertorio academicista de las capitales latinoamericanas. Aunque esa predominancia sería eclipsada a partir de los años 1930, cuando nuevos modelos urbanísticos habrían de ser incorporados al planeamiento de las capitales, la Ciudad Luz continuaría como numen y meca de la retórica del Beux-Arts, la cual en buena medida había informado al imaginario estético de la Bella Época latinoamericana. En el marco de tales gustos arquitecturales y reformas parciales inspiradas en el Viejo Mundo, el urbanismo no sería instituido en Latinoamérica hasta finales de los años 1920. Pero a diferencia de países europeos donde la consolidación disciplinar estuvo asociada a la promulgación legislativa, bien fuera a nivel nacional o municipal, el urbanismo latinoamericano sería proclamado por nuevos planes para las capitales y grandes ciudades, los cuales fungirían como partidas de nacimiento de la nueva disciplina (Almandoz 2002).

Primeros planes, pioneros locales y padrinos extranjeros

Desde finales de los años 1920, el desarrollo industrial, la movilidad demográfica y la expansión urbana habían evidenciado, en las mayores urbes latinoamericanas, la urgencia de adoptar planes que fueron emprendidos por los gobiernos locales apoyados en expertos foráneos y nuevas generaciones de profesionales criollos. Confirmando la especialización del discurso y de la disciplina que acompañara a la emergencia del urbanismo en los países industrializados, los temas urbanos habían comenzado a atraer revistas técnicas y divulgativas durante las primeras décadas del siglo XX. Entre ellas destacaron *La Ciudad* (1929) en Buenos Aires; *Planificación* (1927), *Casas* (1935) y *Arquitectura y Decoración* en México; *Ciudad y Campo* en Lima; *Zig-zag* y *Urbanismo y Arquitectura* (1939) en Chile; y la *Revista Municipal del Distrito Federal* (1939) en Caracas. La influencia de los urbanistas europeos era todavía evidente en el uso de libros como *Construcción de ciudades según principios artísticos* (1889), del ya mencionado Sitte, traducido al español en 1926; así como en textos de los historiadores franceses Marcel Poëte y Pierre Lavedan, y del planificador británico Raymond Unwin, colaborador de Howard, los cuales circulaban en sus versiones originales entre los profesionales latinoamericanos (Gutiérrez 1996; Almandoz 2002).[6]

Además de las Conferencias Interamericanas y Congresos Panamericanos de Arquitectos que tuvieron lugar desde los años 1920, las innovaciones técnicas del urbanismo pudieron intercambiarse en los eventos internacionales que, a partir de la década siguiente, se especializaron en distintos componentes del emergente campo profesional. En 1934 tuvo lugar un congreso de arquitectura y urbanismo en Chile, seguido del primer Congreso Internacional de Urbanismo en Buenos Aires en 1935. El primer Congreso Interamericano de Municipalidades tuvo lugar en La Habana en 1938, y el segundo en Santiago en 1941. Con respecto a la vivienda, el primer Congreso Panamericano de Vivienda Popular también tuvo lugar en Buenos Aires en 1939, y el decimosexto Congreso Internacional de Planificación y Vivienda en Ciudad de México en 1938. Celebrado en Washington al año siguiente, el decimoquinto Congreso Internacional de Arquitectos también representó una gran oportunidad para que los profesionales latinoamericanos actualizaran sus experiencias (Hardoy 1988).

Confirmando la importancia que los cambios administrativos tuvieran para la consolidación del urbanismo, tal como ocurriera en Europa antes de 1914 (Sutcliffe 1981), el aparato técnico de la planificación no cobró forma en Latinoamérica antes de la segunda mitad de los años 1920, cuando los problemas urbanos pasaron a ser cuestiones públicas. La mayoría de las oficinas nacionales y municipales de Santiago, Montevideo, Buenos Aires, Ciudad de México, Río, São Paulo, La Habana, Lima, Bogotá y Caracas fueron

---

6   De nuevo me apoyo en estos párrafos en mi propia revisión (Almandoz 2002); la bibliografía específica por casos de estudio puede ser ampliada allí.

resultado del esfuerzo entre gobiernos locales y nacionales, nuevas asociaciones profesionales, y centros de investigación urbana. Con algunos profesionales actuando a la vez como responsables administrativos, diseñadores y promotores urbanos, una nueva generación de planificadores nativos surgiría de estas oficinas y comisiones encargadas de elaborar los primeros planes para las metrópolis emergentes, incluyendo a Carlos Contreras en Ciudad de México, Mauricio Cravotto en Montevideo, Carlos della Paolera en Buenos Aires, Anhaia Mello y Francisco Prestes Maia en São Paulo, Pedro Martínez Inclán en La Habana, y Leopoldo Martínez Olavarría en Caracas.

Como epígono de la influencia europea de entreguerras en Latinoamérica, que no terminaba su seducción por el prestigio cultural y académico del Viejo Mundo, esas novedosas oficinas de urbanismo, con equipos criollos competentes, siguieron contratando a famosos urbanistas europeos como consejeros o coordinadores para la elaboración de los primeros planes urbanos; éstos parecieron alcanzar, como ya fue señalado, el valor de manifiestos o partidas de nacimiento de la nueva disciplina, a diferencia de países europeos, donde las primeras leyes de planificación tuvieron mayor significado epistemológico. Capitalizando todavía el prestigioso eclecticismo del urbanismo francés en la América Latina de la Bella Época, conspicuos representantes de lo que ha sido denominado 'École Française d'Urbanisme' (EFU) –la cual difundiera el urbanismo monumentalista en colonias y protectorados– fueron invitados a participar en las propuestas y planes para algunas capitales (Choay 1983).

Invitado en 1924 por la administración municipal de Buenos Aires, el paisajista Jean-Claude Nicholas Forestier –reputado por el diseño del sevillano parque de María Luisa, así como por intervenciones en las colonias francesas en África e Indochina, como otros miembros de la EFU– propuso avenidas, parques y espacios abiertos con ecos parisienses del Segundo Imperio; parte de sus propuestas serían incluidas en el primer plan de Buenos Aires, llevado adelante desde 1925 por la recién creada Comisión de Estética Edilicia (Berjman 1998: 215-267). Invitado también Forestier a La Habana por una nueva tecnocracia municipal que reflejaba ya el autocrático progresismo del régimen de Gerardo Machado (1925-1931), su Plan para el Embellecimiento y el Ensanche, también de corte academicista, fue publicado e incluido en la Ley de Obras Públicas promulgada por el nuevo gobierno en 1925, aunque escasamente realizado (Duverger 1994: 221-240).

Otro connotado *urbaniste* de la EFU con experiencia colonial, Léon Jaussely trajo propuestas algo más modernas a Montevideo y Buenos Aires en 1926 (Berjman 1998: 215-271), cuando el fundador de la Société Française d'Urbanistes (SFU) manifestó cierta oposición a la cuadrícula colonial, pronunciándose a favor de algunos principios de la ciudad jardín con respecto a la expansión urbana (Gutiérrez 2002: 64-66). Invitado por el prefecto Antonio Prado Junior para coordinar un equipo técnico entre 1926 y 1930, Donat-Alfred Agache propuso un plan monumentalista para Río, cuya metodología incluyó empero ciertas innovaciones metodológicas, tales como *surveys* geográficos a nivel regional, así como una síntesis informativa de la capital en proceso de expansión. Otro tardío ejemplo del eclecticismo de la EFU puede verse en el primer plan para Caracas (1939), elaborado por la Dirección de Urbanismo del Distrito Federal capitalino, donde el equipo criollo de expertos había sido apoyado, desde la creación de aquélla en 1937, por la oficina parisina de Henri Prost; numerosos proyectos en las colonias francesas y Turquía imposibilitaron la visita del famoso urbanista, cuyos asociados, Jacques Lambert y Maurice Rotival, fueron enviados a coordinar el plan de la modesta capital que despertaba a la democracia, en medio de la bonanza petrolera, después de la prolongada dictadura de Juan Vicente Gómez (1908-1935). Los técnicos franceses reunían casi todos los ingredientes academicistas de la EFU, lo que hizo finalmente posible la extemporánea llegada de la cirugía urbana al estilo del barón Haussmann a Caracas, después de varias décadas de afrancesadas aspiraciones de su cultura urbana (Almandoz 2002).

Pero un mensaje más moderno fue lo que los suramericanos trataron de obtener invitando a Le Corbusier a visitar Buenos Aires, Montevideo, São Paulo y Río, gira que, significativamente, fuera emprendida por la luminaria franco-suiza en 1929, mientras el segundo CIAM tenía lugar en Francfort (Pérez Oyarzun 1991). Invitado en la capital argentina por la Sociedad Los Amigos del Arte, el adalid modernista, que sólo trajo crudas versiones de sus anteriores planes parisinos, no fue bien acogido e incluso ignorado por el grupo profesional nucleado en torno de la Sociedad Central de Arquitectos (Collins 1995). Por otro lado, representantes más profesionales del mundo germano también fueron llamados a apadrinar el naciente urbanismo latinoamericano. Werner Hegemann, editor de la revista *Der Städtebau*, fue invitado en 1931 a Buenos Aires por "Los Amigos de la Ciudad", una pragmática sociedad que parecía no estar satisfecha ni con las propuestas academicistas de la EFU, ni con los planes preconcebidos y fuera de contexto de Le Corbusier. El hombre responsable de la invitación de Hegemann fue Carlos della Paolera, ingeniero argentino que se había graduado en el Instituto de Urbanismo parisino, donde se había familiarizado con las ideas del Museo Social y de la SFU, pero también conocía del enfoque tanto científico como humanístico con que Hegemann se aproximaba a la planificación (Randle 1977; Collins 1995). Era también el caso del austriaco Karl Brunner, cuyas prolongadas estadías en Santiago y Bogotá, invitado por los gobiernos y medios académicos, lo confirmaron como el más conspicuo representante en Latinoamérica de un *Städtebau* o arte urbano racionalista y contextualizado, que algunos sectores profesionales buscaban después del esteticismo sitteano (Hofer 2003).

Currículos, asociaciones y eventos

En el marco de esos cambios administrativos y técnicos consecuentes con las primeras oficinas y planes de urbanismo, la progresiva especialización lograda a través de los currículos universitarios, las asociaciones profesionales y los intercambios en eventos, proveen todos claves tempranas para historiar los estudios urbanos. Sin intención de ser exhaustivos para los diferentes países latinoamericanos –lo cual sería imposible no sólo por limitaciones de extensión sino también por una bibliografía por casos que apenas comienza a desarrollarse– valga sólo referir pistas de los medios nacionales que pueden considerarse más adelantados para la tercera década del siglo. Uno de los primeros cursos de urbanismo fue introducido en 1928 en la Escuela de Arquitectura, Facultad Ciencias Económicas y Matemáticas de la Universidad de Chile, por Alberto Schade Pohlenz, autor de un plan para Santiago en 1923; con fuerte influencia de la estética de Sitte; ese programa inspiró, en 1929, un curso equivalente en la Universidad Católica (Hofer 2003: 74-75). Con la creación del Instituto de Urbanismo y la promulgación de una Ley General de Construcciones y Urbanizaciones el mismo año, así como la celebración del primer congreso de Arquitectura y Urbanismo en 1934, el Chile que entonces visitara Brunner –donde desarrolló planes urbanos, proyectos de leyes y cursos universitarios– se destacaba como una de las plataformas más articuladas del urbanismo latinoamericano. A la partida de Brunner, la cátedra de Urbanismo fue asumida hasta 1946 por su discípulo, Rodulfo Armando Oyarzun Philippi, de la misma forma que los otros frentes continuados (Pavez 1992: 2-11).

Valga señalar que, entre las contribuciones de figuras extranjeras que tuvieron más influencia académica, fue Brunner quien, además de ayudar a constituir las plataformas institucionales y profesionales de Chile y Colombia, llegó a producir un libro en el que podemos encontrar cierta referencia a la casuística latinoamericana para ilustrar la emergente preceptiva urbanística. En efecto, su *Manual de Urbanismo* (1939-1940) ofreció, de manera novedosa para el público del continente, una revisión de las soluciones que la naciente planificación daba a los problemas funcionales de las metrópolis mundiales, con abundantes ejemplos de la ciudad latinoamericana en proceso de transformación (Brunner 1939: 19-24).

México fue otro caso tempranamente maduro. Promovido por el arquitecto Manuel Ortiz Monasterio, el curso "Planificación de Ciudades y Arte Cívico" fue inaugurado en 1926 en la Escuela Nacional de Bellas Artes (ENBA) de México y encomendado primero a José Luis Cuevas Pietrasanta, y después, hasta 1929, al arquitecto Carlos Contreras, fundador de la revista *Planificación* y director desde el año anterior del comité para el plano regional de Ciudad de México; dos años más tarde, Cuevas introdujo la materia de urbanismo en la entonces Universidad Autónoma de México. La celebración del Primer Congreso Nacional de Planeación en 1930, por iniciativa de la Asociación Nacional para la Planificación de la República Mexicana (ANPRM), creada en 1927, así como la promulgación el mismo año de una Ley General de Planeación, confirman el temprano desarrollo de·un marco profesional y jurídico en el país azteca. Como pionero de esta profesionalización, Contreras había propuesto la creación de una escuela de planificación, con el fin de producir profesionales en tres años; aunque esta iniciativa no prosperó, sí logró concretarse para 1939 un posgrado en Planificación y Urbanismo en el Instituto Politécnico Nacional (IPN), uno de los primeros del continente (Sánchez Ruiz s. f.).

Brasil también dio numerosas muestras de una pionera institucionalización administrativa, profesional y académica del urbanismo, aunque debilitadas algunas de aquéllas por la inestabilidad política y la posterior consolidación del Estado Novo (1937-1945) de Getúlio Vargas, cuyo centralismo no pareció favorecer la reforma local sino nacional. Después de la fundación de la efímera Asociación Brasileña de Urbanismo en 1927, otro paso hacia su institucionalización como cuestión nacional vino con la creación en 1932 del Departamento de Administración Municipal, destinado a dar asistencia a los gobiernos locales. Confirmando que los prefectos de las ciudades brasileñas han sido con frecuencia expertos pioneros además de funcionarios, Luiz de Anhaia Mello –autor de *Problemas de Urbanismo* (1929)– organizó en São Paulo un Congreso de Habitación, seguido de una Semana de Urbanismo que tuvo lugar en Salvador en 1935. El medio académico había conocido la reforma de Lúcio Costa en la ENBA carioca en 1931, creando cátedras de urbanismo y paisajismo, en el marco de cambios que pretendían independizar la enseñanza de la arquitectura de las artes plásticas; posteriormente, el prefecto Pedro Ernesto lograría en 1935 la creación de la Universidade do Distrito Federal (UDF), donde sería impartido el primer curso de posgrado en urbanismo, hasta que la universidad fuera cerrada por el gobierno de Vargas en 1939 (Pereira 2003: 79-80).

En el caso de Argentina, después de la creación de la Comisión de Estética Edilicia en 1925, las invitaciones a Le Corbusier y Hegemann fueron muestras del interés urbanístico de los grupos arquitecturales, siendo las propuestas del último promovidas desde la Oficina del Plan de Urbanización, creada en 1932. Si la madurez del medio profesional permitió la celebración del primer Congreso Argentino de Urbanismo en 1935, la cátedra respectiva en la Universidad del Litoral, Rosario, ya había sido propulsada desde 1929 por Della Paolera, quien pasaría a ocupar desde 1933 la misma cátedra en la Universidad de Buenos Aires (Randle 1977: 12). En su manual, Brunner hizo referencia a estos cursos, en los que la "historia de las ciudades" tenía gran importancia tanto en la primera parte, sobre "evolución urbana", como en la tercera, dedicada al "arte urbano o urbanización" (Brunner 1939: 24-25). Sin embargo, según el más tardío testimonio dado por Hardoy, el contenido de esos primeros cursos de urbanismo no facilitaba ni la comprensión de la ciudad ni de los centros históricos de rápida expansión y congestionamiento; ocurría como con el naciente urbanismo que se practicaba entonces: si bien había algunas intervenciones inspiradas en el modernismo funcionalista, los planes de renovación permanecieron apegados a la aproximación parcial sobre el tráfico, los espacios verdes o el embellecimiento, sin incorporar dimensiones económicas, sociales o ambientales propias de la planificación técnica (Hardoy 1991: 143).

No sólo para el medio argentino, el testimonio de Hardoy es indicativo del venidero eclipse del urbanismo academicista en la Latinoamérica de entreguerras, el cual necesitaba enriquecer su alcance a través de los nuevos objetos –región y territorio– así como de los instrumentos –planes maestros y zonificación– que pasaron a estar asociados con el planeamiento norteamericano. Porque tal tránsito, que es en el fondo una cuestión epistemológica y técnica, se produciría en el marco histórico del desplazamiento de polos de modernidad de la segunda posguerra, acentuado por peculiaridades idiomáticas y culturales de América Latina, todo lo cual llevaría a una nueva agenda de ciencias sociales y urbanismo, tal como vemos a continuación. Sin embargo, puede decirse que el ciclo del urbanismo academicista, liderado en la región por las luminarias extranjeras invitadas por medios oficiales y privados, sirvió no sólo para dar forma a la mayoría de los primeros planes urbanos –aunque la mayoría quedara inconclusa– sino también para introducir los estudios urbanos en los medios académicos nacionales.

II. Hacia la planificación funcionalista

Desfase entre industrialización y urbanización

En 1950, más de la mitad de la población de Uruguay (78,0), Argentina (65,3), Chile (58,4) y Venezuela (53,2) vivía ya en centros urbanos. Mientras el promedio de urbanización en América Latina era todavía de 41,6, países como Brasil y México no eran demográficamente urbanizados sólo debido a la inmensa magnitud de sus poblaciones, albergando empero algunas de las mayores metrópolis del mundo (United Nations 1996: 47). Ciudad de México y Río de Janeiro estaban apenas por debajo y por encima de los 3 millones, respectivamente, mientras São Paulo ya había escalado a 2 millones y medio. Este primer grupo de áreas metropolitanas latinoamericanas estaba todavía liderado por el Gran Buenos Aires, con 4,7 millones (Harris 1971: 167).

Desde el final de la Segunda Guerra Mundial hasta mediados de los años 1960, las mayores economías latinoamericanas mostraron relativa prosperidad, marcada por un significativo crecimiento industrial por sustitución de importaciones, en medio de una sostenida urbanización que supuestamente ampliaba los mercados de consumo. La agenda continental de desarrollismo había sido respaldada, desde 1948, por la creación de agencias internacionales como la Organización de Estados Americanos (OEA) y la Comisión Económica para América Latina (CEPAL), patrocinadas por las Naciones Unidas y los crecientes intereses estadounidenses en la explotación primaria e industrial de la región.

Vistas entonces como prometedores ejemplos de países *en desarrollo* –denominación que pareció tener gran resonancia hasta los años 1960– las sociedades latinoamericanas en trance de industrialización eran también consideradas como exponentes de la teoría clásica de modernización, tal como fuera concebida por el desarrollismo económico y la sociología funcionalista. Desde comienzos de la década de los sesenta, la conexión entre industrialización, urbanización y modernización fue formulada, siguiendo una derivación casi causal, por Philip Hauser, Leonard Reissman y Kingsley Davis, desde las perspectivas del cambio social y la transición demográfica, apoyándose para ello en los ejemplos de países del Atlántico Norte que se industrializaran en el siglo XIX (Reissman 1970; Davis 1982). De tal literatura pudo colegirse, sin embargo, que las naciones latinoamericanas supuestamente en desarrollo parecían estar en el camino hacia la industrialización y urbanización, pero de hecho padecían profundas distorsiones en comparación con exitosas experiencias de modernización en Europa, Norteamérica y otras partes del mundo (Hauser 1967).

Por un lado, la frágil industrialización no había precedido sino más bien seguido a la urbanización latinoamericana, de manera que la sustitución de importaciones no podía ser vista como equivalente de la "Revolución Industrial", con sus consiguientes efectos dinamizadores sobre el sistema económico y la transición demográfica (Williamson 1992: 333). Tal como ocurriera en otras partes de lo que comenzaba a ser denominado Tercer Mundo, en lugar de haber "jalado" (*pulled*) hacia las ciudades contingentes poblacionales que pudieran ser de hecho absorbidos por la industria y otros sectores productivos, la mayor parte de la migración del campo a la ciudad latinoamericana había sido "empujada" (*pushed*) por un sector agrario preterido por las políticas de énfasis urbano llevadas adelante por los estados corporativos (Potter/Lloyd-Evans 1998: 12-13).

Por otro lado, los niveles de urbanización casi duplicaban la participación industrial en las economías argentina, chilena, venezolana, colombiana y brasileña, según los censos de los años 1950 (Harris 1971: 85). Tales niveles no podían ser absorbidos por el sistema productivo, de manera que a la postre producirían "inflación urbana" o "superurbanización", tal como ocurriría en otras regiones del Tercer Mundo (Potter/Lloyd-Evans 1998: 14-15). En las décadas venideras, buena parte de este excedente de población improductiva viviendo en las ciudades terminaría alojada en barriadas y dependiendo de la economía informal. Pero era ya evidente para comienzos de la década de los sesenta que el desequilibrio entre industrialización y urbanización no permitirían ni el desarrollo al estilo CEPAL, ni la modernización según la visión de la sociología funcionalista.

De urbanismo a planificación

No es casual que la utilización del término "urbanismo" durante las primeras décadas del siglo XX en América Latina, se viera sustituida en la segunda posguerra por los vocablos "planificación" o "planeamiento" en español, así como *planejamento* en portugués. Dado que éstos son con frecuencia entremezclados como sinónimos, puede pensarse que la aparente duplicidad es debida a un vocabulario más rico en este caso que el inglés, donde el *urbanism* tradicionalmente no tuvo una connotación disciplinar alternativa al *town planning* británico o al *urban planning* norteamericano, lo que cambiaría en la era postmoderna. Pero en el fondo, hay matices conceptuales e históricos asociados a cada término: tal como ha sido esbozado para contextos de industrialización avanzada, a diferencia del *urbanisme* francés, de la *urbanística* italiana o del *Städtebau* germano, el *town planning* anglosajón enfatizó valores sistémicos, procedimentales y/o políticos, apoyado para ello en las ciencias sociales y su aparato técnico en reemplazo del diseño, por resumir así su orientación más general, internacional y evidente para mediados del siglo XX (Hebbert 2004). Pero en la Latinoamérica que buscaba el desarrollo y la modernización a través de la industrialización y urbanización, ese tránsito epistemológico fue también manifestación del relevo y desplazamiento de los polos desde los que era importada la modernidad, de Europa a Estados Unidos, a través del cual llegó el nuevo aparato de instrumentos asociados con la planificación, así como la renovación técnica, procedimental e institucional que propició (Almandoz 2002: 31-39).[7] En este sentido, damos a continuación algunas de las influencias y cambios presentes en ese clima profesional dentro del cual se plantearía una nueva relación con la planificación y los estudios urbanos.

Puede decirse que las principales influencias foráneas en la Latinoamérica de la posguerra viraron del academicismo al modernismo funcionalista heredero del CIAM, el cual sirvió a los objetivos progresistas de regímenes latinoamericanos, tanto democráticos como dictatoriales. Desde antes del eclipse del urbanismo academicista, el racionalismo de izquierda de Hannes Meyer interactuó en México durante los diez años que estuvo allí el antiguo director de la Bauhaus, después de otra prolongada experiencia en la Unión Soviética de Stalin. Los proyectos de vivienda de interés social e instituciones públicas en los que Meyer participó ayudaron al giro hacia la arquitectura más vernácula y regionalista producida durante el régimen de Lázaro Cárdenas (1934-1940), después de la agenda modernizadora que ya venía en curso desde el maximato de Calles, con proyectos educacionales y sanitarios liderados por Juan O'Gorman, Juan Legarreta y Villagrán García (Gorelik 2005: 102-119). Invitado al ya mencionado XVI Congreso Internacional de Planificación y Vivienda, celebrado en la capital azteca en 1938, la llegada de Meyer fue también vista como espaldarazo al proyecto, impulsado por Cuevas y Enrique Yáñez, de una Escuela de Planificación Urbana dentro del IPN fundado el año anterior; la experiencia soviética de aquél estaba llamada a ayudar en la articulación que el urbanismo mexicano buscaba con las emergentes categorías de región y planificación (Gorelik 2005: 121-122). La presencia del arquitecto suizo también enriqueció, pero no fue fundamental, para el proceso que desembocaría, ya para el final de la progresista presidencia de Miguel Alemán (1946-1952), en proyectos como el de la Ciudad Universitaria, coordinado por Carlos Lazo, Mario Pani y Enrique Del Moral, obra cumbre de un modernismo azteca que reinterpretó motivos nativos con una nueva resonancia internacional, tal como también ocurriera en sus contrapartes de Brasil y Venezuela (Fraser 2000: 51-74).

---

[7] Nuevamente, he tratado de registrar parte de este cambio en Almandoz (2002), donde puede encontrarse más bibliografía específica de los casos referidos en los párrafos siguientes.

El legado del CIAM en otras capitales latinoamericanas se acrecentó durante los años 1940, sobre todo a través de las visitas de algunos de sus representantes como consultores o consejeros de los nuevos organismos de planificación, algunos de los cuales pasaron a tener alcance nacional. Le Corbusier aprendió la lección sobre la necesidad de contextualizar y respetar el medio profesional local en su segunda propuesta para Buenos Aires, la cual fue preparada con la firma de arquitectos argentinos Kurchan y Ferrari y publicada en 1947. Mientras otros viajes de Le Corbusier a Bogotá cristalizarían en un plan en 1950, la presencia teórica de CIAM sería consolidada con la edición en español de la *Charte d'Athènes* (1941) –manifiesto del funcionalismo resultante del cuarto CIAM– publicada en Argentina en 1954, así como con la versión caribeña que Pedro Martínez Inclán había presentado en su *Código de Urbanismo,* en el marco de la primera Conferencia Nacional de Arquitectura, celebrada en Cuba en 1948 (Pérez Oyarzun 1991; Gutiérrez 1995). Promotor del Patronato Pro-Urbanismo desde 1942, Martínez Inclán impulsó el giro del academicismo al modernismo desde su cátedra de planificación urbana en la Universidad de La Habana. Después de las visitas a esta capital de luminarias modernistas como Richard Neutra (1945), Walter Gropius (1945) y Joseph Albers (1952), el rol de paladín del CIAM entre las nuevas generaciones de arquitectos cubanos correspondió a José Luis Sert, asesor de la Junta Nacional de Planificación creada en 1955 por el segundo gobierno dictatorial de Batista (1952-1959). Exiliado desde el inicio de la Guerra Civil española, después de haber trabajado con Le Corbusier entre 1929 y 1932, Sert finalmente se estableció como profesor y decano de Arquitectura en Harvard, mientras su exitosa oficina con Paul Lester Wiener, Town Planning Associates (TPA), mantenía pingües contratos con agencias gubernamentales de planificación en todo el mundo. En el caso de La Habana, el americanizado proyecto del maestro catalán parece haber cedido demasiado a las ambiciones turísticas y financieras del régimen de Batista, que buscaban convertir a la capital cubana en lo que terminaría siendo Miami después de la revolución de 1959 (Scarpaci Segre/Coyula 2002: 73-88).

Arribado desde finales de los años 1940 a Venezuela, pero sobre todo en la progresista dictadura de Pérez Jiménez (1952-1958), el *planning* fue preconizado por el mismo Sert, los planificadores norteamericanos Robert Moses y Francis Violich, así como de nuevo Rotival, asesores todos de la Comisión Nacional de Urbanismo (CNU); estos últimos dejaron testimonios del auge de la nueva técnica de la planificación por aquellos años. El Rotival que venía contratado por segunda vez por el gobierno venezolano no quería ser ya considerado como *urbaniste*, sino más bien como exponente del más comprehensivo profesional que era el *planificateur*, según una diferencia sobre la que teorizaría años más tarde (Rotival 1964). En el caso de Violich, en su *Cities of Latin America* (1944), el planificador californiano ofreció una de las primeras perspectivas comparadas de la europeizada formación academicista en varios medios profesionales con los que estuvo en contacto a lo largo de su viaje. Pero valga hacer notar que ya en aquel libro temprano Violich había advertido también que "los jóvenes arquitectos y planificadores practicantes" de América Latina comenzaban a "ver hacia los Estados Unidos en vez de Europa" (Violich 1944: 169-173). Posteriormente supo resumir, a propósito de su experiencia con la CNU venezolana, el giro del enfoque disciplinar que se produjo en aquellas décadas, el cual puede ser predicado de buena parte del continente: "Un movimiento moderno de Beaux Arts inspiró el final de los años 1930, y una orientación social la mitad de los 1940, sólo para dar paso a principios de los 1950 a un enfoque funcional generado en las técnicas norteamericanas" (Violich 1975: 285).

En el caso de Brasil, además del ruso Gregori Warchavchik, quien introdujera desde 1923 el modernismo internacional en São Paulo, la presencia de figuras estelares de los CIAM, incluyendo las propuestas de Le Corbusier en Río, apuraron el impulso funcionalista, el cual mantuvo su fascinación por lo foráneo a través de los años 1930-1940. Una experiencia que confirma esta dependencia fue la de Cidade dos Motores, establecimiento de alrededor de 25.000 habitantes que serviría de apoyo a una fábrica aeronáutica al norte de Río; el proyecto fue encargado a la TPA de Sert, gracias a los contactos de Wiener con el Departamento de Estado norteamericano, interesado a su vez en fortalecer la industria aeronáutica en el país que necesitaban como aliado en la Segunda Guerra Mundial. Si bien la intermediación gringa puede comprenderse en términos de necesidades geopolíticas, lo que sí resulta inexplicable es que "para 1942 los arquitectos brasileños estaban bien informados sobre los asuntos de planificación, de manera que no necesitaban liderazgo foráneo" (Fraser 2000: 207). Ello se confirmaría en la década siguiente, cuando la emblemática Brasilia promovida por el gobierno de Juscelino Kubitschek (1956-1961), sería íntegramente acometida por un equipo autóctono liderado por Lúcio Costa y Oscar Niemeyer, lo que evidenciaba que, finalmente, la madurez profesional de la arquitectura y la planificación podía alcanzar resonancia internacional, sin necesidad de luminarias extranjeras.

El tránsito en la enseñanza

Entre los años 1940 y 1960, la introducción de la enseñanza de la historia y los estudios urbanos pudo diferenciarse sólo cuando las escuelas de arquitectura lograron superar la dicotomía decimonónica entre los preceptos artísticos de la École des Beaux-Arts, y los más ingenieriles de la École Polytechnique, que se habían reproducido en algunas universidades latinoamericanas desde las reformas borbónicas de finales de la Colonia (Torre 2002: 549-551). El crecimiento historiográfico fue quizás estimulado por el hecho de que, en las mismas décadas, se manifestó el interés extranjero, especialmente estadounidense, por reportar y explicar el modernismo latinoamericano; maestros regionales como el mexicano O'Gorman, los brasileños Costa y Niemeyer, y el venezolano Carlos Raúl Villanueva, fueron catalogados en las exposiciones "Brazil Builds" (Goodwin 1943) y "Modern Architecture in Latin America since 1945" (1955), organizadas por el Museo de Arte Moderno de Nueva York, esta última bajo la curaduría del famoso crítico Henry-Russell Hitchcock (1955; Fraser 2000).

En el dominio urbanístico, la transición hacia la planificación parecía ir acompañada de la institucionalización de la historia como componente específico llamado a alimentar la práctica profesional, especialmente en el medio más maduro de Argentina. En este sentido, valga mencionar la visita del famoso historiador Marcel Poëte, invitado por su discípulo Della Paolera, para inaugurar el "Curso Superior de Urbanismo" en la Universidad de Buenos Aires, inspirado en la orientación evolucionista del parisino Instituto de Urbanismo del que provenía aquél. También el geógrafo Gaston Bardet enseñó en la capital argentina en 1949, pero se dedicó más a materias instrumentales que teóricas (Randle 1972: 32-34), así como en Brasil, medios también en los que Joseph Lebret, con su aproximación economicista y humanista, proyectaba las aplicaciones del componente histórico dentro de la planificación regional.

Ya para mediados de los años 1950, la reforma en la enseñanza de la historia del urbanismo, entre otras disciplinas, parece haber sido referencial en la Universidad Nacional de Rosario, la misma en la que Della Paolera había propulsado, recordemos, la cátedra de urbanismo desde 1929 (Randle 1977: 12). A Rosario fueron entonces llamados profesionales de Buenos Aires, entre los que se encontraban los arquitectos Jorge Enrique Hardoy y Francisco Bullrich; fue la primera vez que jóvenes estudiosos como Gutiérrez y Segre entraban en contacto con figuras ya consolidadas, para asistir a sus clases (Almandoz 2003: 201-202). Con todo y estos cambios, parecía haber poca historicidad en la enseñanza y práctica del urbanismo latinoamericano en los cincuenta, lo que Gutiérrez atribuye a la predominancia de la descontextualizada prospectiva importada de los CIAM: "Era difícil entender la posibilidad de formular un futuro desde la propia historia; siempre pesaba más el modelo externo de lo que 'se debía ser' antes de entender 'lo que se era'" (Almandoz 2004: 244).

Las distinciones implicadas en el tránsito del urbanismo hacia la planificación en Latinoamérica fueron reconocidas, desde una perspectiva epistemológica a la vez que histórica, por el peruano Emilio Harth-terré y el argentino Patricio Randle, quienes participaron de aquella metamorfosis del joven urbanismo continental y la pusieran más tarde en perspectiva. En su libro *Filosofía en el urbanismo* (1961), el primero se pronunció abiertamente por este término que correspondía a "la ciencia de la ciudad", mientras que la "sobrevaloración del vocablo *planificación*", consecuencia de la creciente admiración por lo anglosajón en las universidades latinoamericanas, habría llevado a la "secuela desmedrante del neologismo *planeamiento urbano*", desplazando innecesariamente al "purísimo y expresivo" término que el idioma español ofrece en su voz *urbanismo* (Harth-terré 1961: 64, 124-126).

Años más tarde, partiendo más bien de la premisa de que en el idioma español ambos términos, "urbanismo" y "planeamiento", eran aceptables, en su obra *Qué es el urbanismo* (1968) Randle no los vio sin embargo como sinónimos, y atribuyó un significado histórico y conceptual a cada término. Por ser siempre "destinatarios de influencias tan diversas", los latinoamericanos habríamos adoptado "urbanismo" debido a que "fueron francesas las corrientes que rigieron el despertar de esta actividad"; el "planeamiento urbano" se habría impuesto después de la segunda Guerra Mundial a través de la "influencia inglesa", con la que probablemente quería referirse el historiador más bien al influjo anglosajón que llegó a Latinoamérica desde los Estados Unidos. Pero Randle fue más allá de la mera sucesión de términos, y se decidió a enfrentar la "distinción bizantina" que le intrigaba, atreviéndose a la siguiente diferenciación conceptual entre "urbanismo" y "planeamiento urbano":

> ...se trataría de dos conceptos diversos y sucesivos teniendo como punto de partida el urbanismo en su aceptación más próxima a la estética edilicia, a la obra pública edilicia y a la provisión de los servicios urbanos, conforme a los primeros tratados de fines del siglo anterior y comienzos de éste. Luego, en cambio, a la vez que se perfecciona la teoría y la práctica, surgiría como una nueva tarea la del *planeamiento urbano*, en la que el lado estético era sólo una consecuencia de otras preocupaciones más integrales y científicas tales como el uso del suelo y la circulación (Randle 1968: 22).

Puede decirse que estas obras de Randle y Harth-terré lograron poner en una perspectiva epistemológica e historiográfica una aparente moda a sustituir urbanismo por planificación, lo cual reflejaba cambios más estructurales de la disciplina, en el marco geopolítico del modernismo y el desarrollismo en América Latina. Tal como lo enfatizara Harthterré, si la mudanza terminológica tenía mucho que ver con el orden de difusión de los vocablos en español y portugués, reflejaba a la vez un desplazamiento en los polos de la modernidad técnica, de Europa a Estados Unidos, en la Latinoamérica de la posguerra, ávida de desarrollismo y modernización. A un nivel más práctico, ese cambio representaba, como lo hace notar Randle, un reemplazo del monumentalismo esteticista de los proyectos de comienzos de siglo, por una concepción más integral y funcional en los planes producidos por las oficinas locales y nacionales de planificación; desde el México que acogiera a Meyer hasta la Argentina que conociera la primera edición de la Carta de Atenas, varias de esas oficinas preconizaron conceptos e instrumentos transferidos por sus asesores provenientes del CIAM, tal como hiciera la TPA en Caracas, Río y La Habana.

Conclusiones

La formación discursiva del urbanismo latinoamericano debe ser rastreada desde las reformas higienistas y habitacionales que algunos gobiernos debieron emprender como respuesta al crecimiento urbano en la primera década del siglo XX, especialmente en el marco de reivindicaciones cívicas promovidas en el Cono Sur. Todavía en el clima cultural y estilístico de la Bella Época, esos componentes funcionales se integraron con las nuevas búsquedas de diseño urbano y arquitectónico propiciadas por la expansión burguesa de las capitales y las celebraciones del centenario de la independencia republicana.

Pero la consolidación disciplinar debió esperar hasta los años 1920, cuando las visitas de luminarias foráneas realzó la producción de planes y proyectos urbanos para Buenos Aires y otras capitales, con poblaciones ya millonarias o de cientos de miles de habitantes. A diferencia del contexto europeo, donde la producción de leyes había dado carácter legal a la disciplina desde la primera década del siglo XX, la institucionalización del urbanismo latinoamericano principalmente se dio, con la excepción de México y Chile –que tempranamente desarrollaron plataformas nacionales– a través de las oficinas municipales encargadas de producir planes desde finales de los veinte, así como de universidades que inauguraban cursos.

Aunque profesionales de esos medios –de Contreras en México a Della Paolera en Argentina– contaban ya con la formación y expericia suficientes para acometer las crecientes tareas del urbanismo, se observó la tendencia a invitar famosos urbanistas extranjeros, bien fuera por razones políticas, de prestigio o contactos personales. Los visitantes representaron corrientes internacionales diversas que colorearon la modernidad urbanística latinoamericana, ayudando a desbrozar medios profesionales y académicos: Bouvard, Forestier, Agache y Rotival prolongaron las formas del academicismo francés, mientras que Le Corbusier, Hegemann y Brunner representaron tendencias más vanguardistas o tecnicistas. Todos ellos, sin embargo, pertenecían a un momento epistemológico del urbanismo entendido como gran diseño o propuesta de intervención espacial, sin mayor conexión con otras disciplinas sociales o técnicas, tal como aquél había nacido en la Europa de entre siglos.

Una concepción multisectorial y funcionalista de la disciplina se consolidaría después de la Segunda Guerra Mundial, cuando el modernismo de los CIAM proveyera el sustrato teórico y práctico para el tránsito de urbanismo a planificación, nuevamente bajo la égida de luminarias extranjeras: Corbusier, Meyer, Sert, Wiener, Violich y el segundo Rotival, entre otros que formaban parte de una comunidad internacional de consultores. Al igual que en el caso de sus antecesores, tales visitantes no fueron estrictamente necesarios desde el punto de vista profesional, aunque es innegable que también ayudaron a consolidar la incipiente plataforma de planificación, sobre todo a escala regional y nacional. Llegado principalmente por vía norteamericana, el funcionalismo de CIAM amalgamó diversas influencias metodológicas del *planning* emergente, con variantes que iban desde lo económico y social, hasta lo regional y sistémico, las cuales se fueron adicionando de diferente manera a los aparatos de planificación latinoamericanos. Tal mutación disciplinar se correspondió con un desplazamiento geopolítico, técnico y cultural de los polos de modernidad, de Europa a Estados Unidos, como también ocurría en otros dominios técnicos y culturales de los aparatos gubernamentales.

Después de la euforia desarrollista y de la sustitución de importaciones, una nueva relación entre ciencias sociales y planeamiento diagnóstico, ya para los años 1960, la desfasada relación entre industrialización, urbanización y modernización en Latinoamérica. En búsqueda de una relación más contextual y cientificista plasmada ya en los estudios urbanos universitarios, la revisión del tránsito de urbanismo a planificación sería uno de los primeros capítulos a ser elaborados por la agenda de la historiografía urbana latinoamericana, tal como bien captaron, por ejemplo, los libros de Harth-terré y Randle. Mientras tanto, en el dominio de la práctica profesional urbanística, la invitación de luminarias extranjeras había dejado de ser moda en los gobiernos latinoamericanos, para ser sustituida por formas más corporativas de asesoría profesional, a través de equipos técnicos provenientes de universidades extranjeras y agencias de cooperación internacional. Pero ya eso constituye un episodio geopolítico y epistemológico diferente en la relación entre modernización y práctica urbanísticas, el cual convendría estudiar en otro artículo.

Bibliografía

Almandoz, Arturo (2002): "Urbanization and Urbanism in Latin America: From Haussmann to CIAM". En: Almandoz, Arturo (ed.): *Planning Latin America's Capital Cities, 1850-1950*. London/New York: Routledge, pp. 13-44.
— (2003): "El urbanismo: teorías, prácticas e historiografía en América Latina. Entrevista a Roberto Segre". En: *Ciudad y Territorio. Estudios Territoriales*, XXXV [Vol.], 135 [N.°], pp. 200-207.
— (2004): "Nueva historia y representación urbana: a la búsqueda de un corpus". En: *Revista Latinoamericana de Estudios Avanzados. RELEA*, 20, pp. 55-92.
— (2004a): "The garden city in early twentieth-century Latin America". En: *Urban History*, 31 [Vol.], 3 [N.°], pp. 437-452.
— (2004b): "De la historia del arte, la arquitectura y el urbanismo en Latinoamérica. Entrevista a Ramón Gutiérrez". En: *Ciudad y Territorio. Estudios Territoriales*, Tercera Época, XXXVI [Vol.], 139 [N.°], pp. 243-252.
— (2006). "Urban planning and historiography in Latin America". En: *Progress in Planning*, 65 [Vol.], 2 [N.°], pp. 81-123.
Berjman, Sonia (1998): *Plazas y parques de Buenos Aires: la obra de los paisajistas franceses. André, Courtois, Thays, Bouvard, Forestier, 1860-1930*. Buenos Aires: Gobierno de la Ciudad de Buenos Aires/Fondo de Cultura Económica.

Beyhaut, Gustavo y Helène (1985): *Historia universal Siglo XXI. América Latina. III. De la independencia a la segunda guerra mundial*. México, D. F.: Siglo Veintiuno Editores, Vol. 23.

Brunner, Karl H. (1939-1940): *Manual de Urbanismo*. Bogotá: Imprenta Municipal, 2 Vols.

Choay, Françoise (1983): "Pensées sur la ville, arts de la ville". En: Maurice Agulhon (ed.): *Histoire de la France urbaine. La ville de l'age industriel. Le cycle haussmannien*. Paris: Seuil, Vol. IV, pp. 158-271.

Collins, Christiane (1995): "Urban Interchange in the Southern Cone: Le Corbusier (1929) and Werner Hegemann (1931) in Argentina". En: *Journal of the Society of Architectural Historians*, 54 [Vol.], 2 [N.º], pp. 208-227.

Conferencias Internacionales Americanas (1938). Washington: Dotación Carnegie para la Paz Internacional, Vol. I: 1889-1936.

Davis, Kingsley (1982): "La urbanización de la población mundial". En: *La ciudad*. Madrid: Scientific American/Alianza Editorial, pp. 11-36.

Duverger, Heriberto (1994): "El maestro francés del urbanismo criollo para La Habana". En: Leclerc, Benedicte (ed.): *Jean Claude Nicolas Forestier, 1861-1930. Du Jardin au Paysage Urbain*. Paris: Picard, pp. 221-240.

Foucault, Michel (1992 [1969]): *L'archéologie du savoir*. Paris: Gallimard.

Fraser, Valerie (2000): *Building the New World. Studies in Modern Architecture of Latin America 1930-1960*. London/New York: Verso.

Goodwin, Philip (1943): *Brazil Builds: Architecture Old and New, 1652-1942./Construção brasileira: arquitetura moderna e antiga 1642-1942*. New York: Museum of Modern Art.

Gorelik, Adrián (2005). *Das vanguardas a Brasília. Cultura urbana e arquitetura na América Latina*. Belo Horizonte: Editora UFMG.

Gutiérrez, Ramón (1995): "Modelos e imaginarios europeos en urbanismo americano 1900-1950". En: *Revista de Arquitectura,* 8, pp. 2-3.

Hardoy, Jorge E. (1988): "Teorías y prácticas urbanísticas en Europa entre 1850 y 1930. Su traslado a América Latina". En: Hardoy, Jorge E./Morse, Richard M. (comps.): *Repensando la ciudad de América Latina*. Buenos Aires: Grupo Editor Latinoamericano (GEL), pp. 97-126.

— (1991). "La situazione delle città latino-americane: analisisi e soluzioni. La formassione di professionisti". En: Giorgio Piccinato (ed.): *Città, territorio e politiche di piano in America Latina*. Milano: Franco Angeli, pp. 137-156.

Harris, Walter D. Jr. (1971): *The Growth of Latin American Cities*. Athens, Ohio: Ohio University Press.

Harth-terré, Emilio (1961): *Filosofía en el urbanismo*. Lima: Editorial Tierra y Arte.

Hauser, Philip M. (ed.) (1967 [1962]): *La urbanización en América Latina*. Buenos Aires: Solar, Hachette.

Hebbert, Michael (2004): "Town Planning versus *Urbanismo*". En: *11ᵗʰ Conference of the International Planning History Society (IPHS). Planning Models and the Culture of Cities*. Barcelona: IPHS, pp. 89-98.

Hitchcock, Henry-Russell (1955): *Modern Architecture in Latin America since 1945*. New York: Museum of Modern Art.

Hofer, Andreas (2003): *Karl Brunner y el urbanismo europeo en América Latina*. Bogotá: El Áncora Editores/Corporación La Candelaria.

Leme, María C. da Silva (1999): "A formação do pensamento urbanístico no Brasil, 1865-1965". En Leme, Maria C. da Silva (ed.): *Urbanismo no Brasil, 1895-1965*. São Paulo: FUPAM/Studio Nobel, pp. 20-38.

Pavez, María I. (1992): "Precursores de la enseñanza del urbanismo en Chile. Período 1928-1953". En: *Revista de Arquitectura*, 3, pp. 2-11.

Pereira, Margareth da Silva (2003): "Notas sobre Urbanismo no Brasil: construções e crises de um campo disciplinar". En: Pinheiro Machado, Denise B./Pereira, Margareth da Silva/Coutinho, Rachel (eds.): *Urbanismo em Questão*. Rio de Janeiro: Prourb/Universidade Federal de Rio de Janeiro/CNPq, pp. 55-83.

Pérez Oyarzun, Fernando (1991): "Le Corbusier y Sudamérica en el viaje del 29". En: Pérez Oyarzún, Fernando (ed.): *Le Corbusier y Sudamérica, viajes y proyectos*. Santiago de Chile: Escuela de Arquitectura, Pontificia Universidad Católica de Chile, pp. 15-41.

Pineo, Ronn/Baer, James A. (1998): "Urbanization, the Working Class and Reform". En: Pineo, Ronn/Baer, James A. Baer (eds.): *Cities of Hope. People, Protests and Progress in Urbanizing Latin America, 1870-1930*. Boulder: Westview Press, pp. 258-274.

Potter, Robert B./Lloyd-Evans, Sally (1998): *The City in the Developing World*. London: Longman.

Randle, Patricio H. (1968): *Qué es el urbanismo*. Buenos Aires: Columba.

— (1977): "Introducción". En: Della Paolera, Carlos M.: *Buenos Aires y sus problemas urbanos*. Buenos Aires: OIKOS, pp. 11-20.

— (1972): *Evolución urbanística*. Buenos Aires: Eudeba.

Reissman, Leonard (1970): *The Urban Process. Cities in Industrial Societies* (1964). New York: The Free Press.

Romero, José Luis (1984 [1976]): *Latinoamérica: las ciudades y las ideas*. México, D. F.: Siglo Veintiuno.

Rotival, Maurice (1964): "Planification et urbanisme". En: *Urbanisme*, 82-83, pp. 42-45.

Sánchez Ruiz, Gerardo (s. f.): "El primer posgrado en planificación y urbanismo en México. Un desencuentro en la historia". En: <http://concienciaenarquitectura.aztecaonline.net/urbanismo> (2004).

Scarpaci, Joseph/Segre, Roberto/Coyula, Mario (2002): *Havana. Two Faces of the Antillean Metrópolis*. Chapel Hill/London: The University of North Carolina Press.

Sutcliffe, Anthony (1981): *Towards the Planned City: Germany, Britain, the United States and France, 1780-1914*. Oxford: Blackwell.

Torre, Susana (2002): "Teaching Architectural History in Latin America: The Elusive Unifying Architectural Discourse". En: *Journal of the Society of Architectural Historians*, 61 [Vol.], 4 [N.°], pp. 549-556.

United Nations Centre for Human Settlements (HABITAT) (1996): *An Urbanizing World. Global Report on Human Settlements*. Oxford: Oxford University Press.

Violich, Francis (1944): *Cities of Latin America. Housing and Planning to the South*. New York: Reinhold Publishing Corporation.

— (1975): "Caracas: Focus of the New Venezuela". En: Elredge, H. Wentworth (ed.): *World Capitals. Towards Guided Urbanization*. New York: Anchor Press/Doubleday, pp. 246-292.

Williamson, Edwin (1992): *The Penguin History of Latin America*. London: Penguin Books.

Wilson, Charles Morrow (1972): *Ambassadors in White. The Story of American Tropical Medicine* (1942). New York: Kenikat Press.

Dossier

Después del Mundial =
Antes del Mundial:
el fútbol, la(s) historia(s)
y sus construcciones identitarias
en América Latina

Coordinado por Ottmar Ette y Stefan Rinke

Ottmar Ette/Stefan Rinke*

⊃ Presentación

Ante los ojos de algunos aficionados, el fútbol es "la última pasión verdadera" (Fábregas Puig 2001: 20); expresado en forma menos patética, el fútbol seguramente es uno de los mecanismos de movilización social más efectivos de nuestro tiempo. El ejemplo clásico es América Latina. Aquí el fútbol acuñó, desde principios del siglo XX, de manera cada vez más abarcadora, la realidad social y cultural. En nuestro dossier nos hemos propuesto trabajar aquellos aspectos del análisis científico del fútbol en América Latina a los que hasta ahora les ha sido prestada menos atención. El núcleo de los trabajos que siguen, por ende, será la relación que guardan la(s) historia(s) con las construcciones y configuraciones identitarias.

En su artículo, "¿La última pasión verdadera? Historia del fútbol en América Latina en el contexto global", el historiador Stefan Rinke rastrea la pregunta acerca de la dimensión global de la marcha triunfal del fútbol en la historia de América Latina. En primer lugar se discuten los inicios del fútbol en Latinoamérica y se pone de relieve su génesis como producto de la ola de globalización cultural de 1880-1930. Además, la contribución incluye la pregunta acerca de la filiación histórica de este deporte con la nación y la política. También se enfocan algunos problemas sociales del balompié, se investigan las relaciones económicas del fútbol y, para finalizar, se estudian los aspectos históricos de género *(gender)* del fútbol. A través de la historia del fútbol se puede reconocer qué papel juega –y jugó– América Latina en el contexto mundial, de qué forma comparte algunas experiencias y de qué manera ciertas experiencias transnacionales se transforman al entrar en contacto con una sociedad multicultural y multiétnica.

Una temática similar expone Ingrid Kummels, desde la perspectiva de la etnología, en su artículo "*Adiós soccer, here comes fútbol!*: la transnacionalización de comunidades deportivas mexicanas en los Estados Unidos". Su estudio se aboca a la pregunta de en qué medida los inmigrantes mexicanos pueden llevar adelante la "latinoamericanización" de Norteamérica a través de la fundación de clubes de fútbol. Kummels se cuestiona igualmente qué atribuciones de identidades nacionales y transnacionales se relacionan con ello y de qué manera han sufrido modificaciones en el transcurso del tiempo. Su meta, entre otras, es el análisis de los espacios de ciertas "Weltanschauungen" deportivas y la pregunta acerca del papel que juega en este contexto la cercanía o la distancia con

*   *Ottmar Ette es catedrático de Letras Románicas en la Universidad de Postdam.*
    Stefan Rinke se doctoró en la Universidad Católica de Eichstätt en 1995 y terminó su Habilitation en 2003. Es catedrático de Historia Latinoamericana del Instituto de Estudios Latinoamericanos y del Instituto Friedrich Meinecke de la Universidad Libre de Berlín desde 2005.

los Estados Unidos. Además, investiga el rol de los no privilegiados en la apropiación de los diversos deportes.

El artículo de Ottmar Ette "El fútbol como pasión: el Mundial, Costa Rica y los estudios culturales" parte de la perspectiva comparativa de culturas, para analizar el acomodamiento específico del fútbol costarricense en la dicotomía naturaleza/cultura, así como los paralelismos entre fútbol y literatura. Tomando como punto de arranque la autorrepresentación y las estrategias de publicidad desarrolladas en vísperas del Mundial de 2006 por la Federación Costarricense de Fútbol, se ponen de relieve "reglas del juego" fundamentales de la escenificación y la discursivación del fútbol como pasión. La contribución desarrolla aspectos de la teoría de la cultura, así como de las ciencias de la vida que apuntan hacia un saber sobre el vivir/saber sobrevivir específico, para presentar entramados de relaciones multi-, inter- y transculturales. El fútbol aparece así como un fenómeno transareal, no de una sola, sino de diversas modernidades divergentes y a su vez, gracias a su gran capacidad para la creación de mundos antagónicos, como espacio propio de ficción. Son evidentes los paralelismos con el teatro de la Antigüedad.

Como científica de la literatura y de los estudios culturales, Yvette Sánchez se ocupa en su contribución "La literatura de fútbol, ¿metida en camisa de once varas?" de las técnicas y los procesos literarios y propiamente estéticos por medio de los cuales la literatura hispanohablante se acerca a un área temática tan vasta del fútbol. Pone a debate los aspectos estéticos de la literatura y de la teoría de la cultura, que a su vez explican la tesis provocativa de la "falta de capacidad" de la literatura de perfilar el diálogo del arte con el fenómeno de masas que es el fútbol. El artículo ofrece, desde la perspectiva de la comparatística de las culturas, un panorama impresionante de la literatura del fútbol del mundo hispanohablante y muestra, en qué medida la literatura enriquece –gracias a su fantasía y el diálogo fructífero y creador que mantiene con el fútbol– la percepción de este deporte. También demuestra cómo puede fracasar de manera decorosa en la representación de este "juego perfecto".

En "El Diego y el *dribbling* simbólico en el Cono Sur", Ana Pizarro y Carolina Benavente analizan el significado identitario que el fútbol tiene para las clases sociales bajas en el Cono Sur a través del ejemplo del icono argentino Diego Armando Maradona. Partiendo de la premisa de un déficit en la riqueza simbólica en comparación con la de otras regiones del mundo y partes de América Latina, las autoras se preguntan concretamente cómo participa Maradona en el funcionamiento de las operaciones simbólicas en el Cono Sur. Pizarro y Benavente muestran que en los discursos sobre "el Diego" se pueden rastrear procesos de cambio socio-culturales de gran envergadura, los cuales –así como la figura de la superestrella argentina misma– trascienden en mucho el mundo del deporte y el de los pasatiempos.

El artículo de Marcel Vejmelka, "O mundo tricolor: o futebol no universo de Nelson Rodrigues" discute, a partir del ejemplo de la obra literaria del autor brasileño y aficionado al fútbol Nelson Rodrigues, los desafíos y las soluciones estéticas en la reflexión de este deporte brasileño por excelencia, en cierto sentido como compensación para los juegos reales del equipo nacional del Brasil. Define con ello las "reglas del juego" relevantes desde el punto de vista de la teoría de la cultura entre el Mundial del fútbol y el Mundial de la cultura 2006 (Copa da Cultura en la Casa de las Culturas del Mundo), y enfoca a su vez, a partir de textos escogidos, la relación entre la nación brasileña y su equipo de fútbol. Nelson Rodrigues y su "lectura del sistema social brasileño a través del fútbol"

nos lleva a un mundo que oscila entre el trauma y el ensueño, entre ficcionalidad y facticidad, en el cual después del Mundial, es siempre antes del Mundial.

Bibliografía

Fábregas Puig, Andrés (2001): *Lo sagrado del rebaño: El futbol como integrador de identidades*.
    Zapopan, Jalisco: El Colegio de Jalisco.

Stefan Rinke*

↺ ¿La última pasión verdadera? Historia del fútbol en América Latina en el contexto global**

En el contexto del Mundial de fútbol 2006 se ha mostrado con toda claridad que este deporte es uno de los grandes temas de nuestro tiempo. El fútbol es mucho más que una habilidad corporal y un entretenimiento: el fútbol es un enorme factor económico, configura estilos de vida y ha tenido relevancia política desde sus comienzos hasta nuestros días. A ojos de muchos aficionados es la última pasión verdadera. Expresado de una manera menos patética, el fútbol es seguramente uno de los mecanismos de movilización social más eficaces de nuestros días.

La atracción del deporte y especialmente del fútbol ha sido investigada ya en los estudios del historiador Johan Huizinga sobre los orígenes de la cultura en el juego (Huizinga 2001), de los sociólogos Norbert Elias y Eric Dunning (Elias/Dunning 1986), y de Pierre Bourdieu (Bourdieu 1986). Estas explicaciones se refieren casi siempre a cuatro factores fundamentales:

- Su sencillez: el fútbol se puede jugar en cualquier lugar. No es necesario un equipamiento caro ni siquiera una pelota. Las reglas del juego son en general tan sencillas que hasta un niño de cinco años puede entenderlas sin problemas.
- Su énfasis en lo corporal: con esto se hace referencia a determinadas imágenes e ideales de masculinidad.
- El entusiasmo y la emoción que provoca: esto se expresa sobre todo en la vivencia de la masa, la cual puede ser interpretada como una gran vivencia de comunidad. Al mismo tiempo, el fútbol, en la acepción de espectáculo que le da Elias, tiene también una función de válvula de escape para el exceso de agresividad.
- Su carácter de ritual: a través de las repeticiones semanales de partidos e idas al estadio, del ritmo anual de los torneos, de los cantos y la vestimenta estandarizados de los hinchas se ejercitan formas de comportamiento colectivo que tienen gran poder de fascinación.

Todo esto, que vale para buena parte del mundo, se observa en América Latina aún con mayor claridad. Allí, el fútbol provoca incluso más euforia que en otros sitios. En

* Stefan Rinke se doctoró en la Universidad Católica de Eichstätt en 1995 y terminó su Habilitation en 2003. Es catedrático de Historia Latinoamericana del Instituto de Estudios Latinoamericanos y del Instituto Friedrich Meinecke de la Universidad Libre de Berlín desde 2005.

** Este artículo es una versión extendida de mi lectura inaugural en la cátedra de Historia Latinoamericana de la Universidad Libre de Berlín. Quisiera agradecer a mi familia, mis colegas y especialmente a mi mentor y amigo Hans-Joachim König todo su apoyo.

muchas regiones de Latinoamérica el fútbol juega un papel muy importante no solamente en la vida cultural. El fútbol es mucho más que un juego que se práctica, es mucho más que un producto que se consume. El fútbol es también un espectáculo sobre el cual se reflexiona mucho y el gran tema del que se habla. A esto se añade que, en esa región del mundo muchas veces interpretada como un "continente de catástrofes", el fútbol es uno de los pocos artículos positivos de exportación. Así, el fútbol es allí, aún más que en Europa, una fuente de identidad a nivel regional, nacional y continental, así como una fuente de inspiración para la producción artística y literaria.[1]

Como tema de la historiografía latinoamericana, el fútbol cuenta ya con una tradición de más de cincuenta años (Mazzoni 1950; Lorenzo *et al.* 1955). Con frecuencia se ha tratado, sin embargo, de exposiciones meramente descriptivas, que por lo general fueron escritas por aficionados. En los pocos casos en que ha sido mencionado por la historiografía profesional sobre Latinoamérica de los años sesenta y setenta, el fútbol fue interpretado como una prueba más de la eficiencia del imperialismo cultural de Inglaterra (Guttmann 1994; Arbena 1995). Sólo a partir de los años ochenta se ha descubierto el deporte y también el fútbol como un elemento importante de los procesos de cambio cultural del siglo xx (Arbena 1988). El estudio de la socióloga Janet Lever (1983) sobre la *Soccer Madness* en Brasil constituyó un impulso considerable en ese sentido.[2]

Ya ha sido estudiada tanto la historia de las raíces europeas del fútbol como la de instituciones individuales (clubes y federaciones). En el transcurso de las últimas décadas, las cuestiones tratadas se vieron ampliadas por trabajos provenientes de la etnología y la antropología (Lahud 1998; Leite López 1998; Fábregas Puig 2001). Con excepciones dignas de elogio (Archetti 1999), la historiografía sobre Latinoamérica está rezagada en varios aspectos. En particular, no se han tratado sistemáticamente los procesos de transferencias transnacionales. Es interesante que, incluso en el caso de títulos que a primera vista son muy prometedores, la perspectiva nacional predomine de modo muy claro (Santa Cruz 1995). Esto se aplica también a las síntesis de Tony Mason (1995) y Dario N. Azzellini (2006).

A continuación voy a presentar primero los inicios del fútbol en Latinoamérica. Luego investigaré las relaciones de este deporte con la nación y la política, e ilustraré algunos problemas sociales de este deporte. Después trataré los factores económicos del fútbol y finalmente analizaré algunos aspectos de género en la historia del fútbol. El objetivo de este artículo es menos dar respuestas que formular preguntas que puedan servir de guía a un futuro proyecto de investigación de la historia del fútbol en Latinoamérica. Mi tesis es que escribir esta historia significa nada menos que tomar en cuenta la historia de la cultura y de la sociedad latinoamericanas desde las últimas décadas del siglo xix hasta la actualidad. El fútbol es un fenómeno de la cultura moderna de masas a través del cual es posible mostrar el desarrollo de muchos problemas de las nuevas sociedades latinoamericanas.

---

[1]   Sobre la producción literaria véanse por ejemplo los ensayos clásicos de Galeano (1995) así como las antologías de García Candau (1996), Moreira da Costa (1998), Magalhães (1998), Marchant (2004) y Mattos *et al.* (2005). Los contextos de fútbol e identidad nacional fueron investigados recientemente por Antunes (2004). Véanse también los nuevos estudios de Wood (2005: 115-182) sobre el contexto peruano.

[2]   Véase también Humphrey/Tomlinson (1986).

La heterogeneidad fundamental de Latinoamérica se expresa también en diferentes desarrollos dentro del fútbol, como puede observarse si se comparan, por ejemplo, los casos extremos de Brasil y Nicaragua. En general existen numerosas diferencias, como por ejemplo en cuanto a la velocidad del desarrollo. Resulta claro que el rol pionero lo ha jugado y aún lo sigue jugando el Cono Sur y, dentro de sus países constitutivos -Argentina, Chile, Brasil y Uruguay-, ante todo las capitales y las ciudades-puerto.

Los comienzos del fútbol

El deporte moderno, que se originó hacia mediados del siglo XIX, se caracteriza por su organización y sistematización. Las reglas fijas, la regularidad del entrenamiento y las competiciones, y la cuantificación y medición de los récords eran características que lo diferenciaban de los juegos de la Edad Moderna temprana. También se observa una estrecha relación con el desarrollo socioeconómico, ya que el deporte constituyó una forma de acomodo a la creciente aceleración del cambio social, a la estricta división del tiempo y a las circunstancias de los nuevos estilos de vida con su tendencia a la individualización. Además, el nacimiento del deporte moderno se produjo paralelamente a una ola de globalización que marcó el final del siglo XIX. Para Latinoamérica, esto significó concretamente una integración creciente en el mercado mundial y para los países del Cono Sur, una urbanización creciente y la inmigración de las masas. En el aspecto cultural, se agregaron nuevos elementos en el proceso de hibridación que se venía dando desde hacía siglos.

El deporte moderno llegó de Europa a América Latina a finales del siglo XIX. O más precisamente: los comerciantes, marinos y empresarios europeos fueron los emisarios de la Modernidad también en ese sentido. Los primeros fueron los empleados de comercio y los técnicos ingleses, en momentos en que Inglaterra era la potencia hegemónica en Latinoamérica. Como ha mostrado Christiane Eisenberg (1999) para el caso de Alemania, también la historia temprana del fútbol en Latinoamérica es una historia de transferencia cultural, que fue parte de la primera ola de globalización y de la integración de Latinoamérica en el mercado mundial capitalista.

Esta integración no fue en absoluto impuesta. Desde el punto de vista de los grupos oligárquicos dominantes, el desarrollo "a la inglesa" era considerado absolutamente indispensable para alcanzar el estadio de la civilización y alejarse de la barbarie supuestamente inherente de las sociedades latinoamericanas con su diversidad étnica. En esa época se buscaron también nuevas formas de sociabilidad, y el ejemplo inglés del club de caballeros aparecía como un modelo digno de imitación (Carmagnani 1984).

Así, el primer partido de fútbol documentado en Latinoamérica fue disputado por un "Buenos Aires FC" fundado por inmigrantes británicos en el año 1867. Ese club se mantuvo afecto al fútbol sólo un par de años para luego decidirse, en 1873, por el rugby. Pero el fútbol se siguió practicando en las numerosas escuelas de la ciudad que habían sido establecidas por los inmigrantes ingleses. Si Buenos Aires era el centro de las actividades británicas en Iberoamérica ya desde fines de la época colonial, los inversores y comerciantes británicos se asentaron también en muchos otros países del continente a lo largo del siglo XIX. Por eso, no es sorprendente que el fútbol se expandiera rápidamente. En el mismo altiplano boliviano se fundó en 1886 un club de fútbol denominado Oruro

Royal Club. En los países vecinos, las fundaciones de clubes tampoco se hicieron esperar.[3] Pocos años después, las primeras ligas iniciaron torneos regulares en Argentina
(1891) y en Chile (1895) (Taylor 1998: 18-19). Resulta interesante y sorprendente en
vista de las fuertes influencias inglesas que los inicios del fútbol en Brasil hayan sido
más tardíos. El primer partido documentado se realizó allí en 1894 (Mason 1995: 10).

En la fase inicial, los nuevos clubes de fútbol eran exclusivamente para ingleses. Así,
por ejemplo, el Central Uruguay Railway Cricket Club, del cual en 1913 surgiría el
famoso Club Atlético Peñarol de Montevideo, aceptaba sólo personas de ascendencia
inglesa, ya que se pensaba que sólo ellas podían satisfacer el ideal de un caballero inglés
(Santa Cruz 1995: 34). El deporte inglés era atractivo para los hijos jóvenes de las elites
latinoamericanas formados en el extranjero porque se lo vinculaba con el prestigio de
una poderosa potencia mundial, con el cual pretendían adornarse a sí mismos. Además, a
ojos de los primeros futbolistas que se expresaron al respecto, el fútbol se presentaba
como una actividad moderna y hasta como parte de un "programa internacional de educación", como quedó registrado en una resolución de la World Federation of Education
Associations de agosto de 1927 en Toronto (Mason 1995: 32). Se trataba de un programa
que con el correr del tiempo iría alcanzando clases sociales cada vez más amplias. En
todo caso prevalecía la concepción de que el tipo inglés de habilidad corporal con la
pelota superaba todo lo que Latinoamérica tenía para ofrecer en juegos. El filántropo,
jurista y funcionario de deporte chileno José A. Alfonso escribió en 1901:

> [...] Nuestros juegos nacionales nada valen en comparación con los clásicos juegos ingleses,
> "foot-ball", "cricket", etc. Están estos últimos admirablemente dispuestos para que, mediante
> ellos, surjan lozanas en los jóvenes no solamente condiciones de virilidad física, sino también
> cualidades morales inapreciables (Santa Cruz 1995: 16).

A partir de 1904 los equipos ingleses hicieron giras por Sudamérica para ganar dinero aprovechando la pausa de invierno. Los partidos con los equipos locales se transformaron en una gran atracción de público. Estos equipos ingleses eran ya en parte profesionales y, en consecuencia, ganaron muchas veces por mucha diferencia, aunque con el
tiempo la distancia se fue reduciendo. Muchos términos del inglés se incorporaron a las
variantes latinoamericanas del español y portugués. ¿Se trataba entonces de una "penetración pacífica"?

Esta idea se contradice con el hecho de que el proceso de criollización del fútbol se
inició muy temprano. En las sociedades de fuerte inmigración era por lo general casi
imposible mantener la separación por nacionalidad, de modo que los elitistas clubes
ingleses pronto permitieron el ingreso de los grupos de latinoamericanos socialmente
cercanos a ellos. Además, los latinoamericanos aficionados al deporte crearon clubes de
fútbol propios que imitaban el ideal inglés. Uno de esos primeros clubes criollos fue el
Santiago Wanderers, fundado en 1892 en Valparaíso, Chile. Diez años después (1903), el
desarrollo había progresado tanto que la Argentine Football Association cambió su nombre por el de Asociación de Fútbol Argentina (Taylor 1998: 21).

---

[3]   En Chile, por ejemplo, el británico David N. Scott fundó el Valparaíso F. C. en 1889 (Santa Cruz 1995:
       28).

Con el tiempo, el avance de este proceso se expresó también en la españolización de los anglicismos. El *football* se transformó en "fútbol". Los grandes clubes conocidos en la actualidad, como Nacional y Peñarol de Montevideo, o Flamengo, Fluminense, Botafogo y Vasco da Gama de Río de Janeiro, Corinthians, Palmeiras y Portuguesa de São Paulo, Boca Juniors, River Plate, Racing e Independiente de Buenos Aires fueron fundados en ese período y desarrollaron desde entonces una vida propia (Page 2002: 36). En 1912, los sudamericanos planearon formar una federación autónoma de fútbol conforme al modelo de la FIFA europea. Cuando estalló la Primera Guerra Mundial en agosto de 1914 y la edad de oro de Europa en Latinoamérica experimentó un quiebre, el proceso de criollización del fútbol estaba ya muy avanzado, y pudo seguir profundizándose sin contratiempos.

La autonomía de los desarrollos latinoamericanos se muestra claramente en los campeonatos internacionales, que son una expresión más de la interconexión global de la época. Ya a comienzos del siglo xx se realizaron los primeros partidos internacionales, en los cuales se destacaron particularmente los pioneros Argentina, Uruguay, Brasil y Chile (Mason 1995: 29). Durante la Primera Guerra Mundial, representantes de esos cuatro países fundaron en 1916 una confederación propia, la Confederación Sudamericana de Fútbol, y organizaron campeonatos sudamericanos regulares (Santa Cruz 1995: 51).

Decisiva para la creciente conciencia latinoamericana fue la comparación directa con los viejos maestros europeos. Una primera oportunidad para ello se presentó con la Olimpiada en Paris en 1924. En ese torneo participó por primera vez un equipo latinoamericano, el de Uruguay, que dominó la competencia y ganó con toda claridad. Las formas de juego sudamericanas, que superaban a las de los europeos en elegancia, provocaron incluyo la euforia de los comentaristas europeos. Luego de ese éxito, se invirtieron en cierto modo los mundos: los europeos ya no viajaban a Latinoamérica para hacer presentaciones sino que, por el contrario, equipos como Nacional de Montevideo o el AC Paulistano hacía giras de meses en Europa obteniendo muchos éxitos. En la Olimpiada de Ámsterdam en 1928, el predominio de los sudamericanos era ya bastante aplastante. Además de Uruguay, defensor del título y favorito, participaron también por primera vez Argentina y Chile. En el partido final, Uruguay venció a Argentina por 2 a 1. El primer campeonato mundial convocado para 1930 confirmaría claramente esa tendencia. Uruguay obtuvo la adjudicación para la organización del torneo porque el gobierno aseguro a todos los participantes pasaje y alojamiento gratuitos. No obstante, sólo participaron cuatro equipos europeos, en tanto que los equipos del Nuevo Mundo estuvieron fuertemente representados. Para ese evento se construyó en Montevideo un nuevo estadio nacional monumental con capacidad para 80.000 espectadores. En efecto, el campeonato concluyó con un nuevo triunfo de los uruguayos, los reyes del fútbol mundial por aquella época (Mason 1995: 31-42).

Sin embargo, el año 1930 significó también un quiebre, pues en los torneos de Italia en 1934 y Francia en 1938 no participó casi ningún equipo sudamericano. Los latinoamericanos pudieron reanudar su exitosa tradición sólo en el primer Mundial de fútbol de la posguerra, en Brasil en 1950. Allí los uruguayos triunfaron una vez más -y eso en el recién construido estadio de Maracaná–, antes de que en 1958 comenzara la gran era de los brasileños. Desde entonces, los futbolistas brasileños fascinan a un público mundial creciente, en tanto que también el equipo argentino colocó su impronta en la escena mundial especialmente en los años setenta y ochenta (Arbena/LaFrance 2002: xiii).

Los comienzos del fútbol en Latinoamérica muestran, por un lado, el alto nivel de entrelazamiento transnacional de esa fase temprana de la globalización. Por otro lado, constituyen una muestra impresionante de la rápida criollización de las influencias culturales en Latinoamérica en el temprano siglo XX. Además, la imbricación del fútbol con cuestiones de política, identidad nacional y problemas sociales testimonia la dimensión de este deporte con respecto a toda la sociedad.

¿Deporte del pueblo o deporte nacional?

Ya muy temprano, el fútbol fue visto como un importante elemento de propaganda por los políticos latinoamericanos. En ello confluyeron diferentes factores. En el primer tercio del siglo XX, es decir, en el mismo lapso de tiempo en que el fútbol inició allí su marcha exitosa, Latinoamérica experimentaba una primera ola de urbanización, de ascenso de las clases medias y de desarrollo de nuevos medios que se servían especialmente de recursos visuales. Políticamente, estos desarrollos estuvieron acompañados por el ascenso del populismo clásico, que desde fines de los años veinte celebró sus triunfos primero en Perú, y después en Chile, Brasil y Argentina (Rinke 2002).

El aprovechamiento del potencial de movilización del nuevo deporte se mostró ya en la primera década del siglo XX, cuando los festejos del centenario de la independencia fueron flaqueados en muchos países por torneos de fútbol (Reyes del Villar 2004: 306). Ya para entonces existían estrechos lazos entre los funcionarios de las federaciones de fútbol y la política. Después de la Primera Guerra Mundial, cuando los equipos latinoamericanos celebraban éxitos internacionales, los presidentes de muchos países de la región se engalanaban con estos triunfos. En Brasil, esto era práctica habitual ya durante los años veinte, pero Getúlio Vargas fue quien perfeccionó el sistema. Durante su gobierno, el fútbol fue utilizado activamente como fuente de orgullo nacional y como recurso para promover la integración nacional contra el poder de los estados particulares (Da Silva 2006: 107-115). La funcionalización del deporte fue similar en Argentina durante el gobierno de Perón. Éste utilizó expresamente el fútbol para la movilización de las masas, por ejemplo para promover la higiene pública, y en 1953 proclamó al día de la primera victoria contra el equipo nacional inglés como el "Día del futbolista" (Scher 1996: 193). Una nueva dimensión alcanzó la apropiación del fútbol por la política con los golpes de estado a partir de 1964. Es suficiente recordar aquí sólo uno de los más casos conocidos: el Mundial de 1978 en Argentina (Gilbert/Vitagliano 1998). Los generales se propusieron utilizarlo sistemáticamente y, efectivamente, el primer título argentino de campeón mundial desencadenó un enorme entusiasmo en todo el país. No obstante –y esto ha sido señalado repetidamente– no todos los argentinos celebraron conforme a las ideas de los militares.

Los militares tenían en vista un concepto monolítico de la identidad nacional cuando pusieron en marcha su "política de fútbol". Para ello pudieron recurrir a los aspectos emocionales conocidos. A más tardar desde las primeras victorias espectaculares en el extranjero en los años veinte, los futbolistas fueron en Latinoamérica héroes nacionales y populares que eran galardonados por presidentes y cuyos retratos adornaban las estampillas. El club AC Paulistano, que había triunfado en Europa, tuvo ya en los años veinte su desfile y su monumento. Brasil fue sobre todo el país en que la identidad nacional pronto dejó de ser concebible sin el fútbol (Lahud 1998). Poco después de que la Selecão obtuviera su tercer título histórico de campeón mundial en 1970, una encuesta realizada entre los sectores bajos de la población dio por resultado que el 90% de los encuestados eran de la opinión de que el fútbol podía ser identificado con la nación brasileña.

Esta vinculación puede ilustrarse de modo especial con el fútbol mexicano. Los "Chivas" de Guadalajara tienen solamente jugadores mexicanos entre sus filas, mientras que en el "América", el rival local, juegan muchos extranjeros. De acuerdo con un antropólogo, se refleja allí el conflicto fundamental de la historia nacional mexicana:

> El partido entre el América y el Guadalajara significa también ese enfrentamiento que está presente en la historia mexicana, entre una parte de la sociedad que pugna por afianzarse en su historia propia y otra que desconoce o le resta valor a lo anterior (Fábregas Puig 2001: 73).[4]

Sin embargo, además de estas vinculaciones, que en el caso de Latinoamérica aún no han sido investigadas sistemáticamente de forma suficiente, el prestigio nacional tuvo también gran importancia en las relaciones con el exterior. Ya se hizo referencia a la gran importancia que tuvieron los partidos contra los europeos para los jugadores latinoamericanos, los aficionados y los funcionarios. Esa euforia podía convertirse sin embargo rápidamente en chauvinismo, especialmente cuando se trataba de partidos internacionales contra los países vecinos (Agostino 2006). Así, después de una derrota en Uruguay, la federación argentina rompió relaciones con su país vecino durante todo un año. La derrota de Argentina en la semifinal contra Inglaterra en 1966 tuvo asimismo consecuencias, pues la prensa argentina se quejó de un trato discriminatorio y se refirió al "robo" de las islas Malvinas y ahora también de la victoria por parte de los ingleses (Mason 1995: 70). Esa proximidad entre las competencias futbolísticas y los temas nacionales irritantes aparece claramente en forma reiterada también en otros contextos. El canto de batalla de los hinchas bolivianos dice: "Viva Bolivia toda la vida con su litoral" (Taylor 1998: 112), una referencia directa a la pérdida no superada de los territorios costeros en la Guerra del Pacífico de 1879-1883.

Que el fútbol puede profundizar animosidades internacionales no es un fenómeno puramente latinoamericano, pero sí lo es que haya dado motivo a una guerra verdadera, aunque de corta duración. El 8 de junio de 1969 se produjo en Tegucigalpa un encuentro de calificación para el Mundial en el que se enfrentaron Honduras y su país vecino El Salvador. El equipo visitante fue tratado mal. Los hinchas alborotadores se encargaron de que los jugadores no pudieran dormir por las noches. El Salvador perdió el juego por 0 a 1, lo cual causó ataques furiosos por parte de la prensa de este país. Una mujer se suicidó supuestamente a causa de la indignación que le provocó la vergüenza ocasionada a su patria, lo que aumentó la furia en todo el país. En el segundo partido, que se realizó poco después en El Salvador, el ambiente estaba sobrecargado. La selección hondureña se vio frente a un linchamiento popular. El ejército salvadoreño rodeó el estadio, pero no hizo nada para proteger a los visitantes. El himno nacional de Honduras fue abucheado. En lugar de la bandera nacional hondureña, que había sido quemada por los alborotadores, fue izado un trapo. Se produjeron agresiones físicas contra los hinchas

---

4   Sobre la relación entre el fútbol y el nacionalismo en México véase además Arbena (1991).

visitantes e incluso fueron asesinados dos visitantes. El juego finalizó con 3 a 0 para El
Salvador. En los días siguientes la cuestión escaló en la prensa, y el 14 de julio se inició
efectivamente una guerra que duró apenas unas 100 horas pero que costó la vida a entre
3.000 y 6.000 personas y tuvo 50.000 desplazados como consecuencia (Carías/Slutzky
1971; Martz 1978).

Naturalmente, el encuentro de calificación fue sólo el desencadenante de una guerra
que ya hacía mucho tiempo venía anunciándose por problemas socioeconómicos. Por
una parte, Honduras había acumulado en el marco del Mercado Común Centroamericano
(desde 1958-1960) un déficit comercial con El Salvador que había provocado desconten-
tos a nivel gubernamental. Por otra parte, ya desde hace mucho tiempo, decenas de miles
de salvadoreños pobres buscaban, trabajo y tierras en Honduras. Cuando en este país se
llegó a la escasez de tierra apta para la agricultura, se dieron incidentes xenófobos. En
junio de 1969, el gobierno de Honduras reaccionó al problema de los refugiados con una
ley especial que prohibía a los salvadoreños la adquisición de tierra. Ésta es la situación
que explica el inicio de la guerra. A pesar de todo, no deja de ser significativo que el
desencadenante haya sido un partido de fútbol (Anderson 1981).

Fútbol y sociedad

Si las explosiones de violencia interestatal vinculadas con el fútbol son excepciones,
la violencia a un nivel más bajo en los estadios de fútbol es, sin embargo, cotidiana (Alabarces 2004). En cierto sentido, esta constatación contradice las afirmaciones provenientes de la sociología del deporte. De acuerdo con Norbert Elias y Eric Dunning, quienes
se cuentan entre los pioneros de este campo de investigación, el deporte era uno de los
instrumentos para resolver sin violencia conflictos de poder en una sociedad civilizada.
El ascenso del deporte en Inglaterra en el siglo XVIII estuvo muy vinculado a la pacificación de las clases aristocráticas. El deporte era un espacio imaginario para resolver tensiones y expresar emociones para las cuales ya no había otro canal socialmente aceptable
en la vida real. Para los espectadores, el deporte representaba un espacio imaginario pero
accesible en el cual se podía experimentar la esperanza de la victoria y el miedo a la
derrota (Elias/Dunning 1986).

En los comienzos del fútbol en el siglo XIX se trataba aún de un deporte elitista en el
que los ideales de *fair play* tenían un papel muy importante (Frydenberg 1997: 19). Sin
embargo, la masificación creciente introdujo un elemento que, en la visión de la oligarquía, pronto adquirió dimensiones amenazadoras. Así, por ejemplo, ya en agosto de
1903, el periódico chileno *El Mercurio* exigía la vigilancia policíaca de los partidos de
fútbol por el aumento de las agresiones (Santa Cruz 1995: 84). También en otros países
se acumularon las quejas sobre *rowdies* que, por euforia o frustración, invadían el campo
de juego y no tenían reparos en atacar violentamente al árbitro. En Argentina, los distur-
bios adquirieron en los años siguientes tales dimensiones que se decidió contratar árbitros neutrales de Inglaterra (Kleemann 1999: 37). Ya en los años treinta, el escritor argentino Roberto Arlt describía así la situación:

> Tan necesario es que los hinchas de un mismo sujeto se asocien para defenderse de las
> pateaduras de otros hinchas y que son como escuadrones rufianescos, brigadas bandoleras,

quintos malandrines, barras que con expediciones punitivas siembran el terror en los estadios, con la artillería de sus botellas, y las incesantes bombas de sus naranjazos. Esas barras son las que se encargan de incendiar los bancos de las populares, esas mismas barras son las que invaden las canchas para darle el "pesto" a los contrarios, y en determinados barrios han llegado a constituir una mafia, algo así como una camorra, con sus instituciones, sus broncas a mano armada, y las cascarillas monumentales que le dan nombre, prestigio y honra (Arlt 1960: 19).

Las luchas de las barras de hinchas prometían prestigio y capital social. Incluso quienes no participaban se vieron afectados. En ocasión de partidos internacionales, grupos de jóvenes iban por la ciudad con la bandera nacional y exigían a los transeúntes que le hicieran un saludo. Quien no quería hacerlo era "castigado" ("sacarse el sombrero"). En reacción a la violencia creciente en los estadios, en 1924 se construyó por primera vez en Argentina en 1924 un cerco de alambre de púas que separaba a los espectadores del campo de juego (Mason 1995: 34-42).

Pero no sólo Argentina sino también otros países fueron pronto mal vistos por la violencia de los hinchas. También en la cancha era muy alta la tendencia a la violencia, y en los años sesenta y setenta muchos partidos tuvieron que ser interrumpidos a causa de las peleas entre los mismos jugadores (Kleemann 1999: 37). Las continuas quejas que desde los años veinte repiten los principales medios de prensa sobre la supuesta decadencia de la cultura que se manifestaría en semejantes acontecimientos son una expresión elocuente de la capacidad de reconocer la virulencia del problema, por un lado, y también del desvalimiento del observador, por otro lado.

Además de la violencia general, un fenómeno típico del fútbol latinoamericano era la violencia racista, que tiene una larga historia y también fue introducida en el deporte. En los primeros años, esto ni siquiera fue percibido como un problema. Desde la fundación de la primera liga en 1906 hasta 1922, en Brasil se jactaban de que ningún "negro" o "mulato" podía jugar. Todavía en 1921, el presidente, Epitácio Pessoa prohibió personalmente la participación de jugadores afro-brasileños en el Campeonato Sudamericano realizado en Argentina. La cuestión del prestigio era la que ocupaba el primer plano, pues a los funcionarios brasileños les preocupaba menos ganar que presentar al Brasil como un país blanco y, con ello, como nación civilizada. La rigidez de esa determinación, sin embargo, no fue tan lejos como para que se renunciara a la estrella Artur Friedenreich, hijo de padre alemán y madre afro-brasileña (Page 2002: 36). Ya antes se habían encontrado formas de eludir la discriminación. Cuando en 1916 se admitió al primer mulato, Carlos Alberto, en el club América, él tuvo que aclararse la piel con "pó de arroz" (Taylor 1998: 66).

Los afro-brasileños aficionados del fútbol reaccionaron a estas restricciones fundando tempranamente sus propios clubes. A eso se añadió que, ya en los años veinte, clubes como Flamengo o Vasco da Gama optaron en el curso de la profesionalización más por jugadores afro-brasileños. A pesar de las masivas discriminaciones racistas, esa transformación pudo imponerse, pues el éxito le daba la razón a esos clubes (Filho 1964). A partir de 1927, el día de la abolición –el 13 de mayo– se disputaba regularmente un partido entre un equipo de blancos y otro de negros, que casi siempre era ganado por los afro-brasileños, lo cual hizo aumentar aún más el prestigio de esos jugadores, quienes eran cortejados por todas partes (Andrews 1991: 214-215). En los años treinta, afro-brasileños como Leonidas eran ya superestrellas indiscutidas, que incluso eran contratados para publicitar productos. En Uruguay, el negro Obdulio Varela fue el aplaudido capitán de la selección nacional ya durante el Mundial de 1930 (Taylor 1998: 29). Los prejuicios racistas continuaron debilitándose en los años siguientes hasta que con Pelé nació una estrella que fue el primer afro-brasileño que apareció en la tapa de la revista *Life*. Los casos excepcionales de Leonidas, Varela o Pelé no deben hacer olvidar que los prejuicios racistas aún continuarían envenenando al propio fútbol brasileño por mucho tiempo. Formulados ahora positivamente, esos prejuicios perduran en la hipótesis de la superioridad genética, cuasi natural, de los futbolistas afro-brasileños.

En general, en la historia del fútbol en Latinoamérica lo que finalmente se impuso era la calidad de juego. En los inicios se trató claramente de un juego de las clases sociales altas que, al igual que la integración al mercado mundial que lo trajo a América Latina, tendía a excluir a la masa de la población. Cuando se hizo evidente que las clases bajas no estaban dispuestas a aceptar que se les prohibiera el fútbol, se intentó entonces utilizar el deporte como un instrumento para educar y civilizar al pueblo, un objetivo que, como ya se ha dicho, fue perseguido hasta la época del populismo clásico (Frydenberg 1987). Ya muy temprano se formaron clubes de trabajadores como los Corinthians en São Paulo. En Argentina, algunos clubes surgieron en el ambiente de inmigrantes socialistas y anarquistas (Galeano 1995: 37). La heterogeneidad social de los países latinoamericanos se manifestó en el hecho de que las rivalidades más fuertes se establecieron entre los clubes de los barrios. La oposición entre pobres y ricos se refleja hasta hoy en los duelos entre Boca Juniors y River Plate en Buenos Aires, entre Fluminense y Flamengo en Río de Janeiro, entre Peñarol y Nacional en Montevideo, o entre Colo Colo y Universidad Católica en Santiago de Chile.

Los *derbys* muestran que, en medio de la extendida pobreza, el fútbol era una de las pocas oportunidades de movilidad social accesible a las clases sociales bajas. Por eso, después de la fase inicial elitista, el fútbol pudo transformarse velozmente en un deporte comparativamente "democrático" (Shorts 1989). Ya en su fase inicial, el fútbol permitía encuentros sociales que atravesaban las barreras de clases y se extendió tan rápidamente porque, entre otras cosas, se jugaba en los parques públicos donde los pobres pudieron primero observar esa actividad inicialmente exclusiva y copiarla muy pronto. En qué medida el fútbol es un factor de integración social, es una cuestión no dirimida en la investigación científica (Fatheuer 1995: 22).[5]

El fútbol refleja entonces los problemas fundamentales de las sociedades latinoamericanas con su marcada heterogeneidad social y étnica. En la historia del fútbol del siglo XX se pueden apreciar tanto los procesos de democratización como también la continuación de las líneas de conflictos y de desigualdad social. En cierta manera, el fútbol se ha transformado en un mecanismo sustitutivo a la disputa de los conflictos sociales. A la vez, el fútbol es un fenómeno de la cultura de masas, cuyo ascenso ha marcado no sólo la historia de Latinoamérica.

---

[5]   Un punto de vista muy optimista de Fábregas Puig: "Lo sagrado del Rebaño estriba en que simboliza las raíces profundas de México, la alianza del pueblo de pueblos que es la nación, la capacidad de construir la hermandad humana en medio de la diversidad" (Fábregas Puig 2001: 70).

El fútbol como negocio

Con el ascenso de la cultura de masas estuvo estrechamente entrelazada la comercialización del fútbol. La transformación acelerada de un deporte participativo en un espectáculo deportivo fue acompañada por una orientación a la competencia que llevó a que el fútbol fuera jugado cada vez más para ganar, lo que por un lado hizo crecer su potencial de identificación y, por otro, también su valor mercantil. Al igual que en Europa, la comercialización se manifestó primero en la profesionalización general y después en la globalización del deporte como un bien de consumo mediático.

A partir del momento en que el fútbol dejó de ser un privilegio de las elites, los clubes se esforzaban por mejorar sus instalaciones deportivas. Los clubes cobraban entrada y comenzaron a ampliar los estadios. En los años veinte y treinta, esta actividad alcanzó dimensiones monumentales y fue subvencionada por los gobiernos por razones de prestigio. Que valía la pena, lo demuestran las cifras de espectadores en constante crecimiento, que continuaron aumentando incluso durante la crisis económica mundial. También el número de socios de los clubes subió notablemente en estos años. Un potencial aún mayor esperaba más allá del Atlántico. Por eso, ya en los años veinte, muchos comités directivos de clubes enviaron a sus equipos a hacer viajes por el extranjero, inclusive a Europa y Estados Unidos. A pesar de que los viajes eran lucrativos, tenían sin embargo un efecto negativo, ya que los grandes clubes europeos se llevaban a los mejores jugadores. De este modo se produjo la primera gran ola migratoria de futbolistas profesionales latinoamericanos a Europa, en particular de argentinos, que iban especialmente a Italia (Mason 1995: 45-57).

También en Latinoamérica, el dinero empezó a jugar un papel muy importante en la búsqueda de mejores jugadores y en los años veinte el pago de los futbolistas ya era un secreto a voces. Sin embargo, no todos los clubes estaban dispuestos a renunciar al amateurismo y hubo fuertes debates acerca de la moral del deporte del fútbol.[6] Entre los defensores del amateurismo estaban por regla general los clubes de las clases altas, mientras los clubes de los trabajadores se inclinaban más al profesionalismo. Por eso, en ese período se produjeron diversas divisiones en las federaciones de fútbol. Finalmente se impuso la profesionalización. En 1931, la liga argentina fue la primera en decidirse en esa dirección (Santa Cruz 1995: 44-45). Dos años más tarde siguieron Brasil y Chile después de largas luchas internas. Para los jugadores, esto significó que en adelante dispusieron de ingresos regulares, pero a cambio de ello perdieron buena parte de su libertad. A excepción de las grandes estrellas, los demás futbolistas, que en su gran mayoría pertenecían a la clase baja, continuaron siendo mal tratados y no gozaban de ningún seguro social (Levine 1980: 240-241). Por eso, en Argentina y Uruguay, por ejemplo, se fundaron sindicatos de futbolistas y hubo huelgas de jugadores.

Después de la Segunda Guerra Mundial, la profesionalización alcanzó una nueva dimensión. En Colombia, donde el fútbol había tenido por mucho tiempo un papel secundario y sólo en 1924 se fundó una federación nacional en Barranquilla, algunos empresarios crearon en 1947 el Club Millonarios de Bogotá y en 1948 la División Mayor como primera liga profesional. Los sueldos allí ofrecidos provocaron una migración de juga-

---

[6] Ver también el análisis de José Ramón Fernández sobre el caso mexicano (Fernández 1994).

dores a Colombia. Incluso jugadores europeos y el argentino Alfredo Distéfano, más tarde estrella del Real Madrid, integraron por algún tiempo el "ballet azul" de Bogotá, que impresionó al mundo con su arte (Mason 1995: 58-60). Hoy en día prácticamente los europeos no van a Latinoamérica para jugar fútbol, en tanto que los futbolistas latinoamericanos son en la actualidad un gran éxito de exportación en Europa. Pero lo cierto es que la estrecha relación entre la economía y el deporte se ha mantenido. En el México de los años noventa, por ejemplo, de los dieciocho clubes de la primera liga, diecisiete estaban en posesión de empresas y se convirtieron en sociedades anónimas (Taylor 1998: 184). En un plano internacional, un latinoamericano, el brasileño João Havelange impulsó la comercialización y la globalización del deporte de manera decisiva como presidente de la FIFA desde 1974 hasta 1998.

La ola de globalización que marca al fútbol de nuestro tiempo y lo ha transformado en un espectáculo comercial de alcance mundial sería inconcebible sin la expansión de los medios masivos (Eisenberg 2005). También en Latinoamérica, el nacimiento del fútbol como espectáculo masivo estuvo estrechamente ligado con la expansión de nuevos medios masivos como las revistas primero, el cine y la radio después, y finalmente la televisión. Ya en los primeros viajes al extranjero de los equipos latinoamericanos en los años veinte participaron también periodistas para vender los partidos como grandes eventos nacionales (Mason 1995: 33). También el potencial publicitario del fútbol fue reconocido muy temprano. Con las competencias internacionales en las olimpiadas y en los campeonatos mundiales se llegó a verdaderas campañas masivas. En las capitales, miles de personas vivieron esas competencias, asistiendo primero a las primeras transmisiones en vivo de radio y luego de televisión presentadas en lugares públicos. El Mundial de 1970 en México, el primero que fue transmitido en color a todo el mundo, ya había sido comprado por las emisoras de televisión europeas, las cuales entre otras cosas dictaban las horas de comienzo de los partidos, lo que llevó a esos famosos atropellos de jugar en horas de extremo calor. Desde 1970, el fútbol se ha globalizado a gran velocidad. La comercialización total ha hecho del fútbol una mercancía verdaderamente global que sirve como entretenimiento de modo global (Ramonet 2006: 17). En ello participan también activamente los grandes consorcios latinoamericanos, que por su parte cooperan estrechamente con empresas multinacionales como Parmalat o Nike.

A primera vista, estos procesos de comercialización y globalización del fútbol parecen intercambiables e idénticos a los de Europa. Pero, ¿qué efectos tuvieron estos desarrollos en vistas de la simultaneidad de lo heterogéneo en sentido sociocultural en la América Latina del siglo XX? ¿Cómo han percibido los espectadores esas transformaciones y cómo reaccionaron ante ellas? Aún no existen respuestas contundentes a estas preguntas.

Espectáculo de masas y culto a la masculinidad

Por último voy a referirme a un aspecto que sólo puedo tocar brevemente. Se trata de una dimensión ritual del fútbol, que se complementa cada vez más con el carácter mercantil y de espectáculo (Santa Cruz 1995: 13). El fútbol escenificado por los medios marca cada vez más los estilos de vida de una parte de la población global que crece constantemente. Esto vale también para Latinoamérica, donde el deporte dicta el ritmo

¿La última pasión verdadera? Historia del fútbol en América Latina

97

de vida en las ciudades y familias, especialmente los domingos por la tarde. Muchas veces se ha hecho referencia a la dimensión casi religiosa de la adoración de los clubes de fútbol por parte de los hinchas, la cual muchas veces reemplaza la asistencia a misa. Esto alcanza hasta la invocación de fuerzas sobrenaturales para convocar la victoria del propio equipo (Mason 1995: 100). Como mostró el caso del brasileño Garrincha en 1983, hoy en día la muerte de una estrella no sólo es estilizada como un gran aconteci-miento nacional o un espectáculo mediático, sino que también adquiere connotaciones religiosas.

Con frecuencia se especula que existe una relación estrecha entre el culto a la mascu-linidad vinculado con el fútbol y esa adoración casi religiosa.[7] La relación del fútbol con un ideal de la rudeza y corporalidad masculinas, originariamente vinculado especialmen-te a Inglaterra, fue uno de los fundamentos de su éxito (Taylor 1998: 53). Mientras algu-nos elementos de este ideal, como por ejemplo el rechazo del profesionalismo, desapare-cieron con el tiempo, otros se mantienen hasta hoy en día. Así, por ejemplo, la violencia ejercida por los jugadores entre sí ha sido considerada como un elemento deseable de ese "deporte de hombres". Aquellos jugadores que no correspondían a ese ideal o que sim-plemente no tenían éxito eran insultados por la prensa local como *Lady players* que se caían ante el primer ataque, como sucedió en el caso de la selección nacional argentina en los campeonatos mundiales de 1930 o 1958 (Mason 1995: 126; Taylor 1998: 40).

¿De dónde provienen esos discursos de género presentes en el fútbol? Seguramente existe una estrecha relación simbólica entre este deporte y los fundamentos de una modernidad específicamente latinoamericana. Los ritos de iniciación y masculinización pueden ser experimentados a través del fútbol. Además, también Latinoamérica experi-mentó una tendencia a la prolongación de la adolescencia y el culto a la juventud, que se profundizaron en el siglo XX y hasta hoy se pueden vivir plenamente en el fútbol.

Fútbol e historia de Latinoamérica: una síntesis

La historia del fútbol en Latinoamérica es un tema que, como se ha visto, concierne a la historia social y cultural del subcontinente desde los años de 1890 hasta el presente. Ya en los inicios del tardío siglo XIX se evidenció un alto grado de entrelazamiento transna-cional que es de sumo interés en cuanto a la dimensión cultural de la historia de la globa-lización. Sin embargo, en Latinoamérica el fútbol fue adaptado rápidamente y modifica-do de acuerdo a las propias exigencias. El resultado final fue un ejemplo de hibridación cultural que se volvió también relevante desde un punto de vista económico y político. Por causa de la específica situación inicial, en Latinoamérica hubo desde el comienzo una relación especialmente estrecha entre el fútbol y la política. Con frecuencia, el depor-te fue instrumentalizado por parte de los poderosos, pero también desarrolló un potencial subversivo, que aún no ha sido suficientemente investigado. Esto se relaciona con la fuerte heterogeneidad social y étnica de las sociedades latinoamericanas, la cual puede

---

[7] Una serie de trabajos antropológicos nuevos sobre la relación del fútbol con los rituales de la masculini-dad se encuentran citados en Alves de Souza (1996) y Fábregas Puig (2001). Véase también la edición de Eva Kreisky y Georg Spitaler (2006).

observarse en ciertos desarrollos del fútbol. Como fenómeno general de la sociedad, el fútbol tuvo también participación en la comercialización y globalización de los estilos de vida. Por eso es un fenómeno de la cultura de masas, cuya historia en Latinoamérica conocemos aún muy poco. Finalmente, el fútbol es precisamente en Latinoamérica también una "arena de masculinidad", cuyo significado está aún por ser investigado desde la perspectiva de una antropología histórica y de los estudios de género.

En tanto uno de los medios de integración nacional más poderosos en una era postnacional, el fútbol, y sobre todo los campeonatos mundiales, son hoy a la vez el acontecimiento mediático más globalizado y transnacional.[8] En Latinoamérica, el fútbol vive bien con esta aparente paradoja. Su historia muestra hasta qué punto Latinoamérica está integrada en el contexto mundial y cómo comparte ciertas experiencias, pero también cómo ciertas experiencias transnacionales se modifican bajo las condiciones de una sociedad multicultural y multiétnica. Esa particularidad de Latinoamérica como laboratorio de una modernidad múltiple marca precisamente el atractivo del estudio de la historia de este subcontinente. La historiografía de Latinoamérica puede obtener provecho de ello si toma en serio la exigencia de una relación con los problemas actuales sin caer en la trampa de un puro presentismo.

Traducido por Carmen Ruiz y Niklaas Hofmann.

Bibliografía

Agostino, Gilberto (2006): "Nós e ellos, nosotros y eles – Brasil X Argentina: Os inimigos fraternos". En: Texeira Da Silva, Francisco Carlos/Pinto dos Santos, Ricardo (eds.): *Memoria social dos esportes – Futebol e política: A construção de uma identidade nacional*. Rio de Janeiro: Mauad, pp. 55-80.

Alabarces, Pablo (2004): *Crónicas del aguante: Fútbol, violencia y política*. Buenos Aires: Capital intelectual.

Alves de Souza, Marcos (1996): *A "Naçao em chuteiras": Raça e masculinidade no futebol brasileiro*. Universidade de Brasília, Departamento de Antropologia.

Anderson, Thomas R. (1981): *The War of the Dispossessed: Honduras and El Salvador 1969*. Lincoln: University of Nebraska Press.

Andrews, George R. (1991): *Blacks and Whites in São Paulo, Brazil 1888-1988*. Madison: University of Wisconsin.

Antunes, Fatima Martin Rodrigues Ferreira (2004): *"Com brasileiro, não há quem possa!": Futebol e identidade nacional em José Lins do Rego, Mário Filho e Nelson Rodrigues*. São Paulo: UNESP.

Arbena, Joseph L. (1988): *Sport and Society in Latin America. Diffusion, Dependency, and the Rise of Mass Culture*. New York: Greenwood.

— (1991): "Sport, Development, and Mexican Nationalism, 1920-1970". En: *Journal of Sport History* 18, 3, pp. 350-364.

— (1992): "Sport and the Promotion of Nationalism in Latin America: A Preliminary Interpretation". En: *Studies in Latin American Popular Culture* 11, pp. 143-155.

---

[8]   La FIFA cuenta con más federaciones que la ONU Estados miembro (Eisenberg 2004: 7). Con respecto al tema de la globalización véase Fanizadeh/Hödl/Manzenreiter (2002).

— (1995): "Sports Language, Cultural Imperialism, and the Anti-Imperialist Critique in Latin America". En: *Studies in Latin American Popular Culture* 14, pp. 129-141.

Arbena, Joseph L./LaFrance, David G. (2002): "Introduction". En: Arbena, Joseph L./LaFrance, David G. (eds.): *Sport in Latin America and the Caribbean*. Wilmington, Del.: Scholarly Resources, pp. xi-xxxi.

Archetti, Eduardo P. (1999): *Masculinities: Football, Polo and the Tango in Argentina*. Oxford: Berg.

Arlt, Roberto (1960): *Nuevas aguafuertes porteñas*. Buenos Aires: Hachette.

Azzellini, Dario N. (2006): *Futbolistas: Fußball und Lateinamerika – Hoffnungen, Helden, Politik und Kommerz*. Berlin: Assoziation A.

Bourdieu, Pierre (1986): "Historische und soziale Voraussetzungen des modernen Sports". En: Hortleder, Gerd/Gebauer Gunter (eds.): *Sport, Eros, Tod*. Frankfurt/Main: Suhrkamp, pp. 91-112.

Carías, Marco Virgilio/Slutzky, Daniel (1971): *La guerra inútil: Análisis socio-económico del conflicto entre Honduras y El Salvador*. San José: Ed. Univ. Centroamericana.

Carmagnani, Marcello (1984): *Estado y sociedad en América Latina (1850-1930)*. Barcelona: Crítica.

Da Silva Drumond Costa, Maurício (2006): "Os gramados do Catete: Futebol e política na era Vargas (1930-1945)". En: Texeira Da Silva, Francisco Carlos/Pinto dos Santos, Ricardo (eds.): *Memoria social dos esportes – Futebol e política: A construção de uma identidade nacional*. Rio de Janeiro: Mauad, pp. 107-132.

Eisenberg, Christiane (1999): *"English Sports" und deutsche Bürger: Eine Gesellschaftsgeschichte 1800-1939*. Paderborn: Schöningh.

— (2004): "Fußball als globales Phänomen: Historische Perspektiven". En: *Aus Politik und Zeitgeschichte* 21 de junio, pp. 7-15.

— (2005): "Medienfußball: Entstehung und Entwicklung einer transnationalen Kultur". En: *Geschichte und Gesellschaft* 31, pp. 586-609.

Elias, Norbert/Dunning, Eric (1986): *Quest for Excitement: Sport and Leisure in the Civilizing Process*. Oxford: Blackwell.

Fábregas Puig, Andrés (2001): *Lo sagrado del rebaño: El futbol como integrador de identidades*. Zapopan, Jalisco: El Colegio de Jalisco.

Fanizadeh, Michael/Hödl, Gerald/Manzenreiter, Wolfram (2002): *Global Players – Kultur, Ökonomie und Politik des Fussballs*. Frankfurt/Main: Brandes & Apsel.

Fatheuer, Thomas (1995): "Das Vaterland der Fußballschuhe. Eine kleine Sozialgeschichte des brasilianischen Fußballs". En: *Lateinamerika Analysen und Berichte 19. Sport und Spiele*, pp. 21-37.

Fernández, José Ramón (1994): *El fútbol mexicano ¿Un juego sucio?* México, D. F.: Grijalbo.

Filho, Mário (1964): *O negro no futebol Brasileiro*. Rio de Janeiro: Civilização Brasileira.

Frydenberg, Julio David (1987): "El espacio urbano y el inicio de la práctica masiva del fútbol. Buenos Aires 1900-1920". En: *Boletín del Instituto Histórico de la Ciudad de Buenos Aires* 8, 14, pp. 35-48.

— (1997): "Prácticas y valores en el proceso de popularización del fútbol, Buenos Aires 1900-1910". En: *Entrepasados: Revista de Historia* 6, 12, pp. 7-29.

Galeano, Eduardo (1995): *El fútbol a sol y sombra*. Madrid: Siglo XXI.

García Candau, Julián (1996): *Épica y lírica del fútbol*. Madrid: Alianza.

Gilbert, Abel/Vitagliano, Miguel (1998): *El terror y la gloria: La vida, el fútbol y la política en la Argentina del Mundial '78*. Buenos Aires: Norma.

Guttmann, Allen (1994): *Games & Empires: Modern Sports and Cultural Imperialism*. New York: Columbia University Press.

Huizinga, Johan ([1938] 2001): *Homo Ludens: Vom Ursprung der Kultur im Spiel*. Reinbek: Rowohlt.

Humphrey, John/Tomlinson, Alan (1986): "Reflections on Brazilian Football: A Review and Critique of Janet Lever's 'Soccer Madness'". En: *Bulletin of Latin American Research* 5, 1, pp. 101-108.

Kleemann, Silke (1999): *Gesellschaftliche Aspekte des Fußballs in Argentinien*. Germersheim: CELA.

Kreisky, Eva/Spitaler, Georg (2006): *Arena der Männlichkeit: Über das Verhältnis von Fußball und Geschlecht*. Frankfurt/Main: Campus.

Lahud, Simona (1998): *O Brasil no campo de futebol: Estudos antropológicos sobre os significados do futebol brasileiro*. Niteroi: Eduff.

Leite López, J. Sergio (1998): "Fútbol y clases populares en Brasil: Color, clase e identidad a través del deporte". En: *Nueva Sociedad* 154, pp. 124-146.

Lever, Janet (1983): *Soccer Madness: Brazil's Passion for the World's Most Popular Sport*. Prospect Heights: Waveland.

Levine, Robert M. (1980): "Sport and Society: The Case of Brazilian Football". En: *Luso-Brazilian Review* 17, 2, pp. 233-251.

Lorenzo, Ricardo (Borocotó) *et al.* (1955): *Historia del fútbol argentino*. Buenos Aires: Eiffel.

Magalhães, Mário (1998): *Viagem ao país do futebol*. São Paulo: DBA.

Marchant, Reinaldo E. (2004): *La alegría del pueblo: Historias de fútbol*. Santiago de Chile: Bravo y Allende.

Martz, Mary Jeanne Reid (1978): *The Central American Soccer War: Historical Patterns and Internal Dynamics of OAS Settlement Procedures*. Athens: Ohio University, Center for International Studies.

Mason, Tony (1995): *Passion of the People? Football in South America*. London: Verso.

Mattos, Cyro de *et al.* (2005): *Contos brasileiros de futebol*. Brasília: LGE.

Mazzoni, Thomaz (1950): *História do futebol no Brasil 1894-1950*. São Paulo: Leia.

Moreira da Costa, Flávio (1998): *Onze em campo e um banco de primeira*. Rio de Janeiro: Dumará.

Page, Joseph A. (2002): "Soccer Madness: Futebol in Brazil". En: Arbena, Joseph L./LaFrance, David (eds.): *Sport in Latin America and the Caribbean*. Wilmington, Del.: Scholarly Resources, pp. 33-50.

Pereira, Leonardo Affonso de Miranda (2000): *Footballmania: Uma historia social do futebol no Rio de Janeiro, 1902-1938*. Rio de Janeiro: Nova Fronteira.

Ramonet, Ignacio (2006): "Planeta fútbol". En: *Le Monde Diplomatique*, junio <http://www.lemondediplomatique.cl/Planeta-futbol.html> (15.10.2006).

Reyes del Villar, Soledad (2004): *Chile en 1910: Una mirada cultural en su centenario*. Santiago de Chile: Ed. Sudamericana.

Rinke, Stefan (2002): *Cultura de masas, reforma y nacionalismo en Chile, 1910-1931*. Valparaíso/Santiago de Chile: Universidad Católica/Centro de Investigaciones Diego Barros Arana.

Santa Cruz, Eduardo (1995): *Origen y futuro de una pasión: Fútbol, cultura y modernidad*. Santiago de Chile: Arcis.

Scher, Ariel (1996): *La patria deportista: Cien años de política y deporte*. Buenos Aires: Planeta.

Shorts, Matthew G. (1989): "Playing Soccer in Brazil: Socrates, Corinthians, and Democracy". En: *The Wilson Quarterly* XIII, pp. 225-247.

Taylor, Chris (1998): *Samba, Coca und das runde Leder: Streifzüge durch das Lateinamerika des Fußballs*. Stuttgart: Schmetterling.

Wood, David (2005): *De sabor nacional: El impacto de la cultura popular en el Perú*. Lima: IEP.

Ingrid Kummels*

↻ *Adiós soccer, here comes fútbol!*: La transnacionalización de comunidades deportivas mexicanas en los Estados Unidos

Se llaman Necaxa, Tlatizapan, El Aguaje, Morelia, Toros o Pumitas... En los últimos años, centenas de clubes de fútbol amateurs han aparecido como hongos... y esto en los EE. UU., el país en el que tradicionalmente el béisbol, el *football* americano y el *basketball* dominan la escena deportiva. Los clubes, que ostentan los nombres de las comunidades mexicanas de origen de los jugadores o de los equipos populares de su país, caracterizan ahora el paisaje urbano con sus partidos dominicales en las grandes ciudades de las costas este y oeste, en el sur y en el cinturón industrial alrededor de los Great Lakes. En estas regiones los equipos se han asociado en ligas propias, independientes de las ligas anglos, como por ejemplo en la Alianza de Fútbol Hispano, creada en 2004, que se vanagloria de representar a 200.000 jugadores de fútbol y a sus familias en todos los EE. UU.[1] También en otros aspectos, estos equipos forman un mundo deportivo aparte, ya que el *Hispanic soccer* se juega según reglas y un estilo algo distintos de la variante gringa. Alex Flores, presidente de la Liga de Fútbol Inter Latinos, lo explica así: "Como los latinos no somos muy altos, jugamos más al ras del suelo, con toques más cortos y muchos pases, sin envíos largos y sin el juego aéreo, como se suele en el juego anglo" (Reed 2006: 1).

¿Estaremos presenciando una "latinoamericanización" deportiva de los EE. UU. a través del fútbol? Y si éste es el caso, ¿se debe a que los originarios de México se aferran a tradiciones e identificaciones deportivas de su país de origen? Observando el fenómeno más detenidamente se complica la simple cadena causal de: originarios de México en los EE. UU. = mismas preferencias deportivas que los habitantes de México = deporte nacional fútbol. Pues desde hace tiempo algunas empresas norteamericanas también intervienen en el mundo del fútbol latino. Desde hace tres años, el gigante de decoraciones de interiores Lowe's patrocina un torneo en el que equipos de hombres y jóvenes hispanos se enfrentan entre ellos en once ciudades durante varias semanas. En las finales de la Copa Lowe's equipos semiprofesionales juegan contra equipos profesionales de Méxi-

* Ingrid Kummels es antropóloga cultural, escritora y cineasta. Fue profesora visitante del Ethnologisches Seminar de la Universidad de Zürich en 2007. Se especializa en identidades sociales e hibridación cultural en los espacios transnacionales de México, Cuba y los Estados Unidos. Recientemente ha publicado: Land, Nahrung und Peyote: Soziale Identität von Rarámuri und Mestizen nahe der Grenze USA-Mexiko. Contacto: kummels-schaefer@t-online.de.
1 Véase <http://www.alianzadefutbol.net> (27.12.06).

co.[2] Mike Robinson, director general de la empresa de marketing LaVERDAD de Cincinnati, explica por qué también otras compañías norteamericanas invierten en este tipo de torneos nacionales: "El secreto es recoger a los hispanos donde se encuentran. Ellos concurren a las canchas y no a los centros comerciales con boutiques de lujo" (Reed 2006: 3). También el gobierno mexicano se esfuerza en la atención a los futbolistas migrantes. Desde finales de los años noventa organiza una Copa México en los EE. UU. para los amateurs mexicanos (Shinn 2002: 248; Pescador 2004: 353, 370). Además, el excéntrico empresario Jorge Vergara, de Guadalajara, armó por primera vez un equipo de fútbol norteamericano, vendiéndolo como un icono deportivo del patrimonio cultural mexicano. Su equipo Chivas USA compite desde 2005 en la US-Major League con los equipos estrella de los EE. UU. Se intenta por este medio que los hispanos se identifiquen con el equipo, que con su pasión nacional estimulen la competición y la calidad al interior de la Major League y que conviertan a los EE. UU en una nación fútbol.[3]

1. Deporte, migración y mexicanidades

Grupos de actores de ambos lados de la frontera entre los EE. UU. y México intervienen en el *Hispanic soccer* y esto es prueba de que entretanto la cancha se ha convertido en un espacio central en el que se ponen en escena y se negocian cuestiones de identidad y organización social, así como de integración cultural (Pescador 2004: 354). También otros deportes de los *Mexican Americans* son la expresión de nuevas realidades demográficas, sociales y económicas en los EE. UU., como muestra una primera compilación sobre el tema (Iber/Regalado 2007). El trasfondo es el rápido cambio de las coordenadas de la migración mexicana, que desde los años setenta ha crecido enormemente. Actualmente, los aproximadamente 27 millones de originarios de México representan el mayor grupo de inmigrantes en los EE. UU., con un porcentaje del 9% de la población total. Debido a la compleja combinación de diversos factores, la corriente migratoria sigue aumentando. Desde la década de 1990, muchos originarios de México se trasladan a nuevos destinos en la costa este y al sudeste de los EE. UU., por lo que la composición y las dinámicas étnicas en estas regiones están cambiando sustancialmente. También debido a las características de las olas de inmigración, tanto los grupos resumidos bajo la denominación de *Hispanics*, como los llamados *Mexicans* o *Mexican Americans*, son en realidad grupos muy heterogéneos.[4] Científicos y políticos populistas de derecha en

---

2   Véase <http://www.copalowes.net> (27.12.06).
3   *Cfr.* <http://chivas.unsa.mlsnet.com/t120/about/> (27.12.06).
4   Empleo el término "originarios de México" del mismo modo que se usa en la actual estadística estadounidense (*Mexican, of Mexican origin*) como un término colectivo que incluye tanto a los descendientes de los mexicanos que fueron naturalizados como consecuencia de la guerra entre México y los EE. UU. entre 1846 y 1848, como a los ciudadanos de los EE. UU. –por nacimiento o naturalización– que tienen una ascendencia mexicana (*Mexican Americans*), y hasta los inmigrantes recientes indocumentados (US-Mexicans, vulgarmente denominados *illegal aliens*). Bajo *Hispanics* se incluyen personas de países latinoamericanos. No obstante, estos términos colectivos no concuerdan con las autorrepresentaciones y autoatribuciones de los actores, sus diferentes situaciones de interés y la consecuente complejidad de las interacciones sociales, como mostraremos en el transcurso de este artículo. Los involucrados prefieren el término colectivo *latinos* o *latinas* en lugar de *Hispanics*.

parte instrumentalizan las homogeneizaciones en tales categorías para atizar los temores de "la" población estadounidense ante una supuesta transformación cultural nociva de la sociedad (Huntington 2005).

Los científicos "transnacionalistas", por el contrario, argumentan que con la ayuda de nuevas prácticas culturales, los mexicanos étnicos[5] rehuyen las intervenciones de los Estados naciones tanto de su país de origen como del país de destino, escapando de esta manera hasta cierto punto a la discriminación y la subordinación de clase y 'racial' en los EE. UU. Personas de pueblos y grandes ciudades en México mantienen relaciones sociales duraderas con sus parientes y amigos en los EE. UU., impulsadas por la globalización de los mercados laborales, por nuevos medios de comunicación y por dinámicas globales de difusión cultural. Consecuentemente, los migrantes son activos, toman decisiones y forman nuevas comunidades dentro de un espacio transnacional constituido por estas redes (Basch *et al.* 1994). David Gutiérrez remite a un partido de fútbol que tuvo lugar en febrero de 1998 en Los Ángeles: cuando el equipo nacional mexicano ganó 1-0 al de los EE. UU., la mayoría de los más de 90.000 espectadores en el estadio dio gritos de júbilo. Algunos jugadores del equipo nacional de EE. UU. se quejaron amargamente del hecho de que Los Ángeles (con una proporción del 50% de población hispana) no era para ellos un partido en casa. Para Gutiérrez (1999: 483) el "drama simbólico" de este partido es señal de la actual "desestabilización de concepciones uniformes de comunidad, cultura, nacionalidad e incluso de la 'nación' territorial". Como respuesta a su homogeneización y subordinación, los originarios de México crearon nuevas prácticas culturales que amalgaman tradiciones mexicanas con valores de la sociedad estadounidense, un Tercer Espacio (Third Space), que trasciende las fronteras de ambos Estados nacionales.

De manera similar argumenta Juan Javier Pescador (2004; 2007), quien se dedica especialmente a la cultura mexicana del fútbol en la región de los Great Lakes. Desde la década de 1920, los migrantes mexicanos se organizan a nivel vecinal o comunal a través del fútbol. Mediante la competición deportiva con grupos de inmigrantes europeos, que trajeron por primera vez el fútbol a la región, se hacen respetar y estimar en la sociedad en su conjunto. Pescador (2007: 74) subraya que los actores integraron en el ocio futbolístico valores de la clase obrera estadounidense, dándole una nueva interpretación. En este proceso resaltaron valores como la disciplina, masculinidad, individualidad y competencia. Con esto, Pescador desvirtúa con razón la hipótesis de que el *boom* futbolístico en los EE. UU. se debería a que los actores siguen aferrados a las tradiciones de su país de origen. Sin embargo, no ofrece una explicación de la marcada orientación a México que tiene la cultura futbolística en los EE. UU. Los jugadores del *Hispanic soccer* denominan a sus equipos según las comunidades mexicanas y los equipos profesionales mexicanos, y a menudo incluso reclutan nuevos talentos deportivos de México. ¿Por qué un creciente número de migrantes refuerza las relaciones con sus comunidades y país de origen a través del fútbol?

Una mirada al deporte puede ayudar a dilucidar las dinámicas de la identidad social en los EE. UU. latinoamericanizados. Investigaciones de la etnología del deporte con

---

[5] El término "mexicano étnico" agrupa a los originarios de México en los EE. UU. y a los ciudadanos de México.

una perspectiva histórica y transnacional muestran cómo actores, precisamente bajo las condiciones de la globalización, dirimen mediante el deporte conflictos sociales por el control del cuerpo físico, y cómo al mismo tiempo impugnan las identidades sociales, los roles de género, atribuciones étnicas y nacionales existentes y los renegocian (Bourdieu 1992: 197; MacClancy 1996: 14). Tanto la clase dominante como los subordinados han aprovechado las posibilidades específicas que ofrece el deporte en tanto orden de conocimiento que se transmite a través del cuerpo, es decir: 1) El deporte es más permeable para la apropiación que ámbitos de conocimiento que están más estrechamente articulados a una formación institucional, y 2) el deporte goza de una gran aceptación, porque es percibido generalmente como 'apolítico' y alejado de intereses económicos. Los representantes de las potencias coloniales trataron a menudo de evitar de antemano la resistencia de los colonizados intentando presionarlos en su esquema de razas, naciones y clases, justamente a través de prácticas cotidianas como el deporte. En el lado opuesto, los oprimidos transformaron los deportes introducidos en espacios sociales, a fin de poner en escena los antagonismos de situaciones coloniales y postcoloniales y de darles una solución imaginaria (James 1963). Los aficionados "se reinventan" a través del deporte "conscientemente como actores del cambio cultural" (Pérez 1994: 500).

    ¿Efectúan los hispanos en el marco del fútbol en los EE. UU. una inversión simbólica comparable de las relaciones de poder? ¿Expresan a través de él un nuevo concepto de mexicanidad? A continuación vamos a abordar estas preguntas y además vamos a analizar, en una perspectiva histórica para la época entre 1940 y la actualidad, el desarrollo del fútbol en México y en los EE. UU. puntualmente con relación al segundo potencial "deporte nacional", el béisbol.[6]

2. Apropiaciones regionales de béisbol y fútbol: el camino de México hacia un deporte nacional

    La instrumentalización del fútbol por parte de diferentes grupos de actores descrita al principio transmite la imagen de una larga tradición nacional de fútbol. Por el contrario, México es una nación dividida con relación a sus pasiones deportivas, aun cuando el fútbol está ganando terreno, sólo en el centro domina indiscutiblemente el deporte rey; el norte y el sudeste de México muestran una preferencia por el béisbol marcada por el regionalismo. Aún hoy en día, la brecha pasa por la política y la economía: en 2006, el candidato a la presidencia Manuel López Obrador, originario de Tabasco, pidió públicamente al empresario de las telecomunicaciones de la capital, Carlos Slim, que su empresa Telmex patrocinase por fin, además de unos 15.000 equipos de fútbol, también a equipos de béisbol.[7]

    Se requiere una explicación de por qué el béisbol, que en los años cincuenta aún superaba en popularidad al fútbol, se convirtió posteriormente en un deporte secundario. Pocos años después de que Alexander Joy Cartwright anotara las reglas del juego moder-

---

[6]   En su "Programa para una sociología del Deporte", Bourdieu señala que "para comprender un deporte de cualquier tipo, [...] es necesario discernir la posición que ocupa dentro del espacio de los diferentes tipos de deporte" (1992: 194).

[7]   *Proceso* n° 1533 (19.03.2006): 10-11.

no en Nueva York, el béisbol también se convirtió en un deporte local en la península de Yucatán. Obreros cubanos lo introdujeron alrededor de 1860 y tanto integrantes de la élite nacional yucateca, que en parte habían estado en los EE. UU., como también muchos obreros lo adoptaron rápidamente (Regalado 1998: 9, 15). En el norte de México, algunas compañías norteamericanas que durante el Porfiriato invirtieron en la minería y en la construcción ferroviaria patrocinaron el béisbol con el fin de transmitir a los obreros valores como el espíritu de equipo, que consideraban imprescindibles para la construcción de una sociedad industrial moderna. Los mexicanos del norte adoptaron el deporte rápidamente como parte de un estilo de vida moderno, y Wallace Thompson, el editor de una revista, constató: "es ciertamente lo más que México se ha acercado a tener un deporte 'nacional'" (Alamillo 2007: 52).

En los estados norteamericanos cercanos a la frontera, constelaciones de poder y motivaciones similares contribuyeron desde la década de 1920 a que migrantes de origen mexicano, que en su mayoría trabajaban en la agroindustria, jugaran sobre todo al béisbol (Alamillo 2007: 52-53). Compañías como el productor de cítricos Sunkist subvencionaron la creación de equipos de béisbol entre los trabajadores temporales mexicanos, con el objetivo de incrementar su productividad y promover su lealtad con la empresa. En el sur de California, los habitantes de comunidades mexicanas y de barrios urbanos pronto fundaron numerosos clubes y jugaban entre ellos. Este aislamiento estaba relacionado con la práctica de la segregación en el mundo deportivo profesional de EE. UU. Hasta 1947 se negó a los jugadores afroamericanos y latinos de tez oscura el acceso a los clubes profesionales que competían en la Major League. Sin embargo, con ayuda de equipos de béisbol propios, el grupo heterogéneo de mexicanos que habían sido naturalizados como consecuencia de la guerra entre México y los EE. UU., *Mexican Americans* y migrantes recientes se reposicionó en los conflictos 'raciales' y de clase. A través del béisbol, estas personas manifestaron una conciencia étnica común, una solidaridad comunitaria y un comportamiento masculino, y de esta manera se hacían respetar. Además, ligaron el béisbol a su mundo vivencial en los EE. UU. Los migrantes, en su mayoría hombres, reproducían y reforzaban en la arena del béisbol la dominación masculina del mundo laboral agroindustrial (Alamillo 2007: 51, 54, 57, 69).

En el mismo periodo, los mexicanos a ambos lados de la frontera convirtieron el béisbol en un fenómeno transnacional. Equipos mexicanos cruzaban regularmente la frontera para participar en torneos en el sudoeste de los EE. UU. A partir de los años cuarenta Jorge Pasquel, un empresario millonario de la capital mexicana, patrocinó con grandes sumas el béisbol en el país azteca, animado por un sentido de nacionalismo mexicano y por la idea de retar en el ámbito deportivo a los EE. UU. de igual a igual. Aprovechó la práctica de la segregación en los EE. UU., comprando para los equipos mexicanos jugadores estrellas afroamericanos; en 1949 incluso pasó a enrolar a jugadores blancos. De esta manera logró un rápido incremento en la calidad y popularidad de la Liga de Béisbol Mexicana. Mexicanos a ambos lados de la frontera expresaron a través de su apego a esta liga un sentimiento de pertenencia transnacional. Por un tiempo, el cálculo de Pasquel funcionó; sin embargo, con su política agresiva para reclutar jugadores de otros clubes provocó contramedidas por parte de las ligas estadounidenses, que frenaron su ambicioso proyecto (Klein 1997: 66-113).

El fútbol, en aquella época un deporte marginal tanto en México como entre los migrantes mexicanos en los EE. UU., se impuso primero en algunas ciudades industriales del centro de México, en las que las empresas británicas tenían hegemonía en la minería y en la industria textil. Todavía a principios del siglo xx, los obreros especializados británicos jugaban entre ellos, al igual que en otros lugares de América Latina. En la década de 1920, la Liga Mexicana de Football, exclusivamente británica, sufrió un derrumbe decisivo cuando por primera vez clubes españoles dejaron atrás a los clubes británicos. También los clubes mexicanos se multiplicaron gracias a los miembros de las clases altas que se habían formado o habían trabajado en un país europeo. Algunas compañías, sindicatos e instituciones gubernamentales mexicanas financiaron estos clubes. Cuando futbolistas españoles y mexicanos manifestaron su orgullo nacional y dirimieron sus rivalidades cada vez más a través de los partidos, el fútbol experimentó una irrupción de popularidad. La competencia se alimentaba de la antigua posición de España como potencia colonial. Los mexicanos actualizaron este antagonismo en vista del crecimiento de la comunidad española, y en vista de su predominio en determinados sectores económicos. Dos clubes de la clase baja en la capital, Necaxa y Atlante, ganaron gran popularidad justamente por triunfar sobre equipos españoles. Hasta hoy siguen siendo clubes claves. Con el tiempo, los equipos de fútbol rivales dirimían menos antagonismos étnicos que antagonismos de clase (Pescador 2007: 76).

En los años sesenta, el fútbol ganó en popularidad al béisbol en México, fenómeno en el que el nuevo medio de comunicación, la televisión, jugó un papel decisivo. Cuando en 1950 la primera emisora empezó a trabajar en la Ciudad de México, aún el boxeo, las corridas de toros y la lucha libre cautivaron a muchos seguidores. No obstante, los deportes que se adaptaban con mayor rapidez a la transmisión mediática ganaron en importancia. Además, la televisión, establecida en la capital, demostró, debido a su área de difusión, mayor interés en los deportes que eran populares en el centro del país y apoyó financieramente torneos nacionales con el fin de transmitir los partidos. Este proceso a favor del fútbol experimentó un empuje adicional con las celebraciones de los Juegos Olímpicos en 1968 y de la Copa Mundial de fútbol en 1970 en Ciudad de México, mediante las cuales las imágenes de fútbol obtuvieron un marco de prestigio y fueron difundidas de forma intensiva y a nivel suprarregional a través del popular medio de la televisión (Pescador 2007: 77).

3. Mundos deportivos paralelos en los EE. UU. y empoderamiento

También en los barrios mexicanos del Medio Oeste de los EE. UU., al principio el fútbol tenía tan sólo un estatus marginal. Una de las razones era que la mayoría de los inmigrantes mexicanos provenían de comunidades rurales en las que no se jugaba al balompié. No obstante, en el área de Chicago se topaban con una situación excepcional en los EE. UU.: las estructuras deportivas y de tiempo de ocio existentes giraban en torno al fútbol y habían sido establecidas por británicos y otros inmigrantes europeos, entre otros, irlandeses, checos, polacos y croatas. Chicago tiene la liga de fútbol más antigua del país y sigue siendo el centro nacional del fútbol (Arredondo/Vaillant 2006).

Los inmigrantes mexicanos en Chicago se adaptaron a esta estructura, fundando ya en 1927 el club de fútbol Necaxa, en referencia al club que se creó en 1923 en la capital mexicana. Los miembros del club se asociaron en los años cuarenta a una liga amateur de inmigrantes europeos, la Chicago National Soccer League (CNSL), convirtiéndola en una liga europeo-mexicana. Dentro de esta organización surgió una estructura competitiva que siguió una lógica nacional similar a la que existía entre equipos mexicanos y españoles en México: el equipo mexicano competía con los equipos de los migrantes europeos. Lo hizo de manera muy exitosa y subió hasta la división más alta de la liga. Todavía hoy en día en la CNSL se enfrentan por ejemplo Deportes Colomex con FC Romania o con FK Bosanska Dubica.[8]

Las rivalidades deportivas se desarrollaban a lo largo de las mismas líneas étnicas que conformaban el mundo laboral de la industria del acero, donde mexicanos y europeos competían duramente por los puestos de trabajo. A los migrantes que jugaban al fútbol les resultó más fácil integrarse en las ligas estadounidenses que a los jugadores de béisbol, a los que se negó la participación tanto formal como informalmente.

Adicionalmente, los inmigrantes reestructuraban su tiempo de ocio a través de los clubes de fútbol como Necaxa, ampliándolos con actividades sociales que iban más allá del deporte. Los equipos, medios de comunicación locales, empresarios mexicanos y una incipiente industria 'étnica' del entretenimiento se promovían mutuamente en su desarrollo, ya que cada parte se beneficiaba de la cooperación. Algunas empresas orientadas especialmente a la población mexicana, sobre todo restaurantes, tiendas de comestibles, charcuterías, tiendas de bebidas y emisoras de radio en lengua española cofinanciaron los clubes de fútbol, deseosas de asegurarse sus seguidores como clientes. Los nuevos modelos de consumo correspondían a patrones culturales mexicanos pero se orientaban a estándares norteamericanos, formando así parte de una nueva vida social de los migrantes y de su establecimiento duradero en los EE. UU. (Pescador 2007: 79-80).

Paralelamente, algunos inmigrantes mexicanos se sirvieron de los clubes deportivos para construir o reforzar redes transnacionales duraderas entre su país de origen y la comunidad de destino. Tales redes sociales facilitaron y promovieron la decisión de migrar y por lo tanto aceleraron en el transcurso de una generación la perpetuidad del movimiento migratorio. Douglas Massey *et al.* (1987: 145-147) describen este proceso para el caso de los migrantes de la ciudad industrial de Santiago, Jalisco, que se asentaron principalmente en Los Ángeles. La fundación formal de un club de fútbol les permitió cobrar cuotas a los miembros y mejorar la calidad del equipo amateur rápidamente. A su vez, los triunfos en el terreno de juego motivaron a casi todos los migrantes de Santiago a adherirse al club. Éste logró asegurarse un campo de entrenamiento en un parque público de Los Ángeles, evolucionando este campo en un lugar de encuentro fijo de los migrantes de Los Ángeles, que compraron casas en las cercanías convirtiendo con el tiempo el lugar en "su" barrio. Movidos por la presión de éxito, los entrenadores del equipo de fútbol buscaron más jugadores con talento en la comunidad de origen en México. Incluso le pagaron al "coyote" para lograr que se incorporasen a su equipo (Riley 2003).

Los *Mexican Americans* se ganaron a través del fútbol y otros deportes que se juegan en equipo un espacio social y a través de él atacaron las estructuras de ocio existentes en los EE. UU., modificándolas (Alamillo 2007: 57; Pescador 2004: 355). Antes de la Segunda Guerra Mundial, justamente en los parques públicos, piscinas y otros establecimientos públicos se ejercía la segregación social de acuerdo al concepto de 'raza' dominante, negándose el acceso a los mexicanos. Éstos se veían obligados a apartarse a terre-

---

[8]   Cfr. <http://nslchicagoo.web104.discountasp.net/1st_division.htm> (27.12.06).

nos sin construcción o a superficies agrícolas baldías. Hasta hoy en día se discrimina informalmente a los jugadores de fútbol hispanos y se les niega el acceso a los parques públicos (Cohen 2006: 18f.). La falta de instalaciones atractivas para el tiempo libre motivó a los futbolistas mexicanos de Chicago y alrededores a abandonar la CNSL y fundar una liga propia por primera vez en 1968, la Chicago Latin American Soccer Association (CLASA). La decisión fue desencadenada por el descontento de los futbolistas de origen mexicano con el hecho de que los delegados de origen europeo monopolizaban la liga y favorecían a los equipos europeos. A través de la CLASA los mexicanos se abrieron camino a treinta parques públicos y a más de cuarenta campos de fútbol (Pescador 2004: 364-365). De esta manera transformaron a los parques en lugares de encuentros permanentes de las familias mexicanas de los alrededores. Las familias estructuraron sus actividades dominicales en torno de los partidos de fútbol organizados en estos lugares, convirtiéndolos en eventos centrales.

4. La transnacionalización del fútbol a partir de la década de 1990

Desde los años noventa, la migración desde América Latina se ha intensificado; aproximadamente la mitad de los originarios de México y de los hispanos que viven en los EE. UU. se ha trasladado a este país a partir de esta década. La reciente ola de migración tiene nuevas características. Primero llegaba sobre todo de las regiones que se encontraban en guerra civil, como Honduras, El Salvador, Guatemala y Colombia, más tarde también de México y Ecuador, sacudidos por crisis económicas y financieras. Estos migrantes provienen de países con una (entretanto) clara preferencia por el fútbol. A este respecto hay que contemplar la hipótesis de Christopher Shinn (2002: 241), según la cual los latinos actualmente se sirven del fútbol –el deporte internacionalmente más popular y con gran arraigo en su hemisferio– para "sostener una conexión profunda y duradera con América Latina" y a la vez como un marco cultural dentro del cual forjan "un incipiente sentido de patria dentro de los EE. UU.". Gran parte de estos migrantes se dirige a ciudades y regiones norteamericanas sin ninguna tradición de colonización de hispanos. Entretanto, los migrantes de diferentes orígenes y diferentes generaciones y pertenencias de clase usan el fútbol de manera encauzada como un recurso que crea comunidad. A través del fútbol intentan mejorar la calidad del tiempo de ocio en sus nuevas zonas de asentamiento, hacer trabajo comunal o ganar acceso a consumidores hispanos. Además, también trabajadores comunales, centros de formación, organizaciones juveniles, instituciones sin fines de lucro, instituciones sociales públicas, medios de comunicación y empresas no étnicos han descubierto el fútbol. La actual política norteamericana trata en parte de integrar a los migrantes que viven desde hace mucho tiempo en el país y a sus descendientes. En este marco se recurre al fútbol dentro del trabajo comunal fomentado por el Estado con relación a los latinos.

A continuación algunos datos y cifras que demuestran este *boom*: hace una década, la Liga de Fútbol Inter Latinos con sede en Columbus, Ohio, reunía menos de una docena de equipos. En 2006 contaba con 92 equipos con 1.800 jugadores. En Raleigh, North Carolina, existía en el año 2000 una sola liga hispana. En 2006 el número subió a cuatro, que reúnen 40 equipos y 1.300 jugadores. Debido a que las ligas propias ofrecen ventajas al ser usadas como formas de empoderamiento, las ligas separadas predominan tanto en el ámbito amateur como en el ámbito semiprofesional. El Dr. Tim Wallace, presidente de la liga de Raleigh, explica: "Hace veinte años podías encontrar algunos clubes hispanos individuales en las ligas gringas, pero ahora se ha impuesto el modelo de las ligas separadas" (Reed 2006: 1).

Los grupos de actores heterogéneos han producido un mundo futbolístico de gran diversidad. Los nuevos inmigrantes a menudo empiezan a jugar al fútbol bajo condiciones similares que los mexicanos en los años veinte: en contextos informales, en los llamados *sandlot teams* y *beer leagues*. Los recién llegados se sirven de estos equipos como un primer punto de contacto, para entablar relaciones sociales, conseguir alojamiento y trabajo, y para perfilarse como jugadores a través del lenguaje internacional del fútbol. Uno de los problemas más urgentes de estos equipos sigue siendo el de asegurarse un campo de entrenamiento regular en los parques públicos (Jonsson 2003). Esto sigue siendo una importante motivación para formalizar las organizaciones de fútbol y para crear ligas, cuyos miembros pueden hablar español entre ellos y pagan cuotas más bajas que las que son habituales en las ligas estadounidenses establecidas.

El otro extremo está conformado por los *Mexican Americans* de la primera y segunda generación. Sus condiciones de vida en los EE. UU. han mejorado como consecuencia, entre otras cosas, de la Immigration Reform and Control Act de 1986, que promovió la legalización de los migrantes que ya vivían permanentemente en los EE. UU., así como la reagrupación familiar. La antigua relación numérica entre hombres y mujeres inmigrantes, en la que dominaban los primeros, se ha equilibrado; la mayoría vive en familias y la tendencia al asentamiento duradero ha aumentado. Sobre todo los inmigrantes de la primera generación han logrado cierta prosperidad ocupando exitosamente determinados nichos económicos. Al mismo tiempo, la generación actual sufre peores condiciones con respecto a la educación escolar, el trabajo y el peligro de enredarse en pandillas juveniles (Smith 2005: 14-15, 25-29). Los que han logrado cierto bienestar contribuyen al *boom* del fútbol financiando a los equipos. Esperan obtener prestigio en la comunidad a través de la propiedad de un equipo de fútbol exitoso. Para este propósito invierten en cuotas para campos de entrenamiento, uniformes de fútbol y seguros de salud para los jugadores, aun sin tener la seguridad de que esto valga la pena desde el punto de vista financiero (Cohen 2006: 35). De esta manera, un empresario mexicano-estadounidense se permite financiar la Díaz Mexican Soccer League en Nueva York que lleva su nombre, y el empresario Mario Calleros en Chicago el equipo El Nacional. Éste logró en 2006 el primer lugar en los torneos nacionales de la Copa Tecate y de la Copa Lowe's (Aguilar 2006).

Empresas étnicas o no étnicas, medios de comunicación hispanos y ligas grandes cooperan en la organización y financiación de torneos regionales y nacionales costosos. La cadena de supermercados Food City y la empresa cervecera mexicana Tecate, entre otras, se sirven de los torneos nacionales como medidas de publicidad para conquistar "el mayor mercado hispano del mundo".[9] En el marco de la Copa Tecate, el "mayor torneo de fútbol hispano", compitieron en 2006 más de 2.700 equipos en 22 ciudades, hasta que El Nacional de Chicago ganó en la final el premio de 15.000 US$.[10] Estos torneos

---

[9] *Cfr.* <http://www.chron.com/disp/story.mpl/sports/4425880.html> (27.12.06).
[10] *Cfr.* <http://www.copatecate.com/esp/interface.html> (27.12.06).

rompen la antigua estructura del arraigo de los equipos amateurs a nivel local y regional. Muchos jugadores viajan ahora durante una parte del año como semiprofesionales a los partidos, recibiendo por partido una suma fija, aunque sin poder mantenerse únicamente del fútbol.

En cambio, el Club México de Chicago es un ejemplo de la combinación de fútbol con el trabajo comunal y el trabajo con jóvenes. Carlos Cerrasco originario del estado de Durango ha participado tanto en la fundación de una organización comunal para latinos en el estado de Illinois, como del club de fútbol en 1996 (Pescador 2004: 366). Y eso a pesar de que Cerrasco no tenía experiencias con fútbol ni con el trabajo con jóvenes. Fue más bien cuando su hijo alcanzó la edad de adolescente, que le interesó ofrecer a los jóvenes una alternativa a la criminalidad de las pandillas juveniles. Inició el Club México como un club deportivo para adolescentes en el oeste de Chicago, en el barrio Las Villitas, el mayor asentamiento de originarios de México en el Medio Oeste. Ricardo Díaz, un activista político de origen mexicano, que en 2006 organizó las protestas contra el recrudecimiento de las leyes de inmigración, fundó el club de fútbol Amistad en el sur de Philadelphia como "pretexto" para el trabajo comunal. Los inmigrantes recientes de origen mexicano forman una alta proporción de la población, pero a pesar de esto no cuentan con una estructura comunal. Para Díaz, Amistad constituye una medida de infra-estructura que le permite estudiar las necesidades de los originarios de México e infor-marlos sobre el servicio médico gratuito y las nuevas leyes de inmigración.[11]

Un sentimiento de pertenencia entre los migrantes heterogéneos se cristaliza a menu-do sólo a través de un proyecto común. El interés correspondiente se despierta rápida-mente con relación al país de origen, por lo que otros clubes de fútbol dirigen actividades sin ánimo de lucro a comunidades mexicanas. Los miembros del Club Ciudad Hidalgo en Chicago prestan ayuda financiera sobre todo a la ciudad del mismo nombre en Micho-acán. Se encargaron de la renovación o de la reconstrucción de la iglesia de este lugar, el colegio, el centro juvenil, la guardería y el campo de deportes. La radio y la televisión de Chicago informa regularmente sobre su compromiso social ejemplar y fomenta de esta manera el orgullo de ser miembro del club (Pescador 2004: 367). Esta orientación hacia México no está motivada en primer lugar por la nostalgia. Como gran parte de la pobla-ción en edad de trabajar vive en los EE. UU., las comunidades mexicanas les exigen cada vez más a los migrantes cuotas para pagar el mantenimiento de la comunidad (Smith 2005: 62f.).

Sobre todo en los nuevos destinos de migración, los originarios de México atribuyen al fútbol un papel clave. En Dalton, Georgia, en el sudeste de los EE. UU., que se vana-gloria de ser "la capital mundial de la moqueta", durante un periodo de gran prosperidad de la economía estadounidense y del consecuente *boom* del sector de la construcción sur-gió una enorme demanda de mano de obra barata. En la década de 1990, en el distrito correspondiente el porcentaje de los hispanos se incrementó del 3 al 22%; entretanto, la mitad de los empleados de la industria de la moqueta son hispanos. Los migrantes han creado en pocos años y prácticamente desde cero la Liga Mexicana de Fútbol, una orga-nización con centenas de jugadores. Unos migrantes, que antes estaban activos en las ligas de fútbol de Los Ángeles, le otorgaron una organización ingeniosa, incluido un

---

[11]   *Cfr.* <http://www.citypaper.net/articles/2006-07-20/cb.shtm> (27.12.06).

directorio, oficinas alquiladas y un tesorero. Rubén Hernández-León y Víctor Zúñiga (2002: 18) consideran que la liga ha sido uno de los logros más significativos de la joven comunidad. Según ellos, mostraría cómo los actores usan los recursos, informaciones y el conocimiento que habían adquirido como migrantes temporales y permanentes, en un nuevo entorno, para levantar a través de ello rápidamente estructuras comunales. Sin embargo, también los empresarios locales no-hispanos jugaron un rol importante en esta historia de éxito. Han patrocinado varios campos de deporte, porque se sirven de los trabajadores originarios de México que se conforman con sueldos bajos contra la vieja generación de los obreros de los Apalaches. Estos últimos entablan desde 2006 un juicio contra la empresa de moquetas Mohawk Industries, acusándola de contratar intencionadamente a ilegales mexicanos (Russakoff 2006).

Aunque los equipos amateurs hispanos llevan los nombres de sus comunidades de origen, a menudo tienen un carácter muy inclusivo y –poniendo la mira en el éxito deportivo– integran a jugadores de toda una serie de naciones, como por ejemplo de México, Brasil, Guatemala, Bosnia y Somalia (Cohen 2006: 35). Esto nos advierte de no mirar los clubes de antemano con un *ethnic lens*. Según Marcos García, el presidente de una liga de fútbol hispano con una mayoría de salvadoreños en la región de Boston, los aficionados se orientan con un patriotismo local hacia el equipo de su comunidad de origen, pero no les molesta de ninguna manera su composición multinacional. Por el contrario, incluso estiman especialmente a los jugadores que no son de allí como una especie de "hijos adoptivos" locales. Esta proyección imaginaria hacia la localidad corresponde a una hacia la nación dentro del mundo profesional del fútbol. Consecuentemente, los equipos de fútbol amateurs tienen un efecto integrador para la comunidad hispana sin desarrollar explícitamente el tema de la multinacionalidad o de una identidad latinoamericana a través del nombre de equipo, el simbolismo visual o a nivel discursivo.

La posición de las mujeres en el fútbol sigue siendo marginal, a pesar de que por primera vez algunas son dirigentes de equipos masculinos y se han organizado como jugadoras en clubes y ligas. En 2002 se fundó en Nueva York una liga femenina, la International Soccer League, denominada según la liga masculina correspondiente. En 2003 competía en ella el considerable número de doce equipos. Las jugadoras de México, Perú, Ecuador y otros países latinoamericanos habían inmigrado a los EE. UU. en su mayoría sólo hacía diez años o menos. Habían aprendido a jugar fútbol por primera vez en este país, ya que el fútbol en sus países de origen es "tan guiado por la testosterona y tan machista como el *football* americano en los EE. UU.", como explica la periodista Franziska Castillo (2003) a sus lectores en el *Puerto Rico Herald*. El fútbol femenino es tratado en la vida pública de todos los países latinoamericanos –con excepción de Brasil– con negligencia; el equipo nacional de México ocupa actualmente sólo el lugar 22 en el ranking mundial de la FIFA (Eisenbürger 2006). En cambio, en los EE. UU. la mayoría percibe el fútbol como deporte femenino, y a nivel mundial las futbolistas estadounidenses ocupan el segundo lugar después de Alemania. Las latinas podrían orientarse en ello como un rol modelo y retar así que el fútbol sea "un ritual masculino establecido que forma parte de la socialización en América Latina" (Shinn 2002: 242). No obstante, en el mundo del fútbol de los migrantes, durante mucho tiempo las mujeres fueron marginadas, como ya hemos dicho, ya que en este espacio social se destacaba la masculinidad, tanto en el deporte como a través de borracheras después de los partidos. La mayoría de los clubes y ligas siguen manteniendo esta división de los roles, integrando a las latinas no como jugadoras activas, sino como espectadoras, cocineras en los *postgame parties*, adquisidoras de donaciones y sólo en casos individuales como presidentas de clubes de fútbol.

5. La creación de un equipo estadounidense mexicano auténtico: "Chivas USA"

Desde su fundación en 1996, la US-Major League Soccer (MLS) está muy interesada en romper la existencia paralela de los mundos del fútbol angloamericano y latino en vista del cálculo financiero y de la esperanza de que, con ayuda de los hispanos, los EE. UU. podrían convertirse por primera vez en una nación fútbol. Sin embargo, la MLS hasta ahora no ha podido ganarse al público de los cuarenta millones de hispanos, a pesar de que muchos equipos profesionales estadounidenses tienen su base en centros urbanos con una fuerte presencia de latinos y a pesar de que desde hace algún tiempo también integran a futbolistas mexicano-estadounidenses. En el intento de atraer a los hispanos hacia la MLS se invirtieron varios millones de dólares en la compra de superestrellas mexicanos como el arquero Jorge Campos y los goleadores Luis Hernández y Carlos Hermosillo. Además, en 2003 se creó la liga juvenil Futbolito exclusivamente para hispanos. Sin embargo, estas medidas sólo tuvieron un éxito moderado causando la desesperación de los operadores de la Major League, entre ellos los empresarios estadounidenses Phil Anschutz, Lamar Hunt y Robert Kraft. Hasta ahora tan sólo los salvadoreños y bolivianos que viven en la región de Washington se han convertido en gran número en aficionados de los partidos de la Primera Liga norteamericana. La gran mayoría de los hispanos, sobre todo los aficionados mexicanos, aún prefiere mirar en Univisión o en otros canales hispanos los partidos de sus equipos favoritos de la Primera División de México (Goff 2005).

Jorge Vergara es un empresario mexicano que consiguió convertirse en multimillonario mediante la venta de preparados de vitaminas y alimentos dietéticos en forma de polvo de la marca "Omnilife". Entró por la puerta grande de la Major League cuando presentó su última idea empresarial: incluir un equipo adicional en la Major League, un retoño del Club Deportivo Guadalajara, mejor conocido bajo el apodo de Chivas. Chivas, que es de propiedad de Vergara y desde hace algunos años uno de los equipos más exitosos de México, es el buque insignia deportivo de Guadalajara, la capital de Jalisco, uno de los principales estados que envían migrantes a los EE. UU.

Vergara ha copiado mucho de los amateurs de la Hispanic Soccer para ingredientes de una receta de potencial éxito: a pesar de las restricciones que la Major League impone con relación al número de jugadores extranjeros en un equipo, dio al Chivas USA un carácter latino "más auténtico". Enroló mayoritariamente a jugadores hispanos, una mezcla de conocidas estrellas de fútbol de México, de nuevos talentos norteamericanos de origen migrante y también a algún que otro brasilero y costarricense, así como a unos cuantos angloamericanos. No obstante, el idioma del equipo es uniformemente el español, y adicionalmente se dirige de manera ofensiva al grupo meta hispano con el lema: "Adiós *soccer*. ¡El fútbol está aquí!". De manera calculada se integran particularidades del *Hispanic soccer* en el nuevo paquete global, como la combinación del fútbol con en trabajo comunal: Chivas USA dirige varios programas juveniles con el fin de promover el fútbol entre los adolescentes hispanos, así como un programa caritativo para niños necesitados. Integra a las jóvenes muchachas en el grupo de los *cheerleaders* del club y mantiene un grupo júnior para las niñas.

La Major League aceptó las innovaciones revolucionarias, no en última instancia porque Vergara pagó 25 millones de dólares por los derechos de este equipo. Al lado de esta fuerte inversión financiera el equipo se comercializa por medios de comunicación hispanos como *Los Angeles Times* y el canal de televisión Univisión. Pero además, el empresario mexicano apuesta por la vinculación local del equipo estadounidense con Guadalajara. "Las camisetas de fútbol, los colores, la tradición y la pasión", dice el millonario, habrían faltado hasta ahora a la Major League.[12] Por lo tanto, dotó a Chivas USA con los mismos colores del exitoso equipo Chivas en México, resultando las camisetas de rayas blancas y rojas en combinación con el césped verde los colores nacionales de México. También se hace sentir una localidad mexicana directamente en las afueras del estadio del club en Los Ángeles. En un parque de diversiones llamado ChivaTown –siguiendo la publicidad de la página web– los aficionados y sus familias pueden "revivir la ciudad de Guadalajara. Allí encontrarás los arcos de Guadalajara, la (estatua de) Minerva, el Salón de la Fama Honda, el McDonalds FutZona, un palenque con entretenimiento, tortas ahogadas, tacos y mucho más".[13] En parte éstas no son falsas promesas, pues también en la cultura del fútbol de Guadalajara se combinan las tradiciones mexicanas con los estándares de vida norteamericanos, con miras a generar ganancias. Vergara hace construir por 70 millones de dólares un nuevo estadio de fútbol en forma de volcán para los Chivas de México. Éste es uno de los ejes de una "ciudad del futuro", que se está creando en las afueras de Guadalajara y en la que se busca integrar aspectos de conservación ambiental y de un discurso intelectual al consumo y el ocio masivo.[14]

Con Chivas USA se ha introducido por primera vez una lógica de nacionalidades dentro de la Major League. Sus inventores, empero, son conscientes de que una escenificación hábil de un nacionalismo mexicano no alcanzará para asegurar a Chivas USA una multitud de seguidores mexicanos fieles y un lugar fijo dentro del fútbol profesional estadounidense. El equipo necesita obtener triunfos deportivos. Para lograrlos se cambió al entrenador en 2006 y se contrató al anglo Bob Bradley. Con su ayuda, el equipó consiguió un respetable tercer lugar en la sección oeste de la Major League. Aunque es incierto cómo terminará el experimento "Chivas USA", en un mundo globalizado los empresarios y los medios de comunicación apuestan por el momento a transmitir de manera creíble nuevos localismo y nacionalismos orientados hacia los países de América Latina, incluyendo al mismo tiempo a jugadores de otras afiliaciones nacionales y hemisféricas según criterios de éxito deportivo. En esto se orientan a la receta de éxito que les han enseñado los amateurs.

6. Consideraciones finales

En la actualidad, el fútbol latino está llamando cada vez más la atención porque los migrantes hispanos parecen difundir "su deporte" paulatinamente en los EE. UU. Conse-

---

[12] <http://www.washingtonpost.com/ac2/wp-dyn/A17184-2005Mar31?language=printer> (28.12.06).
[13] <http://chivas.usa.mlsnet.com/t120/es/fans/> (28.12.06).
[14] *Cfr.* <http:www.economia.com/mx/jorge_vergara_madrigal.htm> (28.12.06).

cuentemente, muchos analistas populares interpretan el *boom* del fútbol latino como una sucesiva (re)conquista cultural de los EE. UU. por parte de los mexicanos. Con el lema "Adiós *soccer*. ¡El fútbol está aquí!", los directivos de Chivas USA comercializan el nuevo equipo profesional explícitamente como parte de un fenómeno de este tipo.

A esto se debe objetar que los originarios de México no dieron una expresión a una mexicanidad transnacional y expansiva en todos los periodos y en todas partes mediante el fútbol. Por otro lado, los actores que sí lo hicieron y siguen haciéndolo, no necesariamente son en su conjunto de México. La perspectiva histórica ha mostrado más bien que en el transcurso del siglo XX estaban y están también hoy involucradas dinámicas complejas. El grupo de los migrantes mexicanos e hispanos es heterogéneo; muchos actores se reinventaron de diferentes maneras a través del fútbol, según el periodo y la región, y expresaron diferentes formas de mexicanidad. Unas veces destacaron la rivalidad con inmigrantes europeos, con los que los mexicanos compiten en el mundo laboral, a través de una lógica deportiva nacional o continental. Otras veces se reforzaron a través del fútbol los roles de género que predominan en la migración y el mundo laboral masculinizados. Los actores, que se diferenciaban con relación a su pertenencia étnica, de género y de clase, perseguían a veces a través del fútbol proyectos comunes: esto es válido para los aficionados y los empresarios de una incipiente industria étnica del ocio y de los medios de comunicación. En el caso de Dalton, Georgia, también empresarios no étnicos junto a obreros mexicanos con bajos salarios se comprometieron conjuntamente a favor del fútbol étnico local.

Desde los años noventa, tanto grupos de actores hispanos como no hispanos se sirven cada vez más del fútbol como un recurso que construye comunidad en el caso de nuevos migrantes. Los migrantes aprovechan el hecho de que jugar y actuar en un mundo deportivo separado les brinda buenas opciones de empoderamiento. Por esta razón, esta existencia paralela está caracterizando hoy al mundo amateur y –con relación a la simbología de una pertenencia nacional– recientemente hasta entró también al mundo del fútbol profesional de los EE. UU. Al mismo tiempo, desde la década de 1990 los migrantes mexicanos se sirven del fútbol como escenario clave a través del cual extienden una vida transnacional de prácticas y relaciones sociales que los vincula de manera duradera con su país de origen, México. Con esto expresan una mexicanidad transnacional, pero una que no es "armónica", sino más bien marcada por líneas de conflicto y que por lo tanto se presenta como una mexicanidad frágil. En esta nueva mexicanidad se manifiestan conflictos de género, de clase y étnicos, locales y nacionales, que se dan al mismo tiempo en los EE. UU. y en México, y que se influyen mutuamente.

Bibliografía

Aguilar, Jesse (2006): "Año de El Nacional". En: <http://www.nuevosiglonews.com/ moxie/sports/sports1/2006-ao-de-el-nacional.shtml> (2.1.2007).

Alamillo, José M. (2007): "*Peloteros* in Paradise: Mexican American Baseball and Oppositional Politics in Southern California". En: Iber, Jorge/Regalado, Samuel O. (eds.): *Mexican Americans and Sports. A Reader on Athletics and Barrio Life*. College Station: Texas A & M University Press, pp. 50-72.

Arredondo, Gabriela/Vaillant, Derek (2006): "Mexicans". En: *Encyclopedia of Chicago*. En: <http://www.encyclopedia.chicagohistory.org/pages/824.html> (2.1.2007).

Basch, Linda/Schiller, Nina Glick/Blanc-Szanton, Cristina (1994): *Nations Unbound: Transnational Projects, Postcolonial Predicaments, and Deterritorialized Nation States*. New York: Gordon and Breach Science Publications.

Bourdieu, Pierre (1992): "Programm für eine Soziologie des Sports". En: Bourdieu, Pierre: *Rede und Antwort*. Frankfurt/Main: Suhrkamp, pp. 193-207.

Castillo, Franziska (2003): "Not Just For Kicks: Hispanic Women Embrace Soccer League". En: <http://www.puertorico-herald.org/issues/2004/vol8n10/NotJustKicks.shtml> (2.1.2007).

Cohen, Joel (2006): "For the Love of the Game: Latino Soccer Leagues in Somerville, Massachusetts". En: <http://ase.tufts.edu/anthropology/faculty/pacini/students/cohen.html> (27.12.2006)

Eisenbürger, Gert (2006): "Förderung? Fehlanzeige! Frauenfußball in Lateinamerika". En: Azzellini, Darion/Thimmel, Stefan (eds.): *Fussball und Lateinamerika. Hoffnungen, Helden, Politik und Kommerz*. Berlin: Assoziation A, pp. 62-66.

Goff, Steven (2005): "MLS's New Club has a Mexican Upbringing". En: <http://www.washingtonpost.com/ac2/wp-dyn/A17184-2005Mar31?language=printer> (29.12.06).

Gutiérrez, David G. (1999): "Migration, Emergent Ethnicity, and the 'Third Space': The Shifting Politics of Nationalism in Greater Mexico". En: *The Journal of American History* 86, 2, pp. 481-517. Special Issue: Rethinking History and the Nation-State: Mexico and the United States as a Case Study.

Hernández-León, Rubén/Zúñiga, Víctor (2002): *Mexican Immigrant Communities in The South and Social Capital: The Case of Dalton, Georgia*. San Diego: The Center for Comparative Immigration Studies. University of California, San Diego, Working Paper 64.

Huntington, Samuel (2005): *Who are We? America's Great Debate*. New York: Free Press.

Iber, Jorge/Regalado, Samuel O. (eds.) (2007): *Mexican Americans and Sports. A Reader on Athletics and Barrio Life*. College Station: Texas A & M University Press.

James, Cyril Lionel R. (1963): *Beyond a Boundary*. London: Stanley Paul.

Jonsson, Patrik (2003): "Underground Soccer League Alters a Town". En: <http://www.csmonitor.com/2003/1126/p02s02-ussc.htm> (30.12.06).

Klein, Alan M. (1997): *Baseball on the Border. A Tale of Two Laredos*. Princeton: Princeton University Press.

MacClancy, Jeremy (1996): "Sport, Identity and Ethnicity". En: MacClancy, Jeremy (ed.): *Sport, Identity and Ethnicity*. London: Routledge, pp.1-20.

Massey, Douglas/Alarcón, Rafael/Durand, Jorge/González, Humberto (1987): *Return to Aztlán: The Social Process of International Migration from Western Mexico*. Berkeley: University of California Press.

Pérez, Louis A. (1994): "Between Baseball and Bullfighting: The Quest for Nationality in Cuba 1888-1898". En: *The Journal of American History* 81, pp. 494-512.

Pescador, Juan Javier (2004): "Vamos Taximaroa! Mexican/Chicano Soccer Associations and Transnational/Translocal Communities, 1967-2002". En: *Latino Studies* 2, pp. 352-376.

— (2007): "Los Héroes del Domingo: Soccer, Borders, and Social Spaces in Great Lakes Mexican Communities, 1940-1970". En: Iber, Jorge/Regalado, Samuel O. (eds.): *Mexican Americans and Sports. A Reader on Athletics and Barrio Life*. College Station: Texas A & M University Press, pp. 73-88.

Reed, Matt (2006): "On Soccer Sundays, Hispanic Immigrants Crowd Parks Across Nation". En: <http://www.miami.com/mld/miamiherald/sports/15310570.htm> (2.1.2007).

Regalado, Samuel O. (1998): *Viva Baseball! Latin Major Leaguers and Their Special Hunger*. Chicago: University of Illinois Press.

Riley, Michael (2003): "Soccer helps arrivals to new lives". En: <http://www. justicejournalism.org/projects/riley-michael/riley-120103.pdf> (2.1.2007).

Russakoff, Dale (2006): "U.S. Border Town, 1,200 Miles From the Border. Georgia's 'Carpet Capital' Relies on Immigrants". En: <http://www.washingtonpost.com/wp-dyn/content/article/2006/07/16/!R20060716006> (2.1.2007).

Shinn, Christopher (2002): "Fútbol Nation. U.S. Latinos and the Goal of Homeland". En: Habell-Pallán, Michelle/Romero, Mary (eds.): *Latino/a Popular Culture*. New York: University Press, pp. 240-251.

Smith, Robert (2005): *Mexican New York. Transnational Lives of New Migrants*. Berkeley: University of California Press.

Ottmar Ette*

⊃ El fútbol como pasión: el Mundial, Costa Rica y los estudios culturales**

1. "Si ganamos todos los partidos, seremos campeones del Mundial"

El fútbol y la literatura se cuentan entre los grandes aciertos y éxitos en América Latina. El orgullo de muchos latinoamericanos tanto de los triunfos de sus respectivos equipos nacionales de fútbol y la función ejemplar que irradia de los grandes futbolistas por un lado y por el otro el gran prestigio que gozan escritoras y escritores latinoamericanos a nivel nacional e internacional, al grado de pertenecer en la segunda mitad del siglo XX al grupo de autores más importantes y más leídos en el mundo, son factores esenciales de las dinámicas culturales del mundo de habla hispana y portuguesa de las Américas. Pero ¿guarda alguna relación "profunda" el fútbol con la literatura? O, formulando la pregunta de otra manera: ¿puede pensarse en conjunto el trabajo con la pelota y el trabajo con la palabra, con la lengua?

Por cierto se habrá divulgado ya, en contra de alguna que otra opinión consagrada por el uso, que el fútbol es un fenómeno preponderantemente discursivo. La lengua del fútbol ha compenetrado y acuñado en muchos países de manera esencial la jerga coloquial (y hasta académica), un hecho que en el contexto del Mundial de fútbol en Alemania y también en América Latina sin duda se acrecentará. Un vocabulario alemán-español (Embajada de la República Federal de Alemania en Costa Rica, Centro Goethe de Costa Rica *et al.* 2006)[1] compilado recientemente por el Instituto Goethe en cooperación con otras instituciones alemanas nos brinda un somero, pero sugestivo vistazo al densamente ramificado léxico de la lengua del fútbol en el área lingüística germano-española, donde se pueden reconocer también campos metafóricos de gran diversidad. Que el inofensivo *Rückpass* alemán se convierta inesperadamente en el fatal "pase de la muerte" no es menos significativo que el hecho de que una *Schwalbe* alemana corresponda al "piscinazo" y el *Fallrückzieher* germano sea una "chilena". Un campo riquísimo por lo tanto, para los estudios culturales, lingüísticos y de traducción, los cuales serán capaces de

*   *Ottmar Ette es catedrático de Letras Románicas en la Universidad de Postdam.*
**   Se trata de la conferencia de apertura del Congreso Internacional "Costa Rica: Fútbol/Cultura: un congreso desde las profundidades del espacio" celebrado en Potsdam el 9 de junio de 2006, inmediatamente antes del juego inaugural del Mundial de Fútbol entre Costa Rica y Alemania. La clausura del congreso se realizó disfrutando la transmisión del juego de apertura en una de las pantallas gigantescas en las inmediaciones de la "Haus der Brandenburgisch-Preußischen Geschichte" (Casa de Historia de Brandenburgo y Prusia).
1   Agradezco a Werner Mackenbach, el coorganizador del congreso, el envío de este librito.

realzar de manera contrastiva las metaforologías entretejidas culturalmente y las narrativas a ellas vinculadas.

No en último lugar ciertas formulaciones y giros han alcanzado casi un estado de veneración, tal y como han demostrado –continuando en este nivel del espacio lingüístico alemán– los títulos de películas de tema futbolístico en el transcurso de los últimos años. Si se menciona el *Milagro de Berna*, no sólo los fanáticos del fútbol, sino también los que lo detestan e incluso los indiferentes y los ignorantes saben que se trata de la victoria, más que sorprendente, de Alemania sobre Hungría en el juego final del Mundial de 1954 en Berna. A los apasionados empedernidos del fútbol alemán el título de la película *Gib mich die Kirsche* les es todavía familiar, en tanto se refiere a la expresión legendaria que Lothar Emmerich le diera al objeto redondo tan codiciado, que –como todos sabemos– debe entrar en lo cuadrado.[2] Estos ejemplos lo muestran: la misma lengua del fútbol está llena de metáforas, cuya procedencia es tanto del dominio terrenal como divino, predispuestas para lo "maravilloso" y lo "mágico" e incluso para vigorosos mitologemas. La metáfora del título *Gib mich die Kirsche* (Dame la cereza) –desde el punto de vista literario no es muy original la sustitución de la bola por la cereza– nos muestra que la lengua del fútbol se ha liberado, por supuesto, de las normas de la lengua estándar y que dispone de una poeticidad propia con una lógica *sui generis*. Y, obviamente, de su propia historia: que en Alemania ya sólo se hable de *Torjäger* (cazador de goles) y no de *Bomber der Nation* (bombardero de la nación) se debe en parte al desarme paulatino de la metafórica del fútbol en el tiempo transcurrido entre los dos mundiales realizados en Alemania en 1974 y 2006 y también a profundos cambios socio-culturales.

Este juego de pelota inventado en Europa por los ingleses se caracteriza por lo tanto –al igual que toda aparición y producción cultural– por su acomodamiento discursivo y por el desarrollo de una lengua propia, que sin duda está íntimamente vinculada con la correspondiente cultura. Lo cual no pierde su validez, a pesar de que el término mismo del deporte del balompié en casi todas las lenguas romances, con excepción del italiano, remita a su origen migratorio: el *football* inglés trasluce claramente en todas ellas. Determinantes, sin embargo, son las formas específicas de apropiación en el contexto de procesos transareales de desterritorialización y reterritorialización que cruzan las diversas áreas culturales, como sin lugar a duda puede observarse no sólo en el dominio del fútbol, sino también, de forma evidente, en el de la literatura.

No hay ninguna lengua en ningún deporte que haya acuñado de manera tan tajante la cultura lingüística cotidiana como lo ha hecho la lengua del fútbol, tanto en Europa como en la mayoría de los países latinoamericanos –con excepción de Cuba (y su béisbol) (González Echevarría 1999), Puerto Rico y Nicaragua–. Y así como Werner Krauss nos ha enseñado a develar el mundo a través del dicho español –*Die Welt im spanischen Sprichwort* (Krauss 1971)– en tanto se consulta el tesoro de dichos sin duda más rico que entraña una lengua universal europea, con miras al conocimiento de la vida[3] y el *Weltbild* en ellos contenido y proyectado, podríamos rastrear en cada país y en cada lengua la

---

[2]   La película rodada desde la perspectiva "interior" del equipo nacional alemán *Deutschland – ein Sommermärchen* (*Alemania, un sueño de verano*) abunda en giros de esta índole y se convirtió en un éxito comercial después del Mundial en Alemania.
[3]   Consúltese para este término Ette (2004a; 2005).

forma de ver al mundo y sobre todo la vida, que nos pone a la disposición la metaforología nacional del fútbol.

Si las filologías se considerasen ciencias de la vida, entonces no deberían prescindir de esta dimensión destacada desde el punto de vista de la teoría de la cultura en la zona de imbricación de culturas de masa y deporte, de medialidad y política, de teoría de la cultura, narratología y construcción de identidades y *life-styles* nacionales. Porque el fútbol no sólo ha compenetrado un gran número de las grandes lenguas universales, el fútbol mismo –según los apólogos– se ha convertido en una lengua universal, que sigue funcionando más allá de las *millas de aficionados*.

Una de las sentencias y "sabidurías" del fútbol más conocidas cabe muy bien en estos días: "Si ganamos todos los partidos, nos convertiremos en campeones del Mundial". Esta fórmula proviene de nadie menor que Horst Hrubesch, a quien con toda razón se le ha llamado el "monstruo del cabezazo" del Hamburger Sportverein de antaño y a quien Hans Ulrich Gumbrecht, hace mucho, le ha dedicado un artículo de teoría literaria. De la sustancia de esta sabiduría futbolística, esto queda claro, no podemos dudar.

Las reflexiones nos muestran que el fútbol como fenómeno profundamente discursivo pertenece al campo de juego genuino de las ciencias de la cultura y la literatura. Tales consideraciones a su vez deben subrayar –y no dejar fuera del juego–, que la omnipresencia de este deporte de masas (que en Alemania ha desembocado en un deporte en esencia de espectadores) debería ser por ende analizada en nuestra cultura y en todas las demás por las ciencias de la vida desde una perspectiva transcultural que incluya a su vez las diversas formas de apropiación de todas las reglas del juego (y no sólo discursivas). Para ello vale extender, especialmente con miras a América Latina, la funcionalidad política del fútbol[4] más allá de su contexto de cultura popular por un lado y, por el otro, del populismo político, y contemplar el papel del fútbol también y específicamente en su vínculo con la literatura para reflexionar acerca de sus procedimientos de formación de ilusiones en la construcción de realidades.

El fútbol por ende no les pertenece en el área de las ciencias solamente a los científicos del deporte, a los médicos o a los sicólogos del deporte –a la manera de un juego en cancha propia–. Si les cediésemos todo el terreno a ellos nos tendríamos que conformar con el aumento de conocimientos que un catedrático de psicología del deporte no hace mucho llevara al punto y ejemplificara a través del dilema fundamental del jugador:

> Por un lado el jugador debe "abrirse" durante una acción decisiva (debo meter el gol o debo buscar el pase) para poder absorber las más de las informaciones existentes para tomar la mejor decisión. Por el otro lado el jugador debe "estrechar" a partir de cierto momento su disposición para registrar informaciones y concentrarse en la realización de la acción decidida (por ejemplo, meter un gol). Aquí no se trata de inteligencia o falta de inteligencia (Höner 2006: 319).

Podemos afirmar sin titubeos la disquisición final. Por suerte los fenómenos alrededor del fútbol desde muy temprano han despertado el persistente interés de la comunidad científica, que en el dominio de las ciencias de la cultura representan una amplia gama

---

4   *Cfr.* para ello el estudio de Rowe/Schelling (1991, en especial 138-142).

de materias que incluye tanto la antropología, las ciencias de la comunicación y de los medios como las ciencias de la lingüística y la literatura. No únicamente se requiere del conocimiento especializado de las ciencias de la economía y la administración de empresas, o de la industria de la publicidad. Porque el poder de emanación de algunos dichos y filosofías del fútbol en efecto sólo se pueden entender si comprendemos que el fútbol no es –tal y como me lo inculcaron en mi niñez– más que el "mejor pasatiempo del mundo", sino que representa un fenómeno central en el desarrollo cultural de la modernidad. Y esta última no es *una*, la modernidad de cuño europeo, sino que incluye un sinnúmero de modernidades divergentes, que se han venido cultivando en todo el mundo en el contexto de la tercera fase de la globalización acelerada.[5]

En relación con el mundo del fútbol, sin embargo, hay una particularidad, en tanto que el predominio de los Estados Unidos vigente ya en esta tercera fase de globalización acelerada no encuentra cabida aquí, sino que la "vieja" potencia hegemónica –Inglaterra– mantiene la supremacía, lo que lleva a rechazos (no sólo discursivos sino también materiales) altamente interesantes dentro del mundo globalizado del fútbol, caracterizado a su vez por sus relaciones asimétricas. Sólo tomando en consideración este telón de fondo es como se podrá comprender la enorme significación simbólica que albergaban los triunfos de equipos latinoamericanos –por ejemplo el argentino– sobre la madre patria del fútbol en el proceso de consolidación comunitario postcolonial.

Por eso la pregunta, aparentemente banal tiene su razón de ser: ¿en qué mundo se considera al fútbol una bagatela y de qué mundo estamos hablando cuando rozamos el tema del fútbol? Es por ello que debe estar en el centro de nuestra atención el término ubicuo de "el" mundo utilizado durante el Mundial porque, específicamente en el nivel discursivo, un Mundial en el cual, de forma oficial, "el mundo está de visita con amigos" es decisivo el grado de conciencia del mundo que en el trayecto de las cuatro semanas se logre alcanzar. Este espacio no se lo podemos ceder a los reporteros y locutores del deporte. Que aún queda mucho por hacer en este campo y que todavía les espera a las ciencias dedicadas al estudio de América Latina una tarea extensa por realizar lo demostró un reportaje televisivo del Zweites Deutsches Fernsehen del 20 de mayo de 2006. En él se presentó al equipo de Costa Rica como "el enano del fútbol del Caribe". La geografía, a veces, es cuestión del azar, pero atención: también para los costarricenses vale la ya citada sabiduría del fútbol: "Si ganamos todos los juegos, seremos campeones del Mundial".

2. "El balón es redondo y el mundo es una pelota de fútbol"

Repetidas veces se ha oído decir en estos días que el mundo es una pelota de fútbol. Los cuadros del balón (especialmente diseñado para este Mundial) y de nuestro planeta azul se traslapan y crean mundos visuales y metáforas, que al parecer se nos imponen libremente a la más alta velocidad de transmisión posible. Seguro, el fútbol y la globalización tienen algo que ver el uno con la otra, pero de una manera ostensiblemente más compleja y paradojal. Porque también después de alrededor de 500 años de Cristóbal Colón y la primera circunnavegación realizada por Magallanes es lícito preguntar si el

---

5   Véase para las diversas fases de globalización acelerada Ette (2004b).

mundo, si nuestro mundo es realmente redondo más allá de su fisonomía esférica (Costa Lima 2006).

Especialmente con miras al Campeonato Mundial de fútbol de 2006 en Alemania, con toda razón nos podemos preguntar: ¿De qué manera el mundo es percibido por quién y para quién, si él se encuentra de visita con amigos?[6] Y ¿qué es un Mundial en tiempos de de la globalización acelerada? ¿Cuánto mundo y qué mundo lograrán ver los espectadores? Y ¿qué mundo (del fútbol) se abrazará en Alemania?

La universidad como espacio en el cual se desarrolla, se prueba críticamente y se transmite el conocimiento sobre el mundo en el sentido de una *Universitas* es en el fondo el lugar idóneo para efectuar un análisis más detallado acerca de preguntas de tal índole, y no sólo a raíz de campeonatos mundiales. Bien, la Universidad no deja de lado el fútbol, sino que se aboca de vez en cuando con bastante intensidad al estudio del mismo. Bastaría un ejemplo: puntualmente para el Mundial de fútbol apareció el N 6 de la revista *Forschung und Lehre* (2006), una revista de la Unión Alemana de Universidades (Zeitschrift des Deutschen Hochschulverbandes) que para ello es tan representativa como la conciencia de mundo que en este país se vincula con el fútbol. Porque este periódico de profesores y profesoras de universidad de gran difusión, que trata de abarcar críticamente "Todo lo que mueve a la ciencia", tal y como dice el subtítulo no sólo de este número de la revista, ha diseñado la portada a la manera de una cancha de fútbol y le ha dedicado el tema central al "fenómeno fútbol: entre política, religión y ciencia".

Si contemplamos más de cerca la temática, encontramos ensayos sobre temas como el fútbol y la política, en el cual nos enteramos de que: "En la medida en que avanza el equipo alemán, hay un acercamiento notorio de los candidatos para canciller al equipo" (Holtz-Bacha 2006: 312).[7] También hay temas acerca del fútbol y la religión, donde podemos leer que: "Cada miembro de la comunidad en el fondo es consciente de que lo sagrado es una ficción y de que el mundo se mantendrá unido mientras los participantes tengan fe en ella y cumplan con sus tareas" (Gebauer 2006: 315). Temas como el fútbol y la economía, que nos informan que el valor mercantil de un jugador del equipo nacional alemán es en promedio de 7,1 millones de euros; en Italia, Inglaterra, Brasil y Francia en cambio el valor promedio varía entre 11 y 15 millones de euros (Leber 2006: 316).[8] Temas como el fútbol y la fobia al fútbol hacen declarar a la autora: "Si esta locura sólo ocurriera en casa, no sería tan dramático" (Hardenberg 2006: 318), y finalmente temas como el fútbol y la alta tecnología que nos ofrece una antología proveniente de la literatura de patente, y un "resumen histórico del desarrollo técnico del fútbol" como producto técnico (Deutsches Patent- und Markenamt München 2006: 320). ¿Es esto todo lo que con miras al fútbol nos inquieta y mueve? ¿Será realmente tan reducido nuestro mundo?

Nos enteramos sin duda de mucho acerca del mundo del fútbol en su relación con el mundo de la política, el mundo de la religión, el mundo de la economía, acerca de sus vínculos con la opinión pública y con la tecnología de alta precisión. Estos mundos diversificados, para cuya conglomeración el mote "eurocéntrico" sería un piropo, nos

---

6   Los cursos intensivos que en cuestiones de etiqueta se habían impartido con antelación habrán hecho lo suyo para que todos se sintieran entre amigos.
7   Esta tesis quedó confirmada con el acercamiento de la canciller al equipo.
8   Este mundial ha demostrado que el valor mercantil puede cambiar de un instante al otro.

sugieren sin lugar a dudas que vivimos en un solo mundo en el cual y para todos son válidas las mismas reglas de juego. A ello se añade que, a diferencia de un mundial de esquí, en el cual el campeonato se arregla entre algunos pocos países, mejor aún –y exagerando sólo un poquito– entre unos pocos valles alpinos, en el campeonato mundial de fútbol, de hecho, están presentes todos los continentes y no únicamente "pueden participar" sino que también pueden lograr buenos resultados.

A más tardar desde finales del siglo XIX el fútbol es un fenómeno altamente globalizado, cuya historia nos proporciona conocimientos acerca de la azarosa historia cultural, económica y social de la globalización. La Federación de Fútbol, en cierto modo las Naciones Unidas del mundo futbolístico, cuenta con miembros procedentes de América Latina que pueden mostrar una historia llena de triunfos y tradiciones futbolísticas y han podido desarrollar una cultura del juego propia –pensemos en países como Brasil, Argentina y Uruguay, que lamentablemente no se pudo calificar para este Mundial–.

A primera vista, por lo tanto, para todos los equipos valen las mismas reglas de juego. Parece como si las desigualdades económicas y políticas del mundo real se hubiesen esfumado del campo de juego. El cuadro omnipresente del juego global nos sugiere que el mundo es tan redondo como el balón y que a todos se les brinda la misma oportunidad. ¿Un mundo redondo, completamente homogenizado de *global players*? ¿El mundo globalizado del fútbol como cuadro ideal de una globalización a su vez abarcadora de superficies y espacios en la cual hay una competencia justa?

Pero exactamente esto es, como sabemos, una ficción que subraya el gran poder creador de ilusiones que emana de este juego. Porque nuestro mundo se caracteriza tanto a nivel político, social y cultural por sus fundamentales asimetrías, producto de las diversificadas fases de la globalización. También en este sentido el fútbol construye un mundo equivalente, a manera de un planeta de ficción propio que funciona como un *Orbis Tertius* que paulatinamente nos posee –tal y como lo expresara Jorge Luis Borges, quien detestaba el fútbol ardientemente– y nos simula la ficción de *un* mundo: una ficción que –como el mismo fútbol– desde hace tiempo se ha convertido a su vez en parte de nuestra realidad acuñada por la industria de la publicidad y de la cultura. El fútbol nos ofrece la perfecta ilusión de una *Verweltgesellschaftung* (mundialización de una sociedad global): un juego global en un campo de juego perfectamente simétrico. En ello radica la fascinación de los campeonatos mundiales, en cuyo final se abre siempre la perspectiva de otro mundial: porque después del mundial es antes del mundial.

3. "Vivimos todos en esta tierra, pero en diferentes lados de la cancha"

Klaus Augenthaler, quien llegara a ser alguna vez campeón mundial, acuñó una frase que le causa algunas resquebrajaduras al cuadro ideal de la globalización: "Todos vivimos en esta tierra, pero en diferentes lados de la cancha". Sin duda: en el fútbol los contrastes y antagonismos no son tan perceptibles como en la política o en la economía. Ya contamos con la posibilidad de que un equipo africano se convierta en campeón mundial; pero que algún país africano o latinoamericano vaya a transformarse a nivel político y económico en una potencia hegemónica será algo que, más allá de todo optimismo, es muy improbable a corto y mediano plazo. Y exactamente en esto radica buena parte de las tentaciones e incentivos que emanan de tales campeonatos mundiales: vivir la ficción del sustituto de la vida y por lo menos en el fútbol ser (otra vez) una potencia. Alemania experimentó esta fuerza compensatoria de la creación de ilusiones y comunitarismo a través del fútbol en el llamado "Milagro de Berna" en 1954 –y ninguna victoria futura en cualquier otro Mundial podrá superar esta vivencia colectiva–. Esto explica ese poder cada vez mayor de la experiencia comunitaria compensatoria del fútbol como producto cultural de masas. Desde que Uruguay en 1924 se encontrara entre los primeros, las "grandes" naciones latinoamericanas del fútbol tienen la hegemonía –un fenómeno por ellas sabido– y no sólo el Brasil, que es el número uno en la aceptación del público.

Mas, sin embargo, en el fútbol también hay un sinnúmero de asimetrías. Ello lo demuestran claramente las corrientes de transferencias y migraciones de jugadores que fluyen de África y Latinoamérica hacia Europa. Países tan dispares como Brasil, Argentina y Costa de Marfil se convierten en estados exportadores de jugadores, en países que han logrado poner en marcha programas propios para cubrir la demanda europea del refinado "material de jugadores". También en este sentido es revelador que tanto en lo económico como en lo transcultural, a Latinoamérica ya no se le puede concebir sin el fútbol. Aparte de eso, la importación de magos del fútbol a Europa ha cambiado la cultura del juego en el "viejo continente" de una manera trascendental, y en cierto sentido incluso se puede hablar de una (ya realizada) transculturación futbolística. Esto se puede notar también en el contra-discurso, a través del cual a lo largo de los últimos meses no se han cansado de repetir que la selección nacional alemana debiera recurrir otra vez a las "virtudes prusianas" –en especial a la disciplina, al abocamiento al equipo, a la disposición al movimiento y al juego sin "garigoleos"–.

La meta de las reflexiones aquí expuestas, sin embargo, no es tanto poner de relieve los desequilibrios entre los "dos lados de la cancha", sino antes bien desarrollar otra diferencia a la cual el discurso acerca del mundo del fútbol –que funciona a la manera del discurso que Roland Barthes estudiara en *La grande famille des hommes*[9]– relega muchas veces a segundo término. Pero ante el telón de fondo de lo hasta aquí expuesto es decisivo hacer hincapié en la diferencia cultural, más aún, la diversidad cultural que encuentra precisamente su expresión en el fútbol. Porque el deporte del balompié se encuentra embebido en cada país, en cada continente, en cada área en otro contexto cultural de masas y obtiene gracias a la diversificada semantización un "lugar en la vida" muy específico. Fútbol no es igual a fútbol.

La literatura tiene la facultad de filtrar y destilar de manera tan eficaz como en un laboratorio las respectivas recontextualizaciones o sematizaciones y las resultantes culturas del fútbol diversificadamente acuñadas. Las novelas, los cuentos y las autobiografías, pero también el ensayo, las columnas en los periódicos o los textos publicitarios de los más variados países nos dan una idea, de cuán multifacético resulta el *mapping* mundial del fútbol. En la investigación, por ello, el interés se centra casi siempre en las "grandes" naciones futbolísticas. A continuación, empero, el cuestionamiento se concentra en la relación específica que guardan el fútbol y la cultura en Costa Rica, y con ello en un país que no se cuenta entre los "grandes" del hemisferio americano como lo son, por ejemplo, Uruguay, Brasil o Argentina.

---

[9]   Compárese con el estudio que Roland Barthes incluyera en sus *Mythologies* en el año de 1957 (Barthes 1993a).

Partiremos de las formas de la auto-presentación y la auto-representación, tal y como quedan proyectadas en el material informativo que se produjo en Costa Rica expresamente para el Mundial de fútbol en Alemania. Se trata en esencia de un set de dos DVD's, que se titula *Costa Rica: Sin Ingredientes Artificiales* (Instituto Costarricense de Turismo 2006). También contiene dos folletos pequeños ricos en fotografías, un DVD publicitario de los atractivos turísticos costarricenses (que no serán objeto de este estudio) y un DVD acerca del fútbol costarricense. Estos textos-imágenes se produjeron en el año 2006, después de que el sorteo escogiera a Costa Rica como adversario de Alemania en el juego inaugural del Mundial. También es importante tomar nota de que el 9 de junio de 2006, el día del juego inaugural, fue declarado día festivo en Costa Rica. Esto, así como el hecho de que el presidente costarricense viajara con una gran comitiva a Munich para estar presente en la inauguración, nos hace reconocer sin lugar a dudas el enorme valor político e identitario que se le atribuye a este acto futbolístico en Costa Rica. Pero ¿cómo se presenta este país centroamericano?

En la portada del portafolio de presentación se encuentran a la vista de todos las palabras "Naturaleza, Paz, Calidad y Fútbol", términos que se refieren tanto a la comercialización de ecología y ecoturismo en Costa Rica, como a la autoimagen de una república pacífica que prescinde de poseer un ejército. De una manera, muy consciente y altiva, se hace hincapié en el hecho de que en este país, amante de la paz, a lo mucho se tiran goles.

Ante este telón de fondo es digna de mención la presentación por escrito del DVD del fútbol:

> El fútbol llegó a Costa Rica durante la segunda mitad del siglo XIX, y pronto los costarricenses de la época se sintieron fuertemente atraídos por este deporte, pasión que heredaron a sus hijos y que hoy corre por las venas de todos los ticos. Costa Rica ha encontrado en el fútbol una pasión, una diversión y una forma de vida que se fortalece día a día.

Unos pocos giros bastan para mostrar cómo este deporte extranjero se incorpora y a su vez se convierte en la propia naturaleza, que pulsa por las venas de todo un pueblo y se condensa en una *forma de vida* nacional. La consideración de que el fútbol no es un simple juego de pelota, sino una forma de vida colectiva tiene que ver con la asimilación histórica de una clase de deporte proveniente de Inglaterra, pero también nos pone de manifiesto que la latinoamericanización del fútbol ha imbricado un deporte con una forma de vida y la cultura futbolística con un arte de vivir, que no sólo se pone de relieve en los aspectos de comercialización turística en el DVD del turismo. Así, se estiliza al fútbol como fenómeno cultural de masas de una nación amante de la paz y ejemplo en materia ecológica, y se le convierte en un atractivo más de ecoturismo para el turismo de masas europeo.

Sin lugar a dudas el fútbol juega un papel muy importante en la búsqueda de una identidad nacional y latinoamericana en la primera mitad del siglo XX, tanto en el nivel de la patria chica como de la patria grande. Este deporte proveniente del exterior y en un principio elitista se *incorpora* –aquí cabría muy bien la metafórica casi canibalista de los modernistas brasileños– en una genealogía de lo propio y se convierte casi en una segunda naturaleza, que a su vez acuña una forma de vida, en la cual la naturaleza y la cultura –si se compara con los materiales publicitarios– casi se pueden pensar "ecológicamente" como una unidad. Se percibe aquí la evocación de un paraíso terrenal. No es sorprendente entonces que Costa Rica haga propaganda con lo *real maravilloso* y se describa a sí misma como "todo un mundo nuevo" que se puede disfrutar "en una sola vacación" paradisíaca e inolvidable.

Con ello, desde un principio traslucen imágenes europeas del "Nuevo Mundo" tal y como surgieran desde el inicio del "descubrimiento" bajo el lema del colonialismo inicial. Sin embargo, no se detiene allí la auto-(re)presentación costarricense. Esto lo muestra una investigación de las relaciones entre naturaleza y cultura efectuada en las vinculaciones de imágenes-textos, a la manera como las proyecta el DVD.

Desde el comienzo se introduce una isotopía, que sin duda debe comprenderse como el nivel de significación central dominante: la isotopía (y su código respectivo) de la naturaleza. Para ello se ponen en escena el bosque tropical y específicamente la misma lluvia, que a manera de poderes naturales se ponen en escena como fuerzas elementales de la vida. El vínculo con el fútbol se logra por medio de una metonimia: el estadio de San José, donde la selección de Costa Rica se clasificó definitivamente para el Mundial, se encuentra a sólo 40 km del bosque tropical. En plena lluvia –nos sugieren evidentemente las imágenes proyectadas– los jugadores costarricenses se sienten como peces en el agua y no les dejan ninguna oportunidad de victoria a sus contrincantes. La lluvia y el agua de la lluvia constituyen los elementos naturales libres de condimentos artificiales, que inicialmente vinculan a los jugadores con los espectadores hasta convertirlos en una comunidad conjurada, que en lo sucesivo le gana a todo adversario. Únicamente se muestran los goles costarricenses contra un rival más o menos desamparado que no puede oponerse a estos elementos naturales y tampoco es capaz de hacer buena figura en la portería: junto con los espectadores en el estadio, la muchedumbre frente a la pantalla se vuelve testigo de cómo los adversarios se "hunden" en el sentido de la palabra.

Los ganadores a su vez, con sus poses muy masculinas en cámara lenta, se dan un baño en la lluvia y un baño en la multitud: por medio de la humedad se logra la unión triunfal entre el equipo y la masa, entre la comunidad y la naturaleza. La ideología y estética del *realismo mágico* han "jugado" aquí un paso doble con los intereses comerciales.

Sin embargo, no deberíamos pasar por alto que aquí se trata de una escenificación en el sentido doble de la palabra *según* –y *después*– del realismo mágico, en tanto se pueden insertar ciertos elementos como mitemas disponibles. La tradición literaria en América Latina en apariencia no es del todo indiferente a ciertas formas de escenificación del fútbol como la de la propia calificación para el Mundial: ésta se consuma bajo el signo de la lluvia tropical a su vez mágica e irresistible como un bautizo, como un rito de iniciación.

El campo de juego de Costa Rica es –según sugieren las imágenes del "estadio en el bosque tropical"– diferente a la cancha usual en Alemania, un hecho que también vale para el segundo adversario latinoamericano, en tanto Ecuador se supo valer de la temida altitud de sus estadios para vencer. Campo de juego no es igual a campo de juego.

La segunda isotopía que se usa, después de la naturaleza, es la de la historia. La retrospectiva histórica que se intercala en el DVD se remonta hasta finales del siglo XIX y se concentra en la ya mencionada importación del fútbol de Inglaterra, aquella potencia hegemónica, con la cual –como se comunica explícitamente– Costa Rica mantiene –al igual que los demás países latinoamericanos– estrechos vínculos a raíz de la exportación. Se trata del comercio con productos naturales, por lo que incluso a este nivel trasluce la

naturaleza. A su vez, empero, se incluye una circulación de productos, valores y conocimientos, de un *life-style* y un arte de vivir. Esto nos lleva a descubrir desde el inicio de
esta segunda isotopía medular una asimetría económica, en tanto se proyecta y difunde
desde el centro europeo un conocimiento –aquí la sapiencia acerca de un juego, así como
también la riqueza de conocimientos que adquieren los estudiantes costarricenses en las
instituciones en Londres–. En un proceso más largo de apropiación, este conocimiento
en cierto modo se transculturiza y se nacionaliza.

Dentro de esta isotopía histórica se desarrolla por ende una isotopía parcial: la dimensión nacional, que transforma el desenvolvimiento de aquel saber absorbido acerca del
juego desde el exterior en estructuras propias, construidas en Costa Rica –la fundación
de un club de fútbol y la creación de estructuras para una liga–. Una segunda isotopía
parcial se nos revela con la inclusión de este desarrollo en una dimensión internacional:
como dato histórico de gran relevancia se semantiza dentro de la narrativa que se encuentra a nuestra disposición el hecho de que Costa Rica por primera vez en su historia logró
participar en un Mundial de fútbol en el año 1990 en Italia. Dentro de esta segunda isotopía parcial internacionalizada se desenvuelve entonces lo nacional en lo competitivo de
manera cada vez más exitosa, hasta el grado que la clasificación en la lluvia, de la cual
fuimos testigos en la primera parte, queda inscrita en una línea históricamente fundada
de los logros de la *Sele*. Porque en 2006, Costa Rica logra calificarse por segunda vez en
serie y genera así una nueva situación: la presencia internacional de una nación futbolística "pequeña" ya no puede ser una casualidad. Solo la falta de suerte, documentada a
través de imágenes clave, impidió un resultado mejor en el Mundial pasado de Japón y
Corea. La narrativa subyacente es muy clara con miras al juego inaugural más de una
vez explícitamente tematizada: con Fortuna al lado, va siendo tiempo de expulsar a los
favoritos de la competencia.

Los primeros indicios de la suerte anunciada: el sorteo del adversario y sobre todo la
oportunidad única de poder disputar el juego inaugural contra el anfitrión. En la presentación gráfica de la película no aparecen los colores de Costa Rica y Alemania en un
mismo nivel: a Alemania se le representa por un lado con un círculo más grande y además más arriba del de Costa Rica. Alemania aparece así como el favorito, la nación futbolística "pequeña" de Costa Rica en el papel de un David, que de alguna manera podría
combatir a este Goliath venciéndolo. ¿Con qué honda, con qué armas?

Según el material interpretado esto depende fundamentalmente del vínculo entre el
código natural e histórico. En una tercera parte de esta historia-imagen hay una imbricación de las dos isotopías de historia y naturaleza para desembocar en una *pasión*, que con
miras a los logros que se quieren obtener en el fútbol se ponen en escena de manera casi
orgiástica. Sólo los escéptico del fútbol formularían la pregunta: ¿*Tanta pasión para
nada*? (Llamazares 1995: 217-228). Podríamos describir este tercer nivel como el de un
código vital performativo, referido a la vida. Aquí juegan un papel muy importante, sí,
incluso decisivo, los grandes sentimientos (Ette/Lehnert 2007). Es de suponerse que esta
pasión costarricense por el fútbol haya venido desarrollándose en menos de un siglo.
Pero este espacio histórico es, en el contexto latinoamericano, indudablemente el de una
historia de éxitos y nutre la auto-imagen tica de ser la excepción positiva y ser algo singular en el marco centroamericano.

En esta escenificación costarricense se hace patente que hay algo telúrico en esta
pasión: está acoplada a un elemento natural de vínculos con el agua, con la lluvia, inclu-

so con el dios de la lluvia y gracias a los ritos de iniciación forma una comunidad de correligionarios. En todas las imágenes que acompañan la presentación de Costa Rica no falta el agua: tanto en el juego de fútbol y en la playa, como en los productos naturales fabricados con el mar como telón de fondo o a través de una fuente en medio de un asentamiento urbano lleno de paz y armonía. No importa si uno se desliza por cataratas ejecutando algún deporte de aventura o vuelve los ojos a una laguna en el cráter de un volcán centroamericano u observa las tortugas caguamas: siempre es el agua el poder original que nutre toda vida y pasión. Esto explica también la repetida intercalación de una deidad mesoamericana, la personificación de un dios de la lluvia, y nos hace recordar los juegos de pelota de las culturas indígenas, y su materialización en oro nos sugiere una competencia triunfal. Es un *identity marker*, deidad autóctona y mascota mágica a su vez que despliega un cuarto código que ya se venía perfilando con anterioridad y que podríamos denominar el *código mágico*.

4. "De antemano sabemos quién es el ganador del Mundial: Costa Rica"

En una lista de verdades y sentencias de Perogrullo extraídas del ambiente futbolístico alemán no debe faltar alguien como Franz Beckenbauer, la "figura luminaria" del fútbol alemán. A él no sólo le debemos el legendario dicho de "Schaun' mer mal" (veamos pues), sino entretanto también la constatación que expresara el organizador del Mundial de 2006 en vísperas del sorteo: "Ya sabemos quién es el ganador del Mundial: Costa Rica".

En una entrevista, el anterior embajador costarricense en Alemania, Rafael Ángel Herra hizo referencia a esta reacción de Franz Beckenbauer, precisamente para hacer hincapié en las posibilidades que Costa Rica tenía en el Mundial. Sus descripciones del papel que juega el fútbol en la cultura costarricense coinciden asombrosamente con las puestas en escena en el DVD. Así, dice por ejemplo en la mencionada entrevista: "Nosotros los costarricenses sentimos este juego inaugural como un acto de suerte, esto es, mágico" (Herra 2006: 1). Esto es muy importante justamente en un momento en el cual el país "se encuentra en crisis, económicamente y en especial en lo político" (*Ídem*: 2).

El poeta y ensayista Rafael Ángel Herra, que en más de una ocasión hace hincapié en la dimensión de lo mágico y recalca el hecho de que en el fútbol no hay enanos, contempla este deporte como "living art" (*Ibíd.*), como una "forma de arte" que "como tal sustituye a la realidad" (*Ibíd.*). ¿Pero qué sucede con el papel de la mediatización? En este punto, Herra nos señala una diferencia esencial con Alemania: el comentarista costarricense no quiere informar, sino que actúa como si su obligación fuera la de "transmitir únicamente pasión" (*Ibíd.*). En mucha mayor medida que en Alemania, según Herra, la jerga del fútbol en Costa Rica está impregnada de vocablos sexuales y de machismo, incluso en un momento en que también en Costa Rica el fútbol se ha convertido "mayormente en un negocio global" (*Ídem*: 4). A su vez, Herra hace la observación acerca de la distribución de roles de género en donde el portero no sale bien parado, que también existe en Costa Rica aunque no tan pronunciada como en Brasil: "Se quiere conquistar, penetrar, tirar goles, se quiere ser activo y dinámico y no sólo 'prevenir'" (*Ibíd.*). En efecto, el DVD oficial sólo escenifica los goles que no pueden impedir los adversarios, pero no proyecta ninguna "acción heroica" del portero costarricense.

En medio de un mundo lleno de apremiantes problemas económicos y políticos, el fútbol, sin embargo, se ha convertido en un "paraíso sustituto" (*Ídem*: 5). ¿Y si se abriesen los portales al paraíso desde el primer partido? "En caso de una victoria en efecto el país se hundiría por algunos días en felicidad y locura y se fortalecería el sentimiento mágico de su singularidad" (*Ídem*: 2).

También aquí se citan las fuerzas mágicas, tanto con miras al juego mismo como también a la identidad nacional de un país, que en su auto-presentación se vanagloria de una alta cuota de biodiversidad y también de "múltiples zona de vida" que ofrece Costa Rica a los hombres por su ubicación central entre Norte y Sudamérica, entre el Caribe y el Pacífico. Las virtudes conjuradas del costarricense, esto es, su habilidad, explosividad, rapidez e intrepidez emanan de una naturaleza atravesada de un extremo al otro por volcanes y llena de bosques tropicales, que se estiliza como mágica. De nuevo nos encontramos ante el intento de fundir el código histórico con el mágico y transformar así el mundo del fútbol en una realidad mágica, que a su vez se encuentra estrechamente vinculada con la forma y el arte de vida del costarricense. Mas ¿cómo se deja transportar un discurso tal, en el cual está enraizada la cultura del fútbol de manera natural con una cultura de vida de cuño nacional a Alemania y con ello a un campo de fútbol lejos del bosque tropical?

5. El fútbol y el teatro de la Antigüedad

El conjuro de los costarricenses con los poderes de la naturaleza no es una casualidad, sino parte de una cultura del fútbol muy específica. Sin embargo, el fútbol como juego de pelota a la intemperie ha estado expuesto desde siempre a los rigores del tiempo y con ello a las fuerzas meteorológicas y cósmicas. Así como el teatro de la Antigüedad (Barthes 1993b), el fútbol es una escenificación que, de alguna manera, tiene que tomar en cuenta el clima, la estación del año y el tiempo prevaleciente –esto es, sol, viento, lluvia o nieve– en sus "representaciones". La influencia del clima puede conferir a los sucesos en el campo de fútbol una dramaturgia especial, en tanto garantiza, por encima de todo, la relación inmediata del mundo del fútbol con el mundo que lo rodea. La enorme medida con que los embates del clima compartidos llevaron a la creación de una comunidad de correligionarios entre jugadores y espectadores, se muestra con toda claridad en el recuento del material publicitario costarricense.

En el transcurso de los últimos años, empero, el escenario del fútbol se transformó cada vez más en un escenario meramente televisivo, un desarrollo que se volvió ostensible con el Mundial de 2002 en Japón y Corea. Cada vez se excluye más a la naturaleza y sus influencias contingentes. Así, por ejemplo, el pasto ha sido sustituido por una alfombra de grama, en tanto la FIFA hizo hincapié que el pasto común de los estadios fuera suplantado por una alfombra de grama estandarizada (tómese nota: de producción holandesa) y aplicado por especialistas. A su vez, el corpus del estadio puede techarse completamente. Hay un número mayor de arenas que tienen techos automáticos y así se excluye completamente a la naturaleza –y no sólo, como antaño, en torneos de gimnasio–. ¿Qué consecuencias tiene tal desarrollo?

Se impide la vinculación del mundo del fútbol con su entorno climático concreto, del simulacro artificial con la naturaleza real. A la manera del escenario moderno, enmarcado por un arco proscenio y separado por un telón del público se crea un espacio artificio-so de ficción que desvincula la relación fundamentalmente mágica entre la naturaleza y la cultura inherente en la actividad del hombre. Por cierto, en Alemania se forzó en mucha mayor medida que en Costa Rica este desarrollo de prescindir del fútbol de la calle (que en este país casi ya no existe), de desplazarlo del campo de juego y sustituirlo por el juego en un estadio perfectamente permeable. También esto es un signo evidente de las asimetrías fundamentales que acuñan el fútbol en todo el mundo y que a su vez –así es de suponerse– incrementarán más la divergencia de las culturas del fútbol. Sin lugar a dudas hay diferencias económicas o climáticas que las originan, cuyo significado y efectos no los aprecian los ejércitos de comentaristas del deporte o los así llamados expertos. El aficionado a su vez puede formular la pregunta concreta: ¿deciden ellos el juego?

No se trata de hechos marginales. Pueden más bien convertirse en factores decisi-vos. En qué medida salen a relucir estas diferencias culturales no sólo en las diversas formas de culturas del juego o las controvertidas opiniones acerca del sentido y la fina-lidad del fútbol en sí, sino también en aquellas figuras que ascienden hasta el rango de héroes nacionales del fútbol nos lo muestra esta ojeada comparativa. Así, Garrincha o Pelé en Brasil, Diego Armando Maradona en Argentina, David Beckham en Inglaterra o Franz Beckenbauer en Alemania son las personificaciones de la cultura del fútbol nacio-nal, en las cuales se reflejan no sólo los fenómenos culturales de masa, sino a su vez los proyectos de una autodeterminación nacional y una autocomprensión nacional multi-medialmente transmitidos. En apariencia, el fútbol parece predestinado, al igual que la literatura, a la construcción de mundos (paralelos) ficcionales que logran acumular en una sola figura la vida y la autocomprensión cultural de una comunidad con rasgos nacionales de todo tipo y en la actualidad también con carácter transnacional. El poder mitificador del fútbol proporciona paradigmas –tal y como sucediera en la mitología y el teatro de la Antigüedad– que presentan una realidad compleja por medio de un mode-lo de significación múltiple. Hay muchos elementos en común entre la literatura y el fútbol.

Una romanística centrada en las ciencias de la vida presente de manera transareal en muchas culturas del mundo, sin duda es capaz de aportar elementos fundamentales a una nueva comprensión del fútbol desde el punto de vista de los estudios culturales, especial-mente con miras a las culturas románicas del fútbol. En el centro de tales investigaciones debería situarse el término *vida*. La investigación de la diversidad de las culturas del fút-bol, el análisis de las diferentes posturas que mantienen en la vida social y emocional de un país o un área cultural, además de las múltiples relaciones que algunas culturas del fútbol mantienen con tradiciones y fenómenos específicamente literarios seguramente son elementos valiosos para los cuales los métodos de análisis desarrollados en las filo-logías tendrán gran relevancia.

Y ¿qué sucede con los resultados de la *Sele*, del equipo nacional de fútbol costarri-cense en el Mundial de 2006? Podemos resumirlos en el sentido de las reflexiones aquí expuestas de la siguiente manera: a partir del 9 de junio y en las siguientes cuatro sema-nas no llovió ni una sola vez en la Alemania del fútbol. Pero, como consuelo: después del Mundial es siempre antes del Mundial.

Traducción: Rosa María Sauter

Bibliografía

Barthes, Roland (1993a): "La grande famille des hommes". En: *Ídem: Œuvres complètes*. Edition établie et présentée par Eric Marty, tomo 1. Paris: Seuil, pp. 669-671.

— (1993b): "Le théâtre grec (1965)". En: *Ídem Œuvres complètes*. Edition étabie et présentée par Eric Marty, tomo 1. Paris: Seuil, pp. 1541-1557.

Costa Lima, Luis (2006): "No, la tierra no es redonda. Consideraciones nocopernicanas". En: *Iberoamericana* VI, 23, pp. 179-184.

Deutsches Patent- und Markenamt München (2006): "Der Ball: von der Schweinsblase zum High-tech-Produkt". En: *Forschung & Lehre* 6, pp. 320-321.

Embajada de la República Federal de Alemania en Costa Rica y Centro Goethe de Costa Rica *et al.* (2006) (eds.): *Vocabulario Fußball –español / fútbol– Deutsch. ¡Dígalo en alemán, en el idioma del Mundial!* San José de Costa Rica.

Ette, Ottmar (2004a): *ÜberLebenswissen. Die Aufgabe der Philologie*. Berlin: Kadmos.

— (2004b): "Wege des Wissens. Fünf Thesen zum Weltbewusstsein und den Literaturen und der Welt". En: Hofmann, Sabine/Wehrheim, Monika (eds.): *Lateinamerika. Orte und Ordnungen des Wissens. Festschrift für Birgit Scharlau*. Tübingen: Gunter Narr, pp. 169-184.

— (2005): *ZwischenWeltenSchreiben. Literaturen ohne festen Wohnsitz*. Berlin: Kadmos.

Ette, Ottmar/Lehnert, Gertrud (2007) (eds.): *Große Gefühle. Ein Kaleidoskop*. Berlin: Kadmos.

Gebauer, Günter (2006): "Fußball als religiöses Phänomen: die Fangemeinde und ihre Initiationsriten". En: *Forschung & Lehre* 6, pp. 314-315.

González Echevarría, Roberto (1999): *The Pride of Havana. A History of Cuban Baseball*. New York/Oxford: Oxford University Press.

Hardenberg, Tita von (2006): "Fußball-Man(n)ie: harte Zeiten für Nicht-Fußball-Fans". En: *Forschung & Lehre* 6, p. 318.

Herra, Rafael Ángel (2006): "Der Gewinner der Weltmeisterschaft steht schon fest: Costa Rica". Entrevista inédita, escrito mecanografiado.

Holtz-Bacha, Christina (2006): "Die WM als Stimmungsmacher. Fußball und Politik". En: *Forschung & Lehre* 6, pp. 312-313.

Höner, Oliver (2006): "Dilemma". En: *Forschung & Lehre* 6, p. 319.

Instituto Costarricense de Turismo (2006) (ed.): *¡Aquí vamos los ticos! Venga con nosotros. Costa Rica: Sin Ingredientes Artificiales* (DVD). San José de Costa Rica: Instituto Costarricense de Turismo.

Krauss, Werner (1971): *Die Welt im spanischen Sprichwort*. Leipzig: Reclam.

Leber, Hendrik (2006): "Kernkompetenz Fußball? Wo Deutschland als Exportweltmeister versagt". En: *Forschung & Lehre* 6, pp. 316-317.

Llamazares, Julio (1995): "Tanta pasión para nada (La paradoja de Djukic)". En: Valdano, Jorge (ed.): *Cuentos de fútbol I*. Madrid: Alfaguara, pp. 217-228.

Rowe, William/Schelling, Vivian (1991): *Memory and Modernity. Popular Culture in Latin America*. London/New York: Verso.

Yvette Sánchez*

↻ La literatura de fútbol, ¿metida en camisa de once varas?

Los Mundiales suelen brindar la coyuntura perfecta para la eclosión de reflexiones y ficciones futboleras. Con ocasión del campeonato de Alemania de 2006, las librerías nos ofrecieron un surtido sustancial de publicaciones, en las que los literatos del mundo se entregaban a elaborar narrativa breve y ensayos sobre el tema. La gran cantidad nos lleva a la pregunta inexorable de si, en términos de calidad y atractivo, la literatura está a la altura del fútbol, de si puede hacerle frente. ¿O es que al intentar congraciarse con él, se acaba vistiendo con plumas ajenas? ¿Le quedan grandes las once camisetas (que no varas), en las que intenta meterse? ¿Preferimos ir al estadio, para sentir la emotividad directa del deporte rey, que suele transformar cualquier jugada (de los propios) en "fotograma interno, que mueve los fluidos y la emoción" (Guarello/Urrutia O'Nell 2006: 12), sin pasar por el filtro de la verbalización? Y no hablemos de los límites del sistema de referencias verbal que debe describir complejas acciones motoras. Ahora si el fútbol se convierte en relato, tal vez es mejor que sea oral, en combinación con la sensualidad colectiva, la emotividad y la distracción de sonidos y ruidos desenfadados... Con el desahogo que supone la oralidad de los locutores, las gestas deportivas fluyen sin pausa ni aliento, en forma poética, casi onomatopéyica, mientras que en el fútbol escrito la expresión nos parece como si se enfriara.

Dejemos que el perspicaz literato y ensayista de fútbol Juan Villoro conteste a la pregunta evocando las calidades literarias inherentes a este deporte (Villoro 2006b: 21):

> Cada cierto tiempo, algún crítico se pregunta por qué no hay grandes novelas de fútbol en un planeta que contiene el aliento para ver un Mundial. La respuesta me parece bastante simple. El sistema de referencias del fútbol está tan codificado e involucra de manera tan eficaz a las emociones que contiene en sí mismo su propia épica, su propia tragedia y su propia comedia. No necesita tramas paralelas y deja poco espacio a la inventiva del narrador.

Los escritores con sus (re)inventos se ven condenados a competir con historias vistas, oídas y sentidas[1] ya en el estadio, cuando, para legitimarse y sellar el pacto con los

---

* Yvette Sánchez (1957 Maracaibo/Venezuela). Estudios, Doctorado (1987) y Tesis de Habilitación (Coleccionismo y literatura, 1999) en la Universidad de Basilea. Desde octubre de 2004, catedrática de Lengua y Literatura Hispánicas y, desde abril de 2007, directora del Centro Latinoamericano-Suizo de la Universidad de San Gallen. Hincha de fútbol desde hace 35 años.

[1] Sin embargo, puede resultar difícil descifrarle la expresión de la cara a un jugador, por ejemplo, antes de tirar un penal, ya que él mismo apenas se verbaliza (y sólo en frases hechas, manidas, delante del micrófono). "Nada se leía en su mirada. [...] se me ocurre que los jugadores de fútbol no piensan, al menos no con palabras o imágenes", sino con movimientos (Mayer 2003: 139).

lectores, le haría falta a la literatura de fútbol ese efecto sorpresa tan importante. Se trata de adquirir los derechos, de encontrar un hueco no llenado por el propio deporte, de idear una trama original luchando con armas propias, una perspectiva independiente que cambie la del espectador de fútbol mezclando la narración omnisciente con la reducida y, sobre todo, de hallar un tratamiento del tiempo y también del espacio no cubierto en el juego en vivo.

Hasta ahora tienen mayor razón de ser los géneros de la crónica o el reportaje futbolísticos, ya que se mueven más cerca de la realidad empírica y dominan precisamente el arte de reconstruir verbal y miméticamente lo sucedido en un partido. Para los periodistas es optativo añadir una dimensión más a la realidad empírica. De hecho, los maestros del oficio, especialmente los oradores de los medios audiovisuales, suelen aportar su facultad imaginativa al relato para poner de su parte.[2] Los géneros literarios con más éxito en la literatura de fútbol hasta el momento han sido los híbridos entre lo documental y lo ficcional, entre el hecho y la invención, entre el ensayo analítico y el cuento, es decir que generalmente el inventario se compone de piezas breves, entre las que sobresalen artículos de prensa, reportajes, crónicas y leyendas, columnas, prosa de reconstrucción autobiográfica, siempre incluyendo un nutrido anecdotario. La modalidad de la anécdota, que de por sí es híbrida, cabe tanto en la narrativa, como en el ensayo.

Aquí no se debe olvidar que el propio juego deportivo es ficcional; existe por ende toda una serie de afinidades escenificadoras, ilusionistas, teatrales, histriónicas, simuladoras en ambos terrenos. Todos, el ritual, el juego, el teatro, la *performance*, comparten cualidades metafóricas y metonímicas, semióticas en general, de relatos codificados y descodificables, centrados en la corporeidad y los parámetros del movimiento. El juego compensa la desritualización de nuestra vida, y el escenario de la cancha ofrece espacio para la sublimación; como sustituto de situaciones límites, es un terreno abonado para las prácticas cíclicas de conflictos existenciales y miedos por reducir o disolver. Ya en el juego de pelota precolombino, el pensamiento mágico de la analogía hizo que se escenificara un ritual de fecundidad: la pelota simbolizando el sol que virtualmente fertiliza la tierra.

La literatura balompédica con su doble ficcionalización e ilusión de primer y segundo grados puede conducir a una sobredosis narrativa.[3] Dicho sea de paso, los géneros ficticios audiovisuales, teatral y cinematográfico, deben enfrentarse con un destino parecido.[4]

Todo un siglo de su historia no ha alcanzado, ni siquiera en el mundo hispánico, para que el acercamiento de los literatos al fútbol diera como resultado una obra maestra, una novela vital, lúdica, ingeniosa y, a la vez, compleja, cautivadora o incluso experimental.[5] Sin embargo, no cabe perder la fe. Algún día podremos posar la vista en esa obra maestra aún por llegar.

---

2   El protagonista del cuento "Milagro en Parque Chas" de Inés Fernández Moreno (2003: 65-73) manipula y falsifica los sucesos en la cancha transmitidos a través de sus audífonos del *walkman* y, con teatralidad carnavalesca, transforma la derrota en la ilusión del triunfo del equipo propio. El público reunido en un parque recibe con ilusión la fantasía del orador.

3   O como lo formula Jorge Valdano: "Había algo de redundancia en la literatura futbolística" (1998: 12).

4   Curiosamente los largometrajes suelen cubrir la misma duración de 90 minutos.

5   La novela de Nick Hornby *Fiebre en las gradas* (1992), historia de un hincha británico empedernido, no llega a cumplir con estos criterios, ni mucho menos la de Peter Handke *El miedo del portero ante el penalti* (1992), porque en ella el fútbol desempeña un papel secundario, metafórico.

En realidad, se puede decir que de una manera latente ya está ahí. Juan Villoro la evoca a través de la invisibilidad de todas esas novelas de fútbol que se habrán quedado en el tintero u ocultas, y las compara con los propios jugadores que no han logrado salir a flote. Con el jugador "de sombra, de los que se quedaron en el camino [...]", Villoro (2006b: 223) concibe –por utilizar el concepto de Enrique Vila-Matas, que partía del personaje del escribano esquivo de Melville– una especie de *bartleby* futbolístico. Y equipara a los jugadores fracasados con los espacios en blanco, elípticos, fantasmales, virtuales del texto. "Ellos, los nunca vistos, fueron tan necesarios como las líneas blancas que separan las letras en los libros" (Villoro 2006b: 223).

No son pocas las analogías entre fútbol y literatura y su dramaturgia y retórica internas, en la construcción narratológica, sobre todo los mecanismos de suspense y de temporalidad, es decir, en los efectos y la variabilidad de ritmo entre la narración y lo narrado. El mismo factor tiempo ayuda a crear suspense en ocasiones cruciales de la historia, al poner en vilo a los hinchas en momentos de impaciencia ansiosa, curiosidad y desconcierto tenso, como por ejemplo, los dramáticos segundos anteriores al penalti. En un partido, dicha expectación se crea de manera natural, mientras que, en la prosa fícticia, el juego de incertidumbres se construye artificialmente mediante un conflicto entre el orden lógico de las unidades narrativas de la obra y la sucesión cronológica de los acontecimientos. El apremio o la carencia de tiempo en carreras contra reloj (del equipo que está perdiendo el partido) constituyen una de esas situaciones tópicas del propio fútbol, cuyos efectos de suspense suelen ser intensos. O bien el literato crea un pulso temporal distinto del acostumbrado, de acción muy retardada o acelerada, brechas temporales o elipsis, o invierte el orden cronológico e intenta asegurarse así la carga afectiva conectada siempre con el deporte. Los efectos y cambios rítmicos utilizados en las manipulaciones del tiempo narrado y de la narración otorgan un nuevo valor a los acontecimientos en el césped y el estadio. La percepción subjetiva del tiempo y sus presiones, hoy seguramente modificada por la digitalización y mediatización del fútbol y la creciente velocidad del juego, se suele concentrar en los momentos dramáticos del minuto final de un partido o de las fracciones de segundos de un penalti dilatadas hasta el máximo. Las digresiones biográficas del jugador protagonista del cuento "Tanta pasión para nada" de Julio Llamazares (1995: 217-228), cuando debe tirar su penalti decisivo, le muestran en un momento de suma tensión y soledad; y un minuto de acción se extiende a lo largo de doce páginas, condensando a la vez la entera vida del protagonista. El título de por sí indica el énfasis temporal en otro cuento español: "El tiempo indeciso" de Javier Marías (1995: 231-244) describe, a lo largo de dos artísticas páginas, la suspensión del tiempo que se da cuando un delantero, solo ante la portería contraria, en lugar de meter el gol inmediatamente, retiene caprichosamente la pelota interrumpiendo así el flujo natural del suceso. Los reporteros y los espectadores, por lo tanto, deben contener su grito en una especie de aposiopesis colectiva a lo largo de estas dos páginas.

Como tercer ejemplo (ya clásico) de esta serie de cuentos de fútbol centrados en el tratamiento del tiempo quisiéramos citar el de Osvaldo Soriano "El penal más largo del mundo". Relata la historia de la suspensión de un penalti, retrasado durante una semana entera, en la que se suceden una pelea, ataques epilépticos del árbitro[6] y la expulsión de

---

6　En el cuento "Fantasía española" del argentino Marcelo Cohen (2003: 25-27), el penalti fracasado se debe a que el jugador se siente paralizado, y a su consiguiente desmayo.

los espectadores del estadio. Éstos permanecerán excluidos cuando se juegue finalmente aquel penalti. Quizás, en esta ficción, Soriano haya querido reflejar un caso de precedencia real, aquel partido fantasmal de calificación para el anterior Mundial de Alemania de 1973, cuando la Unión Soviética se oponía a jugar en el estadio profanado como campo de concentración por la dictadura militar. De modo que el solitario equipo chileno, en un campo sin adversarios ni público, decidió correr del centro a la portería, para marcar un gol y, de este modo algo indigno, quedar clasificado.

También Juan Bonilla (1998: 105-119), en su cuento "A veces es peligroso marcar un número de teléfono", cultiva la analepsis, declaradamente ficticia, de su yo narrador adulto hacia un penalti fallado en la infancia. El motivo de la venta del alma al diablo a cambio de obtener, volviendo muchos años atrás, una segunda oportunidad de apuntar el gol, tendrá por resultado el fracaso renovado. Después de la ida al pasado, la vuelta al presente rescatado de la narración se da en el vestuario, en una fracción de tiempo.

El salto temporal hacia atrás figura como motor importante de la escritura futbolística: la retrospección sentimental, la nostalgia, el recuerdo que, a través de ciertas fórmulas retóricas, devuelve al adulto escritor a los momentos idealizados[7] de la infancia o adolescencia pasados en una cancha o un estadio.[8] De ahí el frecuente protagonismo infantil de los cuentos y ensayos de fútbol con todos los rituales de iniciación habidos y por haber.

Un impulso dignificador ayuda a los escritores a declarar, primero de una manera tímida, luego cada vez más abiertamente, su pasión por el deporte antaño estigmatizado[9] y a superar los correspondientes prejuicios intelectualistas. El público ha venido ampliándose últimamente, no sólo entre literatos.

A partir de los años noventa, surgió una literatura de confesión, en la que los autores nos daban cuenta con todo lujo de detalles de su relación personal con el deporte rey. "Si Vd. está dispuesto a declarar que…", es la frase inicial del libro *Elogio del deporte*, con la que el aficionado Hans Ulrich Gumbrecht (2005) se dirige a sus lectores, entre los que busca aliados con quienes compartir su amor por los juegos de pelota, repentinamente llenos de prestigio. Incluso los más famosos escritores de rango universal lo glorifican sin miramientos: Gabriel García Márquez habla de la religión dominical y de la "Santa Hermandad" de los hinchas, Mario Benedetti, del nimbo y la "singular fuerza luminosa"

---

[7] La idealización se dirige también a las destrezas embellecidas de futbolistas brillantes de otras épocas, como se puede comprobar en la descripción del 'mariscal de campo', según el narrador, mejor estilista y medio centro de su tiempo: con "una taumatúrgica parsimonia" y "soberana lucidez" vislumbraba el juego; se movía con "elegancia y armonía", con "un toque de distinción" y "solvencia hacia el espacio de la inverosimilitud"; "su pase largo, comprometido y cerebral era de una fuerza fina" (Armas Marcelo 1998: 70-71).

[8] Baste con citar una de tantas fórmulas introductorias que nos devuelven a la infancia de un escritor: "En mi ya remota adolescencia…" (Vázquez-Rial 2005: 4).

[9] El yo narrador del cuento mexicano "El gran toque" de Luis Miguel Aguilar vuelve a sus años de juventud (tiene 12 años en el momento de arrancar el relato), cuando todavía se excluían las prácticas paralelas de las letras y el balompié: "En secreto, yo estaba a punto de dejar el fútbol porque había adquirido ya la superstición de que el demonio del fútbol y el demonio de la literatura, como dijo Max Weber del demonio de la política y el del amor, estaban brutalmente reñidos" (1998: 47). Igualmente se excluyen el fútbol y los estudios del nieto, como nos asegura la abuela y yo narradora en su monólogo grabado del cuento "El mejor" de Josefina Aldecoa (1998: 57-66).

que envuelven al portero, y Ernesto Sábato, de la pasión que siente por aquel "asunto complejo", el fútbol (Pérez 2006: 28, 29, 94, 172).[10]

¿A qué se debe esta dimensión trascendental, sacralizadora? Los jugadores con carisma, con la aureola mesiánica del héroe o del trágico anti-héroe derrotado o mártir, despiertan la euforia y atraen a los espectadores voluptuosamente extasiados.[11]

Las historias de fanáticos pertenecen indudablemente a los tópicos ya algo trillados de la literatura de fútbol. La imprevisibilidad o la contingencia de cada partido de fútbol –en todo momento están en un tris y pueden cambiar las tornas del juego– favorece los mecanismos de la providencia y del azar, con las correspondientes profecías, pero también un determinismo abrumador que requiere del espectador el ejercicio del fracaso con posibles efectos catárticos. En cuanto al carácter místico y veleidoso, la realidad puede permitirse el lujo de parecer poco creíble, mientras que la literatura suele someterse a las reglas de la verosimilitud.

Ante tanta glorificación y aunque la mayoría de los literatos se declaren a favor del fútbol, no cabe olvidar que también los hay que no dejan de manifestar sus reservas o declararse abiertamente en contra, entre ellos Borges o Cabrera Infante. O ignoran el deporte o realzan los tópicos de su instrumentalización ideológico-política y mercantilización, es decir: resultados manipulados, sobornos de jugadores y árbitros, triunfos comprados. Borges, en colaboración con su amigo Bioy Casares, éste sí aficionado (incluso activo como delantero centro), escribió el cuento "Esse est percipi", sobre la corrupción anidada entre el ser y el parecer. La crítica se dirige también contra los trepas que, como Pichulita Cuéllar, el protagonista del cuento clásico de Vargas Llosa "Los cachorros", abusan del fútbol para sus artimañas de poder.

La interrupción de la carrera de los propios jugadores es asunto a menudo tratado en la literatura de fútbol. Y el machismo o el tabú de la homosexualidad en la cancha y en las gradas son el blanco de los ataques jocosos del escritor español Eduardo Mendicutti quien, en sus columnas semi-ficcionales, escribe contra la homofobia masiva y también contra el excesivo patriotismo (que puede degenerar en abierta violencia) o contra la pose de *lifestyle* engendrada por los medios de comunicación masiva (Mendicutti 2003).

El contraste con que compensar la imagen de lujo y mercantilización presentes en los estadios de hoy, lo suelen buscar los literatos en la infancia ya remota deleitándose casi con recuerdos de una infraestructura más que modesta e insuficiencias materiales. Se escuchaba la radio con fervor, se jugaba en una cancha demasiado seca o demasiado lodosa y con una pelota de trapo que no de cuero, o incluso con sapos, cuya elasticidad entraba en juego, por lo menos hasta que a los diez minutos, había que sustituirlos; los

---

[10] Además de los tres literatos citados, podríamos mencionar, tan sólo del ámbito hispanoamericano, a Mario Vargas Llosa, Jorge Amado, Eduardo Galeano, Augusto Roa Bastos, o los arriba nombrados Osvaldo Soriano y Juan Villoro.

[11] En el antes citado cuento "Fantasía española" de Marcelo Cohen, la imagen de la derrota de la estrella del equipo se describe con sus pormenores apocalípticos, de trances líquidos, con lluvia y llanto abundantes, incluso con el contraste de fondo del éxtasis de los vencedores: "[...] sentado en un rincón del campo, solo, abrazándose las rodillas, la cabeza gacha... [...] el pelo le brilla de sudor y de... ¿llovía, verdad? Una desolación inefable. Y al fondo los rivales arrojando besos a la alambrada, desnudos como monos, sí, y a lo lejos una chiquilla, supongo que de nuestra hinchada, con la cara arrugada de llanto" (2003: 23).

cabezazos poco apetitosos, en este caso, se reducían al mínimo. Dicha reminiscencia de brutalidad infantil atormentadora de animales se halla en el cuento "Tía Lila" de Daniel Moyano (1998: 239-245). El contraste de imágenes chocantes combinadas con un lenguaje infantil ingenuo e inocente, entre el idilio y la violencia, se puede trazar igualmente en el fútbol adulto. Y el mismo esquema lo hallamos en "Dieguito" de Juan Pablo Feinmann (1997: 59-64), donde el pequeño "Diego", hincha de Maradona, protagoniza un acto macabro "armando" obsesiva y sangrientamente a su ídolo "Maradona", tras un grave accidente de coche, cosiéndole a la pobre víctima también la manita 'de Dios'.

Maradona no es el actor principal ni de dicha ficción grotesca ni de la de Sergio Olguín, *El equipo de los sueños* ni tampoco del cuento "Tránsito" de Guillermo Saccomanno, sino que tan sólo desempeña la función de ídolo fantasmal de hinchas adolescentes. Tránsito ni en sueños llega a verlo, sólo en afiches.[12] Es interesante que en la dimensión ficcional, las referencias al gran futbolista argentino lo sean de manera indirecta, que sirva de mera pantalla de proyección para las fantasías de los jóvenes, connotadas negativamente por lo general: víctima de accidente, un antiguo regalo suyo robado, un afiche suyo destruido.

Da la impresión de que el fenómeno Maradona sea autosuficiente, puesto que su biografía ya ofrece un exceso de espectáculo y culto de estilizado mártir, sobre el que resulta superfluo inventar más historias. Le obstruye la entrada en la dimensión ficcional cierto toque artificioso e híbrido de por sí, entre sus tropiezos personales y los mecanismos mitificadores, de idolatría hagiográfica.[13] Sin embargo, como tema de ensayo, para los literatos (Galeano, Soriano, Benedetti, Vargas Llosa y Villoro, entre otros) parece no haber manera de pasar por alto los estímulos maradonianos.

Otros heroicos sacrificios (mortales) de jugadores sí que llegan a ficcionalizarse, por ejemplo, en el primer cuento de fútbol de la literatura hispánica (1918): Horacio Quiroga hace desvanecerse el éxito del protagonista 'Juan Poltí, half-back', quien se convertirá en suicida mártir, pegándose un tiro delirante y patético en medio de la cancha de su club (Quiroga 1993: 1066-1067). Y no faltan otras trágicas víctimas: 'el guardameta' de Miguel Hernández o 'el crack' de Roa Bastos, que paga con su vida un choque contra el poste de la portería. Al crear a su genial, poético e inteligente futbolista, de baja estatura, patituerto y enfermizo, Roa Bastos se habrá inspirado en el gran Garrincha, idealizado y estilizado por su velocidad y la exactitud matemática con la que mide y memoriza sus movimientos.

Este jugador excepcional adquiere además una dimensión metafísica a través de su simbiosis con la pelota, personificada en un huevo puesto o planta plantada en la portería, o en bebé echado en la cuna del punto blanco de penalti. El esférico también ha sido objeto de culto antropomorfizado para Eduardo Galeano y Jorge Amado, quienes lo hacen reírse en el aire, orgulloso, descansar en el empeine del pie como en una hamaca, arrullado por el jugador,[14] quien, al instante, lo corteja y lo hace bailar. Juegos eróticos

---

12   Reprocha a Maradona que no lo protege contra una pesadilla recurrente de una víbora que le pica en el pie, de modo que nunca podrá chutar como Diego. Se venga del jugador estrella a través de una imagen suya, al destruir un afiche cortándolo y estrujándolo (Saccomanno 2003: 185-190).

13   Por un lado, su tremendo éxito y la terrible caída, su narcisismo, exhibicionismo, ostentación de nuevo rico, ingenuidad infantil, rebelión enfática y, por el otro, su agilidad, ingeniosidad y fuerza admirables.

14   La mansedumbre de la pelota se resalta en el cuento "Como un mariscal de campo" de Juan José Armas Marcelo (1998: 71).

que desembocan en el tópico orgasmo del gol (Galeano 1995: 5-6, 9). La pelota de Jorge Amado, a su vez, se enamora de un portero malo apodado "cedazo", de modo que éste se convertirá en genio de la noche a la mañana, ya que la pelota ciega de amor no deja pasar ninguna oportunidad de echársele en los brazos (Pérez 2006: 150-154).

Prácticas rituales privadas y colectivas, el culto mágico al fútbol de jugadores e hinchas de todas las edades se refleja, cómo no, en los textos literarios estudiados, desde los diálogos desesperados de niños con Dios[15] hasta las innumerables técnicas de júbilo o también el "mantra" poco apetitoso de los escupitajos de los jugadores en acción (analizados por Juan Villoro 2002). El escritor brasileño João Ubaldo Ribeiro (2006: 18-19) recuerda los rituales hogareños con su padre ante la radio, para influir directamente en el resultado de un partido del equipo nacional: tratan de imitar cualquier acto casual nimio realizado en victorias anteriores, expulsando el agua del bombillo, poniéndose la misma ropa o bebiendo el mismo *whisky* del mismo vaso.

Una variante ficticia de estas creencias de los hinchas en sus propias dotes mágicas, con las que influir en el desenlace del juego, aparece en el cuento "19 de diciembre de 1971" de Roberto Fontanarrosa (2006: 81-101). El monólogo de un fanático, emitido en un lenguaje oral mimético, nos revela abiertamente toda una serie de actos "supersticiosos" (por utilizar el concepto común, pero de dudosas connotaciones discriminadoras), en sus propias palabras, "de brujería" o "cábalas personales", para apoyar a su club: además del reloj de pulsera puesto en la mano derecha que puede cambiar el curso de un partido ("con eso empatamos"), nunca falla cierto gorrito ("milagroso"); se entierra "un sapo detrás del arco", se tira "sal en la puerta de los jugadores" del equipo contrario y ¿por qué no confesarse en la iglesia o "clavar con alfileres" muñecos con camisetas de fútbol? Pero el cuento se centra en un hombre entero y vivo que funciona como talismán eficiente, simplemente porque en su presencia siempre gana el propio equipo. A pesar de que le tienen terminantemente prohibido a este hincha anciano ir a un partido de fútbol por el peligro de un ataque cardíaco, sus compañeros corren el riesgo y lo llevan al estadio, con lo que ganan los propios, pero a cambio del sacrificio humano. En medio de la dicha y del júbilo inefables ("que no se pueden describir en palabras") de la victoria, muere el hincha. Al final del cuento es cuando se hace patente todo el escepticismo de la lengua, sus limitaciones expresivas, al querer y apenas poder transmitir verbalmente la fuerza emotiva de las gradas. A lo largo de una página entera, hallamos esta técnica de repetir hasta la extenuación las construcciones sintácticas y el léxico de las frases. La redundancia, debida sólo en parte a la oralidad, refleja la compresión impuesta por la insuficiencia de las palabras en su función de válvula para fuertes emociones de alborozo. No hay palabra que no salga al menos dos veces, y el uso prohibitivo del pronombre demostrativo y también del signo exclamativo subraya, no sin cierta gracia, las trabas verbales.

¡La cara de felicidad de ese viejo, hermano, la locura de alegría en la cara de ese viejo! ¡Que alguien me diga si lo vio llorar abrazado a todos como lo vi llorar yo a ese viejo, que te

---

[15]   "Demostración de la existencia de Dios" de Almudena Grandes (2005: 11-37) reflexiona sobre los vínculos entre el destino trágico de un niño muerto por leucemia y el derby entre el Atleti y el Real, poniendo en duda, según la teodicea, que Dios exista. O un niño traumatizado por un padre violento y alcohólico huye de los golpes entregándose a fantasías de éxitos futboleros, en el cuento "Evasión" de la escritora costarricense Julieta Pinto (1982: 60-63).

puedo asegurar que ese día fue para ese viejo el día más feliz de su vida, pero lejos lejos el día más feliz de su vida, porque te juro que la alegría que tenía ese viejo era algo impresionante! [...] ¡Que más quería que morir así ese hombre! [...] ¡Así se tenía que morir, que hasta lo envidio, hermano, te juro, lo envidio! ¡Porque si uno pudiera elegir la manera de morir, yo elijo ésa, hermano! Yo elijo ésa (Fontanarrosa 2006: 100-101).

El carácter arcaico y sagrado que envuelve al fútbol y sus fanáticos seguidores llevó a José Luis Sampedro (2006: 161-170) a pergeñar la ficción del extraterrestre al que se le ocurre investigar la religiosidad en el planeta Tierra, en concreto el catolicismo español. Inmediatamente, con sus "sensores psicosociales" bien puestos, da con el culto nacional, el "día sagrado" de domingo, en el templo principal de la capital y constata una "creciente ionización psicológica del ambiente". El cuento de Sampedro utiliza la técnica, de gran tradición literaria,[16] de describir, en un exacto discurso etnográfico, cierto fenómeno de una sociedad a través de la mirada ingenua de un visitante de fuera. Éste cambia y confunde los códigos de referencias, de modo que, en nuestro caso, las masas se entregan a un "culto nacional" profundamente transformado: "conté hasta once oficiantes" que llevaban "túnicas o camisetas" blancas; estos "once sacerdotes" interrumpían el rito, con "un intervalo, sin duda prescrito para la meditación". La cancha se convierte en "rectángulo cósmico", la esfera, como *mise en abyme*, en "bola sagrada" del mundo, y el árbitro en "maestro de ceremonia".

Demos por terminada esta incursión en el tópico del culto religioso al deporte[17] y otros principales temas, como la presión temporal, la situación del penalti, las historias de hinchas, la nostalgia de los protagonistas niños o adolescentes, para centrarnos ahora en dos aspectos narratológicos, el punto de vista y el cronotopo.

Raras veces los narradores de la literatura de fútbol son omniscientes. Domina el territorio la perspectiva del yo, con focalización interna; si prevalece un colectivo, como en las historias de hinchas, puede darse ocasionalmente la primera persona del plural (Grandes 2005: 143-151). Casi sería impropia la omnisciencia cuando el desenlace de cualquier partido resulta notoriamente veleidoso.

Mientras suele darse un énfasis cronopoético, la construcción del espacio se queda algo corta. El potencial de la territorialización, tan eminente en el deporte, se ha aprovechado sorprendentemente poco. La escasez de diseño literario del espacio en ficciones futboleras, de 'profundidad' del espacio simbólico, se podría compensar, por ejemplo, con un mayor énfasis en la estructura reticular de la reciente evolución del juego. Según la tesis de Klaus Theweleit (Theweleit 2004) de la digitalización del fútbol, la percepción espaciotemporal en el campo, el cuerpo, el sistema nervioso y el cerebro han cambiado por influencia de los juegos virtuales, simulados en la consola, con los que han crecido

---

[16] Sin duda, no podemos por menos que evocar el género epistolar del siglo XVIII (que ha sobrevivido hasta bien entrado el siglo XX), difundido en toda Europa, en el que habla un viajero venido de lejanos países sobre las costumbres de las naciones europeas, Francia, Inglaterra, Italia, Alemania y España, y puede permitirse el lujo de criticar dichas naciones: Francia, en las 'cartas persas' (Montesquieu), España, en las 'cartas marruecas' (Cadalso), Inglaterra, en las 'cartas chinas' (Goldsmith) y muchas más.

[17] La religiosidad popular con todas sus creencias, ceremonias codificadas y rituales iniciáticos ha sido objeto de tantos estudios antropológicos y sociológicos. He aquí un repaso de las principales tesis, por ejemplo, la de Durkheim y sus 'formas elementales de la religiosidad' (Carretero Pasín 2005).

también los futbolistas de hoy. Las combinaciones reticuladas han acelerado los partidos: el trabajo mental, los relevos de la pelota, el transcurso, los pases precisos son conocidos y almacenados en el cerebro mediante la representación digital en la pantalla de casa. Del estudio de Theweleit, *Das Tor zur Welt* ('La portería al mundo'), al de Baudrillard (2000) sobre la 'pantalla total' y su teoría de la simulación no hay más que un paso.

Aquellos códigos de orientación, confección y síntesis espaciales –Vázquez Montalbán (2005: 171) habló de la "inteligencia geopolítica"–, con los que los futbolistas ocupan el territorio y tienden sus redes sobre el césped podrían servir de fuente de inspiración para un texto literario, asimismo la espesura dinámica de disposiciones siempre cambiantes. Una novela (platónica, ideal) con tal concepción intensificada de tiempo *y* espacio, trazaría los contornos de las redes topológicas, las constelaciones, combinaciones, los pases y, con ellos, los pasos al infinito, las transgresiones mentales y espirituales dentro de los nítidos límites de las líneas blancas del campo de fútbol. Theweleit concibe más bien como positivas e inspiradoras las consecuencias de las imágenes sintéticas, cuando no faltan las acostumbradas voces críticas que hablan de la 'crisis de la representación' y la 'antiutopía televisiva' en contextos deportivos (Bale 1998). En todo caso, en esos parámetros espaciales hay brecha por donde puede colarse la literatura.

Para cerrar, volvamos al planteamiento inicial de una supuesta derrota de la literatura futbolística ante el natural dramatismo en las canchas de este mundo, cuya carga existencial y sensual parece ser difícil leer y transcribir literariamente. ¿Será una imposibilidad procesar un partido y sus alrededores en una novela? ¿Se queda en mero simulacro, pobre quimera o sombra de la realidad? De hecho, comprobamos cierto déficit en los escritores a la hora de tener que expresar condiciones espaciales nuevas, o el júbilo, presiones mentales, actos mágicos o la metafísica de hinchas insaciables. Y quizás habría que intentar buscar tramas que no nos lleven por rumbos conocidos, acomodarse en nichos no ocupados por vivencias colectivas reales (o planteados ya por los medios de comunicación) en torno al fútbol, no reducirlas a un puñado de temas y motivos.[18] Alejandro Dolina (2003: 49-58), en una de sus *Crónicas del Ángel Gris*, "Apuntes del fútbol en Flores", se declara convencido de que del material en bruto de "leyendas" contenido en el juego se podrían extraer tramas originales y aprovecharlas para las letras: "En un partido de fútbol caben infinidad de novelescos episodios" (2003: 51).

Además, en el nivel discursivo, nos topamos con algún que otro ejemplo en el que la retórica literaria logra añadir una dimensión, un fogonazo al espectáculo real: así, con la plasticidad que otorga la prosopopeya al balón, la fantasía de la pelota que se enamora del portero "cedazo", con la que se explica el enigma de la repentina mejora de las capacidades de un cancerbero mediocre. Tales atisbos señalan la posibilidad de la creación de una novela de fútbol importante.

Es muy delicado (y relativo) definir la tarea compleja de crear una novela esencial, como afirmó, hace poco, la joven escritora británica Sadie Smith (2007) en un largo ensayo publicado en *The Guardian Review of Books*. Ella, desde el lado de la producción, concibe la literatura imperfecta como la que, por el lado de la recepción,

---

[18]   Dentro de los registros menos manidos cabría quizás abordar el lastre de la enorme presión, las desmedidas expectativas del actual fútbol profesional, cuyas consecuencias abrumadoras abarcan traumatismos de todo tipo, desde el ligamento cruzado roto hasta la depresión.

no cambia nada, no enseña emociones, no rebobina algún circuito interior, cuyas tapas cerramos como las abrimos con la confidencia metafísica en la universalidad de nuestra propia interfaz. En cambio, la gran literatura te fuerza a sucumbir a su visión. Pasas la mañana leyendo a Chéjov y, por la tarde, paseando por el barrio, el mundo se ha vuelto chejoviano; la camarera en el café ofrece un *non-sequitur*, un perro baila en las calles.[19]

Ya que la literatura de fútbol se inmiscuye en un sistema acabado, se supone que está destinada a fracasar con más facilidad (aunque lo haga de manera honrosa), por lo menos desde el punto de vista escéptico de los aficionados al deporte rey, quienes seguirán prefiriendo asistir en carne y hueso a un partido a leer una novela sobre el mismo asunto, porque, como dijo el antes citado Alejandro Dolina (2003: 58): "El fútbol es –yo también lo creo– el juego perfecto".

Bibliografía

Aguilar, Luis Miguel (1998): "El gran toque". En: Valdano, Jorge (ed.): *Cuentos de fútbol* 2. Madrid: Alfaguara, pp. 15-56.

Aldecoa, Josefina (1998): "El mejor". En: Valdano, Jorge (ed.): *Cuentos de fútbol* 2. Madrid: Alfaguara, pp. 57-66.

Armas Marcelo, Juan José (1998): "Como un mariscal de campo". En: Valdano, Jorge (ed.): *Cuentos de fútbol* 2. Madrid: Alfaguara, pp. 67-84.

Azzellini, Dario/Thimmel, Stefan (eds.) (2006): *Futbolistas. Fußball und Lateinamerika. Hoffnungen, Helden, Politik und Kommerz.* Berlin: Assoziation A.

Bale, John (1998): "La hinchada virtual. El futuro paisaje del fútbol". En: *Educación Física y Deportes*, año 3, n° 10. Buenos Aires, mayo de 1998 <http://www.efdeportes.com/efd10/jbalee. htm> (15.01.2007).

Baudrillard, Jean (2000): *Pantalla total.* Barcelona: Anagrama.

Bonilla, Juan (1998): "A veces es peligroso marcar un número de teléfono". En: Valdano, Jorge (ed.): *Cuentos de fútbol* 2. Madrid: Alfaguara, pp. 105-119.

Cáceres, Javier (2006): *Fútbol. Spaniens Leidenschaft.* Köln: Kiepenheuer & Witsch.

Carretero Pasín, Enrique (2005): "La religiosidad futbolística desde el Imaginario social. Un enfoque antropológico". En: *A Parte Rei. Revista de Filosofía* 41, septiembre de 2005 <http://serbal.pntic.mec.es/~cmunoz11/carretero41.pdf> (15.01.2007).

Cohen, Marcelo (2003): "Fantasía española". En: Fontanarrosa, Roberto (ed.): *Cuentos de fútbol argentino.* Buenos Aires: Alfaguara, pp. 19-32.

Dolina, Alejandro (2003): "Apuntes del fútbol en Flores". En: Fontanarrosa, Roberto (ed.): *Cuentos de fútbol argentino.* Buenos Aires: Alfaguara, pp. 49-58.

Feinmann, José Pablo (1997): "Dieguito". En: Fontanarrosa, Roberto (ed): *Cuentos de fútbol argentino.* Buenos Aires: Alfaguara Argentina, pp. 59-64.

Fernández Moreno, Inés (2003): "Milagro en Parque Chas". En: Fontanarrosa, Roberto (ed.): *Cuentos de fútbol argentino.* Buenos Aires: Alfaguara, pp. 65-73.

Fontanarrosa, Roberto (2003) (ed.): *Cuentos de fútbol argentino.* Buenos Aires: Alfaguara.

— (2006): "19 de diciembre de 1971". En: Argüelles, Fulgencio *et al.*: *Once contra once. Cuentos de fútbol para los fanáticos de fútbol.* Barcelona: Fnac, pp. 81-101.

---

[19]   La traducción es mía.

Fresán, Rodrigo (2006): "Argentinien wird Weltmeister". En: *NZZ Folio*, mayo de 2006, pp. 44-45.

Galeano, Eduardo (1995): *El fútbol a sol y sombra*. Madrid: Siglo XXI.

García Candau, Julián (1996): *Épica y lírica del fútbol*. Madrid: Alianza.

Grandes, Almudena (2005): "Demostración de la existencia de Dios". En: *Estaciones de paso*. Barcelona: Tusquets, pp. 11-37.

Guarello, Juan Cristóbal/Urrutia O'Nell, Luis (eds.) (2006): *Historias secretas del fútbol chileno*. Santiago de Chile: Ediciones B Chile.

Gumbrecht, Ulrich (2005): *Lob des Sports*. Frankfurt/Main: Suhrkamp.

Heker, Liliana (2003): "La música de los domingos" (1997). En: Fontanarrosa, Roberto (ed.): *Cuentos de fútbol argentino*. Buenos Aires: Alfaguara, pp. 111-119.

Hietzge, Maud Corinna (1997): "Sport als Gegenstand der Semiotik". En: *Zeitschrift für Semiotik*, tomo 19, pp. 341-348.

Llamazares, Julio (1995): "Tanta pasión para nada (La paradoja de Djukic)". En: Valdano, Jorge (ed.): *Cuentos de fútbol* 1. Madrid: Alfaguara, pp. 217-228.

Marías, Javier (1995): "En el tiempo indeciso". En: Valdano, Jorge (ed.): *Cuentos de fútbol* 1. Madrid: Alfaguara, pp. 231-244.

— (2000): "La recuperación semanal de la infancia". En: *Salvajes y sentimentales. Letras de fútbol*. Madrid: Aguilar, pp. 17-21.

Mayer, Marcos (2003): "Ver o jugar". En: Fontanarrosa, Roberto (ed.): *Cuentos de fútbol argentino*. Buenos Aires: Alfaguara, pp. 135-143.

Mendicutti, Eduardo (2003): *La Susi en el vestuario blanco*. Madrid: La Esfera de los Libros.

Moyano, Daniel (1998): "Tía Lila". En: Valdano, Jorge (ed.): *Cuentos de fútbol* 2. Madrid: Alfaguara, pp. 239-245.

Nacach, Pablo (2006): *Fútbol. La vida en domingo*. Madrid: Lengua de Trapo.

Pérez, Jorge Omar (2006): *Los Nobel del fútbol*. Barcelona: Meteora.

Pinto, Julieta (1982): "Evasión". En: *Abrir los ojos*. San José: Mesén Editores.

Quiroga, Horacio (1993): "Juan Poltí, half-back". En: *Todos los cuentos*. Madrid: ALLCA XX, pp. 1066-1067.

Ribeiro, João Ubaldo (2006): "Brasilien wird Weltmeister". En: *NZZ Folio*, mayo de 2006, pp. 18-19.

Rodríguez, Maxi (1994): *Oé, oé, oé*. Madrid: La Avispa.

Saccomanno, Guillermo (2003): "Tránsito". En: Fontanarrosa, Roberto (ed): *Cuentos de fútbol argentino*. Buenos Aires: Alfaguara Argentina, pp. 185-190.

Sampedro, José Luis (2006): "Aquel santo día en Madrid". En: Argüelles, Fulgencio *et al.*: *Once contra once. Cuentos de fútbol para los fanáticos de fútbol*. Barcelona: Fnac, pp. 161-170.

Schümer, Dirk (1998): *Gott ist rund. Die Kultur des Fußballs* (1996). Frankfurt/Main: Suhrkamp.

Seel, Martin (1992): "Die Zelebration des Unvermögens - Zur Ästhetik des Sports". En: *Merkur* 47, febrero de 1992, pp. 91-100.

Smith, Sadie (2007): "Fail better". En: *The Guardian Review of Books* del 13 de enero de 2007.

Theweleit, Klaus (2004): *Das Tor zur Welt. Fußball als Realitätsmodell*. Köln: Kiepenheuer & Witsch.

Valdano, Jorge (ed.) (1998): *Cuentos de fútbol* 2. Madrid: Alfaguara.

Valenzuela, Luisa (2003): "El mundo es de los inocentes". En: Fontanarrosa, Roberto (ed.): *Cuentos de fútbol argentino*. Buenos Aires: Alfaguara, pp. 243-255.

Vargas Llosa, Mario (1982): "Elogio de la crítica de fútbol". En: *ABC*, 16 de junio de 1982.

Vázquez Montalbán, Manuel (2005): "Figo: traidor inconfeso y mártir". En: *Fútbol. Una religión en busca de un Dios*. Barcelona: Debate.

Vázquez-Rial, Horacio (2005): "Cultura y deporte: Mucho más que fútbol". En: *ABC*, 19 de septiembre 2005, p. 4.

Villoro, Juan (1995): "Conversación con Ángel Fernández". En: *Los once de la tribu*. México, D. F.: Santillana, pp. 153-172.

— (2002): "El balón y la cabeza". En: *Letras Libres*, mayo de 2002 <http://www.letraslibres. com/index.php?sec=3&art=7470> (21.09.2006).

— (2006a): "Der Linksfüsser". En: *Lettre International* 72, primavera, pp. 6-7.

— (2006b): *Dios es redondo*. México, D. F.: Planeta.

Welsch, Wolfgang (2004): "Sport: Ästhetisch betrachtet – und sogar als Kunst?" En: *Kunstforum International*, 169, marzo-abril, pp. 65-81.

Ana Pizarro/Carolina Benavente*

⤷ El Diego y el *dribbling* simbólico en el Cono Sur**

1. Espacios identitarios

Frente a otras zonas del continente donde los movimientos interétnicos generan una dinámica simbólica exuberante, como es el caso de la Amazonía o del Caribe, el área cultural del Cono Sur puede, tal vez, aparecer vaciada de identidad propia, a menos que nos abramos a reconocer los signos diversos de la identidad regional considerada ya no a partir de un proceso homogeneizador impuesto desde arriba o desde fuera, sino como una dinámica cultural donde la heterogeneidad busca y consolida sus propios espacios. A partir de una visión de la vitalidad cultural amazónica y caribeña, esto nos plantea el interés de perfilar las propuestas de identidad levantadas desde los sectores populares, comprendidos éstos en términos de los desafíos que representan al proyecto homogeneizador.

La heterogeneidad de los sectores populares pone en evidencia la multiplicidad de entradas posibles a la comprensión de sus culturas. Optamos por una perspectiva de la cultura no como ámbito de creación artístico-cultural –el "arte popular"–, sino más bien como espacio ampliado de operaciones simbólicas. En el Cono Sur, esto nos conduce a prestar atención a un personaje en particular, el futbolista argentino Diego Armando Maradona, que, más allá de la figura del héroe deportivo, creemos que se ha convertido en uno de estos "operadores" que recrean activamente el sentido de lo "villero", lo argentino, lo conosureño y lo latinoamericano hoy. Por este motivo, la pregunta que nos proponemos abordar en el presente artículo es la siguiente: ¿cómo participa Maradona en el funcionamiento de las operaciones simbólicas en el Cono Sur?

* Ana Pizarro es doctora en Letras de la Universidad de París y profesora de la Universidad de Santiago de Chile. Coordinó los tres volúmenes de América Latina: palavra, literatura e cultura (1993-95). Su más reciente estudio se titula "Perfil cultural del área amazónica" y hoy se aboca al proyecto Fondecyt "Fábulas de identidad: el discurso autobiográfico en María Félix, Carmen Miranda y Libertad Lamarque" (apizarro@usach.cl).
Carolina Benavente es doctora en Estudios Americanos de la Universidad de Santiago de Chile y profesora en esa universidad y en la U. C. Silva Henríquez. Colabora con Ana Pizarro en el proyecto Fondecyt "Fábulas de identidad: el discurso autobiográfico en María Félix, Carmen Miranda y Libertad Lamarque" y realiza en forma paralela un estudio sobre el pensamiento caribeño de Édouard Glissant (cbenavem@gmail.com).
** Una versión preliminar de este artículo fue leída por Ana Pizarro en el XXVI Congreso Internacional LASA (Latin American Studies Association) "De-Centering Latin American Studies", que tuvo lugar en San Juan de Puerto Rico entre el 15 y el 18 de marzo de 2006.

2. La construcción de un sujeto

La figura tiene la cancha entera detrás suyo, corre, logra la pelota, sale para allá, busca por el otro lado, pareciera el dueño del equipo, el dueño del espacio, como cuando jugaba en los potreros con pelotas de trapo envueltas en una media, o con una naranja, o un bollito de papel. Engancha para pasar a uno, lo encara y corre la pelota para ir adelante, gambetea hasta quedar solo en la cancha frente al arco: "¡Grande Diego!", le gritan. En las páginas iniciales de la autobiografía de Maradona se lee lo siguiente:

> Tengo un recuerdo feliz de mi infancia, aunque si debo definir con una sola palabra a Villa Fiorito, el barrio donde nací y crecí, digo lucha. En Fiorito, si se podía comer se comía, si no, no. Yo me acuerdo de que en invierno hacía mucho frío y en verano mucho calor. [...] Cuando llovía había que andar esquivando las goteras, porque te mojabas más adentro de la casa que afuera. O sea, no es que no teníamos una pileta; no teníamos agua: así empecé a hacer pesas yo, con los tachos de veinte litros de aceite YPF. Los usábamos para ir a buscar agua a la única canilla que había en la cuadra, para que mi vieja pudiera lavar, cocinar, todo. [...] La primera pelota que tuve fue el regalo más lindo que me hicieron en mi vida [...]. Era una número uno de cuero; yo tenía tres años y dormí abrazándola toda la noche (Maradona 2000: 15-16).

La autobiografía es la oficialización, la puesta en escena pública, de aquella construcción que hacemos de nuestra vida privada. Ahora bien, en el proceso de constitución del sujeto a partir del lenguaje, también se apunta al establecimiento de determinados lazos sociales. Una autobiografía es una propuesta de constitución de sujeto que responde a las demandas de una sociedad cuyas estrategias culturales perfilan el mantenimiento de la comunidad.

Sabemos, con Lacan, y en nuestro continente desde un siglo antes, desde Machado de Assis, la discordancia que se da entre la imagen y su propia realidad. Según anota Katya Araujo –cuyo análisis seguimos de cerca– citando a Slavoj Zizek:

> El yo se constituye a partir de atributos que toma vía identificación imaginaria con la imagen que representa lo que aspiraría a ser, o por medio de la identificación simbólica "con el lugar del que nos observa, desde el que nos miramos de modo que nos resultamos amables, dignos de amor" (Araujo 2005: 11).

La escritura autobiográfica es, pues, una instancia privilegiada aunque, como anota otra investigadora del tema:

> Más allá del nombre propio, de la coincidencia "empírica", el narrador es *otro*, diferente de aquel que ha protagonizado lo que va a narrar: ¿cómo reconocerse en esa historia, asumir las faltas, responsabilizarse de esa otredad? Y, al mismo tiempo, ¿cómo sostener la permanencia, el arco vivencial que va del comienzo, siempre idealizado, al presente "atestiguado", asumiéndose bajo el mismo "yo"? (Arfuch 2002: 46-47).

Así, en la autobiografía se plasma la "verdad" reflexiva del sujeto de la enunciación sobre sus proyectos personales, pero además se delata a la sociedad que lo valida, que lo legitima como proveedor de determinadas "ofertas de sujeto". De este modo, aun cuando no se trate de una biografía monumental clásica, la biografía en sí misma implica responder a una necesidad social y, por lo tanto, incluye un elemento de monumentalidad. En este sentido, el relato biográfico juega a vincular *petite histoire* personal dentro de la *grande Histoire* colectiva, y lo hace en función de un conjunto heterogéneo de identidades. El sujeto autobiografiado responde en su discurso a expectativas sociales que intuye diversas, a proyectos colectivos que puede imaginar contradictorios y, en estas ofertas de sujeto que adivina, él toma partido desde una visión personal de su trayectoria vital.

El párrafo autobiográfico anotado más arriba –a modo de indicación, pues no nos extenderemos sobre todo el texto que lo contiene– constituye un relato de infancia. Como tal, tiene la importancia, al igual que en toda biografía, de evocar los rasgos y motivaciones más permanentes del sujeto, es decir, aquellos que surgen en los primeros años de vida. También la tiene porque en la infancia se perfilan las relaciones primarias del sujeto con la colectividad. Ahora bien, ¿cómo se construyen en este fragmento las "ofertas de sujeto" proporcionadas por Maradona?

En primer lugar, el relato proporciona la imagen de un sujeto esforzado, determinado a salir adelante a pesar de habitar un espacio carenciado. Se recurre al desvalimiento cotidiano: en Villa Fiorito no se come, la casa gotea, hay una sola canilla en toda la cuadra. Al mismo tiempo, el texto dice lo que el sujeto de la enunciación percibe como disposición fundamental a lo largo de su trayectoria personal, confundida con la de su colectividad: "si debo definir con una sola palabra a Villa Fiorito, el barrio donde nací y crecí, digo *lucha*". Lucha es la negociación que va haciendo con la sociedad. El mecanismo que juega en esta tensión entre precariedad y éxito y a través del cual negocia con los valores del público.

En segundo lugar, la interpelación emocional a un sentimiento básico inflexiona la violencia que denota el vocablo "lucha": "mi vieja" –además mi vieja que lava, cocina, "todo"– apunta al nexo afectivo fundamental con la madre. Esto permite ampliar las opciones de negociación con el lector, estableciendo la relación con la colectividad en el nivel de lo familiar. Este recurso a la familia tiene como efecto positivo, asimismo, la apelación a la solidaridad, que se hace extensible a los habitantes del barrio. "Villa Fiorito" es el espacio de la miseria y, al mismo tiempo, la colectividad que la enfrenta unida, permitiendo que el recuerdo de esos años sea "feliz".

Esta interpelación sentimental alcanza su clímax en la imagen final respecto de la pelota regalada: "yo tenía tres años y dormí abrazándola toda la noche". En lo que cabe al relato encuadrado en la dimensión de lo familiar y lo "barrial" o "villero", la escena está completa. Pero en este punto el sujeto ya ha introducido un elemento nuevo, la pelota de fútbol, a través del cual se hace presente en el relato otro elemento de vinculación con el colectivo mayor. Ella no es solamente un elemento que saca de la cotidianeidad del hogar o del barrio mediante el juego infantil. Funciona sobre todo como punto de inflexión decisivo en el relato que el sujeto está iniciando acerca de su trayectoria vital.

La evocación tiene carácter profético. "Era una número uno de cuero" alude al recuerdo de un objeto invaluable, cuya temprana posesión marcará el destino del sujeto –"el regalo más lindo que me hicieron en toda mi vida"– al punto de llegar a confundirse con él: es la "número uno" y duerme "abrazándola toda la noche". En la identificación del objeto con el sujeto, éste juega con el conocimiento que el lector tiene acerca de su trayectoria pública, haciéndolo partícipe de la intimidad de su origen. Además, al recurrir a signos que requieren ser descifrados, lo involucra activamente en la consolidación de un cuarto lazo social, que no es el familiar, ni el comunitario, ni el nacional, sino el del fútbol. Como sabemos, la Historia con mayúscula de Maradona, su monumentalidad, está situada en la instancia deportiva.

Se trata de un lazo consistente. Entre el sujeto de la enunciación y la configuración misma de ella hay una intermediación: los dos periodistas –Daniel Arcucci y Ernesto Cherquis Bialo– que intervienen el habla original –productores, se lee–, proyectando en ella la forma que toma en el momento de la escritura el anudamiento de lo social, más allá de la construcción misma de sujeto del enunciante. El texto se construye, por lo tanto sobre varios movimientos: hay una forma de negociación entre lo que la sociedad exige para ser parte de alguno de sus sectores, hay la estrategia de monumentalización que juega con elementos emotivos interpelantes y hay la construcción que el yo hace de sí mismo. De esta negociación surge un texto que ha tenido innumerables ediciones que hoy están agotadas, por lo menos en Chile.

El sujeto así delineado proporciona una oferta de identidad que tensiona el registro autobiográfico en tanto perfil de una individualidad excepcional, y ésta sin duda lo es. Si es posible diferenciarlo de la colectividad, no es posible aislarlo de ella, y el lazo social se convierte en un dato fundamental de su enunciación. Desde el punto de vista de la sociedad argentina, observar lo anterior es relevante desde el momento en que este lazo no está referido a la nación, sino a otras instancias colectivas. De ahí que nos preguntemos: ¿en qué dinámicas de identidad se insertan las ofertas de sujeto alternativas construidas por Maradona?

3. Dinámicas de identidad en el Cono Sur

El *dribbling* simbólico de Maradona parece dar cuenta de los mecanismos de construcción de identidades de los sectores populares del Cono Sur –Chile, Argentina y Uruguay, en este caso– frente al modelo oligárquico que había construido la república. En esta región, particularmente en la Argentina, la constitución de un Estado oligárquico tuvo lugar a partir de un proyecto de homogeneización de la población local. Éste se intentó a través de la llamada Campaña del Desierto en la Argentina, la Pacificación de la Araucanía en Chile y, de acuerdo a lo que sabemos y al detallado análisis de Aníbal Quijano, desde una situación de fuerte concentración en la tenencia de la tierra. Añade el investigador peruano:

> El proceso de homogeneización de los miembros de la sociedad imaginada desde una perspectiva eurocéntrica como característica y condición de los Estados-nación modernos, fue llevado a cabo en los países del Cono Sur latinoamericano no por medio de la descolonización de las relaciones sociales y políticas entre los diversos componentes de la población, sino por la eliminación masiva de unos de ellos (indios, negros y mestizos) (Quijano 2000).

La colonialidad del poder de estos "capitalistas señoriales" no podía sino constituirlos entonces en "socios menores de la burguesía europea" y su resultado se vería, en el siglo XX, en la industrialización a partir de la sustitución de importaciones. Lo que se suplantaba eran los bienes del ostentoso consumo de las burguesías dotadas de mayor capital en América Latina, pero sin tecnología propia, sin reorganización de las economías locales ni consideración de los asalariados. Este proyecto de sociedad generó para el

Cono Sur la dificultad de responder a la imagen que de él se hizo el sector político que dominó hasta entrado el siglo XX, el que cedió su lugar a burguesías industriales no esclarecidas, y lo impulsó a situarse por lo tanto permanentemente en una perspectiva de segundo lugar respecto del modelo. Éste correspondió, como sabemos, a una mirada lineal de la historia en donde el origen estaba en la barbarie y la culminación en la occidentalización.

La situación perfilada generaba lo que Beatriz Sarlo denomina una "máquina cultural" compleja, bajo la aparente voluntad y tonalidad pro-occidental del proyecto cultural inicial, hecha de elementos dispares y de desigual funcionamiento con pliegues, superposiciones secuencias, temporalidades diferenciadas, modos inéditos de articulación. Al aproximarse a la figura de Victoria Ocampo, escribe Sarlo:

> Ocampo piensa a la cultura desde el modelo de su historia personal e intelectual. En esto se equivoca y a partir de este punto es ciega para percibir incluso el sentido de muchos episodios de su propia vida. Se ilusiona con que puede haber una relación de simetría e igualdad entre la cultura argentina y las culturas europeas. Imagina, por lo tanto, que son mutuamente traducibles. Pese a decenas de malentendidos, nunca se convence de que esto es imposible dado el carácter secundario y periférico de la cultura argentina.
>
> Ella, en realidad, busca resolver una contradicción irresoluble en sus propios términos. Por un lado, con un entusiasmo a veces frenético, quiere traducir libros y traslada intelectuales desde Europa hacia América, lo cual hace suponer que allá hay una abundancia simbólica que no existe aquí. Por otro lado quiere, con todo derecho, ser considerada de igual a igual por los europeos, aunque justamente los conoce porque desea traducirlos o trasladarlos. Tiene, por un lado, la idea de una falta americana que hay que compensar; por el otro, la idea (liberal) de una igualdad que los europeos debieran reconocer (Sarlo 2000: 213).

Es posible reconocer en las cavilaciones de Ocampo el proyecto racional de Alberdi, de Sarmiento, de Ingenieros, de la oligarquía chilena del valle central, con sus historias de inmigración europea y desplazamiento forzado de la población indígena. Hacia el 1900, los inmigrantes europeos desembarcan masivamente en la ciudad conosureña, que entonces crece al ritmo de las exportaciones primarias. Alessandri en Chile, Battle y Ordóñez en Uruguay, Irigoyen en Argentina simbolizan, en la esfera política, esta era de transformaciones sociales y hacia lo social. La movilidad ascendente lograda por estos sectores explica que, en el imaginario social latinoamericano, la importancia de la "clase media blanca" constituya el rasgo más distintivo de los países del Cono Sur. De hecho, no tiene la misma recepción la nueva oleada migratoria que llega a Buenos Aires después de 1930, conformada por campesinos e indígenas "expulsados por la crisis del proyecto agroexportador y atraídos por la incipiente industrialización" (Margulis/Belvedere 1999: 121).

Arrebatado el poder estatal a las oligarquías tradicionales, se produce lo que Mario Margulis y Marcelo Urresti llaman una "racialización de las relaciones de clase" (Margulis/Urresti 1999: 9), cuyos antecedentes se encuentran en el sistema de castas coloniales. A través de ella, los sectores cuya apariencia física se desvía del ideal europeo quedan confinados a la pobreza, la discriminación y, a fin de cuentas, al ocultamiento. En realidad, señalan estos autores, el discurso de construcción de la nación se caracteriza por la ambigüedad: por un lado, este discurso afirma la necesidad de constituir un "crisol de razas"; por el otro, y de manera encubierta, postula la idea "de abandonar los vínculos con lo americano, lo mestizo y lo indígena o, incluso, con lo gringo de apariencia rústica" (Margulis/Urresti 1999: 13).

Sin embargo, la construcción imaginada de la nación conosureña en el siglo xx dejará de ser llevada a cabo exclusiva y excluyentemente por las oligarquías tradicionales, comenzando a tener un espacio mayor en la esfera pública los discursos provenientes de los sectores "rústicos" señalados arriba. En el contexto de una urbanización creciente, los fenómenos de masividad se manifiestan en todas las esferas sociales, imponiendo desafíos en educación, salud o infraestructura que son asumidos por el nuevo Estado benefactor, en alianza con los privados para el fomento de sectores estratégicos de la economía. Es lo que ocurre también con las industrias culturales.

Con la introducción de innovaciones tecnológicas como el disco, la radio y el cine sonoro toma forma el moderno *star system* latinoamericano, según observan Juan Pablo Gutiérrez y Claudio Rolle para el caso chileno (González/Rolle 2004: 173). Como sabemos, éste constituirá en Argentina, México y Brasil una fuente de considerables ingresos vía exportación, transformando los proyectos culturales de estos países en referentes nucleares del espacio simbólico hispanoamericano a contar de la década de 1930. La aparición de la televisión en los años cuarenta (1951 en Argentina) permite además –en continuidad con la prensa y la radio– la masificación de un estrellato que, sin estar directamente ligado a la esfera artística, se beneficia sin duda del histrionismo de sus figuras representativas, provenientes especialmente de la política o el deporte.

La importancia de esta evolución tiene que ver con la irrupción en el discurso público de una cultura popular que desafía "la censura del buen gusto dominante y un racismo nada avergonzado de serlo", señala el mexicano Carlos Monsiváis. Más aún, plantea este autor, el lenguaje popular utilizado en el cine cumple una función simbólica crucial, anticipándose incluso al habla de los nuevos sectores urbanos, por ejemplo, en las "fórmulas laberínticas" del cantinfleo. Y agrega:

> Con vigor, durante una etapa del cine mexicano, como ocurre también con el cine argentino y el brasileño, se proclama la legitimidad del habla popular, del mejor modo, ejerciéndola con orgullo y jactancia, y se rechaza la idea penitencial que a la letra dice: "Lo generado en las colectividades pobres es pecado lingüístico y son irredimibles quienes no se expresan con propiedad" (Monsiváis 1997).

En una perspectiva similar, el colombiano Jesús Martín-Barbero plantea que el melodrama y la televisión tienen que ver con "un *pueblo en masa* [reconociéndose] como actor de su historia, proporcionándole lenguaje a 'las formas populares de la esperanza'" (1991: 259). Pero, ¿cómo se desenvuelve el sujeto popular que ha accedido al espacio público en el Cono Sur? Es lo que observaremos a continuación.

4. El *dribbling* simbólico

Las operaciones impulsadas por las industrias culturales y los medios de comunicación en el Cono Sur ponen en funcionamiento nuevos elementos –ligados al deporte en el caso de Maradona– en la construcción de comunidad local, nacional, regional y global. Su expresión tiene que ver, decía el argentino Eduardo Archetti (2003), tanto con el discurso ilustrado de la literatura como con la convocatoria del tango en los comienzos del siglo XX. Esta construcción de comunidad ha solido también ser explosiva. Es que la construcción de sujeto se da en un momento de dinámicas que implican complejas formas de articulación de tiempos y espacios culturales. Son las transformaciones que expresan la modernidad tardía del continente. Hay cambio en las condiciones de legitimidad en la configuración de los sujetos individuales, ellos se resquebrajan, se fisuran, por una parte, pero por otra también recomponen el sentido.

Sin duda, Maradona se fue constituyendo en uno de los héroes del *epos* nacional argentino en un momento en que, por una parte, las clases medias habían consolidado su espesor en ese país ahora ya no sólo de hijos, sino de nietos de inmigrantes, y, por otra, el desarrollo tecnológico permitía escenificar el relato de la epopeya nacional con la pantalla del televisor al servicio de las masas. Maradona es uno de la serie que Alabarces y Rodríguez señalan como la de los "héroes deportivos mundializados", aquellos que condensan en sus hazañas

> una especie de referencialidad nacional que descansa sobre el alto grado de adhesión de su comunidad de origen, más allá de que sea necesario articular cada actuación con un específico momento histórico en el desarrollo global de los medios (Alabarces/Rodríguez 1998: s. p.).

La tesis de estos autores es la globalización de Maradona como héroe.

Archetti, iniciador de los estudios culturales del deporte, había señalado por su parte el carácter de "accidente histórico" que en la Argentina se daba a la figura del futbolista. Excepcionalidad que, por lo demás, se confirma en la relación que se establece con la imagen de Maradona luego de su retiro oficial del deporte. En esta etapa, que parecía la última de un héroe cansado por su peripecia y por la vida misma, ha habido muertes y vueltas a la vida. De pronto, tratamientos y renovación; de pronto, autodestrucción y resurrección. Maradona muere y renace, es el que retorna desde la muerte: esto le entrega ahora, en términos de la imagen popular una condición de animita viva. Más aún, el aura de santificación que le es atribuido se concretiza en la creación de un nuevo culto religioso: la Iglesia Maradoniana.[1] Ahora bien, Maradona, el "otro", hace de las suyas. Y no se sabe bien quién escribe la autobiografía, o quién la dicta, más bien.

Lo que nos interesa es esa dimensión, la de la referencialidad simbólica, en un sujeto en donde el país popular y también no popular, en su universo múltiple y contradictorio, se proyecta y es capaz de ejercer una función de exorcismo frente a la falta de sentido, a las derrotas, a la destrucción, al desmoronamiento. Estamos siguiendo a Alabarces y Rodríguez. Así, la figura del héroe nacional del fútbol es capaz de elaborar a nivel masivo una compensación simbólica en el imaginario social, por ejemplo, frente a la derrota a Inglaterra. Maradona exhibe a través de su ascenso y caída en el campo deportivo, en los ochenta y noventa del siglo XX –desde los orígenes humildes del héroe popular hasta el desarrollo de su increíble talento profesional, a su alejamiento de las canchas y, luego, a sus entradas y salidas de las drogas, sus muertes y resurrecciones–, los elementos que construyeron su perfil social. Exhibe, decíamos, rasgos de la validación social que han dado continuidad a esa sociedad de mezcla del Río de la Plata, en un período, como el de fines del siglo XX, de importantes transformaciones culturales.

---

[1]   El sitio oficial de esta agrupación en Internet es <http://www.iglesiamaradoniana.com/> (05.07.2006).

La afectividad ligada al grupo familiar de la condición migratoria y la lucha feroz por la supervivencia hacen de ella una sociedad competitiva como pocas en Latinoamérica. Pero al mismo tiempo y contradictoriamente, la solidaridad a que apela la acción de Maradona en su relato de infancia está en el *ethos* de las comunidades pobres. En este relato está su ligazón, su no alejamiento de la Villa Fiorito que lo vio desde la niñez, la reafirmación de la estética de su medio en fiestas y homenajes en donde incorpora a los integrantes de su barrio, en las declaraciones en donde se niega a ser modelo de nada, en donde enfrenta a las organizaciones del deporte, las expone, las desnuda en defensa de los jugadores. En esa sociedad de la competencia en donde despliega un talento único, Maradona evidencia también la tenacidad, que es su producto, y su empeño en salir adelante por todo los medios. "En 1986, Diego Maradona –escriben Alabarces y Rodríguez– dio cuenta no sólo de su mérito, sino también del papel del azar y la trampa: primero, 'la mano de Dios', luego el mejor gol del mundo de todos los tiempos" (1998: s. p.).

Estos elementos tienen también una significación en un medio en que "la viveza criolla" definía, para los primeros analistas, la apropiación que se hace del deporte incorporado al país por los ingleses. La oferta de sujeto elaborada por Maradona incluye también la dimensión de las contradicciones en la construcción de la identidad nacional, donde el líder del fútbol evidencia vaivenes, proyectándose en los elementos de su heterogénea condición. En el espacio simbólico argentino, el fútbol había construido, junto con el tango, desde las primeras décadas del siglo XX, una narrativa que contribuía a la construcción de la comunidad imaginada nacional. El paso del modelo futbolístico inglés, que introduce su canon en el país a comienzos del siglo XX, con su técnica y normativa, se ve avasallado y transformado por una apropiación local que genera un estilo propio, el "estilo criollo".

Marcado por la improvisación y la estética frente a la fuerza y la disciplina inglesas, este estilo incorpora al deporte el sentido nacional, acentuado, como sabemos en distintos momentos de la historia. Es la fundación de los hijos de inmigrantes, con el *dribbling*, el anuncio equívoco de la jugada, el ejercicio del ingenio. En Maradona, el sujeto excepcional reafirma la dimensión individual, que tiene que ver con sus vinculaciones con el grupo, individualismo por lo demás necesario a la condición épica. Pero el héroe sin fisuras, el sujeto viril, que pone en evidencia la gran capacidad física, que afirma su condición en el derroche, el gesto fastuoso de sus fiestas, aparece también escenificado por los medios en su debilidad: tiene emociones, llora, se exaspera, garabatea. Rompe los códigos del honor con "la mano de Dios". Es un drogadicto.

En el espacio virtual y global de las sociedades de la información y el conocimiento, la escenificación del "estilo criollo" por Maradona está asociada a ofertas de identidad que trascienden la interpelación nacional, tipificando en el camino la imagen de un sujeto popular que es común a otros países del mundo. Debemos sin embargo matizar la tesis de Alabarces y Rodríguez, quienes señalan lo siguiente:

> En la resemantización que hacían los medios de las demandas provenientes de los sectores populares puede leerse la operación de negociación entre estos dos actores y el Estado, desde la necesidad de conformar un nuevo colectivo donde ciudadanía y "pueblo" parecen ser términos equivalentes (Alabarces/Rodríguez 1998: s. p.).

A la luz de las últimas "vivezas" maradonianas, podemos decir que la construcción del lazo social con el colectivo popular, producida mediante la identificación sentimental con la comunidad de origen, no tiene por único resultado la exaltación populista del patriotismo *sponsorizada* por las transnacionales del deporte y el entretenimiento. En los atribulados años que marcan la crisis paroxística del modelo neoliberal en Argentina, Maradona tensiona la identificación rápida entre "ciudadanía" y "pueblo" para reinsertar a este último en otras comunidades, problemáticamente entrelazadas a la nacional. Al aparecer en actitud de apoyo con Fidel Castro o Hugo Chávez, al liderar la protesta contra la VI Cumbre de las Américas y la presencia de Bush en Argentina (noviembre de 2005), pero también –colmo de colmos– al vestir la camiseta del equipo de fútbol del Brasil en el anuncio publicitario de Guaraná Antártica, una bebida de ese país, Maradona redimensiona los lazos colectivos en el Cono Sur tensionando las asociaciones convencionales y más bien restrictivas entre sujeto popular y esfera política. Así se teje en Maradona la contradicción o, si se prefiere, la complejidad de los lazos colectivos en el globalizado mundo de comienzos del siglo XXI: cuidando el vínculo con la comunidad económico-empresarial de los *sponsors*, pero *sponsors* de la selección brasileña de fútbol cuya oferta de sujeto va también en el sentido de entretejer las identidades nacionales de la región.

Al mantener el vínculo con esta comunidad comercial y al mismo tiempo ejercer la identificación con los mundos del Brasil y el Caribe –espacio marginado, fragmentado como ninguno en el contexto americano–, así como con el neobolivarismo, el *dribbling* simbólico de Maradona evidencia que tal vez nuestras definiciones culturales acerca del espacio Cono Sur y el sujeto popular necesitan reconfigurarse en función de otras dinámicas de identidad. Maradona ya no es sólo un héroe de la épica nacional argentina, pues está mundializado, pero también se ha regionalizado. Es un sujeto popular, pero asociado al empresariado. Es un héroe deportivo, pero "pillo" y drogadicto. Lo que hace la legitimidad de Maradona como sujeto de hoy es, justamente, la contradicción o la complejidad de sus operaciones simbólicas, que expresan el movimiento de una época y acompañan los procesos de transformación social de la región en el contexto de la modernidad tardía.

5. El peso simbólico

La situación perfilada, en donde la construcción de sujeto acompaña la transformación social, nos pone también en evidencia el carácter de la función simbólica en nuestros países. Si bien el Cono Sur aparecería –y es evidente en el discurso de Victoria Ocampo–, como un lugar desprovisto de riqueza cultural en comparación a lo que podría darse en otras sociedades, como la amazónica, la brasileña o la caribeña, en realidad lo que hay es un funcionamiento simbólico de otro tipo.

Podemos observar que, frente a la multiplicidad de la imaginería presente en otros lugares de América Latina, la colonialidad del poder en el Cono Sur ha formado sociedades altamente sensibles a los simbolismos públicos. Pocos, pero de intensa repercusión, éstos condensan lo que la misma colonialidad percibe como uniforme. Esta dinámica, por ejemplo, explica que sucesos como las protestas de las Madres de la Plaza de Mayo en Argentina, el encuentro de los cuerpos de detenidos en Uruguay o la detención de Pinochet en Chile hayan sido detonantes absolutos de importantes cambios culturales. En Chile, la sociedad comenzó a evidenciar un cambio en las relaciones interpersonales, una descompresión en los imaginarios, un enorme deseo de recomponerse que, a su vez, se manifiestan y consolidan en la elección de una presidenta mujer, sin marido, hija de un general asesinado, madre soltera, agnóstica y socialista.

Así, en un espacio cultural proyectado en los perfiles de la homogeneidad y donde los elementos simbólicos que instalan la heterogeneidad adquieren un relieve inusitado, Maradona instala como polo disruptivo el simbolismo de un sujeto que incorpora una diversidad contradictoria. En el Cono Sur, se ha vuelto a percibir al otro, evidentemente en el marco de los avances de la justicia y la lucha por los derechos humanos. Es este movimiento hacia la aceptación del otro, hacia una recomposición de los lazos sociales, pero bajo el signo de la tolerancia, una de las operaciones que marcan las dinámicas culturales en el Cono Sur hoy.

Bibliografía

Alabarces, Pablo/Rodríguez, María Graciela (1998): "Fútbol y patria: la crisis de la representación de lo nacional en el fútbol argentino". En: *Lecturas: Educación Física y Deportes*, 3, 10, <http://www.efdeportes.com/efd10/pamr10.htm> (05.07.2006).

Araujo, Katya (2005): *Configuración de sujeto y lazo social en las primeras tres décadas del siglo xx. El caso del Perú*. Tesis para optar al título de doctor en Estudios Americanos, Universidad de Santiago de Chile.

Archetti, Eduardo (2003): *El potrero, la pista y el ring. Las patrias del deporte argentino*. Buenos Aires: Fondo de Cultura Económica Argentina.

Arfuch, Leonor (2002): *El espacio biográfico. Dilemas de la subjetividad contemporánea*. Buenos Aires: Fondo de Cultura Económica Argentina.

González, Juan Pablo/Rolle, Claudio (2004): *Historia Social de la Música Popular en Chile, 1890-1950*. Santiago de Chile: Universidad Católica de Chile.

Maradona, Diego Armando (2000): *Yo soy el Diego de la gente*. Buenos Aires: Planeta.

Margulis, Mario/Belvedere, Carlos (1999): "La racialización de las relaciones de clase en Buenos Aires. Genealogía de la discriminación". En: Margulis, Mario *et al.*: *La segregación negada. Cultura y discriminación social*. Buenos Aires: Biblos, pp. 79-122.

Margulis, Mario/Urresti, Marcelo (1999): "Introducción". En: Margulis, Mario *et al.*: *La segregación negada. Cultura y discriminación social*. Buenos Aires: Biblos, pp. 9-14.

Martín-Barbero, Jesús (1991): *De los medios a las mediaciones. Comunicación, cultura y hegemonía*. Barcelona: Gili.

Monsiváis, Carlos (1997): "'Ahí está el detalle': el habla y el cine de México". Conferencia presentada en el I Congreso Internacional de la Lengua Española. Zacatecas: Instituto Cervantes/ Secretaría de Educación Pública, 7 al 11 de abril. En: <http://cvc.cervantes.es/obref/congresos/ zacatecas/cine/ponencias/monsivais.htm> (05.07.2006).

Quijano, Aníbal (2000): "Colonialidad del poder, eurocentrismo y América Latina". En: Lander, Edgardo (ed.): *La colonialidad del saber: eurocentrismo y ciencias sociales. Perspectivas Latinoamericanas*. Buenos Aires: CLACSO. <http://www.clacso.org/wwwclacso/espanol/ html/libros/lander/10.pdf> (11.11.2005).

Sarlo, Beatriz (2000). *La máquina cultural*. La Habana: Casa de las Américas.

Marcel Vejmelka*

⊃ O mundo tricolor:
o futebol no universo de Nelson Rodrigues**

Para Christoph Vieira Schmidt e a sua *Eintracht.*

1. As regras do jogo

Analisando os elementos estruturantes que interligam e penetram textos de diferentes gêneros da obra de Nelson Rodigues, Victor Hugo Adler Pereira constata a presença do princípio da teatralidade em todas as forma textuais:

> [A]s crônicas e os romances folhetinescos que publicou testemunham da mesma "teatralidade" que encontrou veículo privilegiado no palco; [...] a definição do que seja "teatral" possa caracterizar manifestações artísticas de gêneros diferenciados, apresentadas em variados veículos, não se constituindo exclusivamente de um "fato do palco" (Adler Pereira 1999: 127).

Fundamento desta escrita é o estilo jornalístico que Nelson Rodrigues exercia já a partir dos 14 anos de idade nos jornais de seu pai (*A Manhã, Alma Infantil, A Crítica*). Esse aprendizado o equipou com as técnicas que mais tarde iriam marcar o seu estilo literário, particularmente a combinação de jornalismo e dramaturgia. Adler Pereira destaca dois elementos: a construção dos personagens e a relação dos textos com o ambiente urbano (134). Desse modo é nas peças teatrais situadas na vida cotidiana e no presente do Rio de Janeiro –nas *tragédias cariocas*– que existe a maior proximidade estrutural e lingüística com as crônicas e contos. Um elo importante nisto é, segundo Adler Pereira, a utilização de elementos da tragédia clássica e de clichês saturados e exagerados ao ponto de um delírio verbal com efeitos surpreendentes e chocantes (137). Adler Pereira interpreta a obra rodrigueana como um dispositivo de "máquinas de reter e soltar" que atravessa todos os gêneros literários e jornalísticos, onde os elementos sociais e culturais da vida suburbana carioca funcionam como um "combustível" para acumular significados em suas variadas dimensões, e soltá-los finalmente de forma explosiva.

* Doutor em Letras/Estudos Latino-americanos pela Universidade Livre de Berlim com tese sobre João Guimarães Rosa e Thomas Mann (Kreuzungen: Querungen 2005), atualmente assistente de Prof. Dr. Ottmar Ette no Instituto de Romanística na Universidade de Potsdam. Áreas de interesse: literatura latino-americana, teoria literária e cultural, tradução em teoria e prática. Correio eletrônico: marcel@vejmelka.de.
** O presente ensaio é uma versão traduzida e adaptada de palestra proferida na *Semana Nelson Rodrigues*, organizada pela Embaixada do Brasil em Berlim, em 28 de abril de 2006.

A tematização do universo familiar e de suas conexões com outros âmbitos do social serve como combustível aos grandes delírios produzidos no teatro de Nelson Rodrigues. Pautado na ótica da "desrazão", na crônica ou no romance, como vimos, a mesma teatralidade é acionada na criação das várias possibilidades de produção e funcionamento das subjetividades e das diversas famílias em que se conectam (137).

Esta interpretação baseia-se na leitura de Flora Sussekind, que caracteriza a escrita de Nelson Rodrigues com o conceito do "fundo falso", uma estratégia do engano e desengano das expectativas do leitor, de conduzi-lo a inesperadas e surpreendentes possibilidades de significação. Aqui os mundos do teatro e do futebol se interpenetram nas enunciações e nos significados produzidos nas peças e crônicas: "Um fato que chama atenção na obra de Nelson Rodrigues é justamente sua diversificação por estes dois campos aparentemente tão semelhantes: o teatro e o futebol" (Sussekind 1977: 9). O que liga teatro e futebol é o elemento do espetáculo, da exterioridade com respeito à vida cotidiana, a sua localização num espaço limitado e claramente dividido –o palco e o campo, o auditório e a arquibancada–, papéis igualmente divididos e o tempo pré-definido. Separam-nos as diferenças: a participação e expressão da torcida, normalmente não prevista no teatro, onde a peça segue uma trama ou um texto, ao contrário da partida de futebol, que evolui espontaneamente. Na obra de Nelson Rodrigues, entretanto, o futebol é regido por leis e condições extra-futebolísticas: a intervenção divina, o destino, a providência.

Flora Sussekind comprova a sua tese da analogia entre teatro e futebol na peça *A falecida*, onde esta analogia é personificada pelo personagem de Tuninho, representante do mundo suburbano marginalizado (11). Essa natureza contraditória do futebol o torna elemento essencial na constituição da identidade nacional brasileira, fato intensificado pela presença invisível do jogo na peça. No mesmo sentido Nelson subverteria a aparente naturalidade com a qual se lida com esse esporte, a aceitação da objetividade dos fatos, para romper com o uso comum da linguagem: encenado dessa forma, o futebol se apresenta não como imprevisível mas como pré-figurado pelo destino.

Os personagens da peça falam sobre futebol, o tempo todo se comenta a intenção de Tuninho de apostar no seu clube Vasco da Gama no próximo jogo contra o Fluminense. A dramaturgia da peça fundamenta-se em referências ao cotidiano das camadas pobres do Rio de Janeiro, aproximando-se das regras que definem tanto o futebol quanto a luta pela sobrevivência dos habitantes dos subúrbios e da Zona Norte cariocas: leis e regulamentações são dribladas, a linguagem dos textos é desconstruída em analogia a esse processo. Nas duas áreas se invertem os lugares-comuns e clichês através do uso excessivo (Adler Pereira 1995: 140).

Após o falecimento de sua esposa, Tuninho fica sabendo que esta o traiu. Antes de sua morte, que ela ansiava obsessivamente, ela dispôs tudo de modo a que o seu amante teria que lhe pagar um enterro pomposo. Tuninho recebe este dinheiro, mas compra para a falecida o caixão mais barato, nem assiste ao enterro e aposta tudo no Vasco. Ruy Castro, biógrafo de Nelson Rodrigues, analisa este entrelaçamento de futebol, vida suburbana e teatro, que na época da estréia de *A falecida* causava escândalos:

> Hoje isso parece claro. Nelson deixou que a cor local de "A vida como ela é..." contaminasse "A falecida". A história podia ser dramática, mas alguns personagens eram mesmo gaiatos, falavam a gíria corrente, estavam vivos. Cenário e tempo não eram "qualquer lugar ou qualquer época", como nas outras peças, mas a Zona Norte do Rio (nominalmente, a

Aldeia Campista), com uma rápida passagem pela Cinelândia. O tempo era hoje, 1953 (Castro 1992: 247).

Nelson rompeu com o tabu do futebol como esporte e elemento cultural das massas, dos pobres, utilizando a paixão fanática do personagem principal pelo Vasco como elemento estrutural da trama, situando a cena final da peça no Maracanã durante o jogo Vasco x Fluminense com 200.000 espectadores, colocando o auditório no lugar da torcida adversária e finalizando no autêntico jargão futebolístico, com o tradicional grito de guerra do vascaínos:

> Tuninho – Vou apostar com 200 mil pessoas! Dou dois! Três! Quatro! Cinco gols de vantagem e sou Vasco!
> (Tuninho insulta a platéia.)
> Tuninho – Seus cabeças-de-bagre!
> (Tuninho atira para o ar as cédulas. Grita com todas as forças.)
> Tuninho – Casaca! Casaca! A turma é boa. É mesmo da fuzarca! Vasssssco!
> (Tuninho cai de joelhos. Mergulha o rosto nas duas mãos. Soluça como o mais solitário dos homens) (Rodrigues 1993: 779).

Os personagens paródicos desenvolvidos por Nelson Rodrigues a partir da segunda metade dos anos 60, especialmente na crônica *O Reacionário,* publicada no jornal *O Globo* –como a grã-fina, os representantes da esquerda de classe alta, a estudante de psicologia da PUC, os padres revolucionários etc.– são interpretados por Adler Pereira como crítica das regras e máscaras sociais prescritas, assim como da incapacidade humana de se adequar a elas.

> E são esses móveis mesquinhos, fornecidos pela realidade cotidiana, que levam os personagens aos estados limites das possibilidades humanas, aproximando-os dos trágicos. É o que se observa, por exemplo, nas crônicas futebolísticas em que a disputa de uma partida transforma humildes homens em heróis épicos e representantes de toda a nação, de toda a raça. Daí, quanto mais comezinho, banal e limitado o cotidiano descrito, mais eficientemente poderá ser utilizado para que seja comprovada a tese de que a grandeza do homem não se encontra exatamente naquilo que racionalmente poderia corresponder à expectativa de mobilizar as maiores paixões – mas na própria vitalidade da paixão (Adler Pereira 1999: 148).

Assim ele aponta mais uma vez para o elemento teatral na prosa rodrigueana, para o intercâmbio entre palco e texto, entre o cotidiano no palco, o texto no cotidiano (materializado no jornal) e o palco no texto, enfim para a "teatralização da narrativa" (185).

2. "Quem é a bola?" – O universo do futebol

Nelson Rodrigues destaca-se do impressionante número de criações literárias brasileiras que tratam do futebol pela transgressão e travessia de limites tanto entre ordens literárias como gêneros ou temáticas, entre jornalismo e literatura, quanto entre os mundos de significação –enquanto sistemas simbólicos e discursivos– da escrita e do jogo. O futebol não é somente objeto dos textos, mas elemento estrutural, da mesma forma que há uma percepção, direção e narração literária dos jogos: os jogadores aparecem como personagens de romances ou como poetas, escritores como inventores de táticas e modos de jogar. Combinando literatura e jogo futebolístico, Nelson Rodrigues supera o meramente anedótico, tratando os dois a partir de seu contexto cultural e histórico comum da sociedade que os instaura e faz surgir. Porque o futebol não é somente uma parte integral –e até essencial– da obra de Nelson Rodrigues, mas também do universo sociocultural que inspira e constitui a sua escrita nas diferentes modalidades.

A totalidade da obra rodrigueana constitui uma rede complexa de referências internas e interferências entre os gêneros literário e jornalístico. O mesmo vale para as temáticas e os personagens, que transitam sem obstáculos entre teatro, conto e crônica, formando uma densa rede intertextual. Tais personagens, situações ou acontecimentos, que vão desencadear uma reflexão ou um motivo para reaparecer mais tarde em outros textos e serem recarregados simbolicamente através da permanente repetição, podem proceder tanto da literatura quanto da "vida como ela é ..." – parafraseando o título da coluna de contos em torno ao amor, traição e outras paixões, publicados entre 1951 e 1961 no jornal *Última Hora*.

Tais repetições de metáforas, ditados e situações são um elemento estilístico essencial da escrita rodrigueana. A "grã-fina das narinas de cadáver", por exemplo, tem a sua estréia dentro do Maracanã, numa crônica de futebol do ano de 1969:

> O que nós chamamos de "grã-fina" é algo impalpável, atmosférico. Sem querer, saiu-me a palavra exata. Ela não é um vestido, uma jóia, um sapato ou uma *lingerie*. Tudo isso pode ser comprado e imitado. O que não se compra, nem se imita, é a atmosfera que a grã-fina tem. [...] Seu rosto é uma máscara amarela. Mas a cor era o de menos. (van Gogh adorava o amarelo.) Tantas se pintam assim, em qualquer país e qualquer idioma. Mas aquela grã-fina tinha, sim, um sinal exterior que a distinguia de tudo e de todos: – as narinas de cadáver (Rodrigues 1991: 23).

Partindo desse encontro, a grã-fina é o pretexto para as mais variadas reflexões sobre a natureza do futebol, também para além do jogo propriamente dito. Pois está representante exemplar da alta sociedade carioca simboliza a importância social do esporte que vai muito além de sua compreensão. É nos grandes jogos que aparece a grã-fina das narinas de cadáver, e invariavelmente pergunta a alguém: "Quem é a bola?"; "Em qual time joga o Fla-Flu?" ou "O *corner* já chegou?" (Rodrigues 1999: 141). Na obra rodrigueana esse interesse generalizado e ignorante pelo futebol adquire um significado ainda mais amplo, porque sempre se trata também de questões da transcendência do nacional:

> Entre as minhas leitoras, muitas jamais entraram no Estádio Mário Filho, e suspiram: –"Eu não gosto de futebol". Outras poderiam perguntar, como a grã-fina das narinas de cadáver: – "Quem é a bola?". Todavia, há um momento em que todos entendem de futebol e gostam de futebol. É quando está em causa o destino do escrete. Na hora da seleção, até a grã-fina das narinas de cadáver adquire uma súbita clarividência (142).[1]

---

[1] Mário Filho, irmão maior de Nelson, foi, nos anos 30 a 50, o mais influente jornalista esportivo do Brasil e contribuiu de forma decisiva para a estruturação do campeonato carioca. Foi também o principal promotor da construção do Maracanã, que desde 1966 leva o seu nome: Estádio Jornalista Mário Filho. Talvez não tenha sido o inventor do clássico entre Flamengo e Fluminense, mas foi ele quem cunhou e divulgou a expressão "Fla-Flu".

Ao mesmo tempo, esse encontro mostra a condensação que ocorre no estádio, concretamente no Maracanã, no contato dos grupos sociais separados na vida real, concretamente no Rio de Janeiro, e com isto a força integradora que se veicula através da identificação com o futebol. Adriana Facina analisa a representação desse universo na obra rodrigueana sob aspectos da antropologia urbana:

> O Maracanã aparece, portanto, como o cenário das diferenças sociais da sociedade brasileira, mas também da possibilidade de minimizá-las através da paixão compartilhada pelo futebol. Não se trata de uma utopia igualitária, já que, mesmo no Maracanã, o grã-fino que fica na tribuna de honra ou nas cadeiras mantém a sua superioridade na hierarquia social em relação aos trabalhadores pobres que frequentam a geral. Trata-se, sim, de uma perspectiva em que a desigualdade não obstrui a interação social entre desiguais e o compartilhar de valores comuns (Facina 2004: 190).

O personagem da grã-fina vai atravessando outros textos e contextos, por exemplo, quando Nelson trata das tendências esquerdistas da alta sociedade, encenando-se contra isto como "reacionário". A grã-fina de repente começa a ler Herbert Marcuse (Rodrigues 1995: 150-153), faz psicanálise ou encontra a sua felicidade e realização lavando roupa no tanque (Rodrigues 1991: 176-179).

3. O futebol como ele é ...

O escritor Otto Lara Resende, amigo de Nelson, também é transformado em personagem dos textos rodrigueanos. O caso mais conhecido é certamente a frase enigmática "O mineiro só é solidário no câncer", que na peça *Otto Lara Resende ou Bonitinha mas ordinária* figura como *leitmotiv* e motor para sempre novos jogos de idéias e significados. A mesma frase é o ponto de partida para Nelson Rodrigues numa crônica de 1963, que homenageia o empenho do mineiro Zé Luís Magalhães Lins pela permanência de Garrincha no Botafogo (Rodrigues 1999: 98-99). Otto Lara Resende, afirma Nelson, "não entende nada de futebol". Justamente por esta inocência maravilhosa ele é sempre citado para elucidar o jogo com as suas sabedorias. O então "cachorro do Otto" vira símbolo da falta de auto-estima do Brasil, causada pela derrota, no Maracanã, contra o Uruguai na Copa do Mundo de 1950: "O brasileiro seria capaz de miar, em vez de latir, para despistar um desafeto. Isso em todos os planos de vida e, em especial, no futebol" (Rodrigues 1996: 24).

Numerosos personagens reais e fictícios, míticos e populares, povoam o universo rodrigueano. Como o "profeta", parcial autoprojeção de Nelson, mas também um personagem fictício, que o autor de vez em quando consulta para saber como terminarão os jogos. Esse profeta encarna o senso comum futebolístico, que com cada previsão acertada ganha em autoridade, sem perder nada dela com os seus "erros". Porque para Nelson "o profeta é burro", de uma burrice ambígua que também carateriza "o videotape". Não diz nada sem intervenção da imaginação criativa que dota as informações objetivas de significado, e não vale nada quando pretende comunicar uma verdade incompatível com a narração e dramaturgia do jogo. O futebol não pode ser compreendido de forma racional e objetiva, é regido por lógicas sobrenaturais e irracionais. Exemplo disto é o personagem Sobrenatural de Almeida, que segundo Nelson teve os seus melhores tempos na idade média (do futebol brasileiro), para sofrer uma decadência inevitável na renascença (do futebol brasileiro).

> Hoje, o Sobrenatural mora num quarto infecto, em Irajá. E pior: – todas as manhãs, ao acordar, tem de entrar na fila do banheiro coletivo. Daí o seu horror aos homens e aos clubes. Seu campo de ação está limitado ao futebol. Podia gostar de um clube. Não. Quer ver a caveira de todos (Rodrigues 2002: 139).

O Sobrenatural foi marginalizado pela racionalização e racionalidade, pelos "idiotas da objetividade", que assumiram o controle no futebol:

> Os idiotas da objetividade não vão além dos fatos concretos. E não percebem que o mistério pertence ao futebol. Não há clássico e não há pelada sem um mínimo de absurdo, sem um mínimo de fantástico (Rodrigues 1994: 138).

Por isso, o Sobrenatural às vezes intervém negativamente nos jogos. Em 1967, o Sobrenatural de Almeida fez o Fluminense perder oito jogos seguidos. O clube só se salva com o "Gravatinha", uma força sobrenatural exclusiva da sua mitologia, uma espécie de patrono dos torcedores tricolores, que faleceu em 1918 com 80 anos de idade e que desce de vez em quando do céu para ver jogar e vencer o seu time:

> E essa figura extraterrena, que ninguém tem, e só nós temos, é de uma doçura inenarrável. Quando o torcedor pó-de-arroz chega, e vê o "Gravatinha", já sabe: é a vitória. Sim a simples presença do venerando e finado tricolor significa bicho no bolso e o time já pode gastar por conta (218).

Ou a "leiteria", que ajuda o goleiro e não deixa nenhuma bola entrar na rede. Num jogo contra o América em 1958, o Fluminense está vencendo por 1 x 0, o adversário está pressionando para empatar, mas por repetidos milagres a bola só bate na trave ou sai para fora. "Salvara-se o Fluminense de um gol certo, infalível, catastrófico. Ao meu lado, um americano abria os braços: – 'É a leiteria! Voltou a leiteria!' Sim, ele via ali, o dedo salvador da leiteria" (Rodrigues 1999: 72). Nelson conta quatro bolas do América na trave, placar final 1 x 0. Esta sorte merecida para ele se combina com outra verdade eterna do futebol:

> Repito: – em futebol, não basta jogar bem. Com um timaço, e depois de estar ganhando de 3 x 0, o Vasco ainda foi empatar com o Bonsucesso. Ora, o Fluminense jogou bem domingo e foi superiormente orientado. Mas porque a leiteria esteve presente, e salvou, com a trave, quatro gols, eu a promovo a meu personagem da semana (72-73).[2]

Evidentemente, os próprios times figuram como protagonistas: o Fluminense, que era a paixão de Nelson Rodrigues, mas também o arqui-inimigo Flamengo, assim como os outros clubes tradicionais do Rio de Janeiro. Igualmente protagonistas são os jogado-

---

[2]   O lingüista Luiz César Saraiva Feijó define "leiteria" e "leiteiro" como expressões populares cariocas para designar goleiros extraordinariamente felizes (Saraiva Feijó 2002: 104).

res, que representam os personagens mais importantes e fascinantes, acima de todos Garrincha e Pelé, depois outros *craques* como Ademir – o personagem ausente em *A falecida* –, Amarildo – "o Possesso", aludindo a Dostoiévski –, Didi – "o Príncipe Etíope de Rancho" e "Dono da Folha-seca" –, Leônidas da Silva – "o Diamante Negro" – etc.

Este conjunto de personagens, protagonistas e significantes povoa as crônicas rodriguianas de futebol, que atingem o seu ponto máximo nos textos sobre as copas dos mundo de 1950 a 1970. Representam um documento histórico polêmico que transforma a trajetória da derrota traumática no jogo decisivo da copa de 1950 em casa contra o Uruguai até a conquista do tricampeonato em 1970 no México no destino nacional do Brasil, na luta de cada brasileiro pela sua honra e dignidade. Cada vitória é uma superação do subdesenvolvimento, cada derrota uma catástrofe maior que a hiper-inflação. O Brasil aparece como o "país do futebol", porém não dentro do imaginário do "futebol-arte" ingênuo, que ainda hoje continua vivo nas cabeças de muitos europeus, mas através da dedicação e paixão das pessoas pelo esporte. As três cores do Fluminense – vermelho, verde, branco – dentro do universo futebolístico carioca e brasileiro cristalizam toda a grandeza humana que o esporte é capaz de representar e incentivar. Por isto, o Fluminense e a paixão de seus torcedores são eternos, como afirma Nelson, mais antigos que a criação do mundo, mais antigos que o Nada, uma herança de encarnações anteriores. Ampliando esta paixão clubística, outras três cores – amarelo, azul, verde –, as cores da camisa brasileira desde 1953, e hoje em dia a marca inconfundível da *seleção*, viram o símbolo da nação, e em analogia ao Fluminense canalizam num nível elevado a dimensão transcendente dos clubes no palco do sistema mundial.

Porque outra dimensão do universo futebolístico de Nelson Rodrigues é a preocupação permanente com a identidade nacional brasileira. Não se trata de uma construção artificial de um modo de ser, de uma imagem romântica. Ao contrário, os exageros desmedidos e polêmicos têm a intenção de evidenciar o que é que torna um personagem humano, o que o torna integrante das comunidades do Fluminense, do Rio de Janeiro, do Brasil, da humanidade.

Também nesse aspecto se pode estabelecer uma analogia entre a natureza do literário e a do futebol: nas peças, nos contos e nas crônicas, o povo "humilde" dos subúrbios e da *zona norte* do Rio de Janeiro constituem um microcosmo urbano que projeta simultaneamente as dimensões universais humanas e a problemática da identidade nacional. Por consequência, é dentro desse mesmo microcosmo que se situa o universo futebolístico de Nelson Rodrigues. O futebol que para Nelson, afinal, só existe e acontece em dois espaços: no Rio de Janeiro e como *seleção*. Assim, para ele, todas as qualidades e caraterísticas do futebol brasileiro, sua forma de jogo e a cultura que o rodeia e sustenta, condensam-se no Rio de Janeiro, numa constelação ideológica, estética e socialmente diferenciada. Uma redução consciente, que conta com uma única exceção significativa: o Santos FC, o clube de Pelé e responsável em grande parte pela fama internacional do futebol brasileiro nos anos 50 e 60. Na lógica rodriguiana, centrada no universo cultural do Rio de Janeiro, não é de estranhar que a maior encarnação do futebol brasileiro tenha que ser "carioca" também:

> Vocês querem saber a última verdade sobre o Santos? Ei-la: – é o mais carioca dos times. Só por equívoco crasso e ignaro nasceu em Vila Belmiro. Mas a verdade é que, por índole, por vocação, por fatalidade – ele encontra, no Maracanã, uma dimensão nova e decisiva. [...]

E o pior é que até Vila Belmiro soa como um exílio porque o Santos nasceu no lugar erra-
do. Sua verdadeira casa é o Maracanã. Ah, se ele conseguisse naturalizar-se carioca – seria
uma equipe imbatível e eterna (Rodrigues 1999: 114).

4. O *escrete* transcende a nação

Para Alex Bellos, a importância de Nelson radica em grande parte na sua percepção
profunda e na sua capacidade de enxergar verdades fundamentais a partir de uma compreensão subjetiva e irracional do futebol:

> Nelson, without intending to, gave Brazilian football its clearest voice. [...] Nelson [...]
> articulated the hyperbolic passion of a fan. "I'm Fluminense, I always was Fluminense. I'd
> say I was Fluminense in my past lives." He coined dozens of phrases that seem as relevant
> now as when he wrote them four decades ago. He described players like Pelé and Garrincha
> as transcendent icons – which no one had done before. Nelson was the first person to describe
> Pelé as royalty (249).

Confirmando esses argumentos, pode-se constatar que Pelé e Garrincha ocupam um
lugar central nos textos rodrigueanos, que contribuiram para a glória mítica e carregada
de significados dos dois jogadores. Depois de um 5 x 3 do Santos contra o América em
1958, com quatro gols de Pelé, o jogador que tinha então 17 anos foi escolhido por Nelson como "personagem da semana": "[...] verdadeiro garoto, o meu personagem anda em
campo com uma dessas autoridades irresistíveis e fatais. Dir-se-ia um rei, não sei se
Lear, se imperador Jones, se etíope" (Rodrigues 1999: 42). O que impressiona Nelson
especialmente é a enorme autoconfiança do jovem jogador: "O que nós chamamos de
realeza é, acima de tudo, um estado de alma. E Pelé leva sobre os demais jogadores uma
vantagem considerável: – de se sentir rei, da cabeça aos pés" (42).
Este "coroamento" inoficial e precoce do posterior "maior jogador de futebol de
todos os tempos" fazia parte da intuição de Nelson de que a Copa do Mundo no mesmo
ano na Suécia iria finalmente terminar com o primeiro título para o Brasil. Porque a
questão de vitória ou derrota de uma *seleção* brasileira é para Nelson exclusivamente
interna: o Brasil tinha fracassado em 1950 por causa de sua "híbris", em 1954 por causa
do "complexo de vira-latas", da consciência da própria inferioridade. Mas com um rei
liderando o time o título poderia ser conquistado:

> Por que perdemos, na Suíça, para a Hungria? Examinem a fotografia de um e outro time
> entrando em campo. Enquanto os húngaros erguem o rosto, olham duro, empinam o peito,
> nós baixamos a cabeça e quase babamos de humildade. Esse flagrante, por si só, antecipa e
> elucida a derrota. Com Pelé no time, e outros como ele, ninguém irá para a Suécia com o
> clima dos vira-latas. Os outros é que tremerão diante de nós (44).

Garrincha, por sua vez, não encarnava a perfeição técnica e tática de Pelé, mas era
para Nelson a quinta-essência do futebol e com isto do ser brasileiro: não era um "deus"
ou "rei", mas um herói popular, "a alegria do povo", o "Mané" (Castro 2002). Na con-
vicção de Nelson, Garrincha foi responsável pelos mais belos três minutos na história do
futebol, no jogo contra a União Soviética na primeira fase da copa de 1958: o maior

mérito de Garrincha teria sido a sua inocência infantil que nem teoricamente era capaz de sentir medo do adversário – e naquele tempo o mundo inteiro tremia ante o "futebol científico" soviético. Por isto, o jogo – que o Brasil ganhou por 2 x 0 – foi decidido no momento em que Garrincha tocou pela primeira vez na bola, para iniciar "um baile irresistível através da zaga soviética" e "cravar a bola na trave" (Rodrigues 1999: 53-54).

A epopéia subjetiva e polêmica, e justamente por isto profunda e atemporal, da conquista brasileira do tricampeonato mundial entre 1950 e 1970 se veicula através da dupla Pelé e Garrincha – e a *seleção* brasileira nunca perdeu com os dois juntos em campo –, de seus estilos tão diferentes de jogar e de viver. Em conjunto e cada um por si eles formaram o centro dos times que ganharam os três títulos e fundaram o mito da *seleção* que Nelson Rodrigues ainda chama pela forma antiga e carinhosa de *escrete* ou *scratch*. É o time potencializado e transcendido que no campo de futebol ganha e perde partidas, mas no imaginário das pessoas vence e sucumbe em batalhas míticas.

Como já foi dito, o maior e único obstáculo para o triunfo brasileiro em 1950 era, na opinião de Nelson, o próprio Brasil, a falta de fé em si mesmo. A "tragédia nacional", a "Hiroshima brasileira", a "humilhação nacional, mil vezes pior que a de Canudos" (Rodrigues 1996: 24) – ou, tecnicamente falando, a derrota por 1 x 2 contra o Uruguai no último e decisivo jogo do campeonato em 16 de julho de 1950, no Maracanã lotado e construído especialmente para este triunfo - sempre volta nos seus textos para ser analisada. Nisto ele não é uma exceção. Este título não ganho até hoje inspira obras literárias, historiográficas e teorias conspirativas.[3] E isto apesar de o Brasil ter conquistado desde então o número hegemônico de cinco campeonatos mundiais.

Outra vez, não se trat de meras anedotas. A dinâmica do processamento até hoje inacabado da derrota de 1950 indica motivos mais profundos, radicados na formação social e identitária da nação. No seu clássico *O negro no futebol brasileiro,* Mário Filho mostra que as elites brancas e europeizadas no Brasil só cederam com relutância à pressão surgida com a profissionalização do futebol, porque ela implica inevitavelmente uma abertura do esporte para as camadas pobres, e com isto também para jogadores negros. Ainda por cima foram esses jogadores negros que nas primeiras copas do mundo nos anos 30 encantaram o público internacional e cunharam as características do futebol brasileiro. Assim, critica Mário Filho, não foi por acaso que pela derrota de 1950 foram culpados antes de mais ninguém os jogadores negros da *seleção*:

> Basta lembrar que a derrota do Brasil em 50, no campeonato mundial de futebol, provocou um recrudescimento do racismo. Culpou-se o prêto pelo desastre de 16 de julho. [...].
> A prova estaria naqueles bodes expiatórios, escolhidos a dedo, e por coincidência todos prêtos: Barbosa, Juvenal e Bigode. Os brancos do escrete brasileiro não foram acusados de nada (Filho 1964: sem pag.).[4]

---

[3] Por exemplo Moraes Neto (2000), Perdigão (2000), Nogueira/Soares/Muylaert (1994).

[4] Vide a análise do jogo e de seus efeitos em Filho (1964: 331-337) e também em Miranda Pereira (2000: 332). Interessante é a analogia com esta creolização do Brasil nas ciências sociais, como foi propagada por Gilberto Freyre no seu clássico *Casa Grande e Senzala* (1933). Cf. o prefácio de Freyre em *O negro no futebol brasileiro*, onde ele exige que se reconheça finalmente a realidade cultural e étnica do país no futebol e através dele, e que se perceba o potencial produtivo ali contido, para valorizar esta diferença interna. Freyre compara o futebol brasileiro com a dança: "O desenvolvimento do futebol, não num

O primeiro choque sofrido por uma auto-estima exagerada, imposta por parte dos funcionários e da sociedade (334) que no fundo não tinha absolutamente resolvido a questão de sua identidade, desmontou esta construção precária, mostrando por trás da mal elevada fachada da harmonia social e racial os ressentimentos e as exclusões existentes. É o que Nelson critica de forma concisa e dolorosa com o "complexo de vira-latas", a falsa idéia de inferioridade daquele que acredita ser atrasado e subdesenvolvido e que, de modo quase masoquista, continua lambendo esta ferida da auto-humilhação. "Por 'complexo de vira-latas' entendo eu a inferioridade em que o brasileiro se coloca, voluntariamente, em face do resto do mundo. Isto em todos os setores e, sobretudo, no futebol" (Rodrigues 1999: 52). Percebe-se que os ataques permanentes de Nelson contra este complexo implicam mais do que só o futebol e o desejo de uma vitória brasileira no futuro; o que está em jogo é como a nação se posiciona perante si mesma através do seu mais importante elemento de representação cultural e social.

Ante este pano de fundo se evidencia amplamente a variedade de significados que jogadores como Garrincha representavam para Nelson e para o futebol brasileiro: Garrincha, mestiço descendente tanto de negros quanto de índios, do interior e sem instrução, sem consciência do mundo moderno que estava penetrando no Brasil e no seu futebol. Fisicamente tudo menos um atleta exemplar, com duas pernas tortas, que os médicos – "idiotas da objetividade" – tinham diagnosticado como inaptas para o esporte. Além disso, apresentava um modo de vida contra as convenções, com numerosos filhos (vários deles ilegítimos), uma esposa abandonada, "amancebado" com a cantora Elsa Soares e sem disciplina para treinar e viver conforme as normas. Com todas essas fraquezas e imperfeições, Nelson nunca deixa de defender Garrincha como a encarnação mais pura do futebol brasileiro.

Pouco antes da Copa do Mundo na Suécia, Nelson declarou que Pelé era um "rei". No jogo de primeira fase contra a União Soviética, revelou-se "seu Manuel" Garrincha. Combinando estes dois elementos tão contraditórios o Brasil conquistou o primeiro campeonato mundial e se posicionou perante o mundo como verdadeiro "país do futebol". Com o glorioso 5 x 2 na final contra os anfitriões o Brasil supera o seu complexo e se redefine através do futebol:

> O povo já não se julga mais um vira-latas. Sim, amigos – o brasileiro tem de si mesmo uma nova imagem. Ele já se vê na generosa totalidade de suas imensas virtudes pessoais e humanas.
>
> Vejam como tudo mudou. A vitória passará a influir em todas as nossas relações com o mundo (60-61).

---

esporte igual aos outros, mas numa verdadeira instituição brasileira, tornou possível a sublimação de vários daqueles elementos irracionais de nossa formação social e de cultura. A capoeiragem e o samba, por exemplo, estão presentes de tal forma no estilo brasileiro de jogar futebol que de um jogador um tanto álgido como Domingos, admirável em seu modo de jogar mas quase sem floreios – os floreios barrocos tão do gosto brasileiro – um crítico da argúcia de Mário Filho pode dizer que êle está para o nosso futebol como Machado de Assis para a nossa literatura, isto é, na situação de uma espécie de inglês desgarrado entre tropicais" (Freyre 1964: X). Tal nova auto-estima com referência à heterogeneidade étnica no e através do futebol só foi possível a partir de 1958. Cf. o estudo sóciohistórico de Eisenberg (1997b: 7-21) e o papel do regime Vargas com respeito ao esporte em Caldas (1997).

E neste contexto não falta a alusão malévola contra a tese do "povo triste" de Paulo Prado: "E vou mais além: – diziam de nós que éramos a flor de três raças tristes. A partir do título mundial, começamos a achar que a nossa tristeza é uma piada fracassada" (61).[5]

Em 1962, no Chile, o bicampeonato, que para Nelson era uma conseqüência lógica e inevitável da hegemonia brasileira, foi a façanha de Garrincha, porque Pelé teve que sair do campeonato em razão de uma contusão. Em conjunto com Amarildo, batizado imediatamente por Nelson como "o Possesso", Garrincha liderou o time, como no 2 x 0 contra a Espanha, nas oitavas-de-final. Garrincha sozinho driblou toda a zaga espanhola:

> No fim, não havia mais ninguém para driblar, ninguém. E Mané, que no fogo mais infernal tudo vê e tudo sabe, passa para Amarildo. Mas não foi um passe qualquer. nem a cabeça de são João Batista foi tão na bandeja como aquela bola de Garrincha. Estava lá Amarildo, o possesso Amarildo, o rútilo epiléptico. E então ele enfiou a sua cabeçada mortal. Aquilo era o Brasil (88).

Uma única jogada, coroada pelo gol na percepção e narração de Nelson, é capaz de conter e expressar a essência da nação. De modo idêntico, é um único jogador que leva todo o Brasil ao bicampeonato: Garrincha sozinho e com febre contra onze tcheco-eslovacos, no 3 x 1 na final. Garrincha encarna frente aos poderes mundiais a jovem nação, que se manifesta e realiza num futebol infantil e despreocupado.

> Se aparecesse, na hora, um grande poeta, havia de se arremessar, gritando: – "O homem só é verdadeiramente homem, quando brinca!". Num simples lance isolado, está todo o Garrincha, está todo o brasileiro, está todo o Brasil. E jamais Garrincha foi tão Garrincha, ou tão homem, como ao imobilizar, pela magia pessoal, os onze latagões tchecos, tão mais sólidos, tão mais belos, tão mais louros do que os nossos (Rodrigues 1994: 80).

Para Nelson, este momento de triunfo repetido e soberanamente obtido é a ocasião de marcar a diferença entre o futebol brasileiro e o europeu – agora claramente decidida a favor do brasileiro – e ligá-la às qualidades socioculturais dos jogadores:

> [O europeu v]inha certo, certo, da vitória. Havia, porém, em todos os seus cálculos, um equívoco pequeno e fatal. De fato, ele viria apurar que o forte do Brasil não é tanto o futebol, mas o homem. Jogado por outro homem o mesmíssimo futebol seria o desastre. Eis o patético da questão: – a Europa podia imitar o nosso jogo e nunca a nossa qualidade humana. [...] Para nos vencer, o alemão ou suíço teria de passar várias encarnações aqui. Teria que nascer em Vila Isabel, ou Vaz Lobo. Precisaria ser camelô no Largo da Carioca. Precisaria de toda uma vivência de boteco, de gafieira, de cachaça, de malandragem geral (80).

Retomando o conceito da malandragem como característica autenticamente brasileira, que remonta até ao século XIX, Nelson Rodrigues volta a interligar o jogo no campo com os elementos culturais da vida brasileira, e ainda mais: a projeção do Brasil para o

---

[5]   Lembre-se do subtítulo de *Retrato do Brasil* (1928): *Ensaio sobre a tristeza brasileira*; e a primeira frase do livro que afirma: "Numa terra radiosa vive um povo triste" (Prado 2002: 29).

Rio de Janeiro através do conceito da malandragem, pois os lugares e espaços mencionados provêm diretamente do universo da sua obra literária.[6]

Em 1966, na Inglaterra, ocorre outro corte doloroso para o futebol brasileiro. O que
mais revolta Nelson Rodrigues é o fato do público brasileiro se resignar-se com o fracasso de sua *seleção* e até achar que era merecido por não estar à altura do jogo europeu. De
novo se manifesta a auto-humilhação do subdesenvolvido:

> Amigos, o mínimo que se pode esperar do subdesenvolvido é o protesto. Ele tem de
> espernear, tem de subir pelas paredes, tem de se pendurar no lustre. Sua dignidade depende
> de sua indignação. Ou ele, na sua ira, dá arrancos de cachorro atropelado, ou temos de chorar
> pela sua alma.
> E, vamos e venhamos, nada mais abjeto do que o subdesenvolvimento consentido, con-
> fesso e até radiante (126).

Os ingleses, ao contrário, com o cinismo natural de uma nação industrializada, anti-
go poder colonial, não viam problemas em ganhar títulos com a ajuda dos árbitros e com
dureza exagerada. Mas a imprensa brasileira dava razão aos ingleses, em vez de defender
a selação cujo futebol-arte fora brutalmente destruído:

> Então eu vi que a tragédia do subdesenvolvimento não é só a miséria ou a fome, ou as
> criancinhas apodrecendo. Não. Talvez seja um certo comportamento espiritual. O sujeito é
> roubado, ofendido, humilhado e não se reconhece nem o direito de ser vítima (127).

O complexo de inferioridade volta a dominar o país, que acreditava ter provado, pelo
menos no futebol, que era mais do que igual ao mundo. A imprensa e o público caem no
extremo contrário à euforia desmedida e declaram que o futebol brasileiro não tem qualidade suficiente. Mais uma vez Nelson entretece na sua argumentação polêmica os uni-
versos do futebol, da política global e do Rio de Janeiro:

> Estávamos esquecidos, sim, estávamos desmemoriados do nosso subdesenvolvimento.
> E, súbito, vem a frustração hedionda do tri. Ontem mesmo, eu vim para a cidade, no ônibus,
> com um confrade. Súbito, constato o seguinte: – o colega babava na gravata. E o pior é que
> não havia, ali, à mão, um guardanapo. Eu ia adverti-lo, quando descobri que todos, no coleti-
> vo, faziam o mesmo. Percebi tudo: – perdida a Copa, deu no povo essa efervescente sali-
> vação. Repito: – pende do nosso lábio a baba elástica e bovina do subdesenvolvimento. E o
> Otto Lara Resende bate o telefone para mim. Antes do bom-dia, disse-me ele: – "Voltamos a
> ser vira-latas!" (Rodrigues 1994: 122).

Em 1970, Pelé – já mais "deus" do que "rei" – lidera a *seleção* no México para o tri-
campeonato – o primeiro da história –, que irreversivelmente conquista os corações e a
admiração dos torcedores no mundo inteiro. Mas antes do torneio o público e a imprensa
no Brasil previam outro fracasso e despediram-se da *seleção* com vaias. Só Nelson sem-

---

6   Acerca do significado da "malandragem", partindo da evolução sociocultural do Rio de Janeiro enquan-
     to capital do Império Português no início do século XIX, cf. o ensaio clássico de Antonio Candido (2004)
     sobre o romance *Um sargento de milícias* (1852) de Mauel Antônio de Almeida.

pre acreditou nas qualidade do *escrete*, e a partir da semi-final volta para o centro dos seus textos a dimensão do futebol que eleva e transcende o homem e a nação. Ainda antes do jogo, justamente contra o Uruguai, ele faz um balanço do caminho rumo ao tri-campeonato, refletindo sobre o significado desse triunfo. O povo, confiante de novo nas vitórias da *seleção*, reconciliado consigo mesmo, volta a gostar de ser brasileiro. E àqueles que reduzem o futebol a mero esporte, Nelson responde:

> Meu Deus, não sejamos cegos. O escrete tem outras dimensões vitais decisivas. Por exemplo: – o gol contra a Inglaterra. Um lance perfeito, irretocável. Tostão driblou três ingle-ses, Pelé enganou mais três e Jairzinho liquidou o sétimo inglês. E naquele instante Tostão driblava por nós, Pelé enganava por nós, Jairzinho marcava por nós. Portanto, e aqui vai o óbvio: – o escrete realiza o brasileiro e o compensa de velhas humilhações jamais cicatriza-das (Rodrigues 1994. 151).

O Brasil vence na semifinal por 3 x 1, uma vitória histórica contra o fantasma de 1950. Agora Nelson vê o Brasil já como campeão indiscutido, a final contra a Itália nem precisaria ser disputada tendo em vista a dominação humilhante do futebol brasileiro. Aprendeu-se a lição de 1966, mas – adverte Nelson – não como queriam os "entendi-dos", europeizando o futebol brasileiro, mas pura e simplesmente aperfeiçoando as suas qualidades:

> Os *entendidos* viviam atribuindo aos jogadores europeus uma saúde de vaca premiada. Os brasileiros não subiam três degraus de uma escada sem dispnéia pré-agônica. E vem a Copa e demostra, inversamente, que a saúde, a resistência, a vitalidade, estão com a gente. E a famosa e burríssima velocidade? Só os europeus sabiam correr, e o brasileiro levava meia hora para ir de uma esquina a outra esquina. Mentira, tudo mentira. Nós corremos muito mais. Apenas a nossa velocidade é mais inteligente e menos obtusa. Mas eu queria um favor dos *entendidos*, ou seja: – que admitissem a forma física dos nossos jogadores. E lançassem um manifesto, proclamando: – "As vacas premiadas somos nós!" (156-157).

Nelson acertou, mais uma vez. A dominação brasileira se mostrou de forma impres-sionante na final contra a Itália. A vitória por 4 x 1 até hoje é considerada uma das maio-res e mais soberanas finais na história das copas do mundo. "Amigos, foi a mais bela vitória do futebol mundial em todos os tempos. Desta vez, não há desculpa, não há dúvi-da, não há sofisma. Desde o Paraíso, jamais houve um futebol como o nosso" (Rodrigues 1999: 191).

5. Futebol e literatura se complementam

Futebol e literatura, futebol e ciências sociais têm hoje no Brasil uma ligação estrei-ta, de inspiração mútua, e que em conjunto com outros elementos da cultura brasileira (como o carnaval, o sincretismo religioso, a mídia de massas e a cultura popular) abre um vasto campo de fenômenos e reflexão.

Hélio Sussekind explica a significância fundamental que a interrelação entre futebol e literatura/jornalismo tem até hoje e para a qual Nelson Rodrigues contribuiu de forma decisiva. Com as suas crônicas outorgou ao futebol uma dimensão metafísica e irradiação mítica que garantem que cada jogo e cada campeonato mantenha uma vitalidade e efeitos para além de si. Hoje faltaria ao futebol exatamente esta aura mítica e irracional porque comentaristas e "entendidos" inflacionários sofrem da falta de imaginação e coragem de serem subjetivos e exagerados – o que certamente se estende à representação do futebol na mídia em geral (Sussekind 1996: 83). Nos anos 60, Nelson Rodrigues lamentou a morte de Mário Filho, melhor comentarista do futebol brasileiro. Hélio Sussekind comenta:

> Mas ainda havia um Nelson Rodrigues então. Nelson jamais teria o rigor e a preocupação com a pesquisa e a veracidade histórica de Mário Filho. Mas produziria o que de mais extraordinário se imaginou escrever sobre futebol. Só ele era capaz de, em plena década de 70, voltar a um Fla-Flu de 1919 e dedicar toda uma crônica a algo que acontecera há 56 anos. Era como, a seu modo, mantinha presente a face épica do futebol. Isso sem estar preocupado com a exatidão, mas com uma certa interpretação filosófica de fatos que começavam no futebol para se transformar em considerações sobre a alma nacional ou sobre o ser humano. Nelson conseguiu a proeza de fundar uma metafísica do futebol que se encerrou com a sua morte (84).

É decisiva a ligação inseparável entre o futebol como esporte e o futebol como narração. Porque o futebol constitui uma história que precisa ser contada:

> Mas o fato é que comparecer aos campos de futebol foi sempre o veículo de transmissão das experiências acumuladas. A história oral do futebol e a rememoração dos grandes jogos e ídolos se faz no trajeto de casa para o campo e nos momentos que antecedem as partidas, já no estádio. É esta forma de transmissão via narrativa oral que está ameaçada.
> O risco está no fato de que o futebol é uma história que precisa ser narrada e renarrada todo o tempo. Já se viu que esta narração obedece a um sentido épico e a outro romanesco (84).

O esporte vive no presente e no futuro só quando o seu passado é atualizado e relembrado, em infinitas repetições e variações, em analogia exata às técnicas narrativas de Nelson Rodrigues nos diferentes gêneros textuais por ele cultivados e com o recurso dos exageros e das elevações só aparentemente desmesurados dos fatos e acontecimentos:

> Amigos, o gostoso, na irradiação de futebol, é a fantasia delirante. O confrade do microfone está sempre descrevendo um lance que não houve. Ou por outra: – ele apanha um fato e o retoca, transfigura e, numa palavra, enfeita o fato como um índio de carnaval. Cada jogo tem três versões sem a menor semelhança entre si: – a do rádio; a do videoteipe e a do torcedor. [...]
> Para meu gosto, a imagem mais fidedigna dos jogos vem, justamente, do rádio. Alguém dirá que os locutores são meio delirantes. Mas aí que está: – é pelo delírio que se chega à essência de tudo. Com uma imaginação de Tartarin, o speaker faz de um simples e reles arremesso lateral um ato de vertiginosa transcendência. O jogador que o cobra vira um rei, ou um príncipe, ou um saltimbanco shakespeariano (Rodrigues 1996: 26).

O verdadeiro significado de um jogo surge fora do campo, é preciso imaginar e exagerar, narrar e ornamentar os acontecimentos. Por esse caminho a paixão pelo futebol, tão presente e constitutiva na vida e obra de Nelson Rodrigues, pode ser utilizada para se aproximar não só da alma do jogo como é cultivado no Brasil, mas também das lógicas e relações internas que caracterizam a realidade social e cultural desse país. Lembrando a analogia entre futebol e teatro em Nelson Rodrigues, estabelecida por Flora Sussekind, que menciona como pontos em comum a regulamentação temporal e contextual de ambas formas de jogo, pode-se combinar esta leitura futebolística da obra rodrigueana com as reflexões de Roberto DaMatta que através de uma análise do futebol dentro do seu contexto social – como "duas caras da mesma moeda" (DaMatta 1982: 23) – chega a um conhecimento sobre a própria sociedade brasileira (21). E seguramente não é por acaso que o sociólogo que tenciona "ler" o jogo tenha antes estudado as relações entre o carnaval e a sociedade no Brasil. A proximidade íntima entre carnaval e futebol na cultura brasileira ficou visível, por exemplo, quando em 1934 Mário Filho, então redator-chefe do jornal *Mundo Esportivo*, transferiu o princípio do campeonato para a mesma época do carnaval carioca, que desta forma se tornou um dos eventos culturais mais conhecidos do mundo. Assim, Mário Filho promoveu uma espécie de carnavalização do futebol, com competições informais entre as torcidas, que deviam se superar em imaginação criativa com fantasias, música e coreografias (Bellos 2003: 124).

Interessante ainda que o sociólogo DaMatta retome o conceito do "drama" para descrever o elemento que possibilita a análise simultânea de futebol e sociedade: "Estudando o **futebol** e o esporte como um drama, pretendo analisar essas atividades como modos privilegiados através dos quais a sociedade se deixa perceber ou 'ler' por seus membros" (DaMatta 1982: 21). Chama a atenção igualmente o uso do verbo "ler" – e DaMatta desenvolve todo um método sociológico de "leitura do sistema social brasileiro através do futebol" (21) que aproxima a sua visão daquela do crítico literário, que através da leitura do texto encaminha a sua leitura da realidade social. Neste respeito, o entrelaçamento de futebol e sociedade é elucidante, pois DaMatta enxerga justamente no futebol e na sua percepção social no Brasil uma analogia com o drama biográfico e individual tanto das pessoas, quanto dos times e jogadores por elas acompanhadas:

> [O] jogo de futebol demarca com nitidez uma interação complexa entre as regras universais (as regras do jogo) e vontades individuais (das equipes e jogadores, em confronto). O resultado disso, como vitória ou derrota, é uma boa metáfora para o jogo como destino e biografia, tema básico da própria sociedade brasileira (31).

Através desta ligação semiótica Nelson Rodrigues consegue que o grito vascaíno desesperado de Tuninho na cena final de *A falecida* expresse o drama existencial do marido traído e viúvo de luto, que um passe ou drible ou gol mude a história, que problemas e conflitos fundamentais da realidade brasileira sejam representados, transformados, solucionados pelas vitórias e derrotas do Fluminense ou da *seleção*:

Em 1965, uma depressão profunda se apoderou de todo o Brasil. Qual foi o motivo?, pergunta-se Nelson. Não foi a inflação, mas a ausência de Garrincha da *seleção* depois do bicampeonato em 1962: "O Brasil andava triste porque nos faltava Garrincha. Como pode o brasileiro rir, ou sorrir, sem o Mané?" (Rodrigues 1994: 97). Ele volta para o *escrete* num amistoso contra a Bélgica que o Brasil vence por 5 x 0. Não é a simples volta de um simples jogador, é Lázaro ressuscitado dos mortos que entra em campo para alegrar toda a nação: "No momento em que ele e Pelé fizeram, num canto do Maracanã, um olé solitário, solitário e perfeito como um canto de cisne, até a inflação bateu palmas. E todo esse povo sentiu-se quase onipotente" (97).

Bibliografia

Adler Perreira, Vítor Hugo (1995): "Nelson Rodrigues: Dramático cronista". Em: Beatriz Rezende (ed.): *Cronistas do Rio*. Rio de Janeiro: José Olympio/CCBB, pp. 131-149.
— (1999): *Nelson Rodrigues e a obs-cena contemporânea*. Rio de Janeiro: EdUERJ.
Bellos, Alex (2003): *Futebol. The Brazilian Way of Life*. London: Bloomsbury Publishing.
Caldas, Waldemyr (1997): "Brasilien". Em: Eisenberg, Christiane (ed.): *Fußball, soccer, calcio. Ein englischer Sport auf seinem Weg um die Welt*. München: dtv, pp. 171-184.
Candido, Antonio (2004): "Dialética da malandragem". Em: Candido, Antonio: *O discurso e a cidade*, 3.ª edição. São Paulo/Rio de Janeiro: Duas Cidades/Ouro sobre Azul, pp. 17-46.
Castro, Ruy (1992): *O anjo pornográfico. A vida de Nelson Rodrigues*. São Paulo: Companhia das Letras.
— (2002): *A estrela solitária. Um brasileiro chamado Garrincha*, 9.ª reimpressão. São Paulo: Companhia das Letras
DaMatta, Roberto (1982): "Esporte e sociedade: um ensaio sobre o futebol brasileiro". Em: DaMatta, Roberto et al.: *Universo do futebol. Esporte e Sociedade Brasileira*. Roberto daMatta, Luiz Felipe Baêta Neves Flores, Simoni Lahud Guedes, Arno Vogel. Com uma introdução de Roberot DaMatta. Rio de Janeiro: Edições Pinakotheke, pp. 19-42.
Eisenberg, Christiane (1997a) (ed.): *Fußball, soccer, calcio. Ein englischer Sport auf seinem Weg um die Welt*. München: DTV.
— (1997b): "Einleitung". Em: Eisenberg, Christiane (ed.): *Fußball, soccer, calcio. Ein englischer Sport auf seinem Weg um die Welt*. München: dtv, pp. 7-21.
Facina, Adriana (2004): *Santos e canalhas. Uma análise antropológica da obra de Nelson Rodrigues*. Rio de Janeiro: Civilização Brasileira.
Filho, Mário (1964): *O negro no futebol brasileiro. Segunda edição, apliada em forma definitiva*. Rio de Janeiro: Editora Civilização Brasileira.
Freyre, Gilberto (1964): "Prefácio". Em: Filho, Mário: *O negro no futebol brasileiro*. Segunda edição, apliada em forma definitiva. Rio de Janeiro: Editora Civilização Brasileira 1964, pp. IX-XII.
Miranda Pereira, Leonardo Affonso de (2000): *Footballmania. Uma história social do futebol no Rio de Janeiro, 1902-1938*. Rio de Janeiro: Nova Fronteira.
Moraes Neto, Geneton (2000): *Dossiê 50. Os onze jogadores revelam os segredos da maior tragédia do futebol brasileiro*. São Paulo: Perspectiva.
Nogueira, Armando/Soares, Jô/Muylaert, Roberto (1994): *A copa que ninguém viu e a que não queremos lembrar*. São Paulo: Companhia das Letras.
Perdigão, Paulo (2000): *Anatomia de uma derrota*. Rio de Janeiro: L&PM Editores.
Prado, Paulo (2002): "Retrato do Brasil". Em: Santiago, Silviano (ed.): *Intérpretes do Brasil*, vol. 2. Rio de Janeiro: Nova Aguilar, pp. 29-104.
Rodrigues, Nelson (1991): *O reacionário. Memórias e confissões*. Seleção de Ruy Castro. São Paulo: Companhia das Letras.
— (1993): "A falecida. Tragédia carioca em três atos". Em: Rodrigues, Nelson: *Teatro completo*. Rio de Janeiro: Nova Aguilar, pp. 731-779.
— (1994): *A pátria em chuteiras*. São Paulo: Companhia das Letras.
— (1995): *A cabra vadia. Novas confissões*. São Paulo: Companhia das Letras.
— (1996): *O remador de Ben-Hur. Confissões culturais*. Seleção e organização Ruy Castro. São Paulo: Companhia das Letras.
— (1999): *À sombra das chuteiras imortais. Crônicas de futebol*. São Paulo: Companhia das Letras.
— (2002): *O profeta tricolor. Cem anos de Fluminense*. São Paulo: Companhia das Letras.
— (2006): *Goooooool! Brasilianer zu sein ist das Größte*. Tradução de Henry Thorau. Frankfurt/Main: Suhrkamp.

Saraiva Feijó, César (2002): *Balançando o véu da noiva. A dramática linguagem figurada do futebol*. Rio de Janeiro: Sociedade de Língua e Literatura.

Sussekind, Flora (1977): *Nelson Rodrigues e o fundo falso*. I Concurso Nacional de Monografias do Serviço Nacional de Teatro – 1976. Brasília: MEC.

Sussekind, Hélio (1996): *Futebol em dois tempos. Incluindo uma breve história do futebol carioca e uma ficção: crônica póstuma inédita de Nelson Rodrigues*. Rio de Janeiro: Relume Dumará.

Foro de debate

José Manuel López de Abiada

"Claramonte hace un teatro de gran impacto popular": Alfredo Rodríguez López-Vázquez zanja la añeja controversia sobre la autoría del *Burlador de Sevilla*

Acaba de aparecer (julio de 2007) la decimoquinta edición de *El burlador de Sevilla* al cuidado de Alfredo Rodríguez López-Vázquez. Se trata de una edición aumentada, con añadidos y cambios textuales reveladores sobre el mito europeo del Don Juan: un mito constantemente reactualizado que ocupa, hoy como ayer, un lugar decisivo en el siglo XXI, a despecho de quienes consideran que se trata de un mito muerto.

José Manuel López de Abiada (J. M. L.): Cuando propusiste la atribución a Andrés de Claramonte de la primera versión del mito de Don Juan, es decir, del *Burlador de Sevilla*, hubo una mezcla de expectación y de incredulidad, porque se consideraba segura la autoría de Tirso.

Alfredo Rodríguez López-Vázquez (A. R. L.): Sí, se consideraba segura hasta el punto en que los manuales de historia de la literatura ni siquiera informaban de las dudas sobre la atribución. Las dudas se aceptaban más bien en el caso de *El condenado por desconfiado*. En realidad yo mismo, siendo ya profesor en la Universidad de Rennes, me quedé muy sorprendido al leer la tesis de Serge Maurel, *L'univers dramatique dans l'œuvre de Tirso de Molina*, una tesis, por cierto, excelente, y observar que él mismo apuntaba que era un poco sorprendente que en el caso de Tirso se estaba apuntalando la atribución a

una obra dudosa, como *El burlador*, con argumentos para reforzar la de otra obra aún más dudosa, como *El condenado*. De los últimos capítulos de esa tesis se saca la impresión –al menos es la que yo saqué– de que ambas atribuciones carecen de apoyo documental, y que se adjudican a Tirso porque los otros candidatos son menos sólidos.

J. M. L.: Los otros candidatos, y en el caso de *El condenado*, sin duda hablas de Mira de Amescua. Pero ¿en el caso del *Burlador*?

A. R. L.: En el caso del *Burlador* "los otros candidatos" viene siendo Lope de Vega, como apuntó sin rebozo Menéndez y Pelayo. Don Marcelino, en sus exhaustivas consideraciones sobre obras de atribución discutida a Lope de Vega, apuntó que *El rey Don Pedro en Madrid* y *Dineros son calidad*, "tienen que ser de Lope" porque son comedias excelentes, y añadió que tienen muchos puntos de contacto con *El burlador de Sevilla*, que –siempre según don Marcelino– cualquiera diría que por el estilo es "de Lope, de las escritas más aprisa".

J. M. L.: El caso es que nadie se atrevió a argumentar claramente a favor de Lope para oponerlo a Tirso.

A. R. L.: En algún momento llegué a pensarlo, pero más como una necesidad teórica que como una convicción sobre la autoría. Digo una necesidad teórica para hacer ver que en cuanto a argumentación sobre pruebas objetivas, era más probable que la obra fuera de Lope que de Tirso. Digamos plantearlo como una fase intermedia y necesaria en el proceso de investigación. En todo caso, como me parecía que si el autor no era ni Tirso ni Lope, debía de ser alguien conocido, pero no de la media docena de nombres habituales, porque si fuera alguno de éstos ya se habría propuesto como alternativa. De nuevo el único de los habituales que aparecía era Mira de Amescua en lo que atañe al *Condenado*.

J. M. L.: Si se te hubiera ocurrido investigar a Mira de Amescua directamente, ¿en dónde crees que estarías ahora?

A. R. L.: Probablemente en que se habría conseguido reforzar su autoría para *El condenado*, añadiendo nuevos argumentos de tipo estadístico y estilístico, pero sin poder aportar ningún documento fiable, sino multiplicar la red de conjeturas. O sea, repitiendo uno de los problemas habituales que han llevado al callejón sin salida de las atribuciones a Tirso: sustituir la falta de documentación por argumentaciones ideológicas indirectas. Con la ventaja, al menos, de que con Mira de Amescua no es necesario utilizar los argumentos teológicos para insistir en atribuirle la obra.

J. M. L.: Sin embargo, Mira de Amescua también era clérigo. ¿Hay o no hay algo de teología en *El condenado* y en *El burlador*?

A. R. L.: Yo creo que Francisco Rico lo expresó muy bien en su prólogo a la edición de Carmen Romero del *Burlador* y del *Tenorio* de Zorrilla: aquí no hay más teología que la del Catecismo. Son comedias de efectos especiales y de acción, y la gente se va al cielo o al infierno porque después de Trento había cierta costumbre.

J. M. L.: Sin embargo, dentro de los tópicos transmitidos por la tradición, el desenlace de ambas obras parece que plantea problemas morales y de fe. Siempre se ha hablado de que la disputa sobre predestinación y libre albedrío tiene que ver con el argumento del *Condenado* y el problema del arrepentimiento último con el del *Burlador*.

A. R. L.: Y con tantas otras obras típicas de la época. Mucho más interesante que *El condenado* me parece a mí *La ninfa del cielo*, quizá porque además está mejor escrita. Y, por cierto, se parece más a la base estructural de *El burlador*.

J. M. L.: Pero *La ninfa del cielo* ¿no es precisamente una comedia de santos de Tirso? ¿Eso no refuerza otra vez a Tirso?

A. R. L.: Es que no hay absolutamente ninguna prueba documental que relacione esta obra con Tirso de Molina. Hasta el siglo XX nadie había sostenido que fuera de Tirso, porque ni está en ninguno de los cinco volúmenes que publicó, ni en *Los cigarrales de Toledo*, ni en *sueltas*, ni en ninguna parte se menciona.

J. M. L.: Entonces ¿por qué aparece en las *Historias* del teatro como de Tirso?

A. R. L.: Porque don Armando Cotarelo la incluyó en su edición, advirtiendo que "tal vez" era de Tirso. Doña Blanca de los Ríos copió el texto editado por Cotarelo, insistiendo en que se parecía mucho al *Burlador*, y por lo tanto tenía que ser de Tirso. Y en los años sesenta, doña Pilar Palomo copió la edición de doña Blanca, incluyendo los curiosos, y a veces divertidos y disparatados errores ecdóticos cometidos por Cotarelo, y afirmó sin ambages que era de Tirso, sin explicar que no hay pruebas documentales para sostenerlo.

J. M. L.: En tu edición "alemana" de *Tan largo me lo fiáis* (Kassel: Reichenberger 1990), aunque atribuyes la obra a Claramonte, dejabas abierta la posibilidad de algún otro autor.

A. R. L.: Sí. De hecho nombro expresamente a Vélez de Guevara, porque creo que es el único autor realmente alternativo a Claramonte. Para *La ninfa del cielo* hay argumentos de cierto peso a favor de Vélez, además del hecho general de que Vélez tenía mucha fama como autor de comedias de santos, y que el propio Claramonte lo pone al mismo nivel de elogios que a Lope, precisando, en una fecha como 1610, que ha escrito muchas comedias y se esperan muchas más. Vélez era criado del conde de Saldaña, el segundo hijo del duque de Lerma, y asistía, junto con Claramonte, a la Academia fundada por Saldaña.

J. M. L.: Entonces, ¿es factible que sea Vélez el autor de estas obras?

A. R. L.: Yo hablo de probabilidades. El autor menos probable es Tirso, en función de la distancia que existe entre las obras que sabemos con seguridad que son suyas y las cuatro (*El burlador*, *El condenado*, *La ninfa* y *El rey Don Pedro en Madrid*) que se le atribuyen en cascada, y apoyándose unas dudosas en otras más dudosas. Las características de estilo de estas cuatro coinciden en muy alto grado con el estilo de las obras seguras de Claramonte. Si Claramonte no hubiera escrito comedias, el autor más próximo al estilo de estas obras es Vélez; y si le diéramos validez al argumento (o deseo) tirsiano de que Claramonte no tenía suficiente talento para escribirlas, "porque era un actor y director de compañía", y por lo tanto las obras que representaba no eran suyas, entonces el candidato mejor situado es Vélez.

J. M. L.: Tú no te crees mucho eso de que por ser actor y director de compañía no podía ser autor de sus propias obras.

A. R. L.: Supongo que Molière, Shakespeare, Plauto, Goldoni, Lope de Rueda o más recientemente Ustinov o Fernán Gómez tampoco harían mucho caso a ese tipo de argumentos.

J. M. L.: Ahora mismo sí hay ya alguna documentación.

A. R. L.: En efecto. En 2005 Ángel García Gómez presentó en el congreso de la AISO en Londres un contrato de agosto de 1617 en donde aparece la obra *Tan largo me lo fiáis* en el repertorio del empresario Jerónimo Sánchez, estante en Écija y en Córdoba. Esto parece dejar clara la prioridad cronológica del *Tan largo* frente al *Burlador*. Cronológica y textual. Y deja en mal lugar a quienes, empezando por Don Marcelino, y siguien-

do por Cotarelo, abominaron del texto del *Tan largo me lo fiáis*, sosteniendo que era una burda adaptación del *Burlador*. Por cierto, señalan como responsable de esa "burda adaptación" a Claramonte, afincado en Sevilla y sin duda autor del largo elogio a Sevilla en el segundo acto. En realidad ahí sí parece que acertaron.

J. M. L.: ¿Alguna otra novedad documental?

A. R. L.: Sí. En el mismo contrato de 1617 aparecen, junto al *Tan largo*, dos obras conocidas de Claramonte, *El secreto en la mujer* y *El mayor rey de los reyes*. A cambio no hay ninguna obra de Tirso, que en esa fecha llevaba ya más de un año en la isla de Santo Domingo, dedicado a tareas de cronista de la Orden de la Merced. Jerónimo Sánchez dispone también en su repertorio de dos obras de Lope, *El sembrar en buena tierra* y *Más valéis vos Antona, que la corte toda*, y otras dos de Guillén de Castro. Y para completar este estupendo descubrimiento, en ese repertorio está también otra obra de la que hemos hablado antes: *La ninfa del cielo*.

J. M. L.: Eso plantea, si no me equivoco, otro problema distinto. ¿Dónde está la diferencia entre las comedias de santos y las comedias teológicas? Parece que una comedia de santos es una comedia hagiográfica, mientras que una comedia teológica debe tener un contenido que aluda a cuestiones de teología, sin necesidad de que haya un santo de por medio.

A. R. L.: Eso parece. Pero si la cuestión del libre albedrío es un problema teológico –y parece que desde San Agustín hasta Martín Lutero tiene vocación de serlo– entonces no sólo *El condenado por desconfiado*, sino también *La vida es sueño* son comedias teológicas. Y ninguna de las dos tratan de la vida de un santo. Yo creo que la diferencia es que una comedia de santos trata acerca de una vida ejemplar, sancionada por la Santa Madre Iglesia como ejemplar. Y una comedia, cualquier comedia, drama o tragedia que desarrolle un tema de los que la teología suele tratar, puede ser considerada como "comedia de interés teológico". Pero eso es un problema de los teólogos, no un problema de los críticos literarios. Lo que no me parece sensato es proponer como argumento de atribución de autoría que una comedia teológica tiene que haber sido escrita por un maestro en Teología. Que es el argumento que se ha propuesto para reforzar la atribución a Tirso. Una argumentación teológica es un tipo de argumentación ideológica restringida, en el sentido en que la validez sobre la que se apoya es indemostrable. Pero además es incongruente en cuanto al corpus. *El rufián dichoso* está considerada por algunos teólogos como una comedia teológica. Y sabemos que la escribió Cervantes, que no presumía de experto en "teulojías". Así que *El condenado por desconfiado* puede perfectamente haber sido escrita por Vélez de Guevara, Claramonte, o, vete tú a saber, Cervantes mismo.

J. M. L.: Supongo que esto último es una broma.

A. R. L.: En efecto, lo es. Pero también es una broma la forma en que se ha propuesto la atribución de esta obra a Tirso. Otra cosa es si se quiere plantear de otra manera, sobre bases objetivas y críticas, no ideológicas.

J. M. L.: Si tus propuestas, ahora apoyadas documentalmente, son correctas, el lugar que ahora mismo se le concede a Tirso pasaría a ser ocupado por Claramonte. ¿Es eso?

A. R. L.: Más bien, lo que se sostiene sobre Tirso como verdad de fe, tiene que pasar a ser propuesto como hipótesis discutible, y tiene que presentarse como realmente es, una hipótesis basada en conjeturas *ad hoc*, y completada con prejuicios sobre otras atribuciones. O sea, una hipó-

tesis muy endeble. La autoría alternativa de Claramonte y, también, la de Vélez de Guevara son bastante más consistentes. A Vélez se le está reivindicando mucho y creo que con muy buenos argumentos. Yo apuntaría a que si la media docena de obras en disputa de autoría pertenecen a esos dos autores, o a uno de ellos, cosa que, por cierto, concuerda con las teorías consistentes en la materia, este autor, o estos autores, pasan a ser el puente natural en la evolución que va de Lope a Calderón, que es una evolución esencial en el plano estético.

J. M. L.: ¿Qué quieres decir con "teorías consistentes en la materia"?

A. R. L.: La teoría sobre usos métricos y evolución formal, que, desde los primeros trabajos de Bruerton y Morley, va a cumplir casi un siglo de antigüedad y solvencia. Documentalmente, tras la propuesta del corpus básico sobre Lope, la teoría ha sido confirmada en porcentajes superiores al 95 por ciento. Es mucho más fiable que las argumentaciones teológicas. Por cierto, el cartapacio de Jerónimo Sánchez vuelve a confirmarla en lo que atañe a *Más valéis vos Antona*, que por un lado era de atribución dudosa a Lope y, por otro, según Bruerton y Morley, si fuera de Lope debería corresponder al período 1615-1618. En efecto, en 1617 se está representando, junto a otra de Lope cuyo manuscrito es de 1616. Otra teoría que me parece fiable, es el modelo de aplicación de estadística léxica propuesto por R. Pring-Mill, y que he usado para Calderón, pero también para los problemas de atribución de obras. Pero también Matoré ha usado estadística léxica para el teatro francés. Si a estos índices objetivos, métricos y léxicos, se le añaden propuestas estilísticas menos subjetivas que las clásicas de Spitzer, creo que disponemos de un marco teórico muy fiable. Cuando hice mi edición de *Tan largo me lo fiáis* sostuve tres puntos, a partir de este marco teórico: la atribución probable a Claramonte (sin descartar a Vélez), la prioridad respecto al *Burlador* y una fecha no muy alejada de 1615. En el artículo "Claramonte" del *Dictionnaire de Don Juan*, dirigido por Pierre Brunel, propuse exactamente 1617. En ese mismo diccionario, el autor de la entrada "Tirso" proponía la prioridad del texto *El burlador* frente al *Tan largo* y sosteniendo la fecha de 1619. El documento del Archivo Histórico Provincial de Córdoba deja claro cuál de las dos propuestas estaba bien fundamentada.

J. M. L.: Hablas constantemente de propuestas, teorías, hipótesis y conjeturas...

A. R. L.: Es que el trabajo crítico tiene que cumplir ciertas normas y protocolos de investigación que se han venido pasando do por alto en el caso de las atribuciones dudosas presentadas como obras seguras de Tirso. La primera norma es no utilizar conjeturas *ad hoc* como si fueran argumentos del mismo nivel que la documentación de archivo. La segunda, que se conoce desde Bacon, es no usar argumentos *ad hominem*, sino limitarse al cotejo de evidencias objetivas. La primera se ha estado usando a favor de Tirso y la segunda en contra de Claramonte. La tercera norma, que los científicos experimentales practican desde hace muchos siglos, pero que los estudiosos de la literatura no suelen asumir, es la comprobación de la hipótesis contraria a la que se está sosteniendo. Y la cuarta, que los críticos literarios sí suelen utilizar, pero que ha sido omitida sistemáticamente por los defensores de la autoría de Tirso, es la verificación de fuentes. El caso de *La ninfa del cielo* es ejemplar para ello, pero también el de *El rey don Pedro en Madrid*. Cotarelo en el primer caso y Hartzenbusch en el segundo son ejemplos típicos de fuentes de atribución tardías que no se apoyan en docu-

mentación, ni en modelos teóricos, sino en juicios ideológicos.

J. M. L.: ¿Cuál es tu opinión sobre el teatro de Tirso, quiero decir, el teatro que sabemos que sí es de Tirso con seguridad?

A. R. L.: Pues creo que mi opinión es más cercana a la que el propio Tirso tenía de sí mismo que la que tienen algunos tirsistas actuales. Creo que, pese al fracaso del estreno de *Don Gil de las calzas verdes*, es una comedia de enredo de muy alto nivel estético, comparable a las mejores de Lope o Calderón. Creo que *Palabras y plumas*, sobre la que he escrito bastante, y que el propio Tirso puso como obra inicial de su primer volumen, es, en efecto, la mejor de ese volumen escogido. Y creo que *La villana de la Sagra*, cuya redacción temprana he defendido en un artículo en donde la cotejo con dos docenas de obras seguras de Tirso, es también una estupenda comedia. Creo que muy cercanas en valor pueden colocarse *La prudencia en la mujer* y *El vergonzoso en palacio*. Esto también lo pensaba Bergamín, que de paso apuntaba la enorme diferencia entre el estilo de estas obras y el del autor (anónimo, dice Bergamín) del *Burlador*. Tirso me parece un estupendo autor de comedias de enredo y un muy fino analista de la psicología femenina, cosas, por cierto, que no aparecen en *El burlador* y menos aún en *El condenado por desconfiado*. Concluyendo, el que le hayan atribuido al mercedario esas obras dudosas, ha ido en contra de valorar su obra como es debido. Se le ha valorado por lo que seguramente no ha escrito y se ha presentado una imagen completamente distorsionada, lo que tampoco contribuye a entender las tendencias y la evolución del teatro desde el modelo marcado por Lope (al que Tirso aporta cosas interesantes y atractivas) hasta el modelo calderoniano, en el que Tirso no tiene cabida, pero Claramonte y Vélez sí. Además de Mira de Amescua o Luis de Belmonte.

J. M. L.: ¿En qué sentido?

A. R. L.: En el sentido en que tanto Vélez como Mira y como Belmonte –y no sabemos si también Claramonte, pero parece muy posible– colaboraron con el Calderón joven en la escritura de comedias entre tres autores. Y la forma de construir comedias que tiene ese grupo de autores es la que marca la impronta del teatro calderoniano. Ésos son los dramaturgos de transición, que, formalmente, pueden definirse por usar el romance como forma de base, frente a la redondilla, que define la escuela de Lope. Y en la temática y la estructura creo que también hay diferencias muy notables. Pero ese es un tema muy complejo.

J. M. L.: ¿Cómo definirías la estética dramática de Claramonte, el autor al que más has trabajado?

A. R. L.: Sobre el que más he publicado. Creo que al que más he trabajado ha sido a Calderón. En 1981, en el congreso del tricentenario, creo que ya había publicado media docena de estudios, por lo menos. Mi edición de *El príncipe constante* (1996), con Fernando Cantalapiedra, viene de veinte años de trabajos previos. Y además, a Calderón lo he montado en escena en grupos independientes y universitarios. Hasta he traducido al gallego alguno de sus entremeses y he podido comprobar en directo el estupendo jolgorio que provocaba en el público infantil y juvenil. Pero tenía que hablar de Claramonte, creo. Hace un teatro de enorme impacto popular, muy apegado al espectador, con efectos de escena muy impactantes y creación de personajes muy atractivos. Es un poco como en el siglo XX han sido cineastas del tipo Hitchcock, Spielberg o Clint Eastwood. Tirso, en cambio, es un poco como Dreyer, Renoir o Bergman. Son estilos muy diferentes. Obviamente Claramonte, al ser actor y empresario, podía seguir muy de cerca el impacto

de la obra en el público e ir modificando sus composiciones hasta ajustarlas a las expectativas de los corrales de comedias. Desde el inicial *Tan largo me lo fiáis* hasta *El convidado de piedra*, que es como se llama la obra en los últimos versos, antes de que un editor fraudulento le cambie el título y el nombre del autor, los cambios son explicables, sobre todo, por evolución en la escena. Los cambios de estructura, no los que sabemos que se produjeron por la accidentada transmisión textual de la compañía de Roque de Figueroa, diez años después de su estreno.

J. M. L.: La relación entre Claramonte y Calderón ya había sido apuntada anteriormente.

A. R. L.: Claro. La tesis doctoral de Sturgis E. Leavitt en donde se proponía a Claramonte como autor de *La estrella de Sevilla*, frente a la atribución clásica a Lope, ya señalaba que Calderón era el autor más cercano en estilo a Claramonte. Y Leavitt hace entrar en su corpus más de doscientas obras del Siglo de Oro. Pero también Cruickshank, al hacer su edición del texto calderoniano de *El médico de su honra*, apunta que seguramente la influencia de *Deste agua no beberé* en la obra calderoniana va más allá de la repetición de los nombres, Mencía y Gutierre, de los protagonistas. Una de las razones que me han llevado a editar conjuntamente *Tan largo me lo fiáis* y *Deste agua no beberé*, es facilitar o difundir un texto que es importante para fijar las influencias en el Calderón joven, tanto como para reforzar la autoría del primer Don Juan.

J. M. L.: Hablando de Calderón, el asunto de las comedias en colaboración no ha sido demasiado estudiado.

A. R. L.: Ha sido estudiado, pero, en efecto, no demasiado. El trabajo clásico de Sloman, *The Dramatic Craftmanship*, que cumple ahora cincuenta años, fija una serie de puntos muy interesantes. Yo lo utilicé en su momento para sostener que el tercer acto de *La venganza de Tamar* es obra de Calderón, que luego lo retoma como segundo acto de *Los cabellos de Absalón*. Pensaba entonces que la atribución de los dos primeros actos a Tirso era fiable, frente a la alternativa de Godínez, a quien se le atribuye la obra en una *suelta* sevillana de Leefdael y sostuve que era colaboración entre Tirso y Calderón. Pero luego comprobé que no hay nada solvente que relacione la obra con Tirso, y que, en cambio, sí hay al menos un documento que relaciona *La venganza de Tamar* con Claramonte: el repertorio de Juan Jerónimo Almella en 1628. La hipótesis de un texto de colaboración entre Claramonte, Godínez o Vélez de Guevara, y Calderón para el tercer acto me parece mucho más sólida que cualquier otra. Esto hace entrar el tema de las obras en colaboración típicas del decenio 1620-1630 en el panorama general de las atribuciones dudosas. Y hay que tener en cuenta que aquí van a entrar obras en las que Tirso no está implicado, pero sí autores como Rojas Zorrilla. *Del rey abajo ninguno* está editada tanto a nombre de Rojas Zorrilla como de Calderón y ambos colaboraron en obras de tres autores con Vélez, Belmonte, Mira de Amescua, Coello o Montalbán.

J. M. L.: Con todo esto, lo que tenemos es una revisión en profundidad del teatro del Siglo de Oro, con muchos más matices que la división escolar entre Ciclo de Lope y Ciclo de Calderón, con un Tirso de por medio como supuesto creador del mito europeo de Don Juan.

A. R. L.: Eso es lo que pasa. Y creo que esa revisión es muy necesaria, entre otras cosas, para valorar como es debido la obra de Tirso, que anda muy azacaneada desde las incursiones de Cotarelo y Blanca de los Ríos, y el fervor mercedario que desea con entusiasmo atribuir obras de fama, aunque esto vaya en contra de lo que sabemos en materia de investigación.

J. M. L.: Muchas gracias por tus desvelos, y tu magisterio.

Alfredo Rodríguez López-Vázquez es catedrático de Didáctica de Literatura y Pedagogía Teatral en la Universidad de La Coruña. Correo electrónico: ALROLOVA@terra.es.
José Manuel López de Abiada es catedrático de Literatura española e hispanoamericana en la Universidad de Berna. Correo electrónico: jose-manuel.lopez@rom.unibe.ch.

Vicente Palermo y María Lavega

Papeleras: las castañas siguen en el fuego

Introducción

La disputa entre la Argentina y el Uruguay por las "papeleras" comenzó cuando un grupo de vecinos de la ciudad argentina de Gualeguaychú cortó el puente que une esa localidad con la vecina uruguaya de Fray Bentos, bloqueando así una ruta internacional. El argumento de los asambleístas entrerrianos consistió en que las dos plantas celulósicas proyectadas deteriorarían catastróficamente el medio ambiente. La bandera fue asumida por el gobierno argentino y el conflicto, que incluyó una presentación ante la Corte Internacional de Justicia, hizo que una de las empresas, ENCE, anunciara su decisión de relocalizar su planta, mientras que la otra, Botnia, con pleno respaldo del gobierno uruguayo, continúa en construcción. Los bloqueos, cortes de rutas y movilizaciones persisten.

1. En mayo de 2007, el conflicto argentino-uruguayo lleva la impronta de los acontecimientos recientes:

* Delegaciones de Argentina y Uruguay firmaron un documento conjunto en Madrid, fruto de la tarea del "facilitador" español, donde se fijó un temario a trabajar de cuatro puntos: la localización de la planta de la empresa Botnia, los cortes de ruta en Entre Ríos (o sea, las principales cuestiones del diferendo), la aplicación del Estatuto del Río Uruguay (como garantía de los compromisos que eventualmente asuma Uruguay) y la protección ambiental conjunta de dicho río (en respuesta a una oferta uruguaya para crear un sistema de protección ambiental recíproco).

Sin embargo, para algunos sectores políticos y diplomáticos argentinos, la iniciativa de renegociar el Estatuto del Río Uruguay supone "entreguismo" y una actitud abiertamente contradictoria con uno de los elementos centrales de la posición oficial en la controversia: la imputación a Uruguay de violación reiterada del tratado. Al mismo tiempo, el gobierno argentino acusa a Vázquez de mantener una "diplomacia de sordo", al rechazar rotundamente la exigencia argentina de relocalización y al negarse a negociar hasta que no se levanten definitivamente los cortes de ruta. Con todo, se anuncia un "optimismo moderado" y la satisfacción por el retorno de un diálogo que, según prometen las partes, será sincero, prudente y abierto y se extenderá hasta llegar a un acuerdo. Quizás la novedad más significativa, y sólo precariamente prometedora, sea un movimiento convergente, desde la rigidez hacia la ambigüedad, de ambas partes: el gobierno uruguayo se niega a negociar mientras continúen los cortes pero admite dialogar; el gobierno argentino ha emitido señales que podrían ser interpretadas como asumiendo la localización de la pastera de Botnia como hecho consumado (para gran indignación de los vecinalistas). Pero no hay la menor evidencia a favor de que la "facilitación"

española por sí sola pueda desmontar el conflicto.

* Extraoficialmente, existe una hipótesis de solución: desde España apuestan a la posibilidad de conformar una "zona ejemplar de protección ambiental" alrededor de la fábrica de Botnia. Se trataría de una zona, no de soberanía compartida, pero sí de responsabilidad conjunta en la preservación del medio ambiente. No pasa por el momento de una especulación carente de sustento político.

* El "Abrazo al río" organizado por la Asamblea Ambiental de Gualeguaychú convocó el 29-04-2007 a 80.000 personas (según cálculos de la Gendarmería argentina) o 130.000 (según los vecinalistas) que, por tercer año consecutivo, renovaron su rechazo a la instalación de la pastera. Los vecinos mantienen su postura de que la planta sea relocalizada; recién entonces aceptarían levantar los cortes de ruta. La Casa Rosada aspira a que el conflicto social en esta provincia ceda y se depongan los bloqueos, pero se abstiene de cualquier medida coercitiva al respecto.

* La localización de la pastera de Botnia parece, en efecto, irreversible; comenzaría a producir pasta celulosa en septiembre y ello podría suscitar un recrudecimiento del clima de lucha de los asambleístas. De hecho, algunos de ellos ya han amenazando con cruzar la frontera y "derribar la fábrica de Botnia a martillazos".

* En verdad, la escalada de las medidas de fuerza y otras acciones públicas de los vecinalistas entrerrianos ha continuado, así como se ha intensificado el sentimiento nacional defensivo entre los uruguayos.

2. Los principales daños potenciales residen en los peligros de largo plazo: desaprovechamiento definitivo de las ganancias de escala que acarrearía la coo-

peración ambiental, económica y comercial en el sector productivo forestal-papelero; creación de un diferendo político-diplomático crónico que afecte por muchos años las relaciones argentino-uruguayas, así marcadas por la mutua desconfianza; incidencia del conflicto en un eventual proceso de disgregación del Mercosur (poniendo de manifiesto las debilidades y los vacíos institucionales del bloque). Y el peor de todos: que por primera vez un conflicto entre uruguayos y argentinos adquiera encarnadura social y cultural, convertido en una *causa nacional* que intoxique jóvenes generaciones y proporcione alimentos nuevos a los sempiternos nacionalismos.

Pese a nuestro escepticismo, vale la pena imaginar la transformación del conflicto en un escenario óptimo en el corto plazo. El propósito del ejercicio es, precisamente, identificar más claramente las *brechas de viabilidad* que puede presentar una propuesta constructiva y explícitamente comprometida con ciertos valores, como punto de partida realista de una búsqueda de soluciones.

Metodológicamente, la mejor forma de identificar brechas de viabilidad es *imaginar el escenario deseable y analizar hacia atrás los pasos indispensables para llegar al mismo*. Al tratarse de una tarea compleja que involucra muchos actores y muy diversos recursos (entre ellos el tiempo), el análisis *hipotético-retroactivo* es lo más adecuado.

3. Un resultado "óptimo" *no puede expresarse en términos de suma cero*: debe conllevar logros para ambos países. Si, por el contrario, el conflicto evoluciona hacia un esquema de ganador-perdedor absolutos, muchos de los peligros potenciales, quizás todos, se realizarán. Un resultado óptimo podría estar constituido por los siguientes componentes:

* Argentina asume que, a la luz de todas las informaciones serias a la mano, puede confiar en que las plantas de Botnia y ENCE operarán con las mejores tecnologías disponibles en términos medioambientales.

* Argentina y Uruguay asumen conjuntamente que la validez de lo anterior descansa en activos controles sobre la construcción y la operación permanente de las plantas; se institucionaliza un monitoreo conjunto.

* Argentina y Uruguay enderezan una iniciativa conjunta, en el ámbito del Mercosur, para encarar la cuestión de la sostenibilidad productiva y ambiental.

* Ambos gobiernos, invitando al resto de los países del Mercosur *de la región* (Brasil, Paraguay), convocan a los sectores empresariales forestales y papeleros, sea locales, sea extraregionales con disposición inversora, a fijar políticas que permitan el desenvolvimiento de un *cluster* que maximice las ganancias de escala, la innovación tecnológica y la atracción de inversiones, y minimice los efectos ambientales negativos.

* Uruguay, y/o la empresa Botnia, asumen el costo económico de la creación de la "intervención paisajística a gran escala", barrera verde que eliminaría la visibilidad de la planta de Fray Bentos. Debe reconocerse que es justo que los vecinos de Gualeguaychú se preocupen por la estética de la zona.

* Uruguay absorbe los costos económicos y sociales consumados por los ilegales bloqueos de rutas y puentes internacionales del activismo vecinal argentino. Pero Argentina asume explícitamente que Uruguay ha absorbido esos costos.

* Las fuerzas vecinales activas en la provincia de Entre Ríos levantan definitivamente todas las medidas de fuerza. Se discute, asimismo, la creación de instancias de participación de vecinos de ambas

márgenes del Uruguay, en los mecanismos institucionales de control y en las políticas de regulación de las actividades forestales y papeleras en el seno del Mercosur.

* El gobierno argentino retira la demanda en La Haya contra Uruguay por la hipotética violación oriental del Estatuto del Río Uruguay.

4. El "sueño" de ese escenario óptimo sirve para poner de manifiesto cuáles son los obstáculos que se interponen entre él, y el actual y muy deplorable estado de cosas. Y qué podría hacerse para conferirle mayor viabilidad. Para eso, es conveniente examinar en algún detalle la situación y las opciones al alcance de los principales actores involucrados.

Los asambleístas entrerrianos. Están en un auténtico callejón sin salida. Se metieron en él en parte por su propia responsabilidad y en parte por la irresponsabilidad de los gobiernos local, provincial y nacional argentinos, que respaldaron, alentaron y proporcionaron apoyo logístico a la metodología *neopiquetera*. Fueran cuales fueren los intereses, las percepciones, las valoraciones, que inicialmente dispararon el intenso activismo vecinal, éste, con el paso del tiempo, ha cristalizado en términos tan fuertemente identitarios, que los activistas no tienen cómo "retroceder" hacia posiciones más razonables. Cada paso que dan escalando y radicalizando sus acciones los lleva a perder aprobación social; y están sometidos a un inevitable desgaste.

El gobierno nacional argentino. El presidente Kirchner está delate de un escenario electoral de crucial importancia para este mismo año. ¿Porqué arriesgarse tomando iniciativas que irriten a los vecinalistas, o den pie a la picante acusación de que el gobierno no defiende el *interés nacional*? Nada importante ocurrirá hasta después de las elecciones. Con todo, el verdadero obs-

táculo no está constituido por la proximidad de las elecciones, *sino por las percepciones políticas del presidente en torno a los posibles costos y beneficios electorales de las distintas opciones a su disposición.* El cálculo está condicionado por el hecho de que los beneficios difusos (aun cuando sean cuantitativamente mayores) pueden ser cualitativamente menos importantes, para él, que los costos concentrados. Junto a las elecciones presidenciales, se renuevan los tres senadores nacionales entrerrianos, y la estructura federal del régimen político argentino tiende a ponderar muy particularmente las preferencias locales. Y el escenario partidario entrerriano es un auténtico campo minado; nada puede esperarse de positivo en el corto plazo, ni siquiera en términos especulativos, de los partidos provinciales (el radicalismo, por caso, tomó la iniciativa del absurdo proyecto de ley de prohibición de exportar madera), y menos aún del propio gobierno provincial. Es más que probable que Kirchner prefiera, especialmente si la perspectiva electoral nacional para el oficialismo se mantiene favorable, evitar el riesgo de costos concentrados, sacrificando beneficios difusos. Pero hay dos motivos por los que, a lo largo del año, esto podría cambiar: un manifiesto deterioro de la imagen de los vecinalistas ante la opinión pública provincial y nacional, y una fluctuación más importante y activa de la opinión pública nacional. Antes de examinar la opinión pública ocupémonos sucintamente de otro actor nacional, la *burocracia diplomática.*

Hasta abril de 2005 (cuando estalló la movilización vecinal y los gobiernos provincial y nacional adoptaron las consignas y pasaron a la línea dura de denuncia y presión contra las "papeleras") lo que había estado haciendo el personal diplomático abocado al tema era muy sensato: se estaba configurando una solución de compromiso, sobre una base informal, con el gobierno uruguayo, que haría posible la instalación de las plantas y el desenvolvimiento de controles y monitoreos apropiados. Sin embargo, estas negociaciones carecían de un adecuado acompañamiento político doméstico (innecesario del lado uruguayo pero imprescindible del argentino, donde los vecinalistas observaban con creciente desconfianza). Cuando la protesta vecinal alcanzó repercusión nacional y los gobiernos provincial y nacional argentino alteraron drásticamente el rumbo, el personal diplomático reincidió en los tics tradicionales de una burocracia históricamente acusada –sin el menor fundamento– de *perder en la mesa de negociaciones lo que las armas argentinas supieron ganar en los campos de batalla*. Así, la diplomacia argentina se siente en la necesidad de sobreactuar su nacionalismo.

La opinión pública argentina. No faltaron en este conflicto quienes (el presidente, los sucesivos cancilleres, la secretaria de Medio Ambiente, ministros, el gobernador provincial, los vecinalistas, dirigentes sindicales, etc.) hicieran lo imposible para convertirlo en una *causa nacional*. Afortunadamente, *no lo han logrado*. El fracaso del nacionalismo papelero se debe, en parte, a razones estructurales: la inocultable diversidad de intereses domésticos en juego (desde quienes consideran prioritario evitar que encalle el resentimiento recíproco entre argentinos y uruguayos, pasando por quienes velan por el fragilizado Mercosur, por aquellos que estiman estos comportamientos como una pésima señal para los inversores, hasta los defensores, que no carecen de buenas razones, de una política productiva forestal y papelera sustentable). Pero se debe también a razones culturales: en la Argentina es cada vez más difícil *malvinizar* los conflictos externos, y la propia vigencia de la *causa Malvinas* está latentemente en cuestión (se discute el tema en: *Sal en las heridas. Las Malvinas en la cul-*

tura argentina contemporánea; Vicente Palermo, Editorial Sudamericana, Buenos Aires, 2007). Ya no vivimos en el mundo del *estado-nación*, cuando era *relativamente* fácil configurar un interés o un agregado de ellos, como *interés nacional*. Hoy día eso es mucho más difícil, porque los intereses, así como las identidades, *en el* seno de cada estado y *en* cada sociedad nacional, se han complejizado, diversificado, cruzado y articulado de numerosas formas, gran parte de ellas transnacionales, que elevan notoriamente los costos políticos (y de todo tipo) de las operaciones de configuración de *interés nacional*. Éste no es un problema específicamente argentino, como tampoco lo es que, como casi siempre, la política profesional tarde en acusar recibo de los cambios. La gran paradoja (tampoco peculiar a la Argentina) es que si el grueso de la "clase política" está en la retaguardia de los grandes procesos de cambio, *no es sino del mundo de la propia política de donde pueden surgir los liderazgos* requeridos para acelerar y conducir la adaptación. Una sinergia entre una opinión pública más activa y liderazgos políticos más osados es una condición necesaria –aunque no suficiente– para que los argentinos hagamos nuestra parte en la solución del intríngulis en que, junto a nuestros hermanos uruguayos, nos hemos metido.

El gobierno nacional uruguayo. A diferencia del presidente argentino, el jefe del Ejecutivo oriental dispone en este conflicto de escasos grados de libertad. Por un lado, enfrentó, a cada señal conciliadora emitida hacia el gobierno argentino, el fuego cerrado de toda la oposición debido a que los partidos Blanco y Colorado fueron los que, a lo largo de sucesivos gobiernos desde los 80, sentaron las bases de una política forestal de largo plazo, con estímulos fiscales, uno de cuyos eslabones enteramente lógicos es la producción de celulosa. El Frente Amplio, por su vez, si bien tuvo un comportamiento matizado, en sus años de oposición, sobre la política forestal (votando contra algunos proyectos y a favor de otros), fue tomando distancia de los críticos más duros a dicha política y a la instalación de plantas celulósicas, *pari passu* con su camino al gobierno. No es cierto que Tabaré haya asumido encendidas posiciones críticas durante su campaña electoral. Por otra parte, el marco legal establecido como encuadre para estas extremadamente importantes inversiones externas, impone restricciones prácticamente insalvables a la interferencia arbitraria del gobierno sobre las empresas. Todo ello en un entorno político-cultural que, en fuerte contraste con el argentino, es el de las tradiciones uruguayas de apego a las instituciones y sujeción a la ley. El fuerte institucionalismo de la cultura política uruguaya ha marcado significativamente muchos de los momentos críticos de la historia política oriental.

La opinión pública uruguaya. Cabe enfatizar la relevancia *proporcional* de los emprendimientos en una economía pequeña y estancada como la uruguaya, ya que estos factores incidieron en la fluctuación de las preferencias domésticas, y fueron morigerando el efecto de las objeciones de cuño ideológico (contra la penetración del capital extranjero) y ecológico (por los hipotéticos impactos medioambientales del "modelo forestal"). Frente a los cortes de ruta de los vecinalistas entrerrianos y luego a los comportamientos intimidatorios de las autoridades argentinas, los uruguayos cerraron filas (con pocas excepciones) y, lamentablemente, el conflicto ha ido adquiriendo raíces sociales y culturales con fuerte impronta identitaria, camino de constituirse en una auténtica *causa nacional*.

5. No tiene sentido esperar que el conflicto, dada la magnitud evidente de los obstáculos que se presentan para alcanzar una solución razonable, se apague solo. Ese escenario de pasividad no solamente privará a uruguayos y argentinos del mejor aprovechamiento posible de las potencialidades productivas y ambientales (dando paso a una pugna "a la baja" con regulaciones de peor calidad, menores o menos convenientes inversiones, mayores peligros de deterioro ambiental) sino que también será incapaz de evitar lo peor, la acumulación de resentimientos y agravios recíprocos precisamente cuando más necesitamos profundizar la hermandad, la confianza mutua y la integración.

Así las cosas, la reversión de este espiral negativo radica hoy por hoy en mayor medida en lo que podamos hacer los propios argentinos. Pero, para satisfacer la condición de que el resultado no sea un juego de suma cero, los uruguayos tampoco la tienen fácil, y ardua será la tarea de viabilizar algunas de sus concesiones. Las castañas siguen en el fuego; sería bueno disponerse a sacarlas porque a diferencia de otras ocasiones clarísimas (Malvinas, 1982), ningún facilitador lo hará por nosotros.

Vicente Palermo, investigador independiente del Conicet, Argentina, Instituto Gino Germani, Universidad de Buenos Aires (vicentepalermo@gmail.com).
María Lavega, carrera de Ciencias Políticas, Universidad de Buenos Aires (ma_lavega@ yahoo.com.ar).

Nélida Archenti y María Inés Tula

Los límites institucionales de las cuotas de género en América Latina

Las normas que establecen cuotas para mujeres en las listas partidarias de candidatos para los cuerpos representativos fueron concebidas con la finalidad de equiparar a grupos que, por razones sociales o culturales, no pueden competir en condiciones de igualdad en la distribución de recursos o posiciones. Se las considera medidas correctoras tendientes a lograr una mayor democratización de la sociedad a través de la ampliación de los márgenes de representación, modificando la composición de los órganos de gobierno.

El mecanismo de las cuotas establecido a través de leyes ha demostrado ser la estrategia más efectiva para el acceso de las mujeres a los cargos electivos, en la medida que obliga a todos los partidos políticos a incluir mujeres en sus listas.

Estrictamente no garantizan el acceso de las mujeres a los cargos sino sólo su inclusión en las listas de votación, en este sentido las consideramos como oportunidades institucionales cuyo éxito depende de las condiciones del contexto sociopolítico. Así, es posible identificar dos tipos de limitaciones institucionales a la aplicabilidad de las leyes de cuotas: a) las externas al sistema electoral vinculadas fundamentalmente con la cultura política, y b) los límites normativos relativos a las características específicas de las leyes de cuotas y a la combinación de los atributos de los sistemas electorales.

Los límites externos al sistema electoral

Estas limitaciones se derivan, por un lado, de las pautas patriarcales que persisten en los partidos políticos y, por otro lado, de las actitudes políticas de los electores.

En la cultura política latinoamericana perduran ciertos rasgos patriarcales que inciden negativamente en la efectividad de las cuotas de género. Por ejemplo, los partidos políticos tienden a aplicar las cuotas con una interpretación minimalista que convierte, la mayoría de las veces, el porcentaje mínimo de mujeres establecido por la ley en un techo a la hora de confeccionar las listas.

Por otro lado, los procesos de selección de candidatos adoptados por los partidos se orientan por la búsqueda del mejor desempeño electoral y esto tiende a perjudicar a las mujeres en la medida que su arribo más tardío a la escena política afecta en forma diversa su popularidad y legitimidad.

Además, una práctica muy común es que al poco tiempo de ser electas, las mujeres renuncian a sus cargos (obligadas por los partidos políticos) para que accedan en su lugar los reemplazantes o suplentes hombres. Otra práctica discriminatoria se observa a posteriori de haberse efectuado el proceso interno de selección de candidatos, cuando las élites partidarias conforman la lista oficializada con las mujeres de la fracción perdedora o corrientes minoritarias a modo de castigo. Estas prácticas o costumbres persisten en los diferentes países de América Latina con diversos niveles de asiduidad y de violencia y no existe aún una legislación que permita su control.

Los límites normativos: las leyes de cuotas

Estas limitaciones se derivan, por un lado, de los textos de las leyes de cuotas y, por otro lado, de la combinación de los atributos de los sistemas electorales.

Los textos diversos que presentan las leyes de cuotas en los diferentes países y también dentro de un mismo país –en los distritos subnacionales– producen efectos diferenciados sobre el acceso de las mujeres a los cargos de representación.

Estas normas muchas veces tienen un carácter propositivo, o bien adoptan la forma de una recomendación constitucional; sin embargo, la obligatoriedad de la ley, que prevé sanciones frente a su incumplimiento, es el requisito que permite la presentación de reclamos judiciales e impugnaciones a las listas que no cumplan con las condiciones legalmente exigidas. La sanción que conduce en forma más efectiva al cumplimiento de la ley es la no oficialización de la lista.

Otro elemento clave para su efectividad es que la legislación contenga un mandato de posición, es decir, que establezca lugares en la lista para ser ocupados por las mujeres (ya sea sobre la base de un sistema de alternancia, o bien, indicando lugares preestablecidos). Sin embargo, en muchos países estas normas presentan un vacío legal en este sentido, ya que no contienen un mandato de posición preciso ni instituyen un orden para garantizar una representación equilibrada de ambos sexos en las listas, dificultando el acceso de las mujeres a las cámaras. El objetivo de establecer no sólo porcentajes mínimos de género sino también posiciones a ser ocupadas en la lista está orientado a garantizar el acceso de las mujeres a los cargos, evitando que los líderes partidarios las ubiquen en lugares simbólicos, con pocas expectativas de resultar electas. De los once países latinoamericanos que tienen leyes vigentes que establecen cuotas para el legislativo, seis (Argentina, Bolivia, Costa Rica, Honduras, México y Paraguay) incorporaron en sus normas algún tipo de mandato de posición.

En Argentina, la ley de cuotas (24. 012) que rige en el ámbito nacional desde 1991 incluye en su texto la cláusula de "expectabilidad" (posiciones expectables o salidoras), por la que se establece un mandato de posición impreciso que dio lugar a varias presentaciones ante la justicia y a diversas interpretaciones judiciales sobre su significado. Básicamente, esta norma establece que un mínimo del 30% de los candidatos de las listas deben ser mujeres y deben

estar ubicadas en lugares donde puedan resultar electas. Posteriormente, se fueron precisando los criterios de su aplicabilidad a través de tres decretos reglamentarios en 1993, 2000 y 2005. En particular, el decreto 1246/00 establece que, de cada tres candidatos, uno como mínimo debe ser mujer a partir del primer lugar en la boleta, excepto en aquellos distritos donde sólo se renueven dos cargos donde obligatoriamente uno debe corresponder al sexo femenino. En Bolivia, la Nueva Ley Electoral, aplicada a partir de 2001, es similar a la argentina en cuanto que incluye al menos una mujer por cada tres candidatos en las listas plurinominales de elección proporcional. Costa Rica es el primer país latinoamericano que promueve la participación política de las mujeres en las elecciones municipales a través de su legislación, como una recomendación a los partidos políticos (Ley de Igualdad Real, 1990), y recién incorpora un mandato de posición legal en 2002. En ese momento, la cuota del 40% que había sido sancionada en 1996 es acompañada por un mandato de posición según el cual los lugares elegibles a ser ocupados por las mujeres se determinan a partir de los resultados de la elección anterior. Por su parte, Honduras establece en el artículo 81 de la Ley de Igualdad de Oportunidades para la Mujer (LIOM) del año 2000, que las mujeres deben ocupar en las boletas electorales posiciones en las que puedan resultar electas. Estos lugares se determinan a partir de los resultados electorales y de las bancas que cada partido político haya obtenido en los tres últimos comicios, como un modo de fijar un "umbral real" de cargos salidores y/o expectables. En México también se recomienda a los partidos promover una mayor participación política de las mujeres, a través de legislación sancionada en 1993. En 1996 se establece una cuota de género según la cual ningún sexo puede superar el 70% de la lista y, en 2002 se sanciona un mandato de posición que establece que, de cada tres candidatos en la lista, uno debe ser de un género diferente. Paraguay incorpora un piso del 20% para todas las listas que compitan en las internas partidarias y requiere que al menos uno de cada cinco candidatos sea mujer.

También incide en la efectividad de las cuotas su aplicabilidad a las listas de titulares (o propietarios) y suplentes. Generalmente, si no existe una mención explícita a esta cuestión, los partidos políticos tienden a concentrar a las mujeres en las listas de suplentes, diluyendo el impacto de la cuota.

Los límites normativos: los sistemas electorales

En todo sistema electoral es posible reconocer al menos cuatro elementos constitutivos: la magnitud del distrito, la fórmula electoral, la barrera legal y la estructura de la boleta de votación (también conocida como tipo de lista). Según el modo en que se combinen estos atributos, los sistemas electorales impactarán de modo diferente en los órganos legislativos al definir una representación política de tipo mayoritaria o proporcional. Sin embargo, no todos estos elementos del sistema electoral inciden directamente en la aplicabilidad de las cuotas, sólo la magnitud de distrito y la estructura de la boleta de votación afectan su efectividad.

Se entiende por *magnitud de distrito* al número de bancas que se eligen en un determinado territorio. Éste puede ser: nacional, provincial, departamental, municipal o seccional. Según su tamaño, se pueden clasificar en uninominales o plurinominales. Los primeros eligen un solo representante y en ellos sólo es posible aplicar el principio de decisión por mayoría; en cambio, en los segundos se pueden elegir dos o más candidatos por circunscripción. Según Nohlen, los distritos plurinominales se clasifican en *pequeños* (entre dos y cinco representantes), *medianos* (entre seis y diez) y *grandes* (más de diez). Así, cuanto más grande sea la magnitud de distrito, mayor es la probabilidad de incluir candidatas mujeres en las listas partidarias en la medida en que hay más bancas en juego y, en consecuencia, mayores posibilidades de que éstas resulten electas.

En contraposición, las circunscripciones pequeñas tienden a limitar la efectividad de las cuotas ya que los partidos políticos suelen obtener entre uno o dos escaños en una misma circunscripción. Así, como la mayoría de las veces, los primeros lugares de la boleta son ocupados por hombres, éstos son los únicos que tienen posibilidades "reales" de acceder a las bancas.

La *estructura de la boleta de votación* hace referencia a la existencia o no de diferentes posibilidades en manos del elector de expresar su preferencia entre diversos partidos políticos o postulantes, determinando, por tanto, la presencia de *listas cerradas y bloqueadas*, *listas cerradas y desbloqueadas* o *listas abiertas*. Se denomina "cerrada y bloqueada" cuando no hay posibilidades de modificar la boleta electoral y debe respetarse la decisión partidaria en el proceso de selección de candidaturas como el orden adjudicado a éstas. En cambio, cuando la lista es "cerrada y desbloqueada" se admite una movilidad de tipo "vertical" (o de reordenamiento intrapartido), al poder alterarse el orden de los integrantes de una misma boleta partidaria. Por último, la "lista abierta" también autoriza a los ciudadanos a una movilidad de tipo "horizontal" (o de reagrupamiento interpartido) al permitir no sólo modificar el orden sino también incorporar candidatos de otros partidos políticos. La movilidad vertical o desbloqueo de la lista (bajo el carácter cerrado) admite, a su vez, dos manifestaciones de empleo: positivas (preferencias) y negativas (tachas), que asemejan un sistema de "premios" y "castigos" dirigidos de manera individual a los integrantes de una lista partidaria. Tanto la lista *cerrada y desbloqueada* como la *lista abierta* producen una competencia electoral que se desarrolla en dos planos: el externo (competencia interpartidaria) que determina cuántas bancas obtiene cada partido político, y el interno (competencia intrapartidaria) que define quiénes ocuparán los escaños ganados por cada agrupación.

La lista cerrada y bloqueada tiene un impacto positivo en la efectividad de las cuotas en tanto que impide la alteración posterior del orden de los candidatos, evitando así que se anule –en caso de existir– el mandato de posición preestablecido por la ley de cuotas. A la inversa, en los lugares donde se aplican las listas abiertas o las listas desbloqueadas, el voto preferencial actúa alterando el orden original de la boleta partidaria y puede anular los efectos del mandato de posición.

En general, el desbloqueo de las boletas rompe con los acuerdos o equilibrios que se intentan preservar en el ámbito político-institucional mediante leyes, al abrir la posibilidad de alterar un orden predeterminado. También la personalización de la campaña electoral (producto de la competencia intrapartidaria que se desarrolla simultáneamente con la interpartidaria) que trae aparejado el desbloqueo repercute negativamente en los sectores marginales o minoritarios, dado que requieren –para competir en igualdad de condiciones– de mayores recursos económicos y de apoyos políticos importantes.

La combinación de los distritos plurinominales grandes con listas cerradas y bloqueadas favorece el acceso de las mujeres a los órganos representativos por dos razones: primero, porque según el desempeño electoral de los partidos políticos, éstos pueden ocupar más bancas a diferencia de lo que ocurre en los distritos medianos y pequeños donde los que tienen más posibilidades son los partidos mayoritarios; segundo, porque al haber más bancas en juego, el acceso de las mujeres no depende de que éstas ocupen los primeros lugares de la lista.

El escenario más favorable

Las leyes de cuotas resultan más favorables para el acceso de las mujeres a las legislaturas cuando prevén cuotas con altos porcentajes, por ejemplo, la paridad entre los géneros (50%); cuando establecen un mandato de posición preciso que evita que las mujeres ocupen las últimas posiciones en las listas partidarias (el más favorable es el denominado "cremallera", que consiste en la alternancia de los géneros uno a uno) y cuando disponen de sanciones que obligan al cumplimiento de la ley, como la no oficialización de la lista del partido político que la transgrede.

Con relación al sistema electoral, una fórmula electoral proporcional combinada con una magnitud de distrito grande y el tipo de lista cerrada y bloqueada tiende a favorecer el impacto de las leyes de cuotas. En efecto, la mayoría de las investigaciones comparadas que analizan la relación entre el sistema electoral y la elección de las mujeres en las legislaturas confirma el efecto positivo que tienen al combinarse una fórmula electoral proporcional y una magnitud de distrito de tamaño grande (entre ellos, Rule analiza veintitrés democracias, Matland veinticuatro legislaturas nacionales, Htun y Jones estudian once países latinoamericanos y Ballington presenta el análisis de las leyes de cuotas en los países africanos). También existen estudios latinoamericanos a nivel subnacional que confirman la relevancia de estas dos variables para el acce-

Leyes de Cuotas y Sistema electoral en América Latina
Cámara Baja o Única

País	Año Sanción	Magnitud de distrito	Estructura de la boleta de votación	% mínimo de mujeres establecido por ley	Mandato de Posición	Sanciones en caso de incumplimiento
Argentina	1991	Plurinominales variables. Mínimo 2-3 y máximo 35.	Cerrada y Bloqueada	30	Sí	Sí
Bolivia	1997	Uninominales (62) y Lista única plurinominal (68).	Cerrada y Bloqueada	30	Sí	Sí
Brasil	1997	Plurinominales variables. Mínimo 8 y máximo 70.	Cerrada y Desbloqueada	30 a partir de 2002	No	Sí
Colombia (1)	1999	Plurinominales variables. Mínimo 2 y máximo 18.	Cerrada y Bloqueada	30	–	No
Costa Rica	1997	Plurinominales variables. Mínimo 4 y máximo 21.	Cerrada y Bloqueada	40	Sí desde 2002	Sí
Ecuador	1997	Plurinominales y lista única.	Abierta	30 a partir de 2000 y 45 en 2006.	No	Sí
Honduras	2000	Plurinominales variables. Mínimo 1 y máximo 23.	Cerrada y Bloqueada	30	Sí	No
México	1996	Uninominales y lista plurinominal.	Cerrada y Bloqueada	30	Sí desde 2002	Sí
Panamá	1997	Plurinominales variables. Mínimo 1 y Máximo 6.	Cerrada y Desbloqueada	30	No	s.d
Paraguay	1996	Plurinominales variables. Mínimo 1 y máximo 17.	Cerrada y Bloqueada	20	Sí	Sí. Nunca se aplicaron
Perú	1997	Plurinominales variables.	Cerrada y Desbloqueada	30 a partir de 2000	No	Sí
República Dominicana	1997	Plurinominales variables. Mínimo 2 y máximo 44.	Cerrada y Bloqueada	33 a partir de 2000	No	Sí
Venezuela(2)	1998	Uninominales y lista plurinominal.	Cerrada y Bloqueada	30	No	Sí

FUENTE: Elaboración propia sobre la base de diferentes fuentes: International Idea (<www.quotaproject.org>, 2006) y Payne, Zovatto, Carrillo Flores y Allamand Zavala (2003), (<www.diputados.bo>).

NOTA: Cuba, Haití, El Salvador, Guatemala, Nicaragua, Chile y Uruguay no tienen ley de cuotas.
(1) Colombia: en 1999 se estableció una ley de cuotas del 30% para ambas cámaras legislativas y en 2001 fue declarada inconstitucional. En 2002 una nueva ley estipula un 30% de mujeres para cargos administrativos y judiciales pero no incluye los cargos electivos legislativos. En: <www.quotaproject.org>.
(2) Venezuela: en 1997 se aprobó una ley de cuotas del 30% para ambas cámaras legislativas pero sólo para los cargos plurinominales o de lista. Se aplicó una sola vez en 1998 y en 2000 se declaró inconstitucional. En: <www.quotaproject.org>.

so de las mujeres a los cargos electivos (Tula y De Luca, Jiménez Polanco, Schmidt, Jones, Reynoso y D'Angelo, Villanueva Flores y Araújo).

Las acciones afirmativas (cuotas) se orientan a estimular la participación y alentar el ingreso de las mujeres a un ámbito –el político– cuyo acceso ha sido siempre temporalmente tardío respecto de los hombres, hasta tanto se generen las condiciones que garanticen la igualdad de oportunidades entre ambos géneros. Sin embargo, la lentitud de los cambios culturales muestra que las pautas patriarcales, que perduran y coexisten en toda América Latina, se traduzcan en limitaciones a la aplicación de la ley de cuotas que, junto con algunas combinaciones de los sistemas electorales, tienden a minimizar las posibilidades de acceso de las mujeres a los cargos de representación.

Nélida Archenti, profesora titular de la carrera de Ciencia Política de la Universidad de Buenos Aires, investigadora del Instituto Gino Germani de la misma universidad (archenti@ gmail.com).
María Inés Tula, profesora de la carrera de Ciencia Política de la Universidad de Buenos Aires, investigadora del Consejo Nacional de Investigaciones Científicas y Tecnológicas (inestula@yahoo.com).

Nicolás Cherny

Del colapso a la recuperación económica: una aproximación a la política de las decisiones económicas en la crisis argentina

Este trabajo procura sintetizar el proceso político del cambio de la política económica luego de la crisis argentina de 2001 bajo un contexto de colapso financiero, fragmentación, centrifugación política y protestas sociales recurrentes. Luego de cuarenta meses de recesión durante los noventa, la economía argentina comenzó a recuperarse sólo tres meses después del colapso generalizado de diciembre de 2001, y fue el inicio de un ciclo expansivo de al menos cincuenta meses. Los episodios encadenados de aquel diciembre –restricciones bancarias, protestas sociales, renuncia del presidente Fernando de la Rúa (UCR), devaluación desordenada, suspensión de pagos de la deuda pública– constituyeron el final de un ciclo político y la apertura de un período de redefinición de la política económica. Desde abril de 2002 hasta abril de 2006 el PIB creció a una tasa media anual cercana al 8%. En este artículo se analiza el modo en que se procesó desde el gobierno el colapso del régimen de cambio fijo y la reorientación hacia un esquema de flotación cambiaria. Sostendremos que la posibilidad de instaurar un nuevo régimen cambiario –que fue capaz de estabilizar y promover la recuperación económica– guarda relación con el modo en que el gobierno desactivó los intereses que sostuvieron el esquema de tipo de cambio fijo conocido como *régimen de convertibilidad*.

La estrategia del gobierno frente a la crisis: preferencias, recursos y objetivos

En su discurso de asunción presidencial, Eduardo Duhalde (PJ) sugirió que el colapso económico había sido una consecuencia de la sobrevaluación del tipo de cambio que incentivó el régimen de convertibilidad a lo largo de diez años. Congruente con esta idea, la preferencia del equipo económico de Duhalde fue poner en marcha un esquema macroeconómico basado en un tipo de cambio flexible capaz de ubicar la moneda local en un nivel competitivo, de modo de crear incentivos a la producción local que alentasen una reactivación de la economía.

Veamos, ahora, los recursos con los que contaba el gobierno para perseguir su preferencia de política y el modo en que operaban las restricciones del contexto en el que asumía. Señalaremos dos elementos: por un lado, la naturaleza parlamentaria de la elección y la división del partido oficialista, y por otro, la profundidad de la crisis económica y el desorden social.

Si bien el PJ era el partido con mayor poder institucional al momento de la renuncia del presidente De la Rúa –gobernaba 20 de los 25 distritos provinciales y tenía mayoría absoluta en la Cámara de Senadores y primera minoría en la Cámara de Diputados– no había resuelto la sucesión del liderazgo de Carlos Menem (1989-1999). Esto produjo una combinación de fragmentación interna y dominio institucional del PJ que indujo comportamientos no cooperativos y especulativos sobre la crisis que obstaculizaron la construcción de un liderazgo presidencial sólido. En efecto, Duhalde, quien comandaba la facción del PJ más fuerte dentro del partido y de la Asamblea Legislativa, sólo logró forzar el consenso interno para convertirse en presidente una vez que consiguió el apoyo de los legisladores del gobierno saliente, la UCR y el Frente Grande. De modo que la lógica parlamentaria de la elección presidencial indujo a Duhalde a construir una amplia coalición de apoyo al cambio del régimen de convertibilidad que le permitió además conseguir facultades legislativas delegadas para diseñar y gestionar un nuevo esquema de política económica.

La percepción generalizada de la extrema profundidad de la crisis funcionó, en parte, también como un elemento promotor de la concentración del poder en el ejecutivo. A la inversa, la debilidad e inestabilidad

del marco económico era un desafío para la efectividad y perdurabilidad de la nueva fórmula de política económica. En tales circunstancias, el gobierno evaluó que el éxito del esquema de flotación cambiaria dependía de su capacidad para contener el precio del dólar y de adecuar ese objetivo al de la recomposición del sistema financiero. De modo que, una vez conseguido el cambio de régimen macroeconómico el objetivo del gobierno fue la estabilización.

El ministro de economía Jorge Remes Lenicov persiguió el objetivo de estabilización por dos andariveles relativamente interconectados. El primero de ellos procuró encontrar una fórmula de estabilización de la moneda bajo el nuevo contexto de flotación de manera de minimizar el riesgo de una hiperinflación. Consistente con la preferencia por la competitividad, el gobierno dispuso una devaluación de la moneda local inicial de un 40%, sin embargo la debilidad del contexto económico y la opción del dólar estadounidense como refugio de valor acrecentaba los riesgos de corridas sobre la moneda local. El gobierno temía que una devaluación descontrolada de la moneda local produjera una espiral inflacionaria que neutralizara la competitividad ganada, alentando la especulación del sector privado, licuando el valor de los ahorros de los ciudadanos atrapados en los bancos y radicalizando el descontento social.

En consecuencia, para frenar las expectativas de alza del precio del dólar, el gobierno dispuso una flotación controlada de la moneda –con un doble tipo de cambio, oficial y libre– como una medida transitoria a una flotación libre que llegaría una vez que el Fondo Monetario Internacional (FMI) brindara apoyo financiero suficiente para desalentar corridas especulativas contra la moneda local. Remes Lenicov consideraba que la recuperación de los instrumentos cambiarios y monetarios y la aprobación de un presupuesto austero alentarían la convergencia con el FMI, mientras que el contexto de emergencia social y derrumbe financiero aceleraría el apoyo. A su vez, para minimizar la inflación el gobierno decidió desdolarizar y congelar las tarifas de los servicios públicos privatizados y dispuso tributos extraordinarios a las exportaciones de productos primarios, que funcionaron, además, como un elemento de recomposición de las cuentas fiscales.

El segundo andarivel de estabilización procuró "normalizar" el sistema financiero. Esto supuso ampliar las restricciones al retiro de depósitos –con un cronograma de devolución de hasta dos años– y la conversión a pesos de los depósitos en dólares (a 1,4 $) y de las deudas en dólares (a 1 $). De esta manera el gobierno asignaba los costos del colapso de la convertibilidad y procuraba evitar el quiebre del sistema bancario, al mismo tiempo que minimizaba el riesgo de que los depósitos se vuelquen a la compra de dólares.

Así, el gobierno procuraba evitar el quiebre del sistema financiero hasta la recuperación de la economía que, se esperaba, llegaría más rápidamente por vía de la recuperación de las exportaciones de materias primas y más lentamente por los incentivos de la devaluación a la sustitución de importaciones. La mejora de las capacidades fiscales, fruto de los ingresos por la tributación extraordinaria de las exportaciones, y la recuperación de la capacidad de emitir moneda permitirían un mayor margen de gasto estatal.

Cuatro meses después, ninguno de los objetivos se había cumplido.

Los límites de la administración del colapso

El fallo de inconstitucionalidad a las restricciones a los depósitos por parte de la Corte Suprema de Justicia supuso el primer obstáculo a la estrategia del gobierno. Produjo un efecto "goteo" que conducía a la quiebra final del sistema financiero. A su vez, la fuga de depósitos presionaba la alza del precio del dólar conspirando contra el objetivo de contención del tipo de cambio y la inflación. Asimismo, como ya señalamos, el gobierno cifraba el objetivo de estabilización del tipo de cambio en la obtención de recursos financieros por parte del FMI: en el peor de los casos los recursos servirían como un ancla de contención del dólar, y en el mejor de ellos contribuirían a sanear el sistema financiero.

Pero el FMI se convirtió en un actor reticente a colaborar con el gobierno. Más aún, el FMI contribuyó a agregar los intereses de los principales perjudicados por las decisiones que formalizaron la salida del régimen de convertibilidad. Estos intereses incluyeron las concesionarias de servicios públicos –cuyas tarifas se habían congelado tras la devaluación–, la mayor parte del sistema financiero –que afrontaba pérdidas por el descalce entre depósitos y créditos–, los tenedores de bonos de deuda pública en suspensión de pagos, y los acreedores extranjeros de las empresas nacionales –perjudicados por la sanción de una ley de quiebras que impedía las ejecuciones–.

La reticencia del FMI forzó a la conducción económica a hacer suyas algunas de las demandas del organismo, de modo de lograr los desembolsos. El gobierno aceptó dejar flotar libremente el tipo de cambio y elevar al Congreso un proyecto de ley para convertir los depósitos "acorralados" en bonos del Estado. Sin embargo, el FMI las consideró insuficientes para un acuerdo. El resultado de la combinación de "goteo" de depósitos, especulación de los exportadores con la liquidación de divisas del comercio exterior y débil capacidad de intervención del gobierno en el mercado cambiario, fue un *overshooting* del precio del dólar y una fuerte alza del índice de precios.

En suma, la asignación de costos resultó inconsistente con los intereses de los actores de los que se esperaba colaboración para la consecución de los objetivos. La estrategia del equipo económico presumió el apoyo acelerado del FMI y sus intereses –o sea, de los acreedores, los bancos y las empresas privatizadas– que habían sido los más castigados en la distribución de costos del colapso de la convertibilidad. La ausencia de resultados de esta estrategia debilitó a la conducción económica que fue perdiendo la confianza del presidente –quien comenzó a consultar economistas que planteaban una ruptura en las negociaciones con el FMI– y a través de éste del partido oficial en el Congreso. La falta de cohesión interna del gobierno, sumada a la incongruencia de los actores de veto institucionales (Parlamento y Corte Suprema) e informales (FMI), frenaron la iniciativa del equipo económico y forzaron su renuncia.

La política de la estabilización y la recuperación económica

La renuncia de Remes Lenicov, detonada por la desconfianza del presidente y la obstaculización de los legisladores del PJ a sus iniciativas, forzó a Duhalde a poner a disposición del partido –encarnado en los gobernadores del PJ– el rumbo a seguir. Los "barones" del PJ conminaron al presidente a seguir una orientación congruente con el mantenimiento de las relaciones con el FMI. El presidente Duhalde nombró, entonces, a Roberto Lavagna como ministro de Economía en condiciones de un gran desorden económico-financiero: una semana de feriado bancario y

cambiario, con expectativas de alza del precio del dólar –en sólo cuatro meses el peso se había devaluado un 200%– y rumores de quiebras en las entidades financieras derivadas de la corrida disparada por los recursos de amparo que presentaban los ahorristas avalados por el fallo de la Corte Suprema.

Sin embargo, la experiencia del fracaso de la estrategia de su antecesor y un cuadro de relaciones de fuerza dentro del partido gobernante algo más claro llevaron a Lavagna a introducir una serie de modificaciones en aspectos estratégicos de la gestión de la crisis que lograron neutralizar, en buena medida, la capacidad de veto de los actores que habían forzado la renuncia de Remes Lenicov.

El primero de ellos consistió en un cambio táctico en las relaciones con el FMI. En contraste con la gestión económica inicial, Lavagna evaluó que los términos en que el FMI planteaba las negociaciones –sin desembolsos y haciendo suyas las demandas de bancos, empresas de servicios públicos y acreedores– volvían preferible ensayar una estabilización que contemple la carencia de nueva ayuda externa a procurar atender las exigencias de los organismos internacionales. Además, el cambio radical en los precios relativos que generó la devaluación disminuyó el peso económico de los actores de la economía que vehiculizaban sus demandas a través del FMI. La convergencia se convertía, de esta manera, en un objetivo deseable y difícilmente prescindible pero sujeto a tiempos más o menos laxos que ya no estarían marcados por el peligro de caos social sino por los vencimientos periódicos de los préstamos internacionales.

En consecuencia, la estrategia fue atender las demandas del FMI por fuera de los dos andariveles de estabilización mencionados: contención del tipo de cambio y normalización del sistema financiero. De modo que el gobierno impulsó algunos cambios de legislación que exigía el FMI –como la derogación de la ley de quiebras y de subversión económica–, se manifestó dispuesto a iniciar conversaciones con algunas empresas de servicios públicos, y cumplió con los vencimientos de deuda con los organismos internacionales. Pero con la certeza de que las negociaciones con el FMI no incluirían nuevos fondos sino, en el mejor de los casos, un refinanciamiento de deudas, la gestión económica restituyó los controles a la flotación del peso. Esta decisión logró marcar paulatinamente un precio de referencia relativamente alto desalentando una espiral inflacionaria y cambiando progresivamente las ventas de dólares del Banco Central para evitar una suba, por compras de divisas para estabilizarlo. En la medida en que las decisiones de la conducción económica se traducían en una incipiente estabilidad, la recaudación impositiva se recuperaba y comenzaba a insinuarse la reactivación de la economía, el gobierno aumentaba su margen de maniobra para la negociación externa. Esto le permitió invertir el signo del factor tiempo que bajo la gestión de Remes Lenicov jugó a favor de la urgencia por cualquier acuerdo tornándolo políticamente imposible.

En segundo lugar, la capacidad para estabilizar de un modo autónomo el tipo de cambio dio margen de maniobra al gobierno para ensayar un menú de canjes públicos progresivos y voluntarios a los ahorristas evitando una solución compulsiva. En forma simultánea a la asunción de Lavagna, el Congreso aprobó una ley "tapón" que logró detener la salida de fondos del sistema financiero provocada por los recursos de amparo. Pese a que las entidades financieras continuaron presionando a través del FMI por la implementación de un bono estatal compulsivo para los depósitos reprogramados, el margen de

maniobra que ganó el gobierno le permitió implementar una serie de canjes voluntarios que normalizaron progresivamente el sistema financiero. De este modo, la conducción económica neutralizó el veto de las entidades financieras, desactivó lentamente el conflicto con los ahorristas y, finalmente, logró consolidar la opción por la flotación cambiaria minimizando la opción alternativa de dolarizar la economía.

La consecuencia de esta estrategia fue la estabilización de la situación financiera desde fines de junio de 2002 –apreciación nominal y real del peso, crecimiento de los depósitos privados a los bancos y descenso de las tasas de interés–, que permitió, a comienzos de diciembre, levantar las restricciones que pesaban sobre las cuentas a la vista (el "corralito"). De esta manera, el éxito relativo de la estrategia de Lavagna y la resonancia pública que, a lo largo de los meses, adquirió la táctica empleada frente al FMI y, más hacia el final del mandato, la normalización económica, le permitió al gobierno de Duhalde operar un cambio en el modo en que la ciudadanía evaluaba la política económica y, así, afectar decisivamente el resultado de las elecciones presidenciales de abril de 2003.

Recapitulación

El contraste entre las dos gestiones de la política económica del gobierno de Eduardo Duhalde sugiere que el éxito y la estabilidad de un nuevo diseño de política económica es fuertemente dependiente de la capacidad del gobierno para neutralizar los costos derivados de la exclusión parcial o total de las preferencias de los actores que resisten la distribución de los costos del cambio de régimen económico y el nuevo esquema de política económica. Buena parte de la efectividad de la política económica puede atribuirse al modo en que el gobierno logró independizar las decisiones económicas de la presión del Fondo Monetario Internacional.

La primera gestión económica, atrapada en la estrategia de que una estabilización sólo era posible con el apoyo financiero del FMI, volvió inconsistente la política económica. La segunda gestión, en cambio, advirtió que sus preferencias de política económica eran incompatibles con la expectativa de recepción de fondos del FMI que dotaran al gobierno de recursos para estabilizar la economía. A su vez la magnitud del colapso económico y financiero había minimizado los beneficios de la estrategia de "señalización" por vía de acuerdos con el FMI. De modo tal que convirtió el derrotero en un dilema: se trataba de optar por resignar autonomía en la política económica para hacerla converger con las preferencias del FMI esperando que este acercamiento propiciara un acuerdo y la provisión de fondos para estabilizar la economía, o de mantener las preferencias de política económica y ensayar la construcción de un escenario de estabilización sin ayuda financiera externa. Si bien los costos de una ruptura de las relaciones con el FMI eran muy altos, en la medida que el gobierno lograra estabilizar la economía sin ayuda externa el poder de veto del FMI sobre la política económica se moderaría. El gobierno eligió el segundo camino e instrumentó un cambio en la administración del régimen cambiario con el fin de lograr estabilizarlo sin nuevos recursos financieros. De modo tal que logró aumentar el margen de maniobra de la política económica sin perder autonomía, abriendo un escenario novedoso para la gestión cuyos resultados impactarían en la evaluación pública del gobierno y la conformación de las opciones políticas para la primera elección posconvertibilidad.

Nicolás Cherny, *doctorando, Instituto Ortega y Gasset, Universidad Complutense de Madrid y FLACSO Argentina.*

Notas

Reseñas iberoamericanas

EDITORES RESPONSABLES

Walther L. Bernecker

Luciano García Lorenzo

Frauke Gewecke

Christoph Strosetzki

Manfred Tietz

COLABORADORES PERMANENTES

Julio Aróstegui

Giuseppe Bellini

Nieves Fernández Santos

Merlin H. Forster

Enrique García Santo-Tomás

Susana Hernández Araico

Susanne Klengel

José Manuel López de Abiada

Abraham Madroñal

Ludger Mees

Ray-Güde Mertin †

Klaus-Jürgen Nagel

Rosamna Pardellas Velay

Emilio Peral Vega

Paul Preston

Agustín Redondo

Francisco Rico

Serge Salaün

Íñigo Sánchez-Llama

Thomas M. Scheerer

Se ruega que envíen los ejemplares de reseña a la Editorial Iberoamericana (Madrid)

Frauke Gewecke*

Literature on the Move: acerca de las prácticas culturales de los latinos en Estados Unidos[1]

1. Conceptos y perspectivas de investigación: enfoques hemisféricos, transatlánticos y transétnicos

Literature on the Move. Comparing Diasporic Ethnicities in Europe and the Americas: así reza el título de un volumen que se publicó en 2002 en Alemania[2] y que reúne unos treinta ensayos cuyo enfoque es doblemente significativo. Revela, por un lado, el interés creciente que han despertado en Europa las minorías étnicas y denota, por otro, una nueva perspectiva estudiando las literaturas "migrantes", étnicas o diaspóricas, como fenómeno global que cruza fronteras tanto regionales como nacionales. Ese mismo afán de escapar de las limitaciones inherentes al concepto de identidad étnica relacionada a una sola región o nación (de origen), caracteriza también algunas de las más recientes publicaciones acerca de los *Hispanics* o latinos en los Estados Unidos, entre ellas como la de mayor interés, el volumen colectivo organizado por Juan Poblete, *Critical Latin American and Latino Studies* (2003, University of Minnesota Press). En su extensa introducción, Poblete proyecta nada menos que darles una nueva dirección a los *ethnic* y *area studies* norteamericanos llegando a conceptualizar, para los latinos, un nuevo paradigma "panétnico" y lo que él denomina "a new Americanism".

De primera intención, Poblete saca en claro que los *ethnic* y *area studies* en EE.UU. remiten al concepto y a la realidad de un colonialismo interno, ya que "etnicidad" se define en oposición a y como desviación del *mainstream* angloamericano considerado *non-ethnic*, y los estudios de área ocupan los márgenes en oposición a y por delimitación de un centro que define, para el cuerpo social en su conjunto, la "nacionalidad". La asevera-

* Frauke Gewecke, co-editora de *Iberoamericana*, es profesora de Literaturas Románicas en la Universidad de Heidelberg. Últimos libros publicados: *Christoph Kolumbus* (Frankfurt/M.: Suhrkamp BasisBiographie 2006); *Die Karibik. Zur Geschichte, Politik und Kultur einer Region* (3ª edición revisada y actualizada, Frankfurt/M.: Vervuert 2007; una traducción española está en preparación).

[1] Una anterior reseña colectiva acerca del tema, que toma en cuenta unas sesenta obras publicadas entre 1996 y 2001, apareció en *Iberoamericana (nueva época)* I, 3 (2001), pp. 205-227 y I, 4 (2001), pp. 179-202.

[2] El volumen, editado por Dominique Marçais et al., fue publicado por el Universitätsverlag Winter, de Heidelberg, la editorial alemana que más ha contribuido al conocimiento de las literaturas de las minorías étnicas en EE.UU. y de los latinos en particular. (Para un examen más detallado del volumen publicado por Marçais *et al.* véase abajo.)

ción y promoción de una identidad étnica particular y con ello los estudios étnicos dedicados a la misma, han tenido y siguen teniendo su fundamento y justificación en cuanto
expresión de autonomía cultural e instrumento de resistencia o de lucha de clases; sin
embargo, Poblete opta por el paradigma panétnico de *Latino Studies*, "[which] posits
itself as the analytical space where borders themselves can be investigated and with them
all kinds of transnational, translingual, and transcultural phenomena" (p. xv). Ese enfoque responde, según Poblete, a la era actual de globalización y los consiguientes procesos de hibridación cultural, lo que llama –siguiendo a James Clifford (*Routes. Travel and
Translation in the Late Twentieth Century*, 1997) y Edward Said ("Reflections of Exile",
1984)– "a contrapuntual dwelling in/of modernity, where the homeland is not simply left
behind but enters into multidirectional processes and configurations" (p. xx). Sería un
enfoque plural que abarcaría tanto a los latinos en EE.UU., los *Latino United States*,
como a Latinoamérica y España (a causa de la inmigración masiva reciente de latinoamericanos) para configurar "a cultural and political space of transamerican and transa-
tlantic scale" (p. XXI): "a globalized Latino America [...] as the confluence of both historical developments that have led to a self-conceptualization as a region and contemporary
processes of circuit and community formation" (pp. xxxv-xxxvi).[3]

Varias contribuciones al volumen están directamente relacionadas con los criterios
expuestos por Poblete. Walter D. Mignolo, comparando el proyecto del Pensamiento
Crítico en América Latina con los estudios latinoamericanos en los Estados Unidos y los
Latino/a Studies, expone una "genealogía" del conocimiento científico con sus respectivos centros geopolíticos de enunciación, puntualizando que *Latino/a Studies*, tradicionalmente identificado con el paradigma de *ethnic studies*, "is precisely not the location
of the knower but the location of the known". Mas el cometido de los *Latino/a Studies*
sería precisamente "[to turn] the place of the known into the location of the knower" (p.
46). George Yúdice analiza la institucionalización de los estudios étnicos y de área en el
contexto de las estrategias políticas y económicas de los Estados Unidos durante y después de la Guerra Fría, formulando duras críticas en cuanto a la ideología del multicul-
turalismo: por un lado, "multiculturalism soon became a quick rhetorical fix of symbolic
inclusion and very little material gain" (p. 79); por otro, la rearticulación del paradigma
en tiempos actuales "construes culture and diversity as market factors important for economic productivity" (p. 87). Angie Chabram-Dernersesian repasa las múltiples visiones
críticas que fueron expuestas respecto de los conceptos de "latino" y "latinidad" o *latino-
ness*, haciendo patente que de ningún modo son aceptados de mutuo consenso. Ella opta
por una posición conciliadora. Consta las posibilidades inherentes a los *Latina/o Studies*
"as a kind of megaspace" y admite la validez del concepto de *Latina/o*: "lies in its ability
to access multiple social identities and their realities in political study". Pero, según su

---

3   Para una conceptualización ulterior de un espacio hemisférico "Latino Americano" véase el dossier
     "Los Latino Americanos en una perspectiva global-hemisférica", coordinado por Juan Poblete, en: *Ibe-
     roamericana (nueva época)* V, 17 (2005); y, también editado por Poblete, "Latin American and Latino
     Studies: A Special Issue", en: *Latino Studies* 4, 1-2 (2006). Una aproximación al concepto transnacional
     y hemisférico de los Estudios Latinos ya se encuentra en el volumen colectivo *Identities on the Move.
     Transnational Processes in North America and the Caribbean Basin* (Albany, NY: State University of
     New York 1999), editado por Liliana R. Goldin, con valiosas contribuciones de Suzanne Oboler, Edna
     Acosta-Belén y Juan Flores, entre otros.

punto de vista: "This does not mean that all ethnic-specific programs necessarily should acquire a panethnic institutional affiliation *a lo* 'latina/o' or that panethnicity always means 'Latina/o,' but that [...] different kinds of programs surface in different areas and different forms, depending on (geopolitical) context and historical circumstances at hand" (pp. 115-116).

Chabram-Dernersesian se apoya ante todo en Juan Flores quien, en su contribución particularmente valiosa, arguye tanto en favor como en contra del paradigma de *Latino Studies*. Alega que ante el carácter transnacional o *trans-latino* que hoy en día revisten tanto los estudiantes como sus comunidades, los *Latino Studies* tienen su ventaja ya que implican nociones más dinámicas e interactivas conforme a la creciente transgresión e hibridación de posiciones identitarias. Flores bien subraya que "Latino studies has its historical raison d'être in the unresolved historical struggles over immigration, racism, and colonialism" (p. 192) y sostiene que a comienzos del nuevo milenio, la disciplina "needs to be understood as a social movement, as an extension within the academy of the movements against racism and on behalf of immigrant rights afoot in the wider society" (p. 193). En ese sentido la famosa "globalización" –o "globaloney", según Robert Fitch (*The Assassination of New York*, 1993)– no tuvo efecto, ya que el término encubre, de manera ofuscadora y engañosa, las realidades y contradicciones locales, nacionales y regionales. De ahí que persistan afiliaciones nacionales que para muchos latinos implican "the paradox of being nationals in a thoroughly transnationalized economic geography – Latinos as 'transnations' or translocal nationalities" (p. 200). Para ellos será primordial "to view *lo Latino* (Latino-ness) from the optic of the particular national groups"; sin embargo, según Juan Flores, "the social and cultural perspective of each group also harbors and evokes some relation to a Latino ethnoscape of transnational dimensions" (*Ibíd.*).

El alcance de los artículos reunidos por Juan Poblete trasciende, con mucho, el ámbito de la academia estadounidense, afectando el compromiso de una disciplina cuyos representantes, en su mayoría, conciben su labor crítica como reivindicación histórica, política y social. El concepto de "latinidad" como categoría panétnica, aunque tiende a homogeneizar grupos con patentes diferencias culturales, sería, en últimas instancias, un instrumento para superar antagonismos y divisiones, como expone Frances R. Aparicio en su contribución al volumen, "as strategic and functional 'essentialisms' that are used in order to organize movements and increase social power" (p. 28). Al mismo tiempo sirve para enfrentar la nueva realidad y los nuevos circuitos migratorios que ya han cambiado por completo el mapa geocultural de los latinos en EE.UU.

A estos nuevos circuitos migratorios, con la subsiguiente emergencia de nuevas comunidades étnicas y la transformación de las ya existentes[4], se dedica un reciente núme-

---

4   Cabe destacar, en ese contexto, algunas publicaciones recientes: además de *The Columbia History of Latinos in the United States since 1960* (2004), obra de consulta obligada compilada por David G. Gutiérrez, *Hispanic Spaces, Latino Places. Community and Cultural Diversity in Contemporary America* (2004), editado por Daniel D. Arreola, que enfoca los núcleos regionales de la geografía cultural de los latinos en EE.UU.; el volumen colectivo editado por Ingrid Wehr, *Un continente en movimiento. Migraciones en América Latina* (2006), que recoge trabajos presentados en el congreso anual de la Asociación Alemana de Investigación sobre América Latina (ADLAF), celebrado en la Universidad de Freiburg (Alemania) en 2003 y que a pesar de su título se centra en las migraciones *desde* América Lati-

ro de la revista *Nueva Sociedad* (2006), al cual contribuyeron también algunos de los críticos presentes en el volumen organizado por Juan Poblete. Ana María Ochoa Gautier describe la situación histórica y actual de Nueva Orleáns, "la permeable margen norte del Caribe", cuya configuración latina cambió después del huracán "Katrina" por la llegada de trabajadores mexicanos empleados en la reconstrucción de la ciudad. Jorge Duany se dedica a la "puertorriqueñización" del estado de Florida, donde ya reside alrededor de medio millón de boricuas desplazados de Nueva York y Nueva Jersey y donde se han intensificado los conflictos interétnicos, tanto entre los diversos grupos latinos como entre éstos y la populación afroamericana y blanca no hispana. George Yúdice investiga, en el caso concreto de los salvadoreños en EE.UU., la relación entre inmigración, cultura y globalización, que a través de la creación de redes de comunicación favorece la condición transnacional o diaspórica, pero que también conduce a una progresiva "etnización" por parte de la sociedad receptora –"etnización" que (según John y Jean Comaroff) no es otra cosa que la "expresión cultural de la estructuración de la desigualdad" (cit. p. 111)–.

En los Estados Unidos, la creciente heterogeneidad de los latinos dificulta cada vez más la comprensión de lo que podría significar una supuesta "latinidad", y su incontenible avance demográfico ya es percibido como amenaza por la sociedad mayoritaria. Como explica Fernando Escalante Gonzalbo en su relectura del controversial libro de Samuel P. Huntington *Who Are We? The Challenges to America's Identity* (2004), y de las reacciones que provocó en Internet, se fomenta, en un clima generalizado de crisis, un "culturalismo beligerante" (p. 49) que con el paradigma de un supuesto "choque de civilizaciones" estigmatiza ante todo al inmigrante mexicano como "enemigo en casa" (lo que a su vez justifica la militarización masiva de la frontera entre los dos países por parte del gobierno de George W. Bush).

No obstante, en el ámbito de la cultura popular y de masas, los latinos y las latinas gozan en EE.UU. de una aceptación que en los últimos años, y bajo el signo de la globalización, ha dado origen a fenómenos originales y hasta insólitos. Como explica Juan Flores en su sugestiva contribución, las remesas de la diáspora estadounidense a su lugar de origen ya no son exclusivamente económicas o financieras, sino también culturales, lo que demuestra Flores, para el caso puertorriqueño, inspirado en la música rap: "música reciclada [en] un proceso colectivo que corresponde directamente a patrones de migración circular y a la formación de comunidades transnacionales", ejemplo de un "proceso denominado 'transnacionalismo desde abajo', no hegemónico y a veces contrahegemónico" (p. 128). Frances Negrón-Muntaner, en cambio, en su artículo de sabor francamente delicioso, analiza el fenómeno de la popularidad de Jennifer López, que a raíz de su actuación en la película *Selena* (1997) se convirtió en la actriz latina más cotizada de Hollywood. Contribuyó a ese éxito, por cierto, la identificación de la actriz por parte de

na; así como dos monografías de un interés particular en el dominio de los estudios de antropología social, *Leben auf der Grenze. Diskursive Aus- und Abgrenzungen von Mexican Americans und Puertoricanern in den USA* (2004), de Silke Hensel (véase la reseña de Christian Büschges en: *Iberoamericana (nueva época)* VI, 23 (2006), pp.307-308), y *Working the Boundaries. Race, Space, and "Illegality" in Mexican Chicago* (2005), de Nicholas de Genova. Se remite, además, a la monumental obra editada por Suzanne Oboler y Deena J. González, *The Oxford Encyclopedia of Latinos and Latinas in the United States* (New York, NY/Oxford: Oxford University Press 2005, 4 vols.), obra que no pude consultar.

los espectadores con el papel que tuvo que hacer, que fue el de la cantante tejana Selena Quintanilla, que murió asesinada muy joven, justamente cuando estaba emprendiendo el *crossing-over* hacia el *mainstream* y la realización del "American Dream". Sin embargo, como comprueba Negrón-Muntaner, Jennifer López –de origen puertorriqueño nacida en Nueva York, "ni muy oscura ni muy blanca" (p. 131)– supo triunfar esencialmente a través de la *performance* de su "latinidad", una supuesta identidad étnica que por razones estratégicas de comercialización se cristaliza en la diferencia y en el exceso: concretamente, su "gran trasero latino", objeto con un gran potencial erótico, "inscripción de una economía sexual y cultural diferente en *Gringolandia*" (p. 139).

La permeabilidad de las fronteras o transnacionalización de prácticas culturales de la que habla Juan Flores –en el caso de Puerto Rico reflejada en la consabida imagen de la "guaga aérea"– es también enfocada por Juan Poblete, quien analiza un texto de Rubén Martínez, *Crossing Over. A Mexican Family on the Migrant Trail* (2001). La misma heterogeneidad que caracteriza el texto de Martínez –es a la vez testimonio, reportaje periodístico e investigación etnográfica–, la encuentra Poblete en el conjunto de la literatura tanto de los Estados Unidos como de América Latina. La tesis que sostiene es "que textos como *Crossing Over* dan cuenta de una transformación posible del sentido de lo nacional literario y de sus formas propias de territorialización del espacio social y cultural nacional, a la vez que evidencian una renovación del potencial cultural crítico de los textos literarios ficcionales y no ficcionales nacionales en tiempos de globalización" (p. 94). De ahí habría sólo un paso para enfocar la literatura de los latinos en EE.UU. desde una perspectiva transamericana, hemisférica, dispositivo para el (no tan nuevo) paradigma de la traducción cultural (y lingüística).

a) Enfoques hemisféricos

Son varios los estudios que para mejor comprensión tanto de la literatura latina estadounidense como de la literatura latinoamericana, intentan sacar provecho de la perspectiva transnacional, hemisférica. Debra A. Castillo, en su libro *Redreaming America. Toward a Bilingual American Culture* (2005, State University of New York), se dedica a analizar lo que llama efectos de *crossover* o *cross-fertilization* a partir de fenómenos migratorios recientes, que con la llegada masiva de centro y sudamericanos a Estados Unidos y la creación de nuevos circuitos de migración afectaron a las comunidades latinas "históricas" y dieron lugar a que hoy en día más de la mitad de los *Hispanics* en EE.UU. pertenezcan a la primera generación de inmigrantes. Éstos, en su mayoría, son monolingües, dominando sólo el español; es por ello que Castillo tiene en cuenta sólo textos escritos en español, con algunos que se sirven del *code-switching*.

La parte central del libro está dividida en dos capítulos. En el capítulo "Crossing", la autora analiza cuentos de la puertorriqueña Ana Lydia Vega y del peruano Eduardo González Viaña, la "novela en nueve cuentos" *La frontera de cristal* (1995) del mexicano Carlos Fuentes y la novela *Después de la montaña* (1992), de la mexicana Margarita Oropeza. El siguiente capítulo, titulado "Arrival", está dedicado a un libro autobiográfico del chileno Ariel Dorfman, *Rumbo al sur, deseando el norte: Un romance en dos lenguas* (1998), a las novelas *La otra selva* (1991) del colombiano Boris Salazar Trujillo y *La novela virtual (atrás, arriba, adelante, debajo y entre)* (1998) del mexicano Gustavo

Sainz, como también a las narraciones seudo-autobiográficas *Las historias prohibidas de Marta Veneranda* (1997) de la cubana Sonia Rivera-Valdés.

En todos los textos analizados los protagonistas son *border-crossing subjects*; y para los de la primera serie ("Crossing") la autora constata con razón: "In a parallel manner, [they] supplement U.S.-based narratives of immigration to the United States with their own, Latin American-based takes on this familiar phenomenon, creating the possibility at least for a transnational communication circuit" (p. 60). Para los protagonistas de la segunda serie ("Arrival") se impone entonces la pregunta de cómo se diferencian de la primera: ¿"llegan" de veras? ¿y si "llega", por ejemplo, el Dorfman de *Rumbo al sur, deseando el norte*, cómo se explica la apreciación (justa) por parte de la autora de que, "wherever he is located, Dorfman remains irrremediably out of place" (p. 107)? Y, ¿cómo se explica que, en cambio, el protagonista de un cuento de Ana Lydia Vega, tan sólo "cruzando" y no "llegando", "produces ethnicity in the U.S. sense" (p. 66)? En su introducción, Debra Castillo da tan sólo una aclaración deficiente de lo que pueda significar, en el contexto del tema de la migración, "llegar"; dice: "Crossing, of course, is followed by arrival, and in the stories of arrival I focus particularly on the strategic feminization of the Other culture as a way of dealing with cultural dissonance" (p. 13). Ese aspecto lleva a la autora a juicios rotundos –Dorfman tiene "a clichéd understanding of femininity" (p. 109) y la novela de Salazar es incriminada como "masculinist text" (p. 122) mientras que la de Sainz es tan sólo "difficult but boaring" (p. 123)– pero no ayuda a descifrar cuál sería el lugar o la condición a donde llega, si es que llega, cada uno de los protagonistas.

En su conclusión, Debra Castillo comenta una cita de la escritora española-americana Concha Alborg con estas palabras: "Like many of the other first-generation writers to whom I have been alluding throughout this book, Alborg describes a sense of never quite arriving, while definitely having left, of remaining in a floating in-between space" (p. 187). Esa aseveración del "floating in-between space" bien puede ser concluyente para los protagonistas de los textos analizados; pero, ¿son Ana Lydia Vega, Margarita Oropeza, Ariel Dorfman, Gustavo Sainz y hasta Carlos Fuentes "first-generation writers", por ende "Latinos" de Estados Unidos?[5] La autora, por cierto, tiene conciencia del "knotty problem" que consiste en saber: "Who is a Latino/a? Who or what defines 'real' *latinidad*?" (p. 10). Evidentemente, no debía ni podía dar una respuesta definitiva a esa interrogante; pero sí hubiera podido diferenciar con más claridad conceptos como "migración", "inmigración" y "etnicidad" y, además, tomar en cuenta el público lector al que los textos se dirigen, junto con el lugar de publicación (un país latinoamericano para todos, excepto el libro de Ariel Dorfman). En cuanto a su proyecto de fundamentar "a Bilingual *American* [i. e. de Estados Unidos] Culture", Debra Castillo no convence; donde sí convence es en los análisis textuales, ante todo en su capítulo del "Crossing" y

---

5   Ver también la introducción, donde los textos de estos "Latinos" se convierten en "U.S. literature" *tout court*: "I focus primarily on the first-generation new Latino/as who choose to write in Spanish as a particularly understudied group of authors, in contrast with the more established second-plus-generation cohort, who often choose to write in English [...] my project echoes a discussion [...] concerning the shape of what we understand to be U.S. literature, that is: what would U.S. literature look like if we included literature from the United States in languages other than English?" (pp. 13-15).

especialmente en el de la novela de Carlos Fuentes, novela que en el contexto de La Frontera Norte, recién descubierta por los escritores mexicanos del centro, adquiere (junto con la obra de Luis Humberto Crosthwaite y Eduardo Antonio Parra, entre otros) una relevancia que merece tan esmerado análisis, pero que decididamente es una novela escrita *desde* México y no *desde* Estados Unidos.

Coincidiendo con Debra Castillo, Kirsten Silva Gruesz, en su estudio *Ambassadors of Culture. The Transamerican Origins of Latino Writing* (2002, Princeton University Press) adopta una perspectiva hemisférica con el afán de reclamar el español como lengua literaria de los Estados Unidos y con ello "call for a new geography of American literary history that emphasizes its formation within and around a culture of the Americas" (p. 6). Gruesz investiga, a diferencia de Castillo, textos poéticos del siglo XIX publicados en español en periódicos a través del territorio que constituye hoy EE.UU., para recuperarlos como prueba de la existencia de una supuesta "nineteenth-century Latino subjectivity" –empeño en el que Gruesz (al igual que Castillo en el suyo) fracasa–.

Ambassadors of Culture tiene sus incuestionables méritos: investiga a fondo la labor de traducción y divulgación efectuada por letrados tanto norteamericanos como latinoamericanos en eso que la autora llama "act of cultural ambassadorship"; documenta con muchos detalles las actividades de la prensa de habla española, desenterrando una multitud de publicaciones perdidas en archivos de difícil acceso; enfoca, con excelentes conocimientos históricos, el trasfondo ideológico de aquella época, expansionista del lado norteamericano y anti-norteamericano del lado de los latinoamericanos. Es de no poco interés, por cierto, comparar poemas originales y/o traducciones de autores latinoamericanos y norteamericanos, para luego hacer constar un imaginario común "transamericano", aun cuando, lo que no escapa a la autora, ese mismo imaginario pertenezca a un bagaje cultural compartido con los poetas europeos (y el lector aprenda más sobre la escritura poética de un Longfellow, Bryant o Whitman que sobre la de sus congéneres latinoamericanos). Pero, me pregunto: ¿dónde encuentra Kirsten Gruesz los orígenes del *Latino Writing*, al que alude el título? Los hubiera podido encontrar, por cierto, en cantidad de periódicos del *Southwest*, como han comprobado los colaboradores del proyecto de investigación y publicación "Recovering the U.S. Hispanic Literary Heritage"[6], pero precisamente no en los textos elegidos por ella: ni en los poemas de los cubanos José María Heredia, José Agustín Quintero, Juan Clemente Zenea y los otros poetas de la antología *El laúd del desterrado*, publicada en 1858 en Nueva York; ni en los escritos del colombiano Rafael Pombo, quien por cierto escribió sobre su experiencia neoyorquina, pero siempre desde su perspectiva de viajero y residente temporal; ni tampoco en la poesía de la bostoniana Maria Gowen Brooks, curioso personaje que emigró a Cuba para fabricarse, con el nombre de "María del Occidente", una identidad cubana. Ninguno de los autores analizados deja entrever algo que se asemeje a lo que se pueda llamar "Latino subjectivity"; y en este sentido, el título del libro es francamente delusorio.[7]

---

6   Las últimas publicaciones de ese proyecto, a cuyo "revisionism" Gruesz relaciona su propio proyecto, serán presentadas en el apartado dedicado a la literatura de los chicanos o *Mexican Americans* (en la segunda entrega de esa reseña), ya que la gran mayoría de las contribuciones se refieren al *Southwest*.

7   Sólo en pocas líneas, en su prefacio (p. xi), Kirsten Gruesz trata de la categoría de "Latino" y de lo que podría ser "Latino subjectivity", previniendo al lector de que "deliberately risk[s] anachronism" sirviéndose para fenómenos del siglo XIX de un término que no se utilizó hasta el siglo XX tardío. Este "anacro-

En cambio, el libro de Roland Walter, *Narrative Identities. (Inter)Cultural In-Bet-weenness in the Americas* (2003, Lang), cumple con lo que el título promete: también revela una perspectiva hemisférica, pero no en el sentido de un imaginario *trans*americano, sino con un enfoque *inter*americano, para investigar, en un diálogo intercultural, un fenómeno que está en la base misma tanto de la sensibilidad (pos)moderna como de los estudios étnicos, y latinos en particular. Walter privilegia el término "in-betweenness", explorando "the disruptive in-between zone of inter- and intracultural disjunctures and conjunctures" (p. 363). Hace referencia, al mismo tiempo, a todos los conceptos y críticos culturales cuya mención parece ser de rigor en esa clase de estudios: la "zona de contacto" (neo)colonial de Mary Louise Pratt; *borders* y *borderlands*, según Gloria Anzaldúa y José David Saldívar; el "third space" de Homi Bhabha, "heterotopía" de Michel Foucault, "non-lieux" de Marc Augé; Stuart Hall, James Clifford, Edward Said, García Canclini, Mignolo, y un largo etc.[8] Entre las muchas variaciones dadas por el autor, cuando se trata de una definición del fenómeno investigado, privilegio la siguiente: "By interstitial spaces I mean those heterotopic in-between '*non-lieux*'[nonplaces] where elements from diverse cultures float, meet, clash, touch, interweave and/or miss each other" (p. 24). Y una precisión: "The power struggle between these elements, that is the complex interplay of hegemonic and counterhegemonic forces and practices, makes for a heterogeneous, uneven, open-ended development and imagination of the nation and national consciousness" (p. 23).

Narrative Identities se divide en cuatro capítulos. El primero investiga, para el caso del Brasil, lo que el autor llama "a borderized nation-space" (se analizan novelas de Clarice Lispector, Antônio Torres, Benedicto Monteiro y João Ubaldo Ribeiro). El segundo presenta "diaspora discourses" de autores provenientes de Nicaragua (Gioconda Belli), del mundo latino/chicano (Miguel Méndez y Ana Castillo), y del Caribe anglófono (Jamaica Kincaid y Dionne Brand). El tercer capítulo está dedicado exclusivamente a Toni Morrison, mientras que el cuarto trata del "realismo mágico" en las dos Américas, con novelas de autores de muy diferentes áreas y contextos culturales: de las afroamericanas Alice Walker, Gloria Naylor y Toni Morrison, de las/los chicanas/os Ana Castillo, Ron Arias, Orlando Romero y Miguel Méndez, de la nicaragüense Gioconda Belli, de Linda Hogan como *Native American* y, finalmente, del peruano Mario Vargas Llosa.

Veamos sólo los capítulos dos y cuatro, los que interesan aquí. En el capítulo dos Roland Walter investiga, mediante una relectura inteligente de los textos acorde con las teorías anteriormente expuestas, las diversas proyecciones de identidades "migrantes"

---

nismo" no es precisamente el problema, sino la (aproximativa) definición que la autora procura acerca del término, citando media frase de Suzanne Oboler: "Latinos have been racialized such that they experience the effects of invisibility in social and political institutions". Esta definición está bien lejos tanto de la realidad como de la conciencia de los autores que Gruesz evoca, además de no ser tampoco válida para nuestra actualidad ya que "discrimina", entre los latinos, a un vasto sector de profesionales y de clase media.

[8] El prólogo, donde Walter da un sucinto resumen de conceptos y teorías conexas, ofrece una muy buena introducción al tema; sin embargo, hay un cierto exceso en cuanto a nombres que se traen a cuento (véase, por ejemplo, p. 30, donde se menciona una veintena de críticos, sin mayores explicaciones), junto con un cierto alarde cuando se enumeran las diferentes "theoretical positions" en las que Walter pretende basarse: "subaltern theory, feminist literary theory, postmodern, poststructural, postcolonial theory, ethnography, cultural analysis, orality studies, phenomenology, reception theory, border theory", etc. (pp. 28-29).

como configuraciones históricas *in process*: "in-betweenness as a movement between cultural roots, routes and crossroads, space (exile) and place (home), displacement and relocation, domination/subjugation and resistance – a tension-laden movement entangled with old and new, local and global forms of colonialism" (p. 107). Son particularmente perspicaces las observaciones del autor en relación con la novela *Peregrinos de Aztlán* (1974; citada en traducción inglesa), de Miguel Méndez, completando los muy transitados conceptos territoriales o de *borderlands* con el poco conocido del *nepantla* azteca; así como el apartado acerca de *The Mixquiahuala Letters* (1986) de Ana Castillo, donde se ejemplifica de modo convincente la negociación de una conciencia mestiza según el concepto dinámico de Gloria Anzaldúa. Igual de convincente es, en el capítulo cuatro, la conceptualización del "realismo mágico" como "theoretical and aesthetic transborder space" (p. 36). Walter acierta cuando, para definir el "realismo mágico", acude a la categoría del pensamiento mítico-mágico como fundamento del mismo, concibiendo esa categoría como una forma específica de percibir la realidad, una visión del mundo propia de ciertas culturas y radicalmente opuesta a la occidental. De este modo, el "realismo mágico" actúa como instrumento de liberación y resistencia, como se demuestra a partir de la novela *So Far From God* (1994), de Ana Castillo: "creates the space of an enlarged reality through the fusion of its oxymoronic elements [lo 'natural' y lo 'sobrenatural'] – a liminal zone where value-laden individual and collective memory interact, reaffirming communities through oral and written, often ritualistic performative practices" (pp. 269-270).

b) *Enfoques transatlánticos y transétnicos*

La investigación de Roland Walter exhibe un rigor argumentativo impecable, con una vasta base teórica, la cual se aprovecha al máximo para una sucinta lectura de textos claves. El volumen colectivo editado por Irene Andrés-Suárez, *Migración y literatura en el mundo hispánico* (2004, Verbum), no destaca precisamente por sus aportaciones teóricas ni por el análisis de textos literarios canónicos; no obstante, es para nosotros de sumo interés aunque sea, para la mayoría de las contribuciones, por analogía de fenómenos que se analizan aquí en otros contextos que el de los latinos. Un tema central es, por de pronto, el de la emigración y del exilio reflejado tanto en la literatura española como en la latinoamericana: emigración de españoles a otros países europeos, de europeos a América Latina, y de latinoamericanos a España. Se analizan los tópicos conocidos de la "literatura del exilio"[9]: el desarraigo y la soledad, la añoranza de la patria, la ilusión o el fracaso del retorno. El análisis de los textos correspondientes, por lo general poco cono-

---

[9]   El exilio, tanto de latinoamericanos como de alemanes y reflejado tanto en textos literarios y ensayísticos como en fotos y pinturas, es el tema de un libro editado por Sebastian Thies, Susanne Dölle y Ana María Bieritz, *ExilBilder. Lateinamerikanische Schriftsteller und Künstler in Europa und Nordamerika* (2005). De aún mayor interés para nuestro contexto es otro volumen colectivo reciente acerca del tópico del exilio que, sin embargo, incluye también otras literaturas "migrantes" como la de los latinos en EE.UU., junto con reflexiones teóricas acerca de los fenómenos recurrentes de transculturación e hibridación, "desterritorialización" y "nomadismo": *Aves de paso. Autores latinoamericanos entre exilio y transculturación (1970-2002)* (2005), editado por Birgit Mertz-Baumgartner y Erna Pfeiffer. (Para una reseña de las dos obras véase Jens Häseler, en: *Iberoamericana (nueva época)* VI, 23 (2006), pp. 262-

cidos, no depara grandes sorpresas ni (confieso) me provocó curiosidad para conocerlos, a excepción de la novela *Carlota Fainberg* (1999), de Antonio Muñoz Molina: como revela el ensayo de Juan Senís-Fernández, una novela pesimista pero al mismo tiempo deliciosa acerca de las andanzas de un profesor español en el mundo académico de Estados Unidos, tipo de una "emigración *privilegiada* y *de lujo*" (y, diría yo, lectura de rigor para cualquiera de nuestra profesión).

De máximo interés para nuestro contexto son las contribuciones dedicadas al tema de la inmigración y los recientes movimientos migratorios que han convertido a España, tradicionalmente país de emigración, en país receptor de inmigrantes legales (de la Unión Europea) e ilegales (de África y Latinoamérica). Como explica Carlos Fernández Rozas en su artículo introductorio, la existencia ya de una "segunda generación" y los problemas generalizados de integración social han dado "signos inequívocos de *ghetto*, [...] caldo de cultivo de conflictos sociales" (p. 26). María Luisa Peñalva Vélez, Nieves García Benito y Dolores Soler-Espiauba ahondan, en sus respectivas contribuciones, en estos conflictos, que ante todo para el inmigrante ilegal proveniente del África, el más "visible", llevan a la aparición de "fronteras interiores", espacios donde se articulan, por parte de la sociedad española mayoritaria, la xenofobia y el racismo. Este fenómeno está presente en el análisis de Peñalva Vélez; pero ni ella ni los otros estudiosos son consecuentes para intuir un desarrollo que aproxima España (y otros países europeos) a Estados Unidos. Pues España está en vías de convertirse en un país con enclaves étnicos, con el proceso implicado de "etnización" tanto de los inmigrantes africanos como de los latinoamericanos –un proceso para cuyo análisis los españoles estarían bien aconsejados si miraran con atención allende el Atlántico–.

Finalmente, se incluyen fenómenos globales de migración (Claudio Bolzman) así como la emigración desde Latinoamérica hacia el Norte, con dos contribuciones particularmente interesantes para nuestro contexto: Paloma Jiménez del Campo investiga textos paradigmáticos de los latinos en los Estados Unidos, con especial énfasis en la autobiografía étnica novelada (Richard Rodríguez y Gustavo Pérez Firmat); Birgit Mertz-Baumgartner enfoca el conjunto, poco conocido, de la literatura publicada (en español) en Canadá por inmigrantes latinoamericanos, cuya mayoría "no escribe un 'lenguaje nómada' de transculturalidad, sino 'un lenguaje del exilio'" (p. 291).

Los procesos globales de migración con la consiguiente creación y/o transformación de comunidades étnicas en los dos hemisferios han dado lugar a una serie de volúmenes colectivos cuyas contribuciones enfocan el fenómeno desde una perspectiva comparativa, transatlántica y/o transétnica. Este enfoque resulta particularmente provechoso para el volumen (ya mencionado) organizado por Dominique Marçais *et al.*, *Literature on the Move. Comparing Diasporic Ethnicities in Europe and the Americas* (2002, Winter), cuyos editores con razón afirman que el método elegido por ellos "points to ways in which imaginative and critical writings of all ethnicities can aid in their mutual interpretation" (p. xiii). Se consideran, en el contexto de EE.UU. que aquí interesa particularmente, además de los latinos y los *Native Americans*, a autores de descendencia africana,

---

265.) Cabe también remitir, en ese contexto, a otro volumen aún más reciente –*Exilios y residencias. Escrituras de España y América* (2007), editado por Juana Martínez– que enfoca el exilio y una posible "reterritorialización" en el país ajeno precisamente en un "diálogo" entre españoles y latinoamericanos.

asiática, judía y griega. Los apartados del volumen forman núcleos temáticos específicos, que tratan de la construcción de identidades en cuanto proyecciones sociales y literarias, de la impronta del olvido y de la memoria en la negociación identitaria, de la creación de nuevos espacios híbridos, *in-between*, "third homes" y "borderlands".

El concepto del *border writing* –con la referencia obligada a Gloria Anzaldúa y su obra influyente *Borderlands/La Frontera: The New Mestiza* (1987)– es un tópico recurrente en muchas contribuciones; por ejemplo, en la de Iping Liang, que compara novelas de tres mujeres: de la chicana Ana Castillo, la afroamericana Toni Morrison y la *Native American* Leslie Marmon Silko. Liang define las tres, en cuanto "ethnic women", como "'las mujeres' with a borderlands 'mestiza'-consciousness, making 'border narratives' between Mexico and America, between the North and the South, and metaphorically between narrative freedom and enslavement" (p. 260). Liang procura una comprensión inteligente de los textos analizados revelando, amén de eso, que la condición de "borderedness" que une a las tres autoras, se vuelve a encontrar en muchas otras mujeres "mestizas" (en el sentido de Anzaldúa), "caught between geographical, linguistic, and bodily borderlands, which challenges their sense of self-identity and demands constant decentering of the self" (p. 259). Sin embargo, Liang corre el riesgo de manejar el tópico del *bordering* como *passe-partout* aplicado a cualquier situación límite de la existencia humana, alusivo en últimas instancias (para las novelas de Morrison y Silko) a la frontera entre la vida y la muerte (pp. 261, 265).

En total, no son muchas las contribuciones dedicadas específicamente a los/las latinos/as. Las protagonistas de Ana Castillo, ahora comparadas con las de Paula Gunn Allen, como Leslie Marmon Silko *Native American*, son investigadas por Angelika Köhler, quien revela cómo éstas crean nuevos espacios identitarios a través de una constante negociación de sus identidades múltiples y de lo que Köhler llama "revisionist mythmaking", estrategia que permite a las protagonistas posicionarse dentro de sus comunidades respectivas fuera del control hegemónico. Rocío G. Davis, por su parte, se dedica a la novela *The House on Mango Street* (1984) de la chicana Sandra Cisneros para compararla con la novela *Blu's Hanging* (1997), de Lois-Ann Yamanaka, de descendencia japonesa. Son dos obras que se pueden calificar de novela de formación étnica o "ethnic *bildungsroman*"; y Davis, a través de su relectura comparada, revela cómo cada uno de los textos "mediate[s] visions of ethnicity, formulating conclusions about ethnic positionality within the dynamics of contemporary representation" (p. 37).

En estas dos contribuciones el enfoque comparativo da, con vistas a las prácticas culturales de los/las latinos/as, resultados inmediatos; otras, que no tratan de modo explícito obras escritas por latinas o latinos y que son, por cierto, la mayoría, nos revelan, no obstante, estrategias escriturales conexas o afines. Un muy buen ejemplo lo constituye la aportación de Anastasia Stefanidou, dedicada a la expresión "diaspórica" de dos mujeres migrantes recientes provenientes de Grecia, Meena Alexander y Miranda Panaretou Cambanis. Ellas representan un nuevo tipo de "transmigrantes", que sin abandonar su afiliación nacional y sin renunciar al anhelo o a la certeza de un espacio propio, seguro, crean "a third home", que no es meramente "a home away from home" o una adaptación de lo que constituía "the home left behind" al nuevo "home" americano, sino "a non-localized imagined space of revision and ambivalence, of development and change, of questioning and openendedness, of the convergence of sociopolitical, cultural, and psychological processes" (p. 226).

El volumen *Literature on the Move* es una contribución valiosísima para comprender lo que es un síntoma de nuestro mundo contemporáneo: una modernidad globalizada que, sin embargo, es al mismo tiempo una "modernidad geohistórica" (Peter Taylor, *Modernities. A Geohistorical Interpretation*, 1999); o, como expone Lisa Lowe en su contribución al volumen: "there are multiple modern spaces related through logics at once political, economic and cultural, [and] immigrant literatures as a modern structure of feeling translates the general consciousness of geohistorical modernity: the uneven, partial, yet simultaneous experiences of the modern across the globe" (pp. 3-4). De ahí que el fenómeno de comunidades y literaturas "migrantes" ha suscitado un creciente interés en Europa, el cual se tradujo en numerosos congresos, entre ellos el que se celebró, en junio de 2000, en la Universidad de Orleáns (Francia), con la participación de 150 estudiosos de 25 países. El evento había sido organizado por la European Society for the Study of Multi-Ethnic Literature of the United States (MELUS); frente a la globalización del fenómeno, que se ha convertido también en realidad europea, la sociedad fue consecuente, cambiando su nombre (y con ello ampliando su perspectiva de investigación) en Society for Multi-Ethnic Studies: Europe and the Americas (MESEA). La publicación de *Literature on the Move* fue uno de los resultados inmediatos del congreso de Orleáns[10]; otro fue la publicación de un volumen dedicado exclusivamente a un género popular: *Sleuthing Ethnicity. The Detective in Multiethnic Crime Fiction* (2003, Fairleigh Dickinson University Press//Associated University Presses), editado por Dorothea Fischer-Hornung y Monika Mueller.

El volumen, que reúne una veintena de contribuciones, está centrado en Estados Unidos, ya que allí la novela detectivesca "étnica" ha conocido un verdadero *boom* durante las últimas dos décadas, gozando de una mayor aceptación por parte del público lector que en Europa, donde el (sub)género recién se está cultivando. Como explican las editoras en su introducción, uno de los problemas centrales que se plantearon fue la pregunta "of what the term 'ethnicity' designates and 'how ethnic' a detective stemming from a nondominant population group actually has to be in order to represent cultural alterity" (pp. 11-12). Las colaboraciones al volumen son todas de extraordinario interés para comprender no sólo las estrategias de las que se pueda servir un novelista perteneciente a un grupo étnico determinado; ilustran, amén de eso, el mismo paradigma del (sub)género: la intersección del crimen investigado con preocupaciones identitarias, que afectan al

---

[10] La misma editorial Winter, de Heidelberg, publicó las actas de otros dos congresos, relacionados con literaturas "étnicas" o "minoritarias". *Transcultural Localisms. Responding to Ethnicity in a Globalized World* (2006), editado por Yiorgos Kalogeras, Eleftheria Arapoglou y Linda Manney, ofrece contribuciones del 4º congreso de MESEA, celebrado en 2004 en Thessaloniki (Grecia), volumen cuyo enfoque es interdisciplinario, realzando (como explican los editores), la necesidad "[of] a reconceptualization of the politics of community, identity, and cultural difference that sanctions new dynamics in a translocal world" (p. XIII). El volumen editado por Rüdiger Ahrens *et al.*, *Violence and Transgression in World Minority Literatures* (2005), en cuanto a él, reproduce contribuciones de un encuentro que tuvo lugar en la Universidad de California en Santa Bárbara y que fue una iniciativa conjunta de estudiosos de esa misma Universidad y la de Würzburg (Alemania); incluye un trabajo interesantísimo de María Herrera-Sobek acerca de "The Transnational Imaginary and 'Narcocorridos' – Violence, Drugs and Transgressive Discourse in Mexican Ballads" (pp. 83-99); pero, curiosamente, incluye también ensayos acerca de textos de la época colonial y poscolonial como los de Sahagún, Las Casas y Abel Posse que de ningún modo pueden ser considerados como "minority literature".

detective tanto en su labor profesional como en su vida íntima y sus relaciones con la comunidad de la que forma parte.

Varios ensayos son dedicados a detectives con un trasfondo étnico latino: Lupe Solano, protagonista de la cubano-americana Carolina Garcia-Aguilera, que pertenece a la comunidad cubana (blanca) de Miami y que a pesar de ocasionales atisbos paródicos representa los mismos valores, "a very conservative and, ultimately, hegemonic worldview that validates the capitalist lifestyle of the wealthy Cuban exiles in Miami" (Monika Mueller, p. 122); entre las/los chicanas/os Gloria Damasco, otro detective privado femenino, ideado por Lucha Corpi, y Sonny Baca, el *private eye* de Rudolfo Anaya, los dos "cultural mediators" (Carmen Flys-Junquera, p. 97) que reinventan, con gesto subversivo, la historia de su comunidad. Las novelas de Anaya presentan, sin embargo, un problema: son novelas detectivescas o de misterio, pero también corresponden a lo que Ann-Catherine Geuder, en su ensayo particularmente sugestivo, llama "a spiritual bildungsroman" (p. 81) o, dicho de otro modo: "In emphasizing the cultural and spiritual elements of the novels and neglecting the mystery formulas, Anaya has not authored mysteries with an 'ethnic touch' buth ethnic novels with a 'mystery touch'" (p. 85).[11]

El enfoque de los ensayos publicados por Dorothea Fischer-Hornung y Monika Mueller es, de modo explícito o implícito, comparativo, transétnico[12]; un enfoque que ofrece perspectivas ampliadas, particularmente esclarecedoras también en otros dos volúmenes colectivos, cuyas contribuciones siendo el resultado de congresos celebrados en España, consideran en mayor escala la literatura de los latinos.[13] *Evolving Origins, Transplanting Cultures: Literary Legacies of the New Americans*, editado por Laura P. Alonso Gallo y Antonia Domínguez Miguela (2002, Universidad de Huelva), es de estos dos volúmenes el de mayor envergadura.[14] Reúne 25 artículos, dedicados a los "new Americans", que las editoras, en su ensayo introductorio, definen como "postmodern and postcolonial individuals who bring syncretism and difference into U.S. society, thus contributing to redefine the cultural and national limits of the country" (p. 25). Entre las contribuciones

---

[11]   En la segunda entrega de esta reseña, en la parte dedicada exclusivamente a la literatura chicana, se volverá sobre el género de la novela detectivesca étnica, a partir de dos publicaciones recientes: Ralph E. Rodríguez: *Brown Gumshoes. Detective Fiction and the Search for Chicana/o Identity* (Austin, TX: University of Texas Press 2005); Susan Baker Sotelo: *Chicano Detective Fiction. A Critical Study of Five Novelists* (Jefferson, NC/London: McFarland 2005).

[12]   En ese sentido resulta particularmente esclarecedor, en las contribuciones de Carmen Flys-Junquera y Monika Mueller, la comparación de los detectives de Garcia-Aguilera, Corpi y Anaya con detectives inventados por novelistas afroamericanos, en especial Barbara Neely.

[13]   El crecido interés en los latinos de EE.UU., por parte de los españoles, se traduce no sólo en un crecido número de publicaciones académicas sino también en la mayor atención con la que se cubren, en los grandes diarios, los conflictos que surgen en EE.UU. en torno a la política de inmigración. Así, el diario barcelonés *La Vanguardia* publicó en 2004 y con vistas a las elecciones presidenciales en aquel país, un dossier, *Los hispanos en Estados Unidos*, que con la participación de Alejandro Portes, Rubén G. Rumbaut y otros especialistas reconocidos, ofrece una excelente introducción a tópicos demográficos, políticos, económicos y culturales.

[14]   Antonia Domínguez Miguela publicó en 2001 en la misma editorial y para el mercado español, una muy buena introducción a la literatura de las latinas, *Esa imagen que en mi espejo se detiene. La herencia femenina en la narrativa de latinas en Estados Unidos*, enfocando ante todo la deconstrucción de estereotipos, mitos y roles femeninos por parte de las autoras a través de lo que Cordelia Candelaria denomina "revisionary feminism" (cit. p. 35).

dedicadas a las/los latinas/os[15] surgen dos núcleos: por un lado el de los *Cuban Americans*, por otro el de las mujeres, con un particular énfasis en Julia Álvarez, la que se dice ser una "gringa dominicana".[16]

Para los cubano-americanos, Antonia Domínguez Miguela se centra en la narrativa de Roberto G. Fernández y Cristina García, revelando cómo estos autores pertenecientes a la "segunda generación" desenvuelven un nuevo paradigma de "cubanidad" que al contrario de la primera generación exiliada ya no cultiva la nostalgia de una "Cuba de ayer", deterritorializando los conceptos de cultura y nación para llegar a lo que Domínguez Miguela denomina, acertadamente, un proceso de *"ethnic transcreation* of the collective cultural memory" (p. 270). Menos convincente resulta, en cambio, el ensayo de Patricia Elena González, que investiga el teatro cubano "across the shores" para comprobar "how the nostalgia virus has infected theater both in Cuba and the United States, and making evident how nostalgia, like a good virus, has no effective antibiotic" (p. 54). La autora bien diferencia entre los representantes de la primera generación de inmigrantes y (según Gustavo Pérez Firmat) la generación "1.5" o "hyphenated generation"; al mismo tiempo destaca, con razón, la importancia que tiene para esta *hyphenated generation* rescatar la imagen de Cuba tal como se presenta a través de la memoria mediatizada, la de los padres o abuelos. Sin embargo, para esta generación –bien lo demuestra tanto el análisis de las novelas de Roberto Fernández y Cristina García efectuado por Domínguez Miguela como el de las piezas de teatro *Broken Eggs* (1984) de Eduardo Machado y *Coser y cantar* (1981) de Dolores Prida que nos ofrece la misma Patricia Elena García– ya no sufre de esa *nostalgia mania* que sí caracteriza la "literatura del exilio" de la primera generación.

Al segundo núcleo de las contribuciones dedicadas a las/los latinas/os, que es la literatura de las mujeres, son reservados cuatro ensayos. Mª Luisa Ochoa Fernández analiza, junto con la muy comentada novela *The House on Mango Street* de Sandra Cisneros, la novela poco conocida *Geographies of Home* (1999), de la dominicano-americana Loida Maritza Pérez destacando, a través de un *close reading*, los tópicos conocidos de la escritura femenina, que en el caso de las latinas enfatiza el avasallamiento de las mismas por los principios patriarcales que rigen la familia y la comunidad. Nancy Saporta Sternbach y Alberto Sandoval-Sánchez, en cambio, investigan el teatro latino desarrollando aspectos más globales de deterritorialización y reterritoralización, y comprobando que las protagonistas de las dramaturgas más jóvenes "need to reestablish themselves in new relations to place, space, and power": "a house of difference", que construyen en lo que los autores llaman "la transfrontera" (p. 279). Finalmente, Laura P. Alonso Gallo y Ellen

---

[15]   Entre los otros *ethnic writers* tratados sobresalen, además de los de descendencia africana, árabe, caribeña y polaca, los *Chinese Americans*, particularmente Amy Tan y Maxine Hong Kingston.

[16]   Ese pronunciado interés por las mujeres, y particularmente por Julia Álvarez, por parte de la academia española, se refleja también en otra publicación, actas de un congreso celebrado en 1998, en la Universidad de León: *Literatura de las Américas, 1898-1998* (2000), editado por José Carlos González Boixo, Javier Ordiz Vázquez y Mª José Álvarez Maurín. Entre el centenar de ponencias, agrupadas en dos gruesos volúmenes, que se proponen investigar las relaciones entre la literatura de Iberoamérica y la de la América anglosajona, como también entre la de España y la iberoamericana, hay unas doce que tratan, casi exclusivamente, de las latinas, preferentemente de Julia Álvarez, Judith Ortiz Cofer y Sandra Cisneros.

McCracken se dedican cada una a diferentes obras de Julia Álvarez; la primera investigando –para las biografías ficcionales *In the Time of the Butterflies* (1995) e *In the Name of Salomé* (2000)– la construcción de subjetividades femeninas (dominicanas) distintivas "in order to transcribe them culturally for North American readers" (p. 90); la segunda enfocando –para la novela *¡Yo!* (1997)– la relación problemática entre la realidad y su *simulacrum* dentro de lo que considera una "esperimentación postmoderna".

Lo valioso de *Evolving Origins, Transplanting Cultures* dentro del contexto que interesa aquí, no reside únicamente en las mencionadas contribuciones individuales; reside, además de ello, en dos aspectos que las trascienden. Por un lado se aspira a redefinir lo que sería *American literature*, dándole visibilidad a lo que Werner Sollors llama "a glaring blind spot in American letters", incluyendo textos escritos en otros idiomas que el inglés, para desafiar "the pervasive 'English-only' approach to American Studies" (p. 39).[17] Por otro lado, se vuelve a insistir en el tan transitado concepto de *border* y *borderlands*, puntualizando algunas circunstancias de su uso, y visos de degenerar en *passepartout*. Juan Antonio Perles Rochel somete el concepto de *borderlands* tal como fuera desarrollado por Gloria Anzaldúa a una revisión crítica, valiéndose de él como metáfora para cualquier "zona de contacto" en el sentido de un "third space", pero rechazándolo no sólo por su "gynocentric feminism" (p. 235), sino también por vincularse "with Chicano nationalist and essentialist politics" (p. 232). Alejandro Morales y Francisco A. Lomelí investigan varios conceptos afines de *border literature*, insistiendo el primero tanto en el aspecto concreto de la frontera física entre México y Estados Unidos como en su aspecto espiritual o heterotópico, que vincula el mito utópico de Aztlán, el *homeland* de los aztecas situado en el *Southwest*, con las fuerzas a la vez destructivas y creadoras del concepto de *borderlands*; y desarrollando el segundo el concepto de "roaming text" o "texto movedizo", que ilustra mediante un análisis de la crónica ensayística *The Other Side: Fault Lines, Guerrilla Saints and the True Heart of Rock 'N' Roll* (1992), de Rubén Martínez, "testimonial essay with flashes of autobiography, fascinating cross-cultural biographies from Los Angeles to El Salvador to Mexico City and back, thus creating a distinctive macro-Latino tapestry" (p. 264).

El segundo libro fruto de un congreso celebrado en España es el editado por Jesús Benito y Ana María Manzanas, *Literature and Ethnicity in the Cultural Borderlands* (2002, Rodopi). Con su docena de contribuciones este volumen es menos ambicioso que el anterior; sin embargo, se le puede perfectamente equiparar cuando se trata de elucidar las tendencias actuales de los estudios latinos (y de las prácticas culturales de las minorías étnicas en su conjunto). Como es de esperar a partir del título, el tópico central lo constituye el de *border* y *borderlands*, desarrollado por los editores en su extenso ensayo introductorio y concebido él mismo como "borderish concept", ya que es a la vez "a line of division and a line of encounter and dialogue" (p. 1). Esa doble perspectiva caracteri-

---

17   Sollors se refiere en su ensayo al proyecto "Multilingual America", que dirige junto con Marc Shell y en cuyo contexto los dos publicaron (entre otras obras) *The Multilingual Anthology of American Literature: A Reader of Original Texts with English Translations* (New York, NY: New York University Press 2000). Para el controvertido debate acerca del canon de lo que configuraría la literatura "americana" (o sea, estadounidense), surgido a raíz de la publicación de *The Heath Anthology of American Literature* (1ª ed. 1990; 5ª ed. 2006), véase la segunda entrega de esta reseña, en el próximo número de *Iberoamericana*.

za la mayoría de las contribuciones dedicadas a los latinos y los chicanos en particular, perspectiva que revela al mismo tiempo cómo los escritores –en el contexto concreto de la frontera entre México y los Estados Unidos– entienden y manejan el concepto –y la realidad– del *bordering* de modo muy distinto (como veremos con sólo dos ejemplos).

En las novelas de Rudolfo Anaya, y particularmente en su ciclo del *private eye* Sonny Baca, el espacio en el que se mueve el protagonista es un espacio "subversivo", híbrido, como demuestra Carmen Flys, configuración de una "zona de contacto" cruzada por múltiples fronteras, pero también con sendas y puentes múltiples que permiten transitar y habitar un territorio considerado como propio. "These expanded cultural borderlands", concluye Flys, "are portrayed in a very positive, almost idyllic manner with little hint of negative or conflictive relations between groups" (p. 112). Pero no todos los narradores chicanos comparten esa visión, como revela el análisis excelente que presenta Begoña Simal del cuento "The Cariboo Café", de Helena María Viramontes, quien en ese *border text* paradigmático está lejos de las estrategias de (re)territorialización de un Anaya. También el "Cariboo Café", situado en la frontera física entre México y Estados Unidos, es una zona de contacto, pero configura como aquella "herida abierta" de la que también hablara Gloria Anzaldúa: "intraculture of survival, inhabited by prostitutes, transvestites, drugdealers, exploited illegal immigrants, lost children and crazy women" (p. 87).

Los procesos de deterritorialización y reterritoralización son justamente las coordenadas del libro editado por Günter H. Lenz y Utz Riese, *Postmodern New York City. Transfiguring Spaces – Raum-Transformationen* (2003, Winter), que investiga, a partir de lo que se ha venido llamando "the spatial turn" en los estudios culturales, la deconstrucción y reconstrucción de espacios urbanos como zonas de contacto, "where cultures meet, clash, intermingle, and which are occupied, or constructed, in very different ways, by migrants, tourists, business people, workers, pedestrians, and the homeless" (Günter H. Lenz, p. 17). El valor, por cierto extraordinario, del volumen para nuestro contexto no reside precisamente en la comprensión de determinados textos y autores, ya que de los latinos sólo se consideran a pocos (Cristina García, John Rechy), sino en la fundamentación teórica rigurosa y el hecho de haber incluido en el análisis prácticas culturales no escriturales, de la vida metropolitana.[18]

Como explica Lenz en su ensayo introductorio, "mapping" o "reading" *Postmodern New York City* como texto significa, para los colaboradores del volumen, explorar la topografía urbana en su condición de espacio "heterotópico" e investigar la(s) cultura(s) metropolitana(s) "as a palimpsest of multiple and different layers and contending meanings" (p. 12). El espacio como categoría epistemológica central para discernir o construir identidad y diferencia está en la base misma de las investigaciones individuales, cuyos resultados no sorprenden al que está familiarizado con los tantos conceptos espaciales, "fronterizos" y "liminales" o "migratorios" y "nómades", que están *en vogue* –expuestos, por cierto, con un profundo conocimiento teórico y rigor analítico–. Quiero tan sólo realzar un trabajo que por su enfoque y el material empleado es absolutamente

---

[18] El paradigma del volumen editado por Lenz y Riese se relaciona con el de la etnóloga Bettina E. Schmidt, cuyo libro *Karibische Diaspora in New York. Vom "Wilden Denken" zur "Polyphonen Kultur"* (2002) investiga la misma topografía metropolitana como espacio "postmoderno", centrándose ella en las religiones populares de origen caribeño.

novedoso: el ensayo de Dorothea Löbbermann que, a través de programas turísticos, investiga el impacto del turismo en la construcción de identidades y espacios étnicos. Llega a la conclusión de que el turismo –"the quintessential industry of 'difference' and 'otherness'", según Keith Hollinshead[19]– puede muy bien tener un efecto inesperado en tiempos de la tan mentada globalización: "it re-territorializes the de-territorialized ethnic sign" (p. 132).

2. La literatura (y otras prácticas culturales) de los *Latino United States*: enfoques panlatinos

Son numerosas las publicaciones que, como se ha visto, estudian fenómenos de exilio, inmigración y etnicidad en los más diversos contextos culturales y que amplían nuestra comprensión de los *Latino United States* aun cuando éstos no constituyan el objeto exclusivo o preferencial de investigación. Veamos ahora aquellos volúmenes que en la perspectiva favorecida por Juan Poblete, la del paradigma panétnico de *Latino Studies*, investigan el conjunto de un "Latino ethnoscape" de dimensiones transnacionales, sin por ende descuidar lo que Juan Flores llama "the paradox of being nationals in a thoroughly transnationalized economic geography".[20] Un compendio valiosísimo, ilustrado y editado con gran esmero, lo constituye *Hispanic Literature of the United States. A Comprehensive Reference* (2003, Greenwood Press), de Nicolás Kanellos, que quiere ser una guía y obra de consulta para un público lector general, no especializado, satisfaciendo al mismo tiempo las exigencias de un trabajo rigurosamente científico.

El manual de Kanellos se divide en varios apartados o capítulos que, por cierto, conllevan no pocas reiteraciones, pero que permiten al lector utilizarlo según su propio criterio. En el primer capítulo ("Overview", pp. 1-44) Kanellos procura una panorámica de lo que denomina "U.S. Hispanic literature" y que se remonta, según él, a una tradición de más de 400 años, iniciándose con los escritos de los primeros conquistadores y colonizadores españoles en el territorio de lo que hoy constituyen los *mainland* Estados Unidos. Aquí, Kanellos no procede de manera cronológica sino según la diferenciación de "categorías" mediante las cuales intenta caracterizar, de manera sistemática, el conjunto. Una "cronología" tanto de los eventos históricos más importantes como de los autores y textos prominentes es facilitada en el segundo capítulo (pp. 45-65), seguido en el tercero (pp. 67-172) por un "Who's Who of Hispanic Authors of the United States", con más de 160 entradas que dan, amén de informaciones bio-bibliográficas, una sucinta introducción a las obras representativas del autor respectivo. Los capítulos restantes tratan de materias diversas: de movimientos y tópicos de la literatura contemporánea, desde "bilingualism in literature" hasta "women and feminism" (pp. 173-217); de la prensa y los

---

[19] "Tourism, Hybridity, and Ambiguity: The Relevance of Bhabha's 'Third Space' Cultures", en: *Journal of Leisure Research* 30,1, 1998, p. 125.

[20] Hay que advertir que no todos los investigadores cuyas obras se presentan a continuación bajo el rubro del paradigma "panétnico", se han expresado en la misma línea de argumentación de Poblete; sirve aquí esencialmente para reunir obras que no están dedicadas a una sola comunidad, siendo reservada a éstas la segunda entrega de la reseña.

centros de publicación de literatura latina o hispana, desde comienzos del siglo XIX (pp. 219-246); y del teatro, con una documentación de las actividades ante todo durante el siglo XIX y la primera mitad del siglo XX (pp. 247-280). El volumen concluye con una lista de "100 Essential Hispanic Literary Works", una bibliografía así como un índice de títulos y de materias tratadas, que facilitan la consulta selectiva.

El libro de Kanellos es, como el autor se ha propuesto, "a comprehensive reference", que se puede consultar cual diccionario de autores y de tópicos recurrentes. Al mismo tiempo sirve como punto de partida para una sistematización metodológica de la literatura de los latinos en EE.UU., a partir del primer capítulo que se estructura según la diferenciación de tres paradigmas o categorías, "three distinctive types of expression: that of exiles, immigrants, and natives", las cuales conformarían "the three generational identities of Hispanics in the United States across history" (p. 5). La primera categoría que se analiza es la de "Hispanic *native* literature", que se caracteriza por ser la expresión de una minoría étnica en una sociedad antagónica, y que desde la segunda mitad del siglo XIX viene formando "a legacy of resistance against colonialism, segregation, and exploitation" (p. 15); sus representantes serían tanto los autores militantes del *Chicano Movement* y los *nuyoricans* de los años sesenta y setenta como los que en la actualidad se están distanciando de sus comunidades originarias para efectuar el *crossing-over* hacia el *mainstream*. La segunda categoría analizada es la de "Hispanic *immigrant* literature", la cual denota "a double gaze" o perspectiva dual, "forever comparing the past and the present, the homeland and the new country, [...] reinforc[ing] the culture of the homeland while facilitating the accommodation to the new land" (p. 25); la representarían ante todo autores puertorriqueños –Kanellos nombra, entre otros, a René Marqués, José Luis González y Pedro Juan Soto– e inmigrantes cubanos como Roberto Fernández, Virgil Suárez, Cristina García o Gustavo Pérez Firmat, "authors [who] assume many of the stances of native writers, but their predominant theme and their double gaze are distinctly immigrant in nature" (p. 31). Finalmente, Kanellos evoca como tercera categoría la de "Hispanic *exile* literature", representada por un Heredia, Martí o Félix Varela, "centered on the homeland, *la patria*, rather than on the fate of the exile community in the United States" (p. 34).[21]

La categorización elaborada por Kanellos es sugestiva y las señas que atribuye a cada uno de los tres paradigmas son patentes; sin embargo, surgen problemas y hasta contradicciones. Bien subraya el mismo autor que sus conceptos son dinámicos y los límites entre cada uno movibles o permeables; pero no logra del todo convencer cuando engloba a autores como, por ejemplo, Fernández, Suárez, Cristina García y Pérez Firmat, en la categoría de "immigrant writers" afirmando también que ellos tienen lo que caracteriza según Kanellos precisamente los "native writers": "a sense of place", "find[ing]

---

[21] Las mismas categorías han servido a Kanellos para organizar una antología de textos representativos en versión inglesa (cuya parte introductoria se reproduce aquí con pocas enmiendas): *Herencia. The Anthology of Hispanic Literature of the United States* (2002). (Hay una edición en español, que no tuve a mano: *En otra voz. Antología de la literatura hispana de los Estados Unidos*. Houston, TX: Arte Público Press 2002.) Una versión en español de una parte de este capítulo ("Literatura hispana nativa") apareció en el número 667-668 (2002) de *Ínsula*, dedicado a "La otra orilla del español: las literaturas hispánicas de los Estados Unidos", con contribuciones de, entre otros, Julio Ortega, Beatriz Pastor, Carlota Caulfield, Doris Sommer y Roberto G. Fernández.

ways for the community to accomodate itself here in the United States" (p. 30) y caracte-
rizándolos, finalmente, en el "Who's Who", como "hyphenated" o "ethnic", o sea *Cuban Americans*.[22]

No obstante esa observación crítica, el compendio de Nicolás Kanellos es la mejor
obra de consulta asequible para el gran público de las que actualmente están en el mercado.[23] Otro volumen recién publicado que se dirige explícitamente a un público lector no
especializado es el que editaron Carlota Caulfield y Darién J. Davis, *A Companion to US Latino Literatures* (2007, Tamesis). Esta obra colectiva, que reúne una docena de ensayos, quiere documentar "the linguistic and cultural diversity" de las prácticas culturales
de aquéllos que los editores, en su introducción, denominan una vez "Latinos in the US"
y otra "the US Latin American Diaspora". Las contribuciones están organizadas en virtud del país de origen de los autores tratados, con seis ensayos dedicados a las comunidades originarias de México, Puerto Rico, Cuba y República Dominicana; uno a autores
nacidos en Centroamérica, el Brasil y Argentina, respectivamente; y, finalmente, tres
ensayos que tratan de tópicos como religión, género y cine en una perspectiva panlatina.

El mayor acierto del volumen es el de incluir a un gran número de autores todavía
poco conocidos y/o pertenecientes a comunidades latinas aún no firmemente establecidas en EE.UU. Por ejemplo, en la contribución de Elizabeth Coonrod Martínez acerca de
los *US Dominicans*, que tiene en cuenta no sólo a la ya famosa Julia Álvarez y a Junot
Díaz, que con un solo tomo de cuentos (*Drown*, 1996) tuvo un éxito inesperado, sino
también a algunos representantes de una nueva generación que recién han empezado a
publicar, como las novelistas Loida Maritza Pérez (*Geographies of Home*, 1999), Angie
Cruz (*Soledad*, 2001; *Let It Rain Coffee*, 2005), y Nelly Rosario (*Song of the Water Saints*, 2002); o en el artículo de Vincent Spina acerca de tres escritores provenientes de
un país centroamericano –la poetisa Conny Palacios (Nicaragua), la novelista Rima de
Vallbona (Costa Rica), y el cuentista Omar Castañeda (Guatemala) quien murió en 1997
de una sobredosis de drogas–, "new immigrants", cuyos protagonistas "must deal
directly with the surrounding culture with no recourse to the kind of buffer an ethnic
community may offer" (p. 121).

Resulta, sin embargo, problemático el hecho de que no hay consenso entre los contri-
buidores acerca del concepto de "Latino" y de "*Latino* literature", abogando los mismos
editores por dejarlo "in flux" (p. 4). Tampoco se hace siempre la distinción necesaria
entre "literatura de exilio" y "literatura diaspórica" (por ejemplo, en el ensayo de Armando González-Pérez, acerca del teatro de autores de origen cubano) ni la distinción aún

---

22 Otro problema se presenta en relación con la "literatura de exilio" escrita y/o publicada por latinoamericanos en suelo norteamericano, que Kanellos –director del proyecto "Recovering the U.S. Hispanic
Literary Heritage" ya mencionado– considera "*Hispanic* exile literature", recuperando de este modo
(por ejemplo) una novela como *Los de abajo*, del mexicano Mariano Azuela, como parte del acervo literario de los *Hispanic U.S.A.* por el hecho –más bien fortuito– de haber sido publicada en El Paso, Texas.
(Para la también problemática calificación de algunos autores puertorriqueños como autores "latinos"
de EE.UU., véase el apartado correspondiente en la segunda entrega de esta reseña.)
23 La editorial Blackwell Publishing anuncia, en su serie "Blackwell Companions in Cultural Studies", la
publicación de otra obra de referencia y de aún mayor envergadura, dada la participación de unos 40
especialistas en la materia: *A Companion to Latina/o Studies*, editado por Juan Flores y Renato Rosaldo
(la distribución está prevista para septiembre/octubre de 2007).

más necesaria (borrada por los mismos editores) entre la literatura de los "Latinos in the US" y de la "US Latin American Diaspora". La hace tan sólo Sergio Waisman, quien se considera a sí mismo escritor argentino residente en Estados Unidos, en su excelente estudio "Argentine Writers in the US: Writing South, Living North", y quien empieza su artículo admitiendo "a certain amount of skepticism, for it is not at all clear to me that the handful of Argentine writers whom I will be discussing here – Argentine writers who have spent significant portions of their careers living and writing, primarily in Spanish, in the United States – belong in a volume on US Latino literature" (p. 159).

No obstante, el volumen organizado por Caulfield y Davis puede servir muy bien, no para sustituir el manual de Kanellos, pero sí como su complemento, lo que sería válido también para otro libro que se dirige a un público no especializado: *Latino Literature in America* (2003, Greenwood Press), de Bridget Kevane. Está escrito, obviamente, con miras al lector del *mainstream*, al que se invita "to explore and learn about Latino culture and, at the same time, to transcend cultural differences in order to better understand and accept the Latino communities found across the United States" (p. 2). De ahí se derivan tanto la selección de los autores tratados en capítulos monográficos y que en su mayoría cuentan ya con cierta aceptación dentro del *mainstream*, como también la organización de cada capítulo, que amén de datos bio-bibliográficos procura informar ante todo acerca de lo que se rubrica como "Cultural elements".

Tanto en su introducción como en los distintos capítulos centrados en una o, como máximo, dos obras de cada autor, Bridget Kevane logra una gran precisión en la presentación tanto del contexto como de los aspectos temáticos o "elementos culturales" de la obra en cuestión, aun cuando el afán algo "contenidista" la induce, a veces, a reiteraciones. Son considerados dos novelistas o cuentistas de cada una de las comunidades latinas "históricas": para los chicanos, Rudolfo Anaya con *Bless Me, Última* (1972) y Sandra Cisneros con su novela *The House on Mango Street* (1984) y su colección de relatos *Woman Hollering Creek* (1991); para los *Dominican Americans* Julia Álvarez con dos novelas, *How the García Girls Lost Their Accents* (1992) e *In the Time of the Butterflies* (1995), así como Junot Díaz con sus cuentos *Drown* (1996); para los *Cuban Americans* Cristina García también con dos novelas, *Dreaming in Cuban* (1992) y *The Agüero Sisters* (1997), así como Óscar Hijuelos con *The Mambo Kings Play Songs of Love* (1989), novela galardonada con el Pulitzer Prize; y para los puertorriqueños o *nuyoricans* Judith Ortiz Cofer con *The Line of the Sun* (1989) y Ernesto Quiñonez[24] con *Bodega Dreams* (2000).

Considerando la selección de escritores y textos efectuada, la autora afirma "that all of the authors and their characters find a final resolution in the act of adopting both cultures, in becoming bicultural" (p. 9). Sin embargo, esa "solución" del conflicto identitario y cultural al que se ven enfrentados los escritores latinos y/o sus protagonistas no está exenta de ambigüedades, ni tampoco se llega siempre al desenlace feliz celebrado por

---

[24]   El nombre de Ernesto Quiñonez en esta serie sorprende, no por figurar como "puertorriqueño" –nació en Ecuador, de padre ecuatoriano y madre puertorriqueña, pero vivió desde su infancia en East Harlem, "El Barrio" de los puertorriqueños o *nuyoricans*–, sino por el hecho de que no consiguió –ni conseguirá, ni habrá sido en sus intenciones conseguir– el *crossing-over* hacia el *mainstream* con su novela *Bodega Dreams*, que (como bien explica Kevane) se inscribe en la tradición de *barrio-novels*, fundada por Piri Thomas, con *Down These Mean Streets* (1967).

Bridget Kevane. La negociación difícil entre el imaginario "nacional", excluyente y hegemónico, de Estados Unidos y la realidad de un sujeto, en un principio marginado y subalterno, de parte de los latinos embarcados en la construcción de identidades bi o transculturales, es justamente el tema central del libro de Paul Allatson, *Latino Dreams. Transcultural Traffic and the U.S. National Imaginary* (2002, Rodopi), que investiga autores y textos bien distintos, y que se dirige a un lector ya algo familiarizado con los fenómenos en cuestión.

Como explica Allatson en un extenso primer capítulo, quiere indagar el sentido y desenlace de procesos de transculturación, siguiendo por de pronto a Fernando Ortiz y partiendo del hecho de que "'America' is liable to a critical resemanticization into *América*, from within the United States" (p. 31). Sin embargo, para escapar a lo que llama "an intransigeant hegemonic (pervasive power) versus counter-hegemonic (resistant) dichotomy" que invariablemente considera las prácticas culturales de los latinos como actos de resistencia contra la cultura mayoritaria, reformula "a subaltern-modified transculturation [which] accepts that Latino cultures are implicated in the hegemonic limits, conflicts, and possibilities encoded in Ortiz's acculturation, deculturation, and neoculturation" (p. 44). Así llega a diferenciar un repertorio de cuatro discursos implicados en los procesos de transculturación: "hegemonic (dominant), compliant-hegemonic (uncritical or consensual), counter-hegemonic (resistant), and alternative-hegemonic (power displacing)" (*Ibíd.*).

La dinámica inherente a lo que Allatson llama "distinct latinizations of American Dream logics" (p. 47) se revela particularmente ambigua y hasta perturbadora en el análisis magistral de la novela *Spidertown* (1993), de Abraham Rodríguez.[25] La novela pertenece al subgénero del *"nuyorican* bildungsroman" creado por Piri Thomas, pero ya no deja ningún espacio para la negociación o reclamación de una identidad propia o de un gesto sostenido de resistencia y rebeldía, característico del ambiente *nuyorican* de los años sesenta y setenta, fomento de la novela emblemática de Piri Thomas. Y mientras que en *Spidertown* el barrio, como espacio geopolítico y cultural, está disociado y enajenado del mundo *anglo* de tal manera que no hay fisuras por donde efectuar operaciones de transgresión hacia el *American Dream*, la vida dentro del barrio está estructurada según la lógica del tráfico de drogas y dominada por los *druglords*, que se consideran a sí mismos "as ethical agents of the free-enterprise dynamic that feeds the American Dream itself" (p. 137). El protagonista Miguel representa lo que Allatson denomina "a post-*barrio* consciousness": "not modulated by a politicized anger directed at the material and ideological preconditions for his subalternity, [...] detached from identity categories like Puerto Rican, U.S., or their neocultural combination" (p. 153), o como se dice en la novela: "They were all walking shit" (cit. p. 121). *Spidertown* no es, decididamente, la *mise en scène* de una transculturación acabada, un "third space" para la negociación de una feliz identidad híbrida. Y es justamente contra la celebración de la tan mentada "happy hybridisation" que el libro de Paul Allatson previene, "a celebration of cultural heterogeneity

---

[25]   Son tomados en cuenta también, amén de la puertorriqueña Rosario Ferré (con *Sweet Diamond Dust and Other Stories*, la versión inglesa de *Maldito amor*, publicada en 1988), la cubano-americana Achy Obejas (con su novela *Memory Mambo*, 1996), los chicanos Benjamín Alire Sáenz (con su novela *Carry Me Like Water*, 1995), Coco Fusco y Guillermo Gómez-Peña (los dos con varias *performances*).

as cultural resistance or counter-hegemonic success that glosses over painful and violent deculturations and potentially enacts its own authoritarian exclusions" (p. 45).

Latino Dreams de Paul Allatson es un estudio particularmente sugestivo, que en base de un paradigma teórico inteligente y a través de una argumentación lúcida lleva a una comprensión de prácticas culturales que están muy lejos de confirmar aquella visión optimista de una *hyphenated generation*, ofrecida por muchos autores de la "segunda generación". Semejante perspectiva es enfocada por Monica Brown en su monografía *Gang Nation. Delinquent Citizens in Puerto Rican, Chicano, and Chicana Narratives* (2002, University of Minnesota Press), que investiga con el mismo rigor y espíritu crítico que *Latino Dreams* representaciones discursivas que se enfrentan a lo que Allatson cita como "imaginario nacional", creando lo que Brown denomina *counter-nation*. Los que habitan ese espacio heterotópico son los jóvenes delincuentes miembros de pandillas callejeras o *street gangs*, los *homeboys* y *homegirls* o "locos" y "locas", que en el imaginario nacional –corriendo parejas con el inmigrante indocumentado, el cual amenaza el cuerpo nacional como "illegal alien" desde el exterior– constituyen "the enemy within". La autora investiga, con una pronunciada sensibilidad (y una perceptible empatía) cómo se construye, en los textos analizados ficcionales y autobiográficos leídos en gran parte como testimonios etnográficos, la infraestructura compleja de las pandillas, con sus señas de identidad y mitologías compartidas, sus valores y lealtades morales y territoriales, sus ansias de pertenencia, respeto y poder, y, finalmente, su condición de, a la vez, víctimas y victimarios.

Entre los textos considerados figuran algunos ya muy comentados junto con otros poco conocidos. Así, se compara *Down These Mean Streets*, de Piri Thomas, con la novela *Carlito's Way* (1975) de Edwin Torres, quien retrata, igual que su predecesor en el género del "*nuyorican* bildungsroman", la carrera criminal de un joven delincuente en el barrio, pero desde una posición ideológica opuesta, ya que Torres ejerció de juez del Tribunal Supremo del condado de Nueva York, mientras que Thomas escribió acerca de su vida desde la condición del ex convicto.[26] Los demás textos provienen del ámbito chicano: la novela *Don't Spit on My Corner* (1992) de Miguel Durán, que en el contexto de los años cuarenta enfoca la figura del "pachuco" o "zoot-suiter" sustrayéndose –contrariamente a Luis Valdez con su pieza de teatro *Zoot Suit* (1978)– a toda tentación de glorificarlo y mitificarlo; *Always Running: La Vida Loca: Gang Days in L.A.* (1993), texto autobiográfico de Luis J. Rodríguez, quien relata el conflicto entre su identidad de "vato loco" y el atractivo que tenía para él la participación en el *Chicano Power Movement*, la cual era incompatible con el *gang-banging lifestyle* de los "locos"; y dos textos elaborados desde la perspectiva femenina –la novela *Locas* (1997) de Yxta Maya Murray y las memorias *Two Badges: The Lives of Mona Ruiz* (1997), escritas (en co-autoría con George Boucher) por Mona Ruiz, quien de miembro de una *street gang* se convirtió en agente de policía–, textos donde las "pachucas" o "locas" revelan "[a] sense of resistance to and critique of oppressive forces emanating from the inherent contradictions of dominant

---

[26]   De gran interés son también los datos que procura Monica Brown acerca de *Savior, Savior, Hold My Hand* (1972), otro texto autobiográfico de Piri Thomas y de cierta manera la continuación de su primera obra, que pone en evidencia los mecanismos de comercialización e instrumentalización de los que él, como *ex-con* y *gang member*, fue víctima.

U.S. nationalism *as well as* the causes/effects of sexism within Latino/Chicano culture" (p. 82).

Ese último aspecto de la doble opresión a la que se afrontan las mujeres es un tópico recurrente tanto en los textos ficcionales y autobiográficos como, lógicamente, en la crítica femenina académica que, sin embargo, se ha ocupado muy poco de las representaciones culturales *desde* el barrio[27], ya que tanto las escritoras latinas visibles como sus intérpretes (y en cierto modo sus promotores) pertenecen a la clase media y a la academia misma.[28] Hay toda una serie de estudios publicados en los últimos años que se refieren exclusivamente a las mujeres. *Reading U.S. Latina Writers. Remapping American Literature* (2003, Palgrave Macmillan), editado por Alvina E. Quintana y concebido como guía para profesionales de la enseñanza, presenta, por orden alfabético, a una quincena de escritoras a través de un análisis de (por lo general) una obra, con datos bio-bibliográficos e informaciones acerca del contenido, del contexto histórico y literario, de temas y motivos, y de la recepción. Estos datos e informaciones son útiles para el que quiere asomarse a una literatura que no conoce aún. Sin embargo, la "Introduction" de apenas cuatro páginas hubiera podido resultar algo más sustanciosa, y el apartado con avisos para la enseñanza ("Pedagogical Issues and Suggestions"), con juicios como que tal novela "works well" en tal circunstancia, es de utilidad irrisoria si no sencillamente superfluo (a menos que me equivoco en la apreciación de la preparación del profesorado norteamericano, al que se dirige el volumen).

La tesis doctoral de Margarethe Herzog, *Lebensentwürfe zwischen zwei Welten. Migrationsromane karibischer Autorinnen in den USA* (2001, Lang), también puede servir (aunque a otro nivel) como introducción a la problemática de cómo se posicionan las mujeres migrantes "entre dos mundos", tal como se proyecta en las novelas y textos autobiográficos de tres escritoras de origen caribeño: Cristina García (Cuba), Esmeralda Santiago (Puerto Rico) y Julia Álvarez (República Dominicana). El *close reading* de los textos está bien estructurado y es lúcido, revela con detalle y de modo contundente lo que la autora llama la "feminización" de la migración. Pero lo que más distingue el trabajo de Margarethe Herzog, haciéndolo útil para el acercamiento al tópico de la migración y la representación de identidades bi-culturales o *in-between* en cualquier contexto, es la primera parte del libro (pp. 19-154), donde Herzog propone –amén de una panorámica histórica de las migraciones caribeñas y una "tipología" de las "literaturas de migración" del Caribe hispano– un marco teórico y conceptual preciso, que convence, además, por prescindir de aquella terminología "post", que en otra publicación sobre el mismo

---

27 Hay, por supuesto, excepciones; por ejemplo, Michelle Habell-Pallán, de formación académica etnóloga, en el contexto de sus trabajos sobre la cultura popular: *Loca Motion. The Travels of Chicana and Latina Popular Culture* (New York, NY/London: New York University Press 2005) y, editado junto con Mary Romero, *Latino/a Popular Culture* (New York, NY/London: New York University Press 2002) –títulos a los que volveré en la última parte de la segunda entrega de este reseña–. Véase también el último capítulo del libro *Killing Spanish. Literary Essays on Ambivalent U.S. Latino/a Identity* (2004), de Lyn Di Iorio Sandín, donde se analiza la novela de Yxta Maya Murray, junto con la de Piri Thomas y los cuentos de Junot Díaz, como "melancholic allegory of the street".

28 Véase la monumental obra publicada por Vicki L. Ruiz y Virginia Sánchez Korrol *Latinas in the United States. A Historical Encyclopedia*, 3 vols. (Bloomington, MN/Indianapolis, IN: Indiana University Press 2006).

fenómeno se usa de modo inflacionario y francamente fastidioso. Aludo a la monografía de Fatima Mujčinovič, *Postmodern Cross-Culturalism and Politicization in U.S. Latina Literature. From Ana Castillo to Julia Alvarez* (2004, Lang), que investiga la "especificidad" de una "subjetividad femenina" a partir de novelas, cuentos y textos autobiográficos de una decena de escritoras, "in connection to the cultural and sociopolitical conditioning of postmodernity" (p. 3). La "condición postmoderna" del mundo contemporáneo (y "postcolonial") se saca a colación en cualquier contexto; e identidades son sincréticas, ambiguas, múltiples, diaspóricas, móviles, híbridas, "bicultural", "transnational", "decentered", "deterritorialized", "interstitial", etc., términos que se usan sin más como sinónimos.

El estudio de Fatima Mujčinovič contribuye, por cierto, a elucidar, en determinadas autoras[29], algunos fenómenos relacionados con el siempre presente tema de la identidad –así resulta útil la introducción del concepto de "geopoliticized identities"–. Pero en su conjunto la investigación no depara grandes sorpresas ni abre nuevas perspectivas sobre escritoras y obras ya muy transitadas. Frente a ello, Alberto Sandoval-Sánchez y Nancy Saporta Sternbach, en su estudio *Stages of Life. Transcultural Performance & Identity in U.S. Latina Theater* (2001, The University of Arizona Press), convencen tanto por el marco teórico pertinente como por la novedad del material presentado, que ellos mismos reunieron y que en gran parte queda aún sin publicar.[30] Analizan piezas de teatro y *solo performances* de autoras con una obra ya acreditada –como, por ejemplo, Maria Irene Fornes, Dolores Prida, Cherríe Moraga, Coco Fusco y Carmelita Tropicana–, pero también de una pléyade de mujeres aún por descubrir (como atestigua la bibliografía, que cita a más de 70 mujeres). El análisis se centra en la construcción discursiva de identidades como procesos dinámicos y contingentes, como "transculturation in action" (p. 38) a través de la escenificación de señas de identidad, que pueden ser tanto elementos de la acción dramática y de su marco temporal-espacial como objetos de la cultura material y peculiaridades del habla, tal el bilingüismo o el *code-switching*.[31] Desarrollando su marco teórico y conceptual ("Rehearsing Transculturation", pp. 13-39), Sandoval-Sánchez y Saporta Sternbach privilegian, de modo consciente y consecuente, teorías de transculturación de origen latinoamericano (Fernando Ortiz, Nancy Morejón, Ángel

---

[29] Las autoras que se toman en cuenta son: amén de Cristina García y Julia Álvarez, estudiadas también por Margarethe Herzog, las chicanas Ana Castillo, Graciela Limón, Demetria Martínez y Helena María Viramontes, así como las "puertorriqueñas" Rosario Morales, Aurora Levins Morales y Judith Ortiz Cofer.

[30] Una veintena de piezas, *performances* y testimonios fue publicada por Sandoval-Sánchez y Saporta Sternbach en la antología *Puro Teatro. A Latina Anthology* (Tucson, AZ: The University of Arizona Press 1999).

[31] El bilingüismo y *code-switching*, magistralmente escenificado por Dolores Prida en su "one-act bilingual fantasy" *Coser y cantar* (1981/1991), constituye un recurso frecuentemente empleado también tanto en la poesía como en la narrativa. Para su uso en la poesía de Tato Laviera y la novela *Raining Backwards*, de Roberto G. Fernández, véase Rosanna Rivero Marín, *Janus Identities and Forked Tongues. Two Caribbean Writers in the United States* (2004). Se remite, además, al libro de Gustavo Pérez Firmat, *Tongue Ties. Logo Eroticism in Anglo-Hispanic Literature* (2003), quien, en vez de enfocar el fenómeno del bilingüismo desde una perspectiva lingüística, cultural o política, se interesa "en something more elusive, in the emotional bonds or 'tongue ties'" (p. 4), de autores españoles, latinoamericanos y *Hispanics* (Sandra Cisneros, Richard Rodriguez y Judith Ortiz Cofer).

Rama), distanciándose de lo que califican de "current consumerism of postcolonial theory" (p. 29). Se salvan, según ellos, tan sólo Gloria Anzaldúa, con su ensayo *Borderlands/La Frontera*, y Guillermo Gómez-Peña, con *performances* como *Borderscape 2000*, seguido por José David Saldívar y su concepto de "transfrontera" (*Border Matters. Remapping American Cultural Studies*, 1997). Como destacan Sandoval-Sánchez y Saporta Sternbach: "For all of these border theorists, the border is not a transcendental, esoteric location, but rather a real life-and-death space, inhabited by real specific relations of power" (p. 31).

(Continuará)

Bibliografía

Ahrens, Rüdiger/Herrera-Sobek, María/Ikas, Karin/Lomelí, Francisco A. (eds.): *Violence and Transgression in World Minority Literatures*. Heidelberg: Universitätsverlag Winter (Anglistische Forschungen, 348) 2005. XVII, 452 páginas.

Allatson, Paul: *Latino Dreams. Transcultural Traffic and the U.S. National Imaginary*. Amsterdam/New York, NY: Rodopi (Portada Hispánica, 14) 2002. 367 páginas.

Alonso Gallo, Laura P./Domínguez Miguela, Antonia (eds.): *Evolving Origins, Transplanting Cultures: Literary Legacies of the New Americans*. Huelva: Universidad de Huelva (Collectanea, 65) 2002. 317 páginas.

Andrés-Suárez, Irene (ed.): *Migración y literatura en el mundo hispano*. Madrid: Editorial Verbum (Verbum ensayo) 2004. 387 páginas.

Arreola, Daniel D. (ed.): *Hispanic Spaces, Latino Places. Community and Cultural Diversity in Contemporary America*. Austin, TX: University of Texas Press 2004. VIII, 334 páginas.

Benito, Jesús/Manzanas, Ana María: *Literature and Ethnicity in the Cultural Borderlands*. Amsterdam/New York, NY: Rodopi (Rodopi Perspectives on Modern Literature, 28) 2002. VI, 203 páginas.

Brown, Monica: *Gang Nation. Delinquent Citizens in Puerto Rican, Chicano, and Chicana Narratives*. Minneapolis, MN/London: University of Minnesota Press 2002. XXXV, 212 páginas.

Castillo, Debra A.: *Redreaming America. Toward a Bilingual American Culture*. Albany, NY: State University of New York Press 2005. VII, 232 páginas.

Caulfield, Carlota/Davis, Darién J. (eds.): *A Companion to US Latino Literatures*. Woodbridge, Suffolk: Tamesis (Col. Támesis; Serie A: Monografías, 234) 2007. XI, 235 páginas.

De Genova, Nicholas: *Working the Boundaries. Race, Space, and "Illegality" in Mexican Chicago*. Durham, NC/London: Duke University Press 2005. XVI, 329 páginas.

Domínguez Miguela, Antonia: *Esa imagen que en mi espejo se detiene. La herencia femenina en la narrativa de latinas en Estados Unidos*. Huelva: Universidad de Huelva (Arias Montano, 49) 2001. 198 páginas.

Fischer-Hornung, Dorothea/Mueller, Monika (eds.): *Sleuthing Ethnicity. The Detective in Multiethnic Crime Fiction*. Madison, NJ/London: Fairleigh Dickinson University Press/Associated University Presses 2003. 331 páginas.

González Boixo, José Carlos/Ordiz Vázquez, Javier/Álvarez Maurín, M.ª José (eds.): *Literatura de las Américas, 1898-1998*. León: Universidad de León 2000. 2 Vols. 965 páginas.

Gruesz, Kirsten Silva: *Ambassadors of Culture. The Transamerican Origins of Latino Writing*. Princeton, NJ/Oxford: Princeton University Press (Translation/Transnation) 2002. XXI, 293 páginas.

Gutiérrez, David G. (ed.): *The Columbia History of Latinos in the United States Since 1960.* New York, NY: Columbia University Press 2004. XXIV, 494 páginas [reprint 2006].

Hensel, Silke: *Leben auf der Grenze. Diskursive Aus- und Abgrenzungen von Mexican Americans und Puertoricanern in den USA.* Frankfurt/M.: Vervuert (Forum Ibero-americanum/Acta Coloniensia, 3) 2004. 426 páginas.

Herzog, Margarethe: *Lebensentwürfe zwischen zwei Welten. Migrationsromane karibischer Autorinnen in den USA.* Frankfurt/M. etc.: Lang (Lenguas, Sociedades y Culturas en Latinoamérica, 4) 2001. 369 páginas.

Ínsula 667-668: "La otra orilla del español: las literaturas hispánicas de los Estados Unidos" 2002. 32 páginas.

Kalogeras, Yiorgos/Arapoglou, Eleftheria/Manney, Linda (eds.): *Transcultural Localisms. Responding to Ethnicity in a Globalized World.* Heidelberg: Universitätsverlag Winter (American Studies, 136) 2006. XIV, 280 páginas.

Kanellos, Nicolás: *Hispanic Literature of the United States. A Comprehensive Reference.* Westport, CT/London: Greenwood Press 2003. X, 314 páginas.

— (ed.): *Herencia. The Anthology of Hispanic Literature of the United States.* Oxford/New York, NY: Oxford University Press 2002. 644 páginas.

Kevane, Bridget: *Latino Literature in America.* Westport, CT/London: Greenwood Press (Literature as Windows to World Cultures) 2003. 149 páginas.

La Vanguardia: Los hispanos en Estados Unidos. Barcelona: La Vanguardia Ediciones (Vanguardia Dossier, 13) 2004. 114 páginas.

Lenz, Günter H./Riese, Utz (eds.): *Postmodern New York City. Transfiguring Spaces – Raum-Transformationen.* Heidelberg: Universitätsverlag Winter (Anglistische Forschungen, 320) 2003. 357 páginas.

Marçais, Dominique/Niemeyer, Mark/Vincent, Bernard/Waegner, Cathy (eds.): *Literature on the Move. Comparing Diasporic Ethnicities in Europe and the Americas.* Heidelberg: Universitätsverlag Winter (American Studies, 97) 2002. XIV, 360 páginas.

Martínez, Juana: *Exilios y residencias. Escrituras de España y América.* Madrid/Frankfurt/M.: Iberoamericana/Vervuert 2007. 254 páginas.

Mertz-Baumgartner, Birgit/Pfeiffer, Erna (eds.): *Aves de paso. Autores latinoamericanos entre exilio y transculturación (1970-2002).* Madrid/Frankfurt/M.: Iberoamericana/Vervuert (Teoría y Crítica de la Cultura y Literatura, 28) 2005. 242 páginas.

Mujčinovič, Fatima: *Postmodern Cross-Culturalism and Politicization in U.S. Latina Literature. From Ana Castillo to Julia Alvarez.* New York, NY etc.: Lang (Modern American Literature. New Approaches, 42) 2004. IX, 200 páginas.

Nueva Sociedad 201 (2006): "Cultura latina en Estados Unidos", pp. 45-157.

Pérez Firmat, Gustavo: *Tongue Ties. Logo-Eroticism in Anglo-Hispanic Literature.* New York, NY/Basingstoke: Palgrave Macmillan (New Directions in Latino American Cultures) 2003. XI, 195 páginas.

Poblete, Juan (ed.): *Critical Latin American and Latino Studies.* Minneapolis, MN/London: University of Minnesota Press (Cultural Studies of the Americas, 12) 2003. XLI, 241 páginas.

— (ed.) (2005): "Los Latino Americanos en una perspectiva global-hemisférica". En: *Iberoamericana (nueva época)* V, 17, pp. 87-152.

— (ed.) (2006): "Latin American and Latino Studies: A Special Issue". En: *Latino Studies* 4, 1-2, pp. 5-119.

Quintana, Alvina E. (ed.): *Reading U.S. Latina Writers. Remapping American Literature.* New York, NY/Basingstoke: Palgrave Macmillan 2003. VII, 212 páginas.

Rivero Marín, Rosanna: *Janus Identities and Forked Tongues. Two Caribbean Writers in the United States.* New York, NY etc.: Lang (Caribbean Studies, 12) 2004. VIII, 153 páginas.

Sandín, Lyn Di Iorio: *Killing Spanish. Literary Essays on Ambivalent U.S. Latino/a Identity.* New York, NY/Basingstoke: Palgrave Macmillan 2004. X, 167 páginas.

Sandoval-Sánchez, Alberto/Saporta Sternbach, Nancy: *Stages of Life. Transcultural Performance & Identity in U.S. Latina Theater.* Tucson, AZ: The University of Arizona Press 2001. X, 261 páginas.

Schmidt, Bettina E.: *Karibische Diaspora in New York. Vom "Wilden Denken" zur "Polyphonen Kultur".* Berlin: Dietrich Reimer 2002. 377 páginas.

Thies, Sebastian/Dölle, Susanne/Bieritz, Ana María (eds.): *ExilBilder. Lateinamerikanische Schriftsteller und Künstler in Europa und Nordamerika.* Berlin: edition tranvía/Walter Frey (Tranvía Sur, 13) 2005. 280 páginas.

Walter, Roland: *Narrative Identities. (Inter)Cultural In-Betweenness in the Americas.* Bern etc.: Lang 2003. 397 páginas.

Wehr, Ingrid (ed.): *Un continente en movimiento: migraciones en América Latina.* Madrid/Frankfurt/M.: Iberoamericana/Vervuert 2006. 450 páginas.

Barbara Potthast*

Mujeres, niños y políticos. Algunas obras recientes sobre género y familia en América Latina, siglos XIX y XX

La historia de las mujeres y de género, de familia y niños, se basa ya en un cuarto de siglo de investigaciones. Ha quedado atrás la época pionera en la cual en los libros de historia se intentaba hacer visible y reivindicar el lugar de las mujeres, volviéndose los estudios sobre relaciones de género cada vez más profundos y metodológicamente innovadores. Mientras que los primeros trabajos se concentraban o en la época colonial o en el siglo XX, en los últimos años se han publicado varios estudios que se ocupan del siglo XIX. Este siglo, que constituye la base de la modernidad en América Latina, ha sido estudiado sobre todo en sus aspectos políticos y económicos, mientras que los problemas de género aparentemente no resultaban de importancia, ya que las mujeres se hallaban excluidas de aquellas esferas. Ahora sabemos que, no obstante esta exclusión, las mujeres intervenían o se veían afectadas por estos cambios políticos, y que las relaciones de género influían en este proceso. Además, ha habido cambios importantes aunque lentos, a veces ambiguos o contradictorios y difíciles de detectar, en las relaciones de género y la posición de las mujeres. Dichas transformaciones han dado lugar a los movimientos feministas del siglo XX que fueron el objeto de los primeros estudios sobre mujeres. Los trabajos de los últimos años se han concentrado no sólo en dichos movimientos feministas, sino que han abordado igualmente movimientos sociales de otra índole, presentándonos un cuadro cada vez más diferenciado tanto de las situaciones y aspiraciones de las mujeres como de la sociedad en general. Tras un cuarto de siglo de investigaciones sobre relaciones de género, les ha llegado la hora a obras generales y manuales que desarrollan dicha temática, logrando generar aportes y unificando investigaciones sobre regiones y temas diversos, planteando a su vez nuevas pautas de investigación, tanto en el campo metodológico como en el temático. Por este motivo, presentaré a continuación algunas obras generales como también ejemplos de estudios monográficos novedosos, concen-

* Barbara Potthast es catedrática y directora del Instituto de Historia Ibérica y Latinoamericana y del Centro de Estudios Latinoamericanos de la Universidad de Colonia. Colabora desde muchos años en el comité directivo y la presidencia de la ADLAF (Asociación Alemana de Investigación sobre América Latina). Su áreas de trabajo son la historia de las relaciones inter-étnicas en Centroamérica en la época colonial, y sobre todo las relaciones de género y estructuras de familia en América Latina, con un especial énfasis en el Río de la Plata.

trándome en México, que es el país donde se originaron varios estudios pioneros sobre la historia de la familia y de género.

Para apreciar el avance pero también la calidad y la importancia de los estudios de género, celebramos la reedición de un pequeño libro que fue publicado por primera vez hace veinte años, y que se intitula *Presencia y transparencia: la mujer en la historia de México*, coordinado por Carmen Ramos Escandón. El título ya indica las inquietudes de los primeros estudios que "apuntaba[n] inicialmente la necesidad de visualizar, de rescatar la presencia femenina en su región, en su número, en su actuar cotidiano." (p. 16) Las y los autores del volumen tratan temas que van desde la mujer y la familia en la sociedad mexicana y en la Colonia hasta la lucha por el sufragio y sus repercusiones. Además, ya tenían en consideración en su momento temas importantes aún hoy en día como la violencia en la vida de las mujeres campesinas o, antes de que surgiera la moda del análisis del discurso, estereotipos femeninos e ideología en el México progresista. Estos artículos son todavía útiles sobre todo a título introductorio. De allí, los lectores pueden pasar a estudios más detallados que los mismos autores (u otros) han publicado posteriormente sobre el mismo tema.

El progreso de la historiografía en el campo de las relaciones de género, familia y vida cotidiana se puede apreciar en el hecho de que para muchos países disponemos ya de una obra general sobre la vida cotidiana, familia o las mujeres, dominando los estudios sobre la primera.[1] Dada la asignación del espacio privado a lo femenino, estas historias son un aporte importante para la historia de las mujeres y de género. Para los que todavía no se han familiarizado con el campo, la editora del manual en seis tomos sobre la vida cotidiana en México, Pilar Gonzalbo Aizpuru, ha publicado una breve *Introducción a la historia de la vida cotidiana* que sirve como una primera aproximación al concepto, sobre todo para estudiantes. Comienza con un capítulo donde se discute el tema de lo cotidiano en la historiografía y la sociología, así como las fuentes para el estudio de la vida cotidiana. Un segundo bloque introduce los protagonistas de la vida cotidiana (personas y prácticas), mientras que un tercer apartado desarrolla los temas de la vida cotidiana y cómo son estudiados hoy en día. Se discuten los espacios de lo cotidiano, sus tiempos y ritmos, para pasar a continuación al hombre y sus necesidades cotidianas (alimento, vestido, apariencias). La última parte trata de la familia y vida cotidiana, así como de lo cotidiano y la sociabilidad. Cada capítulo cuenta con una bibliografía básica y algunos cuadros con citas de obras importantes sobre el tema. El índice analítico completa este libro que, además de ser muy útil, condensa los conocimientos acumulados por la autora durante varios años de investigación sobre la historia de familia, género y vida cotidiana.

---

[1]   *Historia de la vida cotidiana en México*, dir. por Gonzalbo Aizpiru, Pilar, 6 tomos, México, D. F.: Fondo de Cultura Económica, 2004-2006; Novais, Fernando (ed.): *História da vida privada no Brasil*. 4 tomos, São Saulo: Companhia das Letras, 1997-1998; Silva, Maria Beatriz Nizza da: *Historia da familia no Brasil Colonial*, Rio de Janeiro: Nova Fronteira, 1998; Vainfas, Ronaldo (ed.): *Historia e sexualidade no Brasil*, Rio de Janeiro: Graal, 1986; Gil Lozano, Fernanda/Sita, Valeria Silvina/Ini, María Gabriela (eds.). *Historia de las mujeres en la Argentina*, 2 Vols., Buenos Aires: Taurus 2000; Torrado, Susana: *Historia de la familia en la Argentina moderna (1870-2000)*, Buenos Aires: Ediciones de la Flor, 2003; Devoto, Fernando/Madero, Marta (eds.): *Historia de la vida privada en Argentina*, 3 tomos, Buenos Aires: Aguilar, 1999/2000. Castro Carvajal, Beatriz (ed.): *Historia de la vida cotidiana en Colombia*, Bogotá: Norma, 1996.

Mientras que la mayoría de los países latinoamericanos ya dispone de publicaciones generales sobre los temas aquí tratados para su respectiva nación, obras que proporcionen una visión general para América Latina son todavía escasas y difíciles de realizar, dada la heterogeneidad del continente. Sobre todo para los siglos XIX y XX, cuando se había roto el vínculo político y legal del régimen colonial, resulta casi imposible presentar con justicia el variado desarrollo social en las sociedades latinoamericanas. No obstante, existen también desarrollos y problemas comunes. Y una mirada a otros países de Occidente nos advierte sobre problemas generales e idiosincrasias regionales o nacionales. Un primer intento de esta perspectiva comparativa y a la vez de conjunto ha sido efectuado en la edición española de la *Historia de las mujeres en Occidente*, editada originalmente en francés por Georges Duby y Arlette Farge. En la versión castellana se añadió una "mirada española" que cubrió también a América Latina.[2] Este enfoque ha sido profundizado en una publicación reciente de la editorial Cátedra con una *Historia de las mujeres en España y América Latina*, en cuatro voluminosos tomos, dirigida por Isabel Morant. Los volúmenes III y IV, que se ocupan de los siglos XIX y XX, son coordinados por Guadalupe Gómez-Ferrer, en su parte española, y Gabriela Cano, Dora Barrancos y Asunción Lavrin en su parte latinoamericana. El volumen III, que abarca el siglo XIX y los umbrales del XX, examina cómo el proyecto liberal afectaba a las mujeres a ambos lados del Atlántico. Mientras que el protagonismo femenino en la política es obvio y más patente en España, donde había reinas y aristócratas poderosas, pero también guerras sobre el proyecto liberal, en América Latina las mujeres de la élite eran relegadas al espacio doméstico. Las mujeres latinoamericanas sentían más la pérdida de la protección legal colonial, la cual no era compensada por la concesión de derechos ciudadanos o una igualdad civil. A ambos lados del Atlántico, no obstante, se pueden apreciar espacios nuevos para las mujeres en el mundo literario, donde ellas podían expresar sus aspiraciones y sus frustraciones y transgredir las fronteras establecidas por los roles de género. En Europa como en América Latina, la incipiente industrialización y el surgimiento de una clase media modificaron estos roles así como la relación de las mujeres con el trabajo, creando tensiones a nivel social, cultural y político. Por un lado, el trabajo extra-doméstico de las mujeres de las clases populares generó un discurso político sobre problemas de salud, educación y familia, que tenía por objeto a las mujeres como madres; por otro lado creaba la imagen burguesa del "ángel del hogar" femenino, que difería de la mujer honrada y discreta de la élite colonial.

El volumen aquí presentado examina estos temas en sus aspectos políticos, educativos y culturales, organizados de acuerdo a sus peculiaridades en las partes correspondientes a España y América Latina respectivamente. En referencia a esta última, hay un primer bloque sobre "orden político, orden familiar y saberes" que trata temas de sociabilidad política, domesticidad y espacio público a partir de los cambios originados por las reformas liberales. Un segundo apartado se ocupa de modelos de feminidad, tanto en la literatura como en representaciones icónicas o en los conceptos médicos. Trabajo y educación se analizan en otro bloque, seguido por una sección que se ocupa de cuerpos, instituciones de la sexualidad e identidades.

---

2   Duby, Georges/Perrot, Michelle: *Historia de las mujeres en Occidente*. Tomo 4: siglo XIX y tomo 5: siglo XX. Madrid: Taurus 1993.

En el volumen IV, que abarca el siglo XX y los umbrales del XXI, predominan en primer lugar temas políticos, sobre todo el de la ciudadanía de las mujeres en sus diversas formas y la representación política. Tanto en España como en América Latina el derecho al sufragio fue la cuestión dominante en la primera mitad del siglo XX. Los grupos feministas en ambas regiones tenían además características similares, como p. ej. la preponderancia de la vertiente "maternalista" del feminismo en comparación con los países del norte. En América Latina, sin embargo, las diferencias étnicas y sociales tenían mayor importancia. Este rasgo se profundiza en el curso del siglo XX, y con la "segunda ola" de feminismo en los años setenta y ochenta las tensiones entre el feminismo "burgués" y las políticas de la izquierda llevan a enfrentamientos entre las mujeres. En este contexto surgen varios grupos femeninos que forman parte de los nuevos movimientos sociales y cuyos temas son más bien de índole socio-política o económica y no tanto de género. Varios de estos movimientos son analizados en sus diferentes vertientes regionales y temáticas. Además de estos aspectos, diversos artículos abordan la experiencia laboral y la profesionalización de las mujeres así como los temas de la cultura y educación, si bien la mayor visibilidad pública de las mujeres –y su conflictividad– exigen que los conflictos político-sociales y los roles de las mujeres en la sociedad civil sean más prominentes que en los volúmenes anteriores. Cabe señalar que en este contexto, contrariamente a lo que ocurre en muchos otros libros, las autoras no dejan de lado los grupos de mujeres conservadoras. Tanto en España como en América Latina, las mujeres que se oponían a ideas feministas y apoyaban a regímenes dictatoriales desempeñaban un papel importante. Resulta imprescindible ocuparse más detalladamente de estos grupos y sus motivaciones a fin de comprender la historia de las mujeres en el siglo XX. Otro mérito de este manual es el amplio marco regional que permite no sólo una visión comparativa entre España e Hispanoamérica, sino también con respecto a Brasil. En el contexto hispanoamericano, varios artículos abarcan regiones o países no tratados en muchas obras generales, como p. ej. Centroamérica, el Caribe o Bolivia, sin dejar de lado las regiones "clásicas" de los movimientos femeninos como México, el Cono Sur y Brasil.

Los mencionados estudios generales se basan en una serie de trabajos monográficos, diferentes en cuanto a sus métodos y las fuentes utilizadas. La innovación más llamativa de los últimos años es, a mi entender, la aplicación de la perspectiva de género al desarrollo social de las jóvenes repúblicas latinoamericanas. Aunque a primera vista no hay grandes debates sobre derechos políticos para las mujeres, existiendo una continuidad en su posición social y cultural en las repúblicas liberales, varios trabajos recientes muestran cómo el proyecto liberal y la retórica de igualdad e individualidad han modificado las relaciones de género y familiares. Un grupo de fuentes importantes para analizar este proceso son los pleitos matrimoniales. Ana Lidia García Peña utiliza estas fuentes para estudiar el proceso de la individualización en la formación de la sociedad "moderna" en México. Su marco cronológico es el "largo" siglo XIX, pues, según ella, tanto la creación de individuos como tales como la secularización de la sociedad habían comenzado con las reformas borbónicas de finales del siglo XVIII. Dado que el objeto de estos proyectos modernizadores era el hombre y no las mujeres, que permanecían en las antiguas pautas socio-culturales y políticas, estos procesos no habían sido analizados desde la perspectiva de género hasta hace poco tiempo. Sin embargo, la separación de las esferas de vida privada y pública, y la asignación del espacio privado a las mujeres, la cual se intensificó en esta época, no significan que novedades en lo "público" no afectaran a las mujeres, sino más bien que lo hicieron de manera diferente. A fin de analizar los cambios en este campo, García Peña estudia los conflictos originados al romperse una relación de pareja. La perspectiva incluye tanto la legislación respectiva y su justificación como los pleitos mismos, es decir procesos de divorcio y sobre alimentación. Según la autora, el proceso de secularización del matrimonio y los conflictos familiares había comenzado ya con las reformas ilustradas a fines del siglo XVIII y no con la introducción de las ideas liberales a principios del XIX, como han sostenido la mayoría de los autores hasta ahora. Insiste, a su vez, en la importancia de la intensificación del control social y la militarización de la sociedad que había tenido sus inicios también a finales de la época colonial. En un análisis detallado sobre la evolución tanto de la legislación del divorcio como de su práctica social, llega a la conclusión de que "el divorcio es un clásico ejemplo del complejo e inacabado proceso de individuación y secularización de la sociedad capitalina decimonónica". (p. 56) Esto se ve p. ej. en la discusión sobre el divorcio vincular, es decir, un divorcio que permite a los cónyuges volver a casarse, una propuesta que fue rechazada por los sectores liberales por considerarla una amenaza a la institución del matrimonio. Por otro lado, los contratos de divorcio que se propagaron como una forma secular e igualitaria no se pueden considerar adecuados, ya que a la mayoría de las mujeres le faltaban los medios económicos y socio-culturales para igualar la condición jurídica de sus esposos.

García Peña constata que "la teoría liberal clásica creó la separación entre mundo privado y público; sin embargo, nunca superó la ambivalencia de considerar a la familia como algo natural, pero también como parte integrante de lo político" (p. 50). Resulta muy sugestivo su análisis de la costumbre del "depósito" de las mujeres en casas privadas o instituciones públicas durante el proceso de divorcio, el cual a pesar de representar penurias para muchas mujeres, les abría un espacio personal, por lo menos en los casos en los cuales lograban que se las "depositase" en un lugar de su preferencia, por lo general en casa de parientes o amigos.

Los cambios legales y discursivos que acompañaron al proyecto liberal modificaron también las actitudes frente a los hijos ilegítimos y sus madres, así como las nociones de honor masculino y femenino. En el caso de las madres solteras, el discurso moral de ellas como víctimas de la seducción masculina pasó a otro en el cual aparecían como acreedoras de la obligación masculina. Por consiguiente, ya no se buscaba reparar un daño moral sino cubrir una deuda económica, es decir la manutención de los hijos y/o de ellas mismas.

La autora concluye que la interpretación de la individuación desde la perspectiva de género "cuestiona el planteamiento ideológico de considerar el liberalismo como la paulatina liberación de la familia y de las mujeres". (p. 237) No obstante, detecta un proceso en el cual las mujeres educadas supieron construirse como individuos con los argumentos clásicos del liberalismo, es decir la libertad de contratar, la de actuar y de amar, mientras que las pobres e ignorantes quedaron "sumergida[s] en el colonial discurso de su debilidad y victimismo." (p. 243)

Una pequeña digresión al final de la obra sobre el "largo siglo XIX" nos lleva al siglo XX y la solución de algunas de las cuestiones no resueltas por el liberalismo, como el divorcio vincular o la violencia doméstica, después de la Revolución. Ésta constituye el tema del libro de Jocelyn Olcott, titulado *Revolutionary Women in Postrevolutionary Mexico*. Aquí se retoma el tema de la ciudadanía de las mujeres mexicanas, tanto en su vertiente social como política. Como sabemos, las mujeres mexicanas tuvieron que esperar hasta 1953 para obtener el derecho al sufragio, a pesar de varios intentos y proyectos de ley anteriores, incluyendo la aprobación de la ley por el Congreso en 1938, que no cobró vigencia legal por no ser publicada en el Boletín Oficial. La explicación "tradicional" para esta posición contradictoria de los políticos revolucionarios se basa en el temor de que las mujeres votarían a favor de candidatos conservadores, dada su poca experiencia política y su tradicional religiosidad. Sobre todo el giro de opinión por parte del mismo Lázaro Cárdenas y su grupo en 1938 es generalmente explicado por la candidatura de Juan Andreu Almazán, un candidato conservador que, según se temía, tendría el apoyo de gran parte de las mujeres. Oycott advierte, no obstante, que el asunto no era tan sencillo y que las líneas de apoyo al voto femenino no se dividían entre izquierda revolucionaria y conservadurismo católico. Concluye que el rechazo del voto femenino no se debió al temor frente a un cambio político radical si Almazán ganaba las elecciones, sino que se temía que éste quitara a los políticos del PRM de sus lucrativos puestos. "In other words, women voters might actually have helped to clean up Mexican electoral politics, not because of their inherently more developed sense of morality, but, rather, because they threatened the practise of *chambismo*, or securing work through the party apparatus. The denial of women's suffrage during the declining years of the Cárdenas administration appears less a blow to Almazán's conservatism than an integral part of the rightward drift of the postrevolutionary regime." (p. 185) Esta convincente observación, sin embargo, no modifica la explicación fundamental (y relevante no solamente para México) que plantea que la cuestión del voto femenino siempre ha sido analizada y utilizada por los hombres políticos en el poder en función de las consecuencias para su continuación en el mismo o no. El tema central del libro de Oycott, no obstante, no gira en torno a este punto, sino que se basa en el intento de mostrar que el voto femenino fue solamente una faceta, y no la más importante, de la ciudadanía practicada por las mujeres revolucionarias en México, y que ellas no eran tan apolíticas ni tan conservadoras como se las ha pintado en la historiografía sobre la Revolución.

En una combinación de análisis micro de acontecimientos regionales en Yucatán, Michoacán y la Comarca Lagunera y análisis macro de la política nacional, la autora nos brinda varios ejemplos de movilización política de las mujeres, no solamente en las ciudades sino también en el ámbito rural mexicano. Analizando las actuaciones de las mujeres en ligas de temperancia, ligas femeniles de lucha social, programas de educación pública y otras organizaciones similares, así como en los mismos partidos políticos de izquierda (PRM y PCM), la autora muestra que la práctica de la ciudadanía femenina no dependía del derecho al sufragio. La experiencia diaria era lo que más importaba e influenciaba la movilización y conciencia política de las mujeres. El estudio nos ofrece una visión diferente del cuadro tradicional del conservadurismo de las mujeres mexicanas, debilitada, sin embargo, debido a la ausencia de un análisis de la importancia cuantitativa y cualitativa de los casos analizados, siempre mencionados cuando se habla del feminismo revolucionario mexicano. Preguntas como la de la influencia de los congresos de Yucatán en otras provincias, por ejemplo, permanecen sin respuesta. Asimismo, falta una discusión sobre las relaciones de estas mujeres revolucionarias con las mujeres conservadoras. También aquéllas practicaban la ciudadanía a su manera, lo cual produjo efectos y reacciones en el campo de las mujeres revolucionarias. No obstante estos déficits, el libro nos ofrece una nueva perspectiva sobre las mujeres progresistas mexicanas en los años veinte y treinta así como su movilización y actuación política.

La movilización y actuación política de las mujeres del siglo XXI es el tema de un estudio de Stefanie Schütze sobre "el otro lado de la democratización" (*Die andere Seite der Demokratisierung*), que investiga el movimiento social de las vecinas de un barrio marginal de la Ciudad de México, Pedregal de Santo Domingo, y su influencia en el proceso de democratización mexicana. La autora analiza esta transición no desde la perspectiva del Estado y las élites dirigentes, como lo hace la mayoría de los trabajos al respecto, sino desde la perspectiva de la vida cotidiana de los habitantes de este barrio. Mediante entrevistas con las protagonistas, la autora narra en primer lugar el proceso de fundación de la comunidad y su autoorganización a partir de los años setenta, en el cual las mujeres desempeñaron un rol destacado. Redes vecinales y de familia, faenas comunales y relaciones de compadrazgo formaban la base de este movimiento que estableció con posterioridad lazos clientelares con dirigentes políticos a efectos de obtener apoyo estatal. El rol de las mujeres en dichos movimientos sociales ha sido subestimado por la sociología y las ciencias políticas, dado que sus fines y demandas concretas no se dirigen a un cambio político sino a una mejora de las condiciones de vida material. Asimismo, las activistas mismas califican con frecuencia su trabajo como social y no como político, puesto que las actividades políticas de mujeres contradicen los roles de género vigentes en este sector de la población así como la dicotomía de "lo privado y lo público". La autora advierte, no obstante, que las mujeres de Santo Domingo intentaban (y por lo general lograban) ganarse un espacio propio, lo que ya significaba una ruptura con las relaciones de género y de poder convencionales. Las mujeres insisten en una privacidad de la vida que significa una existencia más allá de la obediencia a maridos, padres y padres políticos. Y dicha insistencia en una existencia más allá de las obligaciones y controles comunales, estatales y familiares, concluye la autora, significa una politización de problemas anteriormente considerados como "privados", conduciendo a una diversificación de las estructuras políticas a nivel local, lo cual conlleva un cambio en las relaciones de poder y de género que, a la larga, tendrá influencias importantes para la democratización de la sociedad y del Estado mexicano. Con estas tesis, la autora brinda un aporte importante no sólo a los estudios de género sino a las teorías de los movimientos sociales así como también a la discusión sobre "lo político" y "lo privado" en general.

La división entre lo privado y lo público se fortificó con el liberalismo decimonónico, hallándose los antecedentes de la politización de este sector, a su vez, en las repúblicas liberales de finales del siglo XIX. En varios países latinoamericanos, las consecuencias de la industrialización, la migración, y la concentración urbana trajeron consigo un número de problemas socio-económicos que preocupaban a las élites dirigentes. Trabajo extra-doméstico de las mujeres e infantil, altas tasas de mortalidad infantil y problemas de salud e higiene debido a las condiciones de vida de las clases trabajadoras urbanas provocaron discusiones políticas y científicas sobre el futuro de la nación. En estos discursos, las familias y con ellas las mujeres, a las cuales se adscribía el espacio familiar "privado", comenzaron a interesar a políticos, médicos e higienistas. Para ellos, las madres constituían el sujeto y el objeto más importante a la hora de remediar los males sociales detectados. Varios trabajos han analizado este discurso y su implementación política respecto a las mujeres en su rol de madres, ocupándose hasta ahora, por el contrario, muy pocos estudios de los niños. Es por ello que el libro de Alberto del Castillo Troncoso, *Conceptos, Imágenes y Representaciones de la niñez en la ciudad de México*

1880-1920, resulta sumamente sugestivo, no sólo por el tema sino también por el enfoque metodológico y las fuentes utilizadas. El autor analiza las imágenes de la niñez en un doble sentido: las ideas y las imágenes gráficas, sobre todo fotografías. Estas últimas permitieron no sólo difundir dichas imágenes a un público más amplio, sino que a su vez, sirvieron para legitimar el nuevo enfoque científico. Justificaron con imágenes "objetivas" que el cuerpo infantil se distinguía del adulto, dando lugar a la nueva profesión de pediatra, y ayudando a difundir los conceptos de higiene infantil a médicos y maestros en zonas rurales. Los pedagogos, a su vez, postulaban el nuevo concepto de la niñez como etapa especial e importante para el desarrollo humano, y a través de sus escritos –acompañados con grabados y fotografías– contribuyeron a fortalecer la noción de los niños como futuros ciudadanos. Éstos, por supuesto, tenían que ser instruidos debidamente y en base a una teoría científica pertinente. "La infancia, convertida de esta manera en el futuro de la nación, era el espacio estratégico donde convergían los peligros más terribles de una posible degeneración racial, tanto como las ilusiones y esperanzas sociales en el progreso y el bienestar colectivos" (p. 129).

Las nuevas ideas fueron discutidas y visualizadas en revistas y libros que circulaban en los ámbitos científicos y la fotografía sirvió no sólo para documentar las teorías o métodos, sino que representaba a su vez, una forma de fortalecer el progresivo optimismo de las élites porfiristas. "La mirada científica de la medicina y la pedagogía permitió observar aspectos hasta entonces inéditos que alteraron la concepción de la etapa de la infancia y la forma de pensar y de reflexionar en sus características y problemas. Al mismo tiempo, en ese período se crearon las condiciones culturales para una percepción distinta de la realidad. Los instrumentos que facilitaron dicha transformación fueron la litografía, el grabado y la fotografía" (p. 23).

Con las innovaciones técnicas del cliché a finales del siglo XIX, los medios mexicanos comenzaron a reproducir fotografías e incluir reportajes sobre ciertos temas, acompañándolos con aquéllas. En las revistas ilustradas y en las publicidades incluidas en estos periódicos, se daban a conocer las nuevas imágenes de la niñez a un público más amplio. Las nociones difundidas diferían según la clase social. Por un lado, se propagaba la idea del niño inocente, puro y asexuado para los de la burguesía, en tanto que en los reportajes los autores se basaban en niños criminales, "degenerados" o en acontecimientos trágicos como accidentes laborales con niños. Dada la situación socio-política en el México porfirista, dichos reportajes no condujeron a una crítica social como en Europa y Estados Unidos, sin embargo, hicieron visible un fenómeno que hasta este momento había pasado desapercibido, es decir el de los niños marginados y los niños trabajadores.

El autor concluye: "Las fotografías de pequeños pacientes y escolares convertidos en objetos de estudio que ilustran el mundo de la medicina y la pedagogía, así como las de los niños 'inocentes' de las élites porfirianas, los pequeños delincuentes, los 'ciudadanos en ciernes' y los niños trabajadores de la más diversa índole, responden, con distintos matices, al reforzamiento de la noción de individuo y a la construcción de un imaginario colectivo donde nuevos personajes, como el médico escolar y el reportero gráfico, contribuyeron a la creación de un inventario de la niñez moderna" (p. 264).

La única crítica que podemos efectuarle a este libro que abre nuevas perspectivas tanto temáticas como metodológicas, es la falta de distinción entre niños y jóvenes y la ausencia de cuando menos una breve discusión acerca de cuándo y cómo se estableció el nuevo concepto de juventud y su significado para la niñez.

Bibliografía

Castillo Troncoso, Alberto del: *Conceptos, imágenes y representaciones de la niñez en la ciudad de México 1880-1920.* México, D. F.: El Colegio de México, Centro de Estudios Históricos 2006. 290 páginas.

García Peña, Ana Lidia: *El fracaso del amor. Género e individualismo en el siglo XIX mexicano.* México, D. F.: El Colegio de México, Centro de Estudios Históricos 2006. 307 páginas.

Gonzalbo Aizpuru, Pilar: *Introducción a la historia de la vida cotidiana.* México, D. F.: El Colegio de México, Centro de Estudios Históricos 2006. 304 páginas.

Morant, Isabel (dir.): *Historia de las mujeres en España y América Latina. Vol. III: Del siglo XIX a los umbrales del XX, Vol. IV: Del siglo XX a los umbrales del XXI.* Madrid: Cátedra 2006.

Olcott, Jocelyn: *Revolutionary Women in Postrevolutionary Mexico.* Durham: Duke University Press 2005. IX + 337 páginas.

Ramos Escandón, Carmen (coord.): *Presencia y transparencia: la mujer en la historia de México.* México, D. F.: El Colegio de México 2006. 220 páginas.

Schütze, Stephanie: *Die andere Seite der Demokratisierung. Die Veränderungen politischer Kultur aus der Perspektive der sozialen Bewegung der Siedlerinnen von Santo Domingo, Mexiko-Stadt.* Berlin: edition tranvía 2005. 296 páginas.

1. Literaturas ibéricas: historia y crítica

Francisco Calero: *Juan Luis Vives,* *autor del* **Lazarillo de Tormes.** **Valencia: Ayuntament de Valencia (Col. Minor, 17) 2006. 222 páginas**

En los albores del siglo XVI convergen importantes hechos culturales que forman una constelación tan homogénea como diversificada. La interrelación entre los mismos es un peligroso reto para el investigador si supervalora determinados rasgos y descuida que también pueden darse en otras manifestaciones culturales, especialmente en obras literarias. Francisco Calero nos ofrece en su obra *Juan Luis Vives, autor del* Lazarillo de Tormes no sólo una hipótesis sino también una metodología, característica de un estudioso que es un buen conocedor de la constelación cultural de la época y, lo que es menos frecuente, un experto en la obra de Juan Luis Vives. Un minucioso informe sobre numerosas aportaciones al estudio de la autoría del Lazarillo abre el libro de Calero, quien ofrece una sólida evaluación y, al mismo tiempo, juzga respetuosamente aquellos criterios que, tras su análisis, no considera aceptables. Este informe permite comprobar qué reducida ha sido hasta hoy la consideración de Vives como un posible autor (Francisco Rico) o de algún rasgo de su estilo, significativo para su actividad como escritor (Mayans).

Un importante criterio inicial de la investigación de Calero es el análisis de los argumentos internos, es decir, la textualidad, y desde el punto de vista de la macro-textualidad asume la proposición de Francisco Rico de que el *Lazarillo* es un texto epistolar. Con sólidos argumentos Calero aduce pruebas que refuerzan documentalmente este criterio, tanto en función de la abundante correspondencia de Vives, también en español, como de las obras de Vives con el título de "Diálogos", que han sido detenidamente estudiadas por Calero.[1] El texto dialogado presupone un acto creativo que puede ser virtual, cuando el autor quiere utilizar los recursos de la ficcionalidad (reducción del tiempo de relato, dinámica narrativa, etc.). Al analizar la configuración textual del *Lazarillo* Calero ha tenido en cuenta lo que Vives, en *El alma y la vida*, había designado como *fabellae*, soporte didácticamente adecuado para la fácil divulgación de un texto narrativo. Pero en el caso del *Lazarillo* no se trata sólo de la dinámica característica del diálogo sino, sobre todo, de los recursos teatrales, visualizadores, de la mayoría de las escenas, al convertirlas en *fabellae*, entrelazadas dentro del tema-marco (Rahmenerzählung) que cohesiona la textualidad epistolar. Cada episodio muestra en distinta proporción este rasgo del género dramático. A modo de ejemplo recuérdese la descripción del hidalgo vistiéndose, minuciosamente visualizada por Lázaro quien, como un personaje del bululú, representa desde su virtualidad la actitud del autor.

Otro valioso argumento sobre la autoría del *Lazarillo* en favor del autor valenciano, es el de la lengua. Calero recuerda la carta de Vives a su amigo Juan de Vergara, como es natural en castellano, lo mismo que toda su abundante correspondencia con hispanohablantes. En la carta a

---

[1]   *Juan Luis Vives, autor del* Diálogo de Mercurio y Carón (2004), *Juan Luis Vives, autor del* Diálogo de las cosas acaecidas en Roma *y del* Diálogo de la lengua (2004); para el estudio de los diálogos, véase su obra *Los diálogos de Juan Luis Vives* (1994).

Juan de Vergara, Vives afirma que va a empezar a *hispanizar* pero manteniéndose *detrás del escenario*, una afirmación que induce a pensar en el interés por mantener el anonimato de su obra en castellano. Un importante dato que aporta Calero es la afirmación de *Vives* en el *Diálogo de la Lengua*: "Esto hago con perdón de la lengua latina, porque, cuando me pongo a escribir en castellano, no es mi intento conformarme con el latín". En cuanto al léxico, Calero estudia aquellas expresiones que, en su opinión, delatan la huella de la lengua vernácula de Juan Luis Vives; y en cuanto a rasgos sintácticos atribuibles al dominio de la retórica de Vives, y su aplicación a la dialéctica, aduce importantes contribuciones que proceden de autores como, por ejemplo, Erasmo, quien afirmara, refiriéndose a Vives: "nadie sofisticaba mejor su argumentación". Son numerosos los pasajes del *Lazarillo* en que apoyar estas afirmaciones. Me permito incluir uno, en el que la sintaxis contribuye a la argumentación con delicada sutileza dialéctica. La madre de Lázaro entrega su hijo al ciego con estas palabras: "Criado te he y con buen amo te he puesto, vale te por ti". Se da aquí un conocido efecto dramático –la complicidad entre autor-actor y espectador-lector, que saben muy bien, lo mismo que la madre y el ciego, que la recomendación a Lázaro de su madre es falsa–. Pero lo que quiero resaltar aquí es la contribución de la sintaxis al enmascaramiento del sofisma: ni la madre ha criado bien a Lázaro ni lo ha puesto con buen amo. La construcción sintáctica yuxtapone la oración consecutiva: "vale te por ti", sin emplear una partícula que delate la función consecutiva de la construcción asindética. Por otro lado, es una construcción normal en el diálogo informal suprimir partículas presumibles, pero aquí cabe interpretar la supresión de la partícula consecutiva como *camuflaje* del sofisma.

Al principio de este análisis se indicaron dos aspectos centrales en la metodología de Francisco Calero: el estudio interno del texto del *Lazarillo* y el marco histórico-cultural en el que se mueve el momento creativo de la obra. El contexto histórico-cultural es una constelación de importantes acontecimientos reflejados en diferentes obras, lo que constituye una tentación a atribuir el *Lazarillo* a diferentes autores. Calero ha tenido en cuenta esta circunstancia y ha seleccionado aquellas situaciones del momento histórico europeo, presentes en el pensamiento y las obras de Vives y, a su vez, localizables en el *Lazarillo*.

Una preocupación central en la obra de Vives es el tema del hambre y el problema de la mendicidad en Europa, cuyo reflejo en el *Lazarillo* ha sido documentado por Calero, quien tradujo *De subventione pauperum sive de humanis necessitatibus*, de 1525 (2004). Sin duda se trata del estudio más importante de la época sobre el tema, tan preocupante en la época, tema que aparece como un motivo permanente en el *Lazarillo*, de modo que puede considerarse el hambre, desde un enfoque dramático, como el antagonista de la obra, en permanente lucha con el protagonista. Estrechamente unido a este tema está la crítica de la codicia, especialmente en el clero y, sobre todo, en las autoridades eclesiásticas, tanto en la obra del erasmista Vives como en el *Lazarillo*, lo que representa una clara concomitancia. Las citas de Calero de las obras de Vives (pp. 90-91) concuerdan casi literalmente con pasajes del *Lazarillo*. Con toda claridad aparece tanto en la obra de Vives, como señala Calero, y en el Lazarillo: adueñarse de las limosnas destinadas a los pobres. Es una crítica de origen erasmista y, por tanto, utilizable como argumento de autoría del *Lazarillo* para diversos autores.

Otro argumento erasmista de Vives, cultivado en el círculo de sus amigos Erasmo y Moro, es la crítica de las bulas y el riesgo de simonía, presentado con toda evidencia en el *Lazarillo*. Aunque no hay aquí ninguna referencia inmediata al saco de Roma, Vives defiende la actitud del Emperador, no tanto por lealtad sino por un criterio moral muy estricto, en el marco de su permanente crítica a la falta de moral en su época. Este rasgo ha sido tenido en cuenta detenidamente por Calero, quien hace referencia a Francisco Márquez Villanueva (*Espiritualidad y literatura en el siglo XVI*, 1968), de quien cita un amplio e importante pasaje sobre la moralidad en el *Lazarillo*, como reflejo del momento histórico. De la extensa cita entresaco la siguiente frase: "una sociedad que, tras quince siglos de cristianismo oficial, no aceptaba en realidad otros valores que la violencia, el placer y la riqueza", un pensamiento todavía vigente.

Otro tema que trata Calero detenidamente es el tema tan importante como polémico entre algunos investigadores de la mujer en el *Lazarillo*. Para Calero la presencia de la mujer en la obra de Vives es un argumento básico para su tesis de la autoría de éste. Cita a Vives cuando recoge el pensamiento de Erasmo en su *Laus stultitiae* (1509): "Sin embargo, cuando uno mira a su esposa, que comparte con muchos, es mejor que Penélope y se congratula ostensiblemente, feliz en el amor, a ése nadie le llama necio, porque se ve que esto ocurre a los maridos por doquier". Esta idea, con un claro matiz paradójico, sobre todo entre los hábitos hispánicos y, en consecuencia nada frecuente, aparece en el *Lazarillo* con toda evidencia en la afirmación de Lázaro: "Desta manera no me dizen nada: e yo tengo paz en mi casa". Es evidente que el pensamiento de Erasmo influyó en Vives, quien escribirá en esos términos al referirse a la paz con-

yugal. Calero, basándose en la opinión de Lázaro Carreter, subraya el carácter judío del pensamiento en Vives. Este motivo es seguramente uno de los argumentos más sólidos y directos en favor de la autoría del *Lazarillo*, ya que pocos autores trataron el tema de modo análogo. El mismo Fray Luis de León, en *La perfecta casada* (1583), distará de la concepción de Vives sobre el matrimonio e incluso de su *De institutionae feminae christianae*, obra en la que Vives expone un criterio muy severo, aunque en consonancia con los hábitos de su tiempo.

Las conclusiones a que llega Francisco Calero se apoyan en una sólida base de investigación seria. Creo difícil llegar a conclusiones distintas a través de un estudio científico minucioso. El rico informe crítico bibliográfico documenta, amén de eso, la sólida base de este estudio.

José María Navarro

Ínsula, Vol. 714: "Espacios domésticos en la literatura áurea". Junio 2006. Enrique García Santo-Tomás (coord.): 28 páginas.

En junio de 2006 *Ínsula* publicó un número monográfico (Vol. 714) titulado "Espacios domésticos en la literatura áurea" y coordinado por Enrique García Santo-Tomás. El número consta de ocho artículos que estudian varios aspectos del espacio doméstico aurisecular en obras de Vélez de Guevara, Cervantes, Lope de Vega, Rojas Zorrilla y Salas Barbadillo. El primer artículo del número escrito por el coordinador del mismo, "Fragmentos de un discurso doméstico (pensar desde los interiores masculinos)", empieza con referencias a la proliferación de disciplinas que se han dedicado al tema del espacio en los últimos veinte años desde la geografía humana hasta la tradición etnográfica, pasando por los estudios de cultura material y la psicología ambiental. Dada esta abundancia de investigaciones novedosas que han sido puestas en práctica en varios contextos, aunque raras veces en el campo de la literatura hispánica, García Santo-Tomás afirma el propósito del número monográfico: "Estamos, por consiguiente, ante atractivas perspectivas desde las que abordar el análisis de estos espacios barrocos convertidos ya en literatura" (p. 2). El artículo sigue con un penetrante recorrido de un número de interiores urbanos y espacios domésticos masculinos en obras de diversos autores españoles de la época. Por dar tan sólo un ejemplo, el crítico destaca que los "nuevos mercados y nuevas formas de consumo urbano" (p. 3) del siglo XVII hacen que los productos mencionados en las historias que se cuentan adquieran tanta importancia que "el poseedor es definido por lo poseído" (p. 4).

"La casa barroca de la razón (Cervantes, arquitecto)", de William Egginton, analiza las casas construidas por Cervantes en *El celoso extremeño*, donde las murallas son clave para la comprensión de la obra, y en *La fuerza de la sangre*, en la cual los "muros están hechos de secreto y disimulo" (p. 8). Empleando el término "estrategia menor", prestado de la teoría de Gilles Deleuze y Felix Guattari, Egginton expone en su ensayo hasta qué punto "Cervantes, arquitecto del barroco, nos muestra lo que implica hacer, y deshacer, la casa de la razón" (p. 5).

En el siguiente artículo, "Del oratorio al balcón: escritura de mujeres y espacio dramático", Teresa Ferrer Valls estudia la manera en que las dramaturgas del Siglo de Oro representan el espacio en sus obras. Explica que el discurso moral de la época "va construyendo para la mujer un

modelo de conducta que la margina del espacio público" (p. 8). Aunque las dramaturgas generalmente siguen las pautas del código teatral establecido cuando componen sus comedias, Ferrer Valls observa que a veces en estas obras tanto la protesta de una criada quejándose de su encerramiento como la rebeldía soterrada de una dama "forman parte [...] de una misma voz, en la que empieza a cristalizar, todavía de manera débil, un discurso propio" (p. 12).

En "De puertas (palaciegas) abiertas: *La Gran Sultana* de Cervantes en su versión escénica (1992)" Luciano García Lorenzo ofrece testimonio del estreno de *La Gran Sultana* de Cervantes por la Compañía Nacional de Teatro Clásico (CNTC) en septiembre de 1992, una obra dirigida por Adolfo Marsillach y con escenografía y vestuario de Carlos Cytrynovski. El crítico afirma que la obra cervantina "no se había puesto en escena hasta que la CNTC decidió hacerlo", y añade que el "estreno mundial [...] ha sido uno de los de mayor aceptación por parte de la crítica y público" (p. 12). A continuación el artículo describe los diferentes espacios, sobre todo los domésticos, de la puesta en escena, un trabajo valioso dada la carencia de información sobre lo que el mismo García Lorenzo denomina "una magnífica puesta en escena" (p. 15).

En su ensayo, titulado "Crimen y castigo en el ámbito doméstico", María Teresa Julio investiga el espacio de la casa en los dramas de honor conyugal, señalando que en tales obras "el hogar familiar actúa como escenario básico y sus paredes se convierten en testigos de cuanto sucede en el interior" (p. 15). Con un análisis acertado de *Casarse por vengarse* de Rojas Zorrilla, la crítica muestra tanto la importancia del espacio a lo largo de la obra como la forma en que "[l]a casa, concebida inicialmente como un recinto para proteger la honra y la integridad de sus miembros, se convierte en el drama de honor conyugal en una auténtica ratonera" (p. 17).

Javier Rubiera explica en "Encuentros de galán y dama en el espacio de la casa" que el propósito de su artículo es "precisar algunos puntos en torno al análisis de la configuración espacial de la Comedia en relación con el ámbito doméstico" (p. 18). Después de hacer unas observaciones sobre el modo en que la casa se representa en las obras teatrales del Siglo de Oro, Rubiera hace un análisis cuidadoso de unas escenas de *El caballero de Olmedo*. Con una atención pormenorizada a las didascalias del dramaturgo y las indicaciones implícitas en las palabras de los personajes, el crítico sostiene que el lugar del reencuentro de los amantes, a veces considerado una escena de balcón, ocurre más probablemente en un espacio interior.

"Domesticidad, ilusión de intimidad y estrategias de representación en el *Isidro* (1599), de Lope de Vega Carpio", de Antonio Sánchez Jiménez, examina la manera en que Lope representa el espacio doméstico e íntimo en su poema hagiográfico *Isidro* a la vez que explora las razones por las que el Fénix elige tanto un formato –"humildes y españolísimas quintillas" (p. 21)– como un tema domésticos. El artículo muestra la forma en que Lope se presenta dentro de esta obra como poeta español y explica cómo el poema proporciona a los lectores la ilusión de participar en la intimidad de los personajes. El estatus de Lope como escritor de lo popular y lo doméstico llega a ser decisivo años después al enfrentarse a la poesía de Góngora y sus seguidores. Con Lope ya establecido como poeta "de lo llano y lo castellano [...], el cordobés solamente pudo colocarse en la posición opuesta, la de culto aristocrático y un tanto extranjerizante" (p. 24). Sánchez Jiménez concluye su exce-

lente ensayo afirmando que "la ilusión de domesticidad del poema de 1599 contribuyó decisivamente a la historia literaria del siglo XVII" (p. 24).

El número se cierra con "La diversidad espacial de la segunda parte del *Quijote*", un artículo de Guillermo Serés que analiza los diferentes espacios representados en el *Quijote* de 1615, desde el episodio en la casa del Caballero del Verde Gabán (II, 18) hasta el último capítulo, cuando don Quijote regresa al espacio doméstico de su propia casa. Con razonamiento convincente, Serés demuestra que los distintos espacios en la novela reflejan el estado anímico del protagonista. El crítico observa que en la segunda parte de la novela "se da una alternancia entre los espacios interiores y connotados (cerrados o estáticos) y los exteriores (abiertos o dinámicos). En aquéllos, don Quijote se ve superado, incluso desbordado, por las respectivas convenciones literarias; los abiertos o dinámicos, por el contrario, parecen funcionar como escenario del reconocimiento del otro como igual" (p. 25).

En el artículo que abre el número, García Santo-Tomás explica que "el espacio doméstico, antaño coto privado, empieza a abrir sus puertas a recorridos críticos de fascinante trazado" (p. 2). Los artículos reunidos en el presente ejemplar muestran claramente la validez de tal afirmación. Tanto los especialistas en el Siglo de Oro como los estudiosos con interés en el tema del espacio encontrarán valiosas aportaciones críticas en los estudios de este número monográfico de *Ínsula*. El buen uso de la teoría por parte de los críticos, además de los comentarios sobre textos específicos –de prosa, poesía y teatro–, hacen que estos artículos sean sumamente útiles a la hora de considerar el papel fundamental del espacio en la literatura.

William Worden

Rimas sacras de Lope de Vega. Ed. Antonio Carreño y Antonio Sánchez Jiménez. Pamplona/Madrid/Frankfurt/M.: Universidad de Navarra/Iberoamericana/Vervuert (Col. Biblioteca Áurea Hispánica, 25) 2006. 606 páginas.

Arantza Mayo: *La lírica sacra de Lope de Vega y José de Valdivielso.* Pamplona/Madrid/Frankfurt/M.: Universidad de Navarra/Iberoamericana/Vervuert (Col. Biblioteca Áurea Hispánica, 45) 2007. 163 páginas.

La obra de Antonio Carreño ha ocupado un lugar de primera fila en la crítica norteamericana dedicada a la producción lírica de Lope de Vega. Ya desde su inaugural *El romancero lírico de Lope de Vega* (1979), pasando por ediciones de *Los pastores de Belén* (1991), *Rimas humanas y divinas del Licenciado Tomé de Burguillos y La Gatomaquia* (2002), *La Circe* y *La Filomena* (2003) o *El Laurel de Apolo* (2007), y culminando en la monumental *Rimas humanas y otros versos* (1998), su trayectoria es ejemplar testimonio de un lector de extraordinaria erudición, cuidadoso en el detalle y en hacer siempre brillar el verso del Fénix por encima de cualquier otra consideración editorial. Si se añade a eso su trabajo dedicado a piezas teatrales como *El castigo sin venganza* (editado en 1990) y su reciente edición de las *Novelas a Marcia Leonarda* (2002), nos encontramos sin duda alguna ante uno de los lopistas más insignes del último medio siglo, quien ha sabido además crear escuela gracias a una labor docente generosa y constante con aquellos que a lo largo de los años estudiaron bajo su tutela.

Uno de sus más destacados discípulos es precisamente Antonio Sánchez Jiménez, autor de un no menos importante estudio de reciente aparición titulado *Lope pintado por sí mismo: mito e imagen del*

autor en la poesía de Lope de Vega Carpio* (2006), y co-editor de esta magnífica y cuidada edición de las *Rimas sacras* lopescas. En ella se recupera una de las más altas manifestaciones de la lírica religiosa del Siglo de Oro en un volumen bellamente editado y de fácil manejo que supone una nueva y exitosa incursión de la colección "Biblioteca Áurea Hispánica" en el terreno de la edición textual. Carreño y Sánchez Jiménez inician su estudio con un breve Prólogo al que siguen una extensa Introducción y una completa Bibliografía, dando paso entonces a esta famosa colección poética que se recupera a partir de la *editio princeps* de 1614 (Madrid, Viuda de A. Martín) con el registro de variantes de las ediciones posteriores de Lérida (1615 y 1626), Lisboa (1616) y Madrid (1619). El conjunto final es el de un libro de enorme utilidad para todos aquellos interesados en la lírica sacra del siglo XVII; las erratas (Lérica en p. 73 por Lérida, Bernal por Bernat en la Bibliografía…) son mínimas y los índices finales de variantes, erratas y notas resultan tremendamente útiles. Completa la edición una generosa Bibliografía, que da paso a esta colección poética que da cuenta de un Lope lírico todavía menos estudiado de lo que, a tenor de su historia editorial, se merece.

El interés de esta nueva edición es actualizar y, en cierta forma, hacer justicia de un texto que hasta hoy tan sólo contaba con una edición facsímile (1953) y otra escolar divulgativa (1989), pese a que muchos de sus más conocidos poemas habían aparecido ya en antologías de diverso tipo tanto dedicadas al propio Fénix como a la poesía áurea en general. Nos hallamos, como se indica al inicio del volumen, ante un texto "complejo por la variedad de formas métricas que presenta, por la extensión disforme de sus poemas, y por el mismo género que los agrupa" (p. 10), pero que no ha gozado de suficiente atención crítica acaso precisamente por esta misma heterogeneidad. Enlaza esta colección, como es sabido, un total de cien sonetos, un poema en octavas dedicado a "Las lágrimas de Magdalena", diez glosas, treinta y una octavas, diecinueve romances, once canciones, cuatro epístolas en tercetos y trece romances de temática varia. En la Introducción, Carreño y Sánchez Jiménez repasan algunas de las coordenadas textuales e intertextuales que facilitan la compresión y disfrute del verso lopesco. Se hace breve cala la historia editorial del texto, para pasar a continuación a lo que se acuña como el "molde" de los *Ejercicios espirituales* de San Ignacio de Loyola, manifestado más nítidamente en la estructura –o en el orden, por ejemplo– que en la disposición de cada texto. La voz narrativa de las *Rimas sacras*, observan los editores, adopta una manera ignaciana de dirigirse a la divinidad, logrando no sólo sinceridad y naturalidad, sino también urgencia y dramatismo. Este sistema de préstamos e influencias en lo temático, lo estructural y lo estilístico no acaba, sin embargo, aquí, sino que se continúa en el tiempo: hay, por ejemplo, una influencia manifiesta del ingenio lopesco en el discurso retórico de la *Agudeza y arte de ingenio* de Gracián, quien rescata ciertos versos y estrofas de esta colección para definir sus varios modos de agudeza y de gracia poética. En cualquier caso, los editores insisten con acierto en el avance retórico de esta colección, "palinodia a lo divino" de las *Rimas* de 1602, y fruto de un Lope "dividido entre las graves culpas que sentía como pecador y la fe que le protegía como creyente [...] producto de una voz narrativa escindida como poeta, teólogo, hombre arrepentido y amante enzarzado en variadas aventuras amorosas" (p. 31). Sin embargo –y aquí creo que radica uno de los mayores aciertos de la Introducción– Carreño y Sánchez Jiménez

nos recuerdan que no se debe asumir una sinceridad sin fisuras en el verso lopesco, como tampoco se debe leer éste según parámetros de vivencias paralelas. Este acto meditativo de arrepentimiento y culpa, que serpentea por los poemas de las *Rimas sacras*, no es resultado directo de una crisis espiritual determinada (pp. 38, 45) a pesar de que el Fénix promoviera activamente esta interpretación. Como ya indicara igualmente Daniel Heiple para el caso garcilasiano en su *Garcilaso de la Vega and the Italian Renaissance* (1994), leer estas colecciones post-petrarquistas bajo parámetros confesionales no hace sino empobrecer su significado y los méritos de originalidad de cada composición. Lo que *sí* hacen estas *Rimas* es, como se nos indica más adelante, dignificar la poesía religiosa por encima de cualquier otra manifestación lírica, y ahí radica el intento serio del poeta. Nos hallamos, por tanto, ante una actualización de la poesía sacra lopesca de gran utilidad, llevada a cabo por dos de sus máximos conocedores, y que deberá formar parte esencial de toda biblioteca dedicada a la poesía áurea y al legado lopesco.

Si Carreño y Sánchez Jiménez apuntaban al sedimento ignaciano como uno de los componentes más distintivos de la poética religiosa del Fénix, el excelente libro *La lírica sacra de Lope de Vega y José de Valdivielso*, de Arantza Mayo, dedica importantes páginas a este fenómeno, ampliándolo también a su contemporáneo Valdivielso. Galardonado con el 'Premio Conde de Cartagena' de la Real Academia Española, el estudio de Mayo busca paliar la falta de atención que, como sostiene su autora en las páginas introductorias, ha sufrido este tipo de lírica, presentada muy frecuentemente en ediciones catequísticas o carentes de rigor científico. A lo largo de cuatro capítulos ("La tradición y el contexto", "La pasión de Cristo", "Cristo crucificado" y "La relación amorosa entre la divinidad y el hombre") y una Conclusión, la investigadora de la Universidad de Cambridge rastrea una selección de poesías a las que somete a cuidadosos *close readings*, detectando sedimentos bíblicos, míticos y literarios antes apenas considerados para más tarde exponer todo un abanico de intuiciones personales que exponen a estos dos poetas –y a sus numerosas conexiones y paralelos– a nueva luz. Se huye con ello de toda tentación biográfica que, al menos para el caso de Lope, vuelva sobre la perenne fascinación de una "vida hecha literatura" que tanto se ha repetido en la crítica moderna. Liberado del yugo del Lope confesional, el análisis de Mayo consigue centrarse con éxito en lo que ya hiciera Louis Martz en su *The Poetry of Meditation*, es decir, en los *componentes poéticos* de esta poesía, leída como tal y no como producto de tal o cual vivencia.

La lírica sacra de Lope de Vega y José de Valdivielso arranca estableciendo las similitudes y divergencias entre Lope y Valdivielso, para pasar en el primer capítulo a delinear "el esquema evolutivo y compositivo de la tradición lírica establecida por los autores, considerando la posible huella que la circunstancia contrarreformista infligió en esta tradición desde finales del siglo XVI hasta mediados del XVII" (p. 12). El panorama religioso del último cuarto del siglo se analiza al detalle desde sus conexiones y antecedentes medievales, clarificando y contextualizando el problemático concepto de "a lo divino" o *divinización* para poder así resumir correctamente "la herencia compositiva de la tradición lírica vigente a finales del siglo XVI" (p. 22). Es entonces cuando se suceden las mejores páginas de este recorrido histórico al detallar la autora la influencia que tuvieron los *Ejercicios espirituales* ignacianos sobre Lope y Valdivielso (pp. 23-37), permitiendo este tex-

to la posibilidad de emplearse como herramienta metodológica en el análisis de la exposición y desarrollo de planteamientos espirituales –y "factores ambientales" (p. 39)– en los poetas estudiados, y delineando las similitudes existentes entre la lírica religiosa y la devoción popular. Le sigue un capítulo en que se analiza cuidadosamente el papel del rosario en la estructuración temática de diversas composiciones para entender entonces tanto su sedimento literario como el tratamiento personal llevado a cabo en cada caso. Lope y Valdivielso, sostiene Mayo, trazan una serie de materias tópicas que desarrollan al máximo en su carácter devocional, en donde su Cristo sufriente conecta con diferentes tradiciones locales (el Leriano de la *Cárcel de amor*, los caballeros enamorados de la tradición cortés) tanto como foráneas (Petrarca): la típica y repetida figuración del amante abrasado por el amor del cual muere, por ejemplo, demuestra cómo se incorporan con éxito tanto en Lope como en su contemporáneo una selección de elementos míticos claramente profanos al discurso sacro, en lo que Francisco Javier Sánchez Martínez ha denominado "proceso de divinización difusa" en su monumental *Historia y crítica de la poesía lírica culta "a lo divino" en la España del Siglo de Oro* (Alicante, 1995-1999). Se logra así detectar también el alto grado de similitud existente entre los respectivos campos lingüísticos y referenciales de uno y otro poeta (p. 73).

La meditación que sugiere Ignacio de Loyola, alcanzable mediante figuras divinas como la del Cristo crucificado, ocupa el capítulo siguiente, en donde se evalúan las formas en que el tema de la crucifixión puede ser desarrollado desde la tensión surgida entre tradición ignaciana e innovación personal. Determinados elementos médicos y judiciales del discurso poético, por ejemplo, se analizan a la luz de una serie de composiciones que explotan con éxito imágenes como la del pie, el clavo-lanceta o el jardín con sus diferentes flores –rosa, clavel, lirio– a las que la autora ocupa interesantísimas reflexiones. Igualmente sugestivas resultan las páginas dedicadas, ya en el último capítulo, al concepto del alma, a la figura del pastor/oveja, o a las lágrimas de aquel que sufre sus culpas, rastreándose al detalle los sustratos bíblicos, cancioneriles y pastoriles. Ambos poetas, concluye Mayo, logran adaptar la materia ignaciana –la contemplación como acceso al Amor– a un ámbito secular que funde diversas tradiciones poéticas creando un lenguaje muy rico y personal en cada caso. El aparente populismo y simplicidad de los romances, sonetos y coloquios lopescos y valdivielsinos esconde, como bien se nos indica en la Conclusión, una complejidad que no debe pasarse por alto, pues es precisamente la que dota a estas composiciones de una riqueza y calidad innegables. Es esta riqueza, precisamente, la que se logra detectar con éxito en este nuevo estudio sobre la obra poética de dos de los máximos ingenios del Barroco. *La lírica sacra de Lope de Vega y José de Valdivielso* es un estudio de referencia obligada para todo aquel interesado en profundizar aún más en determinados modos líricos que, a tenor de lo visto en estos dos nuevos volúmenes, empiezan cada vez más a ser estudiados con la dedicación que merecen.

Enrique García Santo-Tomás

María Antonia Garcés: *Cervantes en Argel. Historia de un cautivo*. Madrid: Gredos 2005. 452 páginas.

Publicada en 2002 en la prestigiosa colección de la Vanderbilt University Press, la versión inglesa de este estudio fue galardonada, un año después, con el premio James Russell Lowell de la MLA. Editado ahora por Gredos en español, el libro de María Antonia Garcés representa sin duda una de las contribuciones más originales del cuarto centenario. Según el propio título del ensayo presagia, la autora procede a una relectura de los episodios argelinos de la obra de Cervantes y de las abundantes fuentes de que hoy disponemos sobre aquel período con el propósito de relacionar ficción e historia con la crítica psicoanalítica. Es nuclear, en su estudio, la noción de trauma, que implica una herida psíquica, consecuencia de una agresión tan violenta que no puede ser percibida, en su entereza, por la conciencia, y que surge una y otra vez, bajo distintas formas, en la obra de un escritor. Pues bien: desde el punto de vista de Garcés, que no se abstiene de referir sus propias experiencias traumáticas como madre y como ciudadana estadounidense, el cautiverio de Argel generó en Cervantes un trauma psíquico. Las obras literarias del escritor alcalaíno o, cuanto menos, sus creaciones inspiradas en ambientes argelinos se pueden interpretar, por tanto, como esfuerzo por soportar el recuerdo de aquellas difíciles vivencias.

Los dos primeros capítulos del estudio de M. Antonia Garcés son de carácter histórico: en el primero, se esboza la historia de la zona costera del norte de África hasta la llegada de los hermanos Barbarroja, fundadores del Estado de Argel. Se enfoca a continuación la década de 1570, que coincide con la consolidación de la ciudad de Argel como capital de la piratería en el Mediterráneo. La captura de Cervantes por los corsarios turco-berberiscos en 1575, su experiencia como esclavo en los baños de Argel y sus cuatro intentos de fuga se analizan a la luz de informes contemporáneos y documentos de archivo. El más relevante de los informes es, por supuesto, la *Topographia e historia general de Argel* (Valladolid, 1612) del teólogo portugués António de Sousa, prisionero en las mazmorras argelinas, como Cervantes, entre 1577 y 1581. El capítulo segundo se centra en la relación entre de Sousa y Cervantes, que eran amigos. Se considera aquí, como principal testimonio, la *Información de Argel* que Cervantes hubo de redactar después de su liberación. La documentación histórica es abundante y, en parte, novedosa, dado que se basa en las investigaciones personales de Garcés. En los restantes capítulos se examinan aquellas obras de Cervantes donde se reelabora artísticamente su cautiverio, a saber: dos comedias (*El trato de Argel*, *Los baños de Argel*), la *Historia del cautivo*, inserta en el *Quijote*, y los numerosos episodios de corsarios que jalonan los escritos del alcalaíno, desde *La Galatea* hasta el *Persiles*.

La lectura autobiográfica, privilegiada en estas páginas, no es, en mi opinión, la más apropiada a la hora de comprender un texto. Es cierto que M. Antonia Garcés insiste en la necesidad de distinguir entre vivencia personal y creación literaria. Se atiene, en cuanto a este proceso, a la definición de Zamora Vicente, según quien *El trato de Argel* era "presencia viva de una memoria dolorida". Con todo, no nos propone verdaderas lecturas de las comedias cervantinas, ni las considera como discurso, como totalidad significante, sino que repara en algún carácter o momento particular de la obra (a los que llama "viñetas del tormento") para destacar su valor de testimonio y sacar conclusiones de tipo referencial. Consecuentemente, cree poder etiquetar a varios personajes de *El trato de Argel* como "dobles de Cervantes". Uno de ellos sería el propio Aurelio, miembro, junto con su amada Silvia (*nomen omen*, no hay nombre de mujer más literario), de

la pareja principal, cuya peripecia, que concluye felizmente con la liberación de ambos, permite al fin que haya comedia. Es verdad que también se nos muestra, en este drama, un mundo de injusticia y dolor: con el soldado 'Saavedra', por ejemplo, a quien vemos dialogar con sus compañeros, mejor acostumbrados que él a sus nuevas condiciones de vida. Asistimos asimismo a dos fugas que podrían ser reminiscencias de los intentos de evasión de Cervantes. Pero ¿cómo interpretar el milagro del león que libera a un fugitivo catalán, devoto de la Virgen de Montserrat, sino como elemento de piadosa ficción? Y es que lo que Cervantes hace es presentar el conflicto a través de parejas de personajes: el fugitivo que consigue su propósito y el que fracasa, el hombre constante y el renegado, el muchacho que obedece los cristianos preceptos de su madre y el que se deja seducir por el vicio y la vida fácil. Ahora bien: la puesta en escena de dos figuras antitéticas, cuyas actitudes invitan a la comparación, es un modo característico del estilo irónico, practicado por Cervantes desde sus primeras obras. La ironía, empero, ¿no podría ser un modo alternativo de superar los traumas de la existencia? El parangón, que M. Antonia Garcés saca varias veces a relucir, entre Cervantes y Primo Levi, víctima del Holocausto que, incapaz de soportar la memoria de los horrores padecidos, terminó suicidándose, no me parece, a decir verdad, muy convincente.

En su análisis de *Los tratos de Argel*, por otro lado, Garcés no identifica los diferentes sistemas de valores que motivan las acciones de los caracteres: la magia de Fátima, la sensualidad de Zahara, la mentalidad acomodaticia de los renegados, el fanatismo religioso de cristianos y musulmanes, la comparación irónica entre las atrocidades de la Inquisición valenciana y los martirios de los cristianos en Argel y, por fin, como centro dramático de la obra, la opción ética de Aurelio: fidelidad a sus orígenes y constancia en el amor. M. Antonia Garcés selecciona, en cambio, elementos dotados de alta carga emotiva, y reconstruye, con ellos, la historia de un trauma. No pretendo, en absoluto, negar valor de testimonio a las comedias argelinas de Cervantes. Me parece, sin embargo, que, aislando algunas escenas como "viñetas" e interpretándolas como recuerdos personales del autor, no se llega a captar la especial función que dichas escenas asumen en el texto dramático, concebido como un todo dotado de sentido.

La investigación de Garcés concluye con algunas observaciones relativas a la *Historia del cautivo*, donde descubre numerosos elementos supuestamente autobiográficos (los veinte y dos años de servicio de Ruy Pérez de Viedma, que coinciden con los que Cervantes se atribuye en uno de sus memoriales; la descripción de la batalla naval de Lepanto y de la pérdida de La Goleta; los retratos de los amos del esclavo, etc.), que interpreta como paralelismos entre la ficción y la biografía del escritor. La autora no vacila en considerar a Pérez de Viedma y, por supuesto, a Saavedra, personajes, en principio, ficticios, como "dobles" del propio Miguel de Cervantes. Intenta, de paso, solucionar el problema de la identidad de Zoraida, la hija de Agi Morato, cuya aparición "transforma una escena de muerte en una fantasía de fuga". Según M. Antonia Garcés, la hermosa mora es una especie de Virgen auxiliadora que reparte dinero y favores y, a la postre, libera de prisión a un dichoso capitán cristiano; interpretación que pasa por alto, no obstante, el notable problema ético que plantea el extraño comportamiento de Zoraida, quien, para cumplir con su deseo de hacerse cristiana, abandona con crudelísimo rigor a su padre. Lo particular del relato cervantino consiste, por tanto, no (o no sólo) en la invención de esa fantasmagórica y salvadora mujer, sino también en la creación de un personaje incomprensible, en tanto moralmente ambiguo: una de las muchas paradojas del *Quijote*.

Georges Güntert

Araceli Marín Presno: *Zur Rezeption der Novelle* **Rinconete y Cortadillo** *von Miguel de Cervantes im deutschsprachigen Raum.* **Frankfurt/M., etc.: Lang 2005. XIV + 292 páginas.**

El presente volumen nace como tesis doctoral bajo la dirección del Prof. Dr. Andreas F. Kelletat en la Universidad Johannes Gutenberg de Maguncia. Se trata de un estudio interdisciplinar a caballo entre la Germanística, la Hispanística y la Traductología. El trabajo se encuadra dentro de los estudios de recepción literaria, tan en boga desde que en los años sesenta, con Hans Robert Jauß a la cabeza, la denominada estética de la recepción trasladara el foco de atención del texto y su productor al receptor. En este caso, se centra más concretamente en la traducción como caso particular de la recepción, y pretende ser una aportación a los actuales estudios de la presencia de las *Novelas ejemplares* de Cervantes en los países de habla alemana. Así pues, queda claro que lo que aquí se refleja es sólo una parte de la recepción de esta novela en Alemania, la referente a la traducción.

El volumen está dividido en cuatro grandes bloques dedicados a la teoría de la recepción y de la traducción, la recepción de Cervantes en España, un análisis de la novela *Rinconete y Cortadillo* y la recepción y traducción de dicha novela en Alemania.

El primer capítulo está dedicado a los fundamentos básicos de la investigación sobre recepción y de los estudios histórico-descriptivos sobre traducción. En este capítulo se incluye un breve repaso a las teorías modernas de la traducción que, de uno u otro modo, han ofrecido una visión sobre el papel de la traducción en la recepción literaria –esto es, la Escuela de la Manipulación de Theo Hermans, la Teoría de los Polisistemas de Even-Zohar, etc.–. Como bien queda reflejado en el trabajo, la traducción supone un caso singular de recepción y se considera que puede arrojar los resultados más interesantes dentro de esta disciplina, lo cual justifica investigaciones como la que ha llevado a cabo la autora.

El segundo capítulo ofrece un repaso a la recepción de Cervantes en España a través de 400 años de historia. Como bien advierte la autora, la mayor parte de los estudios sobre la literatura cervantina están dedicados al *Quijote*, por lo que también dedica cierta atención a este hecho. En segundo lugar, dedica su atención a la recepción de las *Novelas Ejemplares* en España y profundiza en el caso de *Rinconete y Cortadillo*.

En el tercer capítulo se realiza un análisis de la novela *Rinconete y Cortadillo*, tanto de la trama como de la estructura, del lenguaje utilizado en ella, de la antroponimia que Cervantes escoge cuidadosamente para caracterizar a través de ella a sus personajes, etc., elementos importantes para realizar un análisis como el que se elabora en la última parte de esta investigación.

El cuarto capítulo está dedicado a la recepción de dicha novela en Alemania a través de la traducción, contando con un corpus de 21 traducciones realizadas entre 1617 y 1997. El capítulo se articula mediante 4 epígrafes: recepción en el barroco alemán, en la Ilustración y el Romanticis-

mo, en el siglo XIX y en el siglo XX. Al comienzo de cada epígrafe se trazan unos breves párrafos sobre la recepción cervantina en el mencionado periodo, difícil empresa dada la ingente cantidad de material sobre el impacto de Cervantes en Alemania. La autora se ha servido del material básico (Hoffmeister, Tiemann, Bertrand, etc.) para ofrecernos un vistazo que justifica, aún más si cabe, la realización de un proyecto como el que aquí se ha llevado a cabo. Estas investigaciones pueden resultar demasiado elementales para el cervantista, si bien pueden ofrecer una aproximación atractiva a aquellos que no hayan tenido relación alguna con la presencia de Cervantes en Alemania. Sea como fuere, encontramos investigaciones interesantes e ilustrativas dentro de la obra, como podría ser la introducción de la disputa "Tieck-Schlegel vs. Soltau" para demostrar los diferentes conceptos de traducción del Romanticismo frente a la Ilustración, respectivamente. En cada uno de los epígrafes, después de la introducción histórica de la recepción en cada época, la autora analiza con más profundidad cada una de las traducciones. Ilustrativas para el análisis son también las tablas comparativas que intercala en los capítulos sobre los diferentes modos en que se han visto traducidos diversos aspectos de la novela y las tablas que ofrece en el apéndice.

El análisis llevado a cabo demuestra que el interés "alemán" por *Rinconete y Cortadillo* ha experimentado un crecimiento exponencial a través del tiempo y llega a demostrar que ha habido diferencias en la recepción de esta novela en Alemania y en España hasta el siglo XX, periodo en el que se concilian las ideas.

El objetivo de la autora era investigar las traducciones en relación con su edición, con otras versiones y con las pautas que dominaban en cada una de las épocas en el territorio de habla alemana. Al final del análisis, parece quedar demostrado que en cada una de las traducciones se reflejan las corrientes representadas por cada época en relación al modo y finalidad de una traducción. No obstante, la hipótesis que se postulaba al comienzo de que se ha ido pasando de traducciones 'libres' a otras cada vez más filológicas sólo ha podido ser mantenida en parte, como afirma la misma encargada del estudio.

La autora llama la atención al final de que muchas de las últimas traducciones se basan en anteriores, sobre todo en la de Notter (1840) y otras no son más que un "collage" en que se hace uso de traducciones anteriores, como ha sucedido con otras muchas obras. No tendríamos que alejarnos mucho para observar esta práctica, por ejemplo en las traducciones del *Quijote* al alemán.

Para finalizar, podemos decir que la obra nos traza las líneas básicas de lo que tiene que ser un estudio sobre la recepción de una obra a través de su traducción y nos da una idea de lo que sería la tesis doctoral inicial, ciertamente más extensa y completa de lo que se refleja en el libro.

Javier García Albero

Michael Iarocci: *Properties of Modernity: Romantic Spain, Modern Europe, and the Legacies of Empire.* Nashville: Vanderbilt University Press 2006. XVII + 278 páginas.

This is a brilliant book, which changes the paradigm for thinking about eighteenth- and nineteenth-century Spanish cultural production in general, and Spanish Romantic literature in particular. It does so by drawing on postcolonial theory and world systems theory: particularly Walter Mignolo's insights into how

Spain's loss of Atlantic supremacy from the mid seventeenth century meant Spain's relegation to a subaltern position in cultural as well as economic and political terms. As Gayatri Spivak has famously noted, the subaltern may technically speak but what they say does not count.

Throughout the book, Iarocci skilfully weaves together the literary and the political, through a double focus on the history of how Spanish Romantic literature has been written about, and on how the texts themselves engage with Spain's relation to modernity. He shows how it has become a truism to assume that eighteenth- and nineteenth-century Spanish authors were writing from a position outside modernity. Consequently, they have been vindicated by critics who stress their perspicacity in critiquing Spain's backwardness, as well as by critics who, on nationalistic grounds, stress their fidelity to indigenous traditions. In both cases, as Iarocci shows in his detailed analysis of the critical history of Spanish Romanticism, the assumption has been that modernity comes from somewhere else: a foreign import to be assimilated or resisted. One of the major aims of Iarocci's book is to challenge this last idea. Thus his insightful textual analysis of works by Cadalso, the Duque de Rivas, and Larra shows how their ambivalence towards modernity is a comment not just on Spain's assimilation (or not) of foreign trends, but, more importantly, on forms of social change within contemporary Spanish culture that are themselves characteristic of modernity. As Iarocci notes, no country ever fully fitted the blueprint of modernity, and the fact that Spain was late in developing a capitalist industrial economy does not mean that it did not, in the late eighteenth and early nineteenth century, experience social phenomena that are part and parcel of the experience of the modern. Indeed, as Iarocci notes, the speed of change in the period was remarkable – especially in terms of the privatization of land with the disentailments implemented by liberal governments in the first half of the nineteenth century. Marx's maxim that, with modernity, 'all that is solid melts into air', is thus – Iarocci claims – perfectly appropriate as a description of the experience of late eighteenth- and early nineteenth-century Spanish citizens. A major strength of this book is its recourse to detailed knowledge of the political, economic and social history of the periods discussed – down to the minutiae of events recorded in the press in the year when a particular text was written – combined with subtle analysis of textual terminology, imagery and innuendo.

Iarocci's title not only alludes to the importance of economic factors in creating the conditions of instability that are the hallmark of the modern capitalist system, based on private property, but also inscribes the writers discussed within the longer history of Spain's loss of imperial hegemony. He makes a crucial point that is often forgotten: that Spanish Romanticism follows directly on from the country's loss of its major American colonies in the the 1820s. Indeed, the history of eighteenth- and nineteenth-century Spanish literature (prior to the 'desastre' of 1898 – is often written as though empire were not part of the story. Iarocci argues convincingly that imperial decline is the crucial backstory to both Spanish literature of this period, and its treatment by literary critics who have internalized the notion that a country that no longer enjoys imperial hegemony must, by definition, be culturally parasitic on those countries whose empires make them matter. The backstory of empire underlying the Duque de Rivas's play *Don Álvaro o la fuerza del sino* is teased out by Iarocci's reading of its depiction of the protagonist's mixed-

race colonial origins and of Spain's continuing possessions in Italy. Iarocci also reminds us that the play is set in the reign of Carlos III, known for his attempt to implement Enligtenment reforms at home and in Spain's colonies overseas. Further prising out the imperial backstory, Iarocci points out that the play forcefully dramatizes the contradictions of modernity by having its American protagonist embody belief in the rights of man, while apparently being a slave-owner. As Iarocci notes, Don Álvaro is accompanied by a black servant who would almost certainly have been a slave since, in 1835 when the play was performed, slavery was legal in Spain and its colonies.

The book does not claim to be a comprehensive account of Spanish Romanticism, but rather takes three writers as case studies of Spanish Romantic texts that engage with the contradictions of modernity – contradictions which in each case are represented as existing within Spanish society, rather than resulting from a conflict between indigenous customs and imported foreign trends. The first case study, Cadalso's *Noches lúgubres* of 1774, is seen as already (some sixty years before Spanish Romanticism's usual start date of 1833) dramatizing a melancholy intrinsic to a modern subjectivity that has become unmoored from its social environment. Indeed, Iarocci notes that this posthumously published text was hugely popular in the 1820s-1840s. Iarocci's subtle psychoanalytic reading draws on Freud and Judith Butler to argue that the text's description of Tediato's protracted and failed attempt to disinter his dead beloved does not so much narrate an experience of melancholy as depict a self that is constituted in melancholic terms. The text, in Iarocci's reading, posits a very modern dissociation between the self and society through its disavowal of male friendship, striking a blow 'at the heart of sociability itself' (p. 77). Iarocci's detailed reading of the text's repeated references to 'interés' (meaning monetary interest) is grounded in a knowledge of contemporaneous economic theory. This leads him to suggest that Tediato's alienation should be read as a sign of a society newly structured in terms of monetary value, from which his affective self is irremediably divorced. In this respect, Iarocci might have drawn usefully on Albert Hirschman's classic study *The Passion and the Interests: Arguments for Capitalism before its Triumph*, which argues that the brilliance of Adam Smith was to show how capitalism produces an alignment of passion and interest, since the capitalist system generates material gain through the stimulation of desire. Iarocci mostly regards passion and self-interest as being in conflict, though there are moments when he perceives that they can be two sides of the same coin, further complicating the ambivalent attitudes to modernity that he perceives in his chosen texts. Iarocci's analysis of Cadalso's text ends by probing what he sees as the blindspot in the protagonist, who, for all his laments about material interest, fails to appreciate the material needs of his gravedigger interlocutor.

All three of Iarocci's case studies end with a similar prising out of a blindspot. In the second case study, the blindspot is Don Álvaro's above-mentioned owning of a slave while, as a mestizo (albeit of noble origin on both sides), articulating a modern liberal belief in the universal rights of man. Iarocci could perhaps have considered here, in line with Carole Pateman's *The Sexual Contract*, whether Álvaro (and Rivas as author?) is also blind to the rights of women, who, like the lower classes (including slaves), were theoretically included but practically excluded from the liberal doctrine of universal human rights.

For example, is Leonor reduced to the status of sacrificial love object, or is she given a subjectivity and agency of her own? (I suspect the answer would not be straightforward.) Iarocci (acknowledging Alonso Seoane's article) argues that Don Álvaro is modelled on the biography of El Inca Garcilaso, thus further inscribing empire into the text. I found especially striking the discussion of the play's unconventional use of a mix of poetry and prose. Iarocci argues through reference to successive dictionary entries that, in early nineteenth-century Spain, the 'prosaic' ceases to be a purely linguistic marker and starts to be seen as a quality of the world; specifically, of a modern world governed by money. Thus Iarocci sees the text's treatment of the tension between a residual *ancien régime* and an emergent liberal order represented not only in the conflict between the mestizo colonial protagonist and Leonor's aristocratic family, but also through the text's oscillation between 'prose' (representing the modern) and 'poetry' (representing the old). This produces additional ambivalence since, in the former case, the modern is valued above the old, while, in the latter case, it is the other way round. Iarocci notes that the adverse fate that pursues Don Álvaro 'manifests itself, quite literally, in a prosaic mode', meaning that prose is the vehicle for the collective gossip which repeatedly causes his downfall. Thus Iarocci argues, brilliantly, that 'Saavedra's *costumbrismo* is, among other things, a prose that persecutes' (p. 115). The ambivalence towards the modern proliferates since, as Iarocci observes, poetry is not only reserved for the males of the aristocratic Calatrava family, who represent patriarchal authority ('the poetry of the past'), but also for Leonor and Álvaro, who represent what Iarocci calls 'the poetry of "what might be"' (p. 120).

The following, final chapter offers an acute and original analysis of the relation between modernity and death in press articles written by Larra in 1836 shortly before his February 1937 suicide. Having noted that Larra's work and suicide have generally been read, by his contemporaries and subsequent critics, as a critical comment on Spain's lack of modernity, Iarocci proceeds to show how Larra's use of the trope of death (like that of the prosaic in *Don Álvaro*) is in fact linked to a modernity perceived as existing in Spain, which Larra, for all his defense of liberal freedoms, finds inimical to the self (itself a product of the same modernity). Iarocci argues that this linking of modernity and lifelessness constitutes a critique of the rational 'disenchantment of the world' that Weber identified as a mark of modern secularism. Iarocci argues that this modern rationalization was not purely a foreign import, but was grounded in Spanish history (early modern imperial bureaucratic management, Enlightenment and subsequent liberal reforms). Iarocci shows how secularism was at the heart of political, social and economic debate in post-1833 Spain, which saw a radical restructuring of the relationship between Church and state. Indeed, secularization became synonymous with the creation of private property: it was precisely between September 1835 and May 1836 that Mendizábal implemented a major disentailment program. Iarocci notes the contradiction between Larra's continued wish for a world of transcendence and his identification with the modern liberal order responsible for dismantling this world. He observes that this contradiction is typical of Romantic writers in the northern European countries that are seen as paradigmatic examples of modernity, and can in fact be seen as a hallmark of the modern writer. Thus, Iarocci argues, Larra's depic-

tion of the society of his time belies the generalized assumption that the problem, for Larra, was that Spain was not modern. Rather, the problem was that Spain was in some ways not modern enough, but in other ways too modern. Iarocci gives a new twist to Larra's celebrated comparison of Madrid to a cemetery, relating it to Larra's perception that, thanks to Spain's loss of hegemony in the world system, Spain has become symbolically dead in the sense that it 'has become the ground for the history of others' (p. 158). Indeed, Iarocci notes that, if Larra sees modernity as issuing from the north (while also noting its presence in the Spain of his time), he also shows how Spain's repeated invasion by the north has brought war and death. Thus Larra exposes the violent negative underside of modernity. Iarocci ends by prising out the blindspot in Larra's work: namely, his attempt in 'La Noche Buena de 1836' to present his servant in a superior light, which in practice is a bourgeois fantasy about the 'happy insensibility' of the lower classes which serves to rewrite bourgeois power (that of Larra as master and author) as a superior capacity for suffering.

The major contribution of this book is its critique and rewriting of the 'cartography' or 'symbolic geography' whereby northern European hegemony has excluded Spain from the international literary map, and its demonstration of how this manoeuver has been echoed in the scholarship on Spanish Romantic literature (and on Romantic Spain for, as Iarocci notes, Spain was viewed as incapable of producing 'genuine' Romantic writers since the country simply 'was Romantic'). In a version of 'the Empire strikes back', Iarocci has wanted to give us a view of modernity, not from the usual northern perspective whereby Spain is relegated to the status of object and receiver of influences, but from the perspective of Europe's 'first posthegemonic European nation-state'. In the process he also gives us some brilliantly original textual readings, enhanced by inserting the texts into the specific context of debates and events of the time. The combination of theoretical sophistication, historical knowledge, and close reading – with a dose of reading against the grain – makes this book a model of critical practice, as well as a major contribution to its field.

Jo Labanyi

M.ª Francisca Vilches de Frutos (ed.): *Mitos e identidades en el teatro español contemporáneo*. Amsterdam/New York: Rodopi (Foro Hispánico, 27) 2005. 113 páginas.

Este volumen reúne seis aportaciones sobre el tema especial de mitos e identidades en el teatro español después de la Guerra Civil hasta hoy día.

María José Ragué-Arias ("Del mito contra la dictadura al mito que denuncia la violencia y la guerra", pp. 11-21) ve diferencias en la dramatización de mitos griegos en el teatro español según las generaciones a que pertenecen los dramaturgos: en la dictadura de Franco trataron los mitos "como metáfora de la situación vivida" (p. 11), a partir de la apertura del franquismo y hasta los años noventa de igual modo o como el reflejo del desencanto político, y desde los años noventa hasta nuestros días la nueva generación joven, con autores como Raúl Hernández y Rodrigo García, tiene una visión global de las guerras y dictaduras en el mundo y maneja los mitos como un arma contra la violencia. Ragué-Arias analiza distintas obras de estos dos autores, en parte muy someramente: de Raúl Hernández, *Los restos: Agamenón vuelve a casa* (1997), *Los restos: Fedra* (1999) y *Si un día me olvidaras* (2001) así como de Rodrigo García, *Martillo* (1991), *Prometeo* (1996), *After sun* (2000) y *Agamenón. Volví del supermercado y le di una paliza a mi hijo* (2003).

Diana M. de Paco Serrano ("Mitos clásicos y teatro español contemporáneo. Identidad y distanciamiento", pp. 23-29) constata que los mitos clásicos de la tragedia griega siguen vivos hasta nuestros días. Cada época los había interpretado a su manera. El teatro español actual de la nueva dramaturgia (Rodrigo García, Raúl Hernández o Itziar Pascual) ofrece con su nueva visión del mundo una interpretación moderna de los contenidos de los mitos griegos: "El mito mantiene su verdad como símbolo, pero es contemplado desde una nueva visión del mundo que se identifica, en ciertos aspectos, con esquemas del pasado" (p. 27).

Pilar Nieva de la Paz ("Las transformaciones de un antiprototipo femenino: Medea en el teatro español contemporáneo", pp. 31-42) interpreta a Medea como representante simbólica en la lucha por la libertad del individuo contra el sistema social dominante y la ideología de la moral convencional. De la Paz analiza tres obras contemporáneas: la de Luis Riaza (*Medea*, 1981), en la cual Medea y la nodriza son hombres; la de Alfonso Zurro (*A solas con Marilyn*, 1998) con sus 33 fragmentos en un discurso monologal: "La concatenación del discurso remite al fluir de la conciencia del monólogo joyceano, sin puntuaciones, saltando por libre asociación mental de un asunto a otro [...]"(p. 37); y la de Diana de Paco Serrano (*Polifonía*, 2001) con un discurso dramático de cuatro representantes de la mitología griega, que son Penélope, Medea, Fedra y Clitemnestra.

M.ª Francisca Vilches de Frutos ("Identidad y mito en la escena española actual: Casandra como paradigma", pp. 43-52) analiza detalladamente dos piezas teatrales que trasponen la figura mitológica de Casandra a la situación caótica de nuestros días, que son, de Rodrigo García, *Martillo seguido de el regreso de Agamenón* (2000) y, de Raúl Hernández García (*et al.*), *La noche de Casandra* (2001). Resumiendo se puede decir que Vilches de Frutos caracteriza a Casandra en estas dos obras de la siguiente manera: "[...] la Casandra actual rescata su condición de concubina de Agamenón y es presentada como un símbolo de la marginación, en una doble vertiente, la sufrida por todas aquellas mujeres victimizadas a manos del varón y la de todos aquellos seres que deben emigrar y abandonar sus países y costumbres para defender su dignidad" (p. 50).

Wilfried Floeck ("Mito e identidad femenina. Los cambios de la imagen de Penélope en el teatro español del siglo XX", pp. 53-63) estudia diez obras teatrales que se habían producido después de la Guerra Civil hasta hoy, en las cuales el personaje griego de Penélope está en el centro de la temática y la transformación de un mito, es decir, la desvalorización de Ulises como héroe desmitificado y la revalorización de Penélope como mujer que es consciente de su valor. Todas estas obras tienen un rasgo común que es "una secularización del mito" (p. 55). Floeck presenta su análisis en parte muy detalladamente, en parte más someramente con las siguientes piezas: Gonzalo Torrente Ballester, *El retorno de Ulises* (1946); Antonio Buero Vallejo, *La tejedora de sueños* (1952); Salvador S. Monzó, *Ulises o el retorno equivocado* (1958); José Ricardo Morales, *La odisea* (1965); Domingo Miras, *Penélope* (1971); Germán Ubillos, *El llanto de Ulises* (1973); Carmen Resino, *Ulises no vuelve* (1973); Antonio

Gala, *¿Por qué corres, Ulises?* (1984); Javier Tomeo, *Los bosques de Nyx* (1995); e Itziar Pascual, *Las voces de Penélope* (1997).

Según Anita L. Johnson ("La recreación del mito en el teatro de Alfonso Sastre: inversión e intertextualidad en *El viaje infinito de Sancho Panza*", pp. 65-72), Sastre crea un nuevo personaje de Sancho Panza, que con su locura contagia a Alonso Quijano: "[...] hay un dramático cambio de papeles y Sancho es la verdadera fuerza motriz de Don Quijote" (p. 68). Johnson afirma con razón que Sastre utiliza también elementos del teatro épico de Brecht en su tragedia compleja.

Después de estas seis contribuciones sobre la temática de mitos e identidades en el teatro español contemporáneo se añade un análisis muy profundo y bien documentado del experimento en dos partes *El tragaluz*, de Antonio Buero Vallejo, presentado por José Rodríguez Richart ("*El tragaluz*, de Antonio Buero Vallejo. Un análisis textual", pp. 73-87).

Resumiendo se puede decir que tenemos un pequeño libro ante nosotros que aporta interpretaciones bien elaboradas y con análisis acertadas sobre el teatro español contemporáneo.

Klaus Pörtl

2. Literaturas latinoamericanas: historia y crítica

René Ceballos: *Der "transversalhistorische" Roman in Lateinamerika. Am Beispiel von Augusto Roa Bastos, Gabriel García Márquez und Abel Posse.* Frankfurt/M.: Vervuert (Teoría y crítica de la cultura y literatura, 30) 2005. 245 páginas.

Este densa y apretada obra –originariamente una tesis doctoral de Leipzig (2003)– está formada, en realidad, por dos libros. El primero, que constituye la mitad del volumen, reúne tres cursillos teóricos dedicados a la transformación de la idea de Historia/historiografía desde el siglo XVIII hasta la era posmoderna, a las interferencias (ya harto estudiadas) entre discurso historiográfico y discurso narrativo y, finalmente, al concepto de la novela histórica *transversal*, basado, esencialmente, sobre teoremas de Deleuze, Foucault y Derrida (citados en las traducciones alemanas). La segunda parte del libro corresponde a la comprobación crítica de que las cuatro novelas estudiadas (*El general en su laberinto, Vigilia del almirante, Los perros del paraíso* y *Yo el Supremo*) cumplen con los requisitos teóricos elaborados anteriormente y resumidos bajo el concepto de "transversalidad histórica".

No cabe duda de que la conceptualización impuesta en su momento por el libro de Seymour Menton (*La nueva novela histórica*, 1993) debió de ser superada por nociones que derivan de una crítica más aguda que la que estableció la oposición entre historiografía oficial u oficialista y un nuevo modo literario de novelar relaciones de poder en distintos contextos de la Historia latinoamericana. El punto de partida del libro de R. Ceballos es la bien fundada afirmación de que las novelas atribuidas al género de "novela histórica transversal" (desgraciadamente no da la lista completa, más allá de las cuatro obras de su corpus) se apartan definitivamente de la ambición ilusoria de *representar* sucesos y personajes históricos, sustituyéndola por el afán de evidenciar *lo construido* de todo discurso referido a hechos históricos. Por lo tanto, lo que se torna objeto de la lectura crítica de las novelas es su escritura, vale decir sus múltiples modalidades discursivas (incluyendo la traducción literaria de la oralidad) y sus polifacéticos sujetos de enunciación. Al eliminar la representación se crean, en su lugar, estructuras literarias que transforman los llamados hechos históricos en procesos posibles o verosímiles, cuestionan la lógica cronológica, invierten la relación entre sucesos sucedidos y sucesos relatados, entre textos y pretextos (por ejemplo, Don Quijote/Colón). La definición del atributo "transversal" proviene de Deleuze; su valor semántico-cultural más general reside en el poder transgresor de límites de toda índole. Así es que se producen efectos de fricción y de hibridación cuando se imbrican fictividad y facticidad. Evidentemente, las novelas históricas transversales exigen un nuevo tipo de lector que sabe instrumentar su lectura en vista de una reapropiación crítica de los conocimientos históricos difundidos por la educación nacional en los distintos países de Hispanoamérica (Bolívar, Dr. Francia, Colón). Vista desde una perspectiva muy general y muy abstracta, la novela histórica transversal, según el autor, se transformaría en modelo epistemológico y en un desafío constante a la historiografía científica.

En este tipo de afirmaciones, reiteradas en las dos partes del libro, se manifiesta cierto orgullo de una inteligencia posmoderna (véase la bibliografía selecta) que ha dejado atrás la categorización clásica del mundo, pero también su racionalidad lingüística, cambiándola por una jerga a veces apenas traducible y comunicable.

Dieter Janik

Mayder Dravasa: *The Boom in Barcelona. Literary Modernism in Spanish and Spanish-American Fiction (1950-1974)*. New York, etc.: Lang (Currents in Comparative Romance Languages and Literatures, 130) 2005. XII, 195 páginas.

El libro de Mayder Dravasa desea responder, desde las laderas ideológica, literaria y empresarial, a una serie de interrogantes que rondan el fenómeno del *boom*. El éxito comercial de algunos autores latinoamericanos y la presencia de sus textos en diarios, revistas y otros medios de comunicación españoles y europeos sorprendieron en no pocos casos por su poderosa imaginería, por la capacidad renovadora del discurso literario y por el acusado dominio de las nuevas técnicas narrativas.

Como sabemos, en lo que se refiere a la difusión de la mal llamada "nueva novela" latinoamericana, el escritor y editor barcelonés Carlos Barral desempeñó un papel relevante: a él se debió en buena medida que Barcelona se convirtiera en la principal plataforma editorial de lanzamiento de la narrativa del *boom* en la década de los sesenta; y en Barcelona se gestó y desde allí se llevó a cabo buena parte del proceso de internacionalización de la novela del *boom*. Verdad es que *Cien años de soledad* se editó en Sudamericana (Buenos Aires) y que *Cambio de piel* (galardonada con el premio "Biblioteca Breve" del año

1967) tuvo que aparecer en la editorial mexicana Joaquín Mortiz debido a la censura, pero no es menos cierto que en las tertulias literarias se dijo (de donde pasó a ser de dominio público) que García Márquez hubiese preferido que la obra se publicara en Seix Barral. Por lo demás, no se suele tener suficientemente en cuenta que el prestigio del "Premio Biblioteca Breve" y la labor de Carlos Barral estaban secundadas por la de otras editoriales barcelonesas y otros premios literarios, como Destino y su "Premio Nadal" (concedido en 1963 y 1965 a los colombianos Manuel Mejía Vallejo y Eduardo Caballero Calderón) o la editorial Planeta (que no apostó por los latinoamericanos hasta 1970, año en que asignó el premio al argentino Marcos Aguinis por su novela *La cruz invertida*). A lo dicho se suman otras dos razones poderosas: a) la confluencia en la Ciudad Condal (o en sus aledaños) de varios de los protagonistas del *boom* (Vargas Llosa, García Márquez, Donoso y Edwards son los más conocidos, pero no los únicos); y b) el significado que tuvo desde mediados de la década de los sesenta para los escritores españoles y latinoamericanos la agencia literaria de Carmen Balcells, que contribuyó muy de cerca en la transformación de la industria editorial española.

La monografía de Mayder Dravasa se suma a tres publicaciones recientes de interés y valía[1], en las que se abordan

---

[1]   Burkhard Pohl: *Bücher ohne Grenzen. Der Verlag Seix Barral und die Vermittlung lateinamerikanischer Erzählliteratur im Spanien des Franquismus*, Frankfurt/M.: Vervuert 2003 [Libros sin fronteras. La casa editorial Seix Barral y la difusión de la narrativa latinoamericana en la España franquista, con un anejo de documentos inéditos]; Joaquín Marco/Jordi Gracia (eds.): *La llegada de los bárbaros. La recepción de la literatura hispanoamericana en España*, Barcelona: Edhasa

aspectos que también trata la autora. De los cuatro capítulos que integran el volumen, el primero (pp. 1-49) brinda un acercamiento crítico al *boom* desde coordenadas teóricas conocidas, aunque con el atractivo de sentar unas bases que, de haber tenido en cuenta algunas publicaciones madrugadoras –por ejemplo, *Ediciones y comercio del libro español*, de Fernando Cedán Pazos (Madrid: Editora Nacional 1972)– o puntuales y ceñidas al asunto –*La novela hispanoamericana en España, 1962-1975* (Granada: Universidad de Granada 1995), de Nuria Fons Prats–, hubiesen podido resultar más renovadoras.

El capítulo segundo (pp. 50-77) versa sobre la "historia de una generación" que funda la editorial Seix Barral en la Barcelona de los años cincuenta con ánimo de sacar la literatura de la existencia provinciana que la caracterizaba; para ello Dravasa se apoya en una bibliografía adecuada, pero se echa de menos algunos títulos recientes que hubiesen podido sostener y dar mayor enjundia a alguna de las tesis defendidas. En el capítulo tercero (pp. 78-104), la estudiosa muestra que *Reivindicación del conde don Julián* forma parte de los títulos memorables que constituyen y configuran el *boom*. Sus reflexiones sobre este "texto maestro" goytisoliano llevan a la autora a constataciones y hallazgos novedosos y a conclusiones convincentes. Pese a que tampoco en este capítulo la bibliografía consultada pase del año 1996, las reflexiones y las tesis sobre aspectos determinados sientan bases sólidas para posteriores estudios.

El capítulo que cierra la monografía (pp. 105-134) reúne datos fehacientes, fruto de un cuidadoso trabajo de campo. Son datos que, dicho sea de paso, quedan confirmados (y ampliados) en el trabajo de Burkhard Pohl. En el breve epílogo (pp. 135-139), la autora rompe una lanza en pro de la primera novela de Isabel Allende, *La casa de los espíritus* (1982), a su juicio paradigma de la tematización de la política, del compromiso abierto y de la realidad histórica latinoamericana, secundada pronto por un nutrido racimo de títulos debidos a escritoras procedentes de todos los países latinoamericanos. No le falta razón. Una monografía necesaria que los lectores interesados sabrán apreciar en lo que vale.

José Manuel López de Abiada

Clara Camplani/Patrizia Spinato Bruschi (eds.): *Dal Mediterraneo, l'America. Storia, religione, cultura. Presentazione di Giuseppe Bellini.* **Roma/Cagliari: Bulzoni/C. N. R. 2006. 273 páginas.**

Este volumen, editado por el Instituto de la Historia de la Europa mediterránea y presentado por Giuseppe Bellini, que resume en su bella introducción los orígenes de lo "maravilloso americano", analiza algunos aspectos de las relaciones italo-latinoamericanas desde el "Descubrimiento" hasta fines del siglo XX. La documentación comentada refleja el interés particular del público italiano por América Latina, que se inicia con los informes de italianos sobre sus viajes al Nuevo Mundo, y que está motivado, según varios autores, por los paralelismos entre los espacios culturales y naturales del Mediterráneo y del subcontinente transatlántico y en particular del Caribe. Este interés se manifiesta, como resulta del estudio de Silvana Serafín, a través de una rica labor de publicación y traduc-

2004; José Manuel López de Abiada/José Morales Saravia (eds.): *Boom y Postboom desde el nuevo siglo: impacto y recepción*, Madrid: Verbum 2005.

ción de la literatura de y sobre América Latina, sobre todo de la narrativa. Ese *boom* italiano se debe, según la autora, al creciente atractivo tanto literario como político de América Latina después de la Revolución Cubana, al desarrollo y la especialización de la industria del libro, y a las actividades propagandísticas del cada vez mayor número de cátedras de latinoamericanística.

Clara Camplani saca a la luz las primeras noticias sobre el Nuevo Mundo depositadas en los archivos italianos, divulgadas a raíz de una carta del genovés Colón a un compatriota, de informes de Michele da Cuneo, participante en el segundo viaje del Almirante, y de Pedro Mártir, inventor de la denominación "Nuovo Mondo" y del mito del "buen salvaje". Dos trabajos investigan el papel contradictorio de los jesuitas, en su mayoría italianos, en la historia política y cultural de la América Latina colonial. Según Piero Ceccucci, los padres en Brasil tenían una visión bifronte del país: de un lado es el Paraíso Terrenal por su naturaleza; del otro, el Infierno por los indígenas diabólicos, que había que civilizar por la fuerza y mediante la esclavitud, para realizar su "visão utópica de um Brasil civilizado: cristão e português" (p. 75). Beatriz Hernán-Gómez Prieto comenta y publica su hallazgo en la Biblioteca Nacional de Madrid: un *Diálogo entre Don Quijote y Sancho en México*, de 1771, protestando contra la expulsión de los jesuitas, a la que atribuyen la mala situación del país –texto interpretado por la crítica española como pre-texto de la Revolución independentista–. Para Donatella Ferro, lo nuevo en *De iusto bello contra Indos* del catedrático agustino fray Alonso de Veracruz es que no defiende a los indios por razones morales, sino por las razones jurídicas del Derecho Internacional de Vitoria, y que subvierte el eurocentrismo al explicar

ciertos fenómenos precolombinos, muy modernamente, por la otredad de la organización social azteca.

Las memorias de viajeros italianos reflejan y divulgan los prejuicios europeos, con la particularidad de expresar en la Italia de Mussolini también ideas prefascistas o fascistas. Michaela Craveri comprueba en el *Viaje a Nueva España* de Gemelli Careri, de fines del siglo XVII, que este autor no registra las particularidades étnicas, sociales y naturales que diferencian al nuevo del viejo mundo, sino que las interpreta en su proceso de adecuación a Europa, no encontrando nada nuevo en el Nuevo Mundo (a diferencia de Humboldt en el mismo periplo cien años más tarde). Una mezcolanza entre eurocentrismo y fascismo es detectada por Emilia Perassi en los "Juicios [mejor dicho: prejuicios] italianos sobre el tema de la inercia [vale decir: ociosidad e inmovilidad] histórica de América Latina", de periodistas viajeros italianos de la primera mitad del siglo XX: Cecchi, Gadda, Barzini, Rocca y Appelius comparan la pereza latinoamericana con la laboriosidad euro-italiana, algunos combinando la exaltación de la latinidad y mediterraneidad con diatribas anti-anglosajonas y el desprecio hacia los indígenas "desechables".

Según Marco Cipelloni, la música italiana culta de los años noventa se inspira mucho en temas latinoamericanos, basándose en textos de Borges, Che Guevara y García Márquez, insistiendo menos en las diferencias que en una "transposición identificadora" entre el Mediterráneo y Sudamérica (*Johan Padan a la descoverta de le Americhe*, de Dario Fo; *La Nueva España*, de Lorenzo Ferrero, sobre Cortés; *Atlantico*, del compositor sardo Enzo Favata). Esta música evita cualquier "esotismo americaneggiante e pseudofolclorico" (p. 223), inspirándose en la tradición musical mediterránea de Verdi, etc., con alusiones latinoamericanas por el uso de guitarra, bandoneón y flauta boliviana, y por ritmos de tango y cha-cha-cha. Lorenzo Bruno en *Huacapú* acentúa la hibridización inherente al arte postmoderno por música electrónica y efectos rumorísticos (falta un complementario estudio comparativo de la puesta en música de obras de Barnet por Henze).

Tres trabajos están desconectados del tema de las relaciones italo-latinoamericanas: dos tratan de la reflexión novelística de la violencia en América Latina. Según Jaime Martínez, Vargas Llosa, en *Lituma en los Andes* –aunque con mínimos conocimientos de la región y a pesar de considerar a los indígenas peruanos (a diferencia de sus compatriotas blancos) como mestizos–, ve el origen de la violencia tanto en el dogmatismo irracional de la izquierda como en la falta de cultura (occidental) de los indios. El chileno Roberto Bolaño, en cambio, como muestra Ignacio Rodríguez de Arce en una fascinante "primera aproximación" a su monumental obra apocalíptica *2666*, considera los horrores homicidas (femicidas) masivos entre gente pobre en Sonora, México –seguramente en consideración también de las masacres cometidas por los militares chilenos, uruguayos y argentinos– como un mal latinoamericano endémico y hasta humano, con dimensiones casi ontológicas. Patrizia Spinato Bruschi investiga en "Il nazionalismo religioso di Xavier Icaza" la extraña combinación de revolucionarismo, indigenismo y catolicismo en la obra del estridentista mexicano, que glorifica la Virgen de Guadalupe como reencarnación de la diosa indígena Tonantzin en tiempos de la Revolución mexicana, enfrentándose al clero contrarrevolucionario. Con este renacimiento estridentista del auto sacramental Icaza aboga, según la crítica italiana, por la identidad étnica y la reconciliación social

de la nación, un reclamo muy actual en los comienzos del siglo XXI.

Hans-Otto Dill

Annina Clerici/Marília Mendes (eds.): *De márgenes y silencios/De margens e silencios. Homenaje a Martín Lienhard/Homenagem a Martin Lienhard.* Madrid/Frankfurt/M.: Iberoamericana/Vervuert 2006. 340 páginas.

Annina Clerici y Marília Mendes han promovido y cuidado con esmero este tomo de ensayos que discípulos y amigos dedican al profesor Martín Lienhard con la ocasión de cumplir una etapa importante de su vida, durante la cual se ha impuesto como maestro a una amplia serie de estudiosos, que se han formado en sus clases o en sus estudios. Catedrático de Lenguas y Literaturas Románicas desde 1989 en la prestigiosa Universidad de Zurich, ha dado a sus clases y a sus trabajos científicos una interdisciplinariedad que, como escriben las editoras del volumen, "favorece el diálogo entre la literatura, la música, el cine, las artes, la antropología y la historia". Su interés, ponen de relieve las citadas editoras, va a "las asimetrías entre los discursos de los sectores subalternos y hegemónicos, poniendo énfasis en la relación plurivocal entre la oralidad y la escritura en América Latina y los países luso-africanos. Su interés principal consiste en encontrar, a través de una cuidadosa 'arqueología' de los discursos, las huellas de aquellos que fueran marginados como resultado de largos procesos históricos y sociales".

Creo que con estas palabras las promotoras del homenaje dedicado al profesor Lienhard destacan eficazmente, de manera sintética, el carácter del estudioso y la dirección de sus intereses científicos, animados siempre, por encima de la llamada cientificidad, lo que es fundamental, por un interés hacia el hombre que se transparenta en todos sus trabajos y que explica muy bien la amplia adhesión de sus discípulos al maestro. Lo que se documenta con evidencia concretamente a través de los veinticuatro ensayos que forman el libro-homenaje, en los que intervienen los nombres más relevantes del sector, de aquellos que con el profesor Lienhard han mantenido contactos formativos o que han estimado su trabajo.

El volumen va repartido en cinco sectores. En el primero, el tema es fundamentalmente el diálogo entre culturas, donde intervienen Mary Louise Pratt, a propósito de "Los imaginarios planetarios", Jeferson Bacelar, tratando de los "Viajantes no Paraíso", José Carlos Sebe Bom Meihi, relativo a "O invisível no visível: o Maranhão no contexto da música popular brasileira" y, finalmente, Josué Sánchez, a propósito de "El encuentro de los zorros en la plástica peruana".

Más numerosos son los ensayos reunidos en el sector dedicado a "Exploraciones sociales e históricas"; son cinco, cuyos autores tratan, respectivamente: Antonio García de León, de "Memoria de los pasos perdidos: el movimiento de los inquilinos de Veracruz en 1922"; Elena Lazos Chavero, de "La escuela en comunidades rurales del sur de Veracruz, México: voces no escuchadas, discursos no encontrados"; Gerold Hilty/Colette Sirat, dedicándose a "Le judéo-portugais – une langue marginalisée?", mientras que Antonio Melis discute "El destino del repentismo entre el Mediterráneo y América Latina", y Edimilson de Almeida Pereira, "A poesia no meio da rua, no meio do mar. Notas sobre ritualidade e estética na cultura afro-brasileira". Como puede verse la gama de los argumentos tratados en los ensayos cita-

dos da razón no solamente de la variedad de intereses de sus autores, sino también del complejo entramado desde el cual se originan y que conduce directamente al maestro Lienhard.

El tercer sector del volumen, el más consistente por número de ensayos, que son diez, trata "De márgenes y silencios en las literaturas", y es de gran interés para quien se dedica a la crítica literaria. Los distintos autores tratan una serie de temas que convoca gran parte de la producción literaria latinoamericana del siglo XX, siempre bajo el signo de la interdisciplinariedad, empezando por el estudio de Jesús Morales Bermúdez, dedicado a "Los negros en los cuentos de indios", un "acercamiento inicial". Siguen: Julio Peñate Rivero, quien trata de "Literatura e insularidad: Canarias también tiene su novela"; William Rowe, quien dedica su trabajo a "César Vallejo en París: las velocidades de lo moderno"; Rocco Carbone, quien se ocupa de "Voces al margen del discurso hegemónico: una 'zona alternativa' entre Boedo y Florida"; Gabriela Stöckli, con "Héctor Tizón. Salidas al silencio", y Annina Clerici con "Conversación en la carretera y el burdel: la función del acto comunicativo en dos novelas peruanas de inicio del siglo XXI", mientras Itzíar López Guil estudia la relación entre "Poesía y compromiso en la mirada postmoderna de Edwin Madrid", María-Paz Yáñez dedica su investigación a "*Las viejas difíciles* de Carlos Muñiz o cómo hablar sin voz en los teatros del franquismo", Mara Ana Ramos trata de "'Só o coração... e depois trinca-o ferozmente...'. Um motivo medieval em Herberto Helder", y Marília Méndez de "Estratégias de silencio em *Ualalapi* de Ungulani Ba Ka Khosa".

El cuarto apartado reúne un poema de Maria Marotti y seis de Prisca Agustoni. En otro sector titulado "Epístolas", hay escritos de Ernst Ridin, "Desde La Habana"; Sybila de Arguedas, "Carta para Martín"; y Noé Jitrik, "Silencio". Cierra el tomo la "Lista de publicaciones" del homenajeado, seguida por la "Tábula gratulatoria".

Como bien puede darse cuenta el lector resulta imposible, en publicaciones de este género, resumir el contenido de los distintos ensayos. Creo que más vale la pena evidenciar los argumentos tratados por los distintos autores y subrayar el significado intrínseco de una iniciativa que entiende celebrar una personalidad entre las más relevantes de la latinoamericanística internacional. Personalmente tengo que decir que, por más que mis intereses vayan a menudo por otros caminos, he aprendido mucho de la lectura de los escritos reunidos en este volumen y creo que mucho aprenderán los que a él en el futuro se acercarán. Lo que sí deseo hacer, a pesar de la distancia de tiempo, es sumarme a las felicitaciones que el maestro merece por su importante trabajo.

Giuseppe Bellini

Claire Brewster: *Responding to Crisis in Contemporary Mexico. The Political Writings of Paz, Fuentes, Monsiváis, and Poniatowska.* **Tucson: The University of Arizona Press 2005. IX, 266 páginas.**

Brewster analiza la obra periodística de cuatro autores mexicanos, a saber: Paz, Fuentes, Monsiváis y Poniatowska, enfocando la época que va de 1968 a 1995. Para muchos investigadores, familiarizados con la obra literaria de estos "grandes" de la literatura mexicana del siglo XX, el conocimiento de su labor periodística suele reducirse a la lectura esporádica de algunos artículos, o la consulta de éstos siempre en función de un mejor entendimiento de su obra literaria. Cabe decir, sin embargo, que los lectores de estos autores ya tenemos cierta idea de lo que hicieron en el campo del periodismo, porque todos ellos recopilaron en determinados momentos una serie de artículos periodísticos para publicarlos en forma de libro, aunque en versiones a menudo modificadas. Además, en el caso de Poniatowska y Monsiváis, es a veces difícil distinguir entre el género periodístico y el literario propiamente dicho. Libros como *La noche de Tlatelolco* que pertenece al género del testimonio, o *Entrada libre*, que es crónica, reflejan muy bien el trabajo periodístico de Poniatowska y Monsiváis, respectivamente. Hasta ahora, nadie se ha dedicado a un análisis exclusivo y completo del trabajo periodístico de estos cuatro autores, sobre todo debido a la dificultad de obtener el material, disponible sólo en bibliotecas especializadas, en particular por lo que atañe a artículos de la época anterior a Internet. Los lectores de los libros de Paz, Fuentes, Monsiváis y Poniatowska nunca podemos llegar a tener esta visión de conjunto, de todos estos años, tal como nos la ofrece Brewster en este gran trabajo de recuperación, que realmente llena una laguna, no sólo en los estudios de la obra de cada uno de estos autores, sino también en los estudios políticos que se centran en esa época de sucesivas crisis en la sociedad mexicana. El corpus estudiado es, además, impresionante. El interés del libro de Brewster de hecho ya queda comprobado por un artículo reciente de Maarten Van Delden, quien critica algunas interpretaciones de Brewster sobre Paz.[1]

---

[1] Van Delden, Maarten (2007): "Polemical Paz". En: *Literal. Latin American Voices.* <http://letra-m.blogspot.com/2007/03/polemical-paz-maarten-van-delden.html> (fecha de consulta: 10 de abril de 2007).

Es probable que, por su análisis de la posición política de Paz, Brewster provoque más reacciones de este tipo, por lo que ella contribuye a su manera a la polémica que aún no termina, no sólo alrededor de Paz, sino también alrededor de los demás intelectuales.

Brewster es consciente de lo que implica trabajar con este material particular de artículos periodísticos, y ya en la introducción se pregunta: "Is it wise to rely on spontaneous remarks and articles drafted in the heat of the moment?" (p. 4). La autora se anticipa pues a posibles críticas y en su respuesta subraya, con razón, la gran necesidad de estudiar este tipo de material, porque, según ella, "it is precisely at such times that the writers reveal their true personalities" (*Ibíd.*). Sin embargo, se podría argüir que falta una reflexión más profunda acerca de las implicaciones que conlleva el hecho de trabajar con este tipo de material que, bien lo sabemos, se caracteriza por la fugacidad y el reflejo pasajero de una situación actual. Sobre este campo resbaladizo de revistas y periódicos existen estudios teóricos. Pienso, por ejemplo, en los trabajos de los años ochenta y noventa de Luz Rodríguez-Carranza o Joris Vlasselaers sobre revistas culturales. Los resultados de éstos podrían haber tenido consecuencias para la metodología y la estructura del trabajo. Se podría haber considerado, por ejemplo, la posibilidad de trabajar desde la perspectiva del funcionamiento de las revistas y no por autor.

Después de definir al intelectual y considerar su posición dentro de América Latina y de presentar a los cuatro autores, Brewster pasa al análisis. Éste se divide en cinco capítulos que corresponden a cinco fases de la historia reciente de México: el movimiento estudiantil de 1968, las consecuencias de 1968, el nacimiento de la sociedad civil, la respuesta de la socie-

dad civil y, finalmente, la rebelión zapatista. El primer capítulo abre con un marco histórico-político bien elaborado, que aclara los diferentes momentos claves que precedieron al clímax sangriento de la masacre de Tlatelolco del 2 de octubre de 1968. Luego, se analizan por separado las reacciones de los cuatro autores. Los subtítulos, muy sugerentes, caracterizan y diferencian claramente a los cuatro: "Carlos Monsiváis: The Students Advocate", "Elena Poniatowska: The Victims' Confidant", "Octavio Paz: The Dissenting Diplomat", "Carlos Fuentes: Caesar's Critic". Es muy obvio cuánto la tragedia afectó a estos intelectuales, que criticaron todos fuertemente al gobierno de Díaz Ordaz.

Considerando las consecuencias de 1968, Brewster explica cómo Fuentes y Paz decidieron colaborar con el presidente Echeverría con el fin de obtener un cambio democrático. Creían que los intelectuales podían tener influencia sobre los políticos, lo que no excluía la crítica al gobierno. Parece que en ciertos momentos Echeverría adoptaba sus ideas, dando la ilusión de que los intelectuales ejercían efectivamente una influencia sobre el presidente. Monsiváis y Poniatowska, en cambio, expresaban sus dudas sobre Echeverría, sobre todo porque éste había sido secretario de Gobernación bajo Díaz Ordaz.

El capítulo sobre el surgimiento de la sociedad civil gira alrededor del desastroso terremoto de 1985. Según Brewster, Paz y Fuentes no trataron el tema en sus artículos (lo que Van Delden contradice en el caso de Paz), por lo que se centra sólo en Monsiváis y Poniatowska, que además de cronistas de los eventos se manifiestan también como intelectuales que orientan la opinión pública. El terremoto no sólo sacudió la tierra, sino también la estructura de la vida mexicana. Monsiváis vio el nacimiento de "un nuevo protagonista", llamado la sociedad civil, que no se arredró ante las protestas contra un gobierno corrupto y negligente. Poniatowska recogió innumerables testimonios de víctimas.

En "The Response of Civil Society" Brewster examina en detalle el período turbulento de las elecciones presidenciales de 1988, y el gobierno neoliberal de Salinas (1988-1994) que dio la ilusión de introducir a México en el Primer Mundo. A este respecto se oponen diametralmente las opiniones de Paz y de Monsiváis. Paz, el "dios" que no quería ser contradicho, apoyó ciegamente a Salinas y consideró la manipulación electoral como "natural" (p. 129). Monsiváis, en cambio, criticó abiertamente el fraude electoral, y llamó a Salinas el "Don Juan de los intelectuales". Todo este tiempo, Monsiváis se sintió muy solo, "deprimido e impotente" (p.150).

El último suceso estudiado es la rebelión zapatista de 1994, que hizo que el imperio "invencible" de Salinas se desintegrara. Brewster presenta un análisis muy acertado de las reacciones, muy diferentes entre sí, de los cuatro intelectuales. Paz consideró el levantamiento zapatista como la última rebelión del siglo XX, y aprobó la decisión de Salinas de mandar tropas a Chiapas. Fuentes, en cambio, lo vio como la "primera revolución poscomunista", y denunció la injusticia y la extrema pobreza en Chiapas. Poniatowska tomó parte de la responsabilidad por haber "olvidado" siempre a Chiapas, que está "tan lejos". Monsiváis se opuso vehementemente a cualquier uso de violencia, pero reconoció la paradoja de que, gracias al EZLN, el tema del racismo entró en la agenda política.

A lo largo del libro se va manifestando cada vez más la separación entre Paz y Fuentes por un lado, y Poniatowska y Monsiváis por otro. El hecho de haber podido entrevistar a éstos, y no a aquéllos, explica tal vez la clara simpatía que Brewster muestra siempre por Poniatowska y Monsiváis, la fuerte crítica a Paz, y el tono más distante adoptado respecto a Fuentes. Otro aspecto que refuerza esta oposición, es que Paz y Fuentes se han aliado al poder, primero, ocupando puestos diplomáticos, y luego, apoyando explícitamente a los gobiernos en el poder, en particular el de Salinas. Al mismo tiempo, Brewster presta mucha atención a la ruptura entre Paz y Fuentes y la creciente polarización entre las revistas *Vuelta* y *Nexos*. Sin embargo, es algo lamentable que esta presentación blanquinegra, en la que Brewster expresa su preferencia y su admiración por Monsiváis y Poniatowska por su fuerte compromiso social, y cierta hostilidad hacia Paz, no siempre esté basada en un análisis objetivo, sino más bien en prejuicios. Sobre todo respecto a Paz, figura polémica sin duda, coincido con Van Delden en que Brewster adopta a menudo el discurso de los enemigos de Paz para criticarlo, en vez de examinar a fondo los textos del autor.

La lectura del libro es fluida, pero molestan mucho los frecuentes errores en las citas en español, como por ejemplo "*los minorías*" (p. 116), "desparecer" en vez de "desaparecer" (pp. 171 y 213), etc. Sin embargo, esta crítica formal no le quita valor a este libro, que tiene el mérito de exponer de una manera estructurada, clara y comprensible, una época bastante caótica y problemática en la historia de México. Aunque Brewster se deja llevar a veces por la subjetividad en la presentación de estos cuatro autores, que lleva a una división algo simplista entre Monsiváis y Poniatowska, por un lado, y Paz y Fuentes, por otro, nos da una imagen interesante y variada. Paralelo a la evolución de la sociedad mexicana, revela la evolución en el pensamiento de estos intelectuales. También son muy sugestivas las relaciones que establece Brewster entre los cuatro autores, cuando expresan su admiración o sus reticencias hacia el trabajo del otro. Aunque la época estudiada termina en 1995, con una breve reflexión al final sobre las elecciones de 2000, cuando llega al poder Vicente Fox, del PAN, el libro de Brewster ayuda a entender la política actual mexicana. El estudio demuestra que, por muy diferentes que sean estos cuatro autores como individuos y como escritores que se expresan en un estilo propio, su contribución a los debates intelectuales en la sociedad mexicana ha sido y sigue siendo muy importante.

An Van Hecke

Persephone Braham: *Crimes against the State, Crimes against Persons. Detective Fiction in Cuba and Mexico*. Minneapolis/London: University of Minnesota Press 2004. XV + 169 páginas.

En los últimos lustros está creciendo el interés científico por la novela policíaca española e hispanoamericana (véase, en el número 7/2002 de esa misma revista, el dossier "La novela negra española"). Gracias a una visión cada vez más desprejuiciada de este tipo de literatura, y respaldado por las investigaciones en el ámbito de la estética de la recepción, así como, en la actualidad, por la concepción posmoderna de una literatura descentrada e híbrida, este género, antes marginado, está pasando a ocupar el centro de interés de los estudios literarios.

Tras la publicación de varios artículos sobre la novela (neo)policíaca y detectivesca en México y Cuba, el título del primer libro de Persephone Braham hace alusión al hecho de que existen dos catego-

rías diferentes a la hora de tratar el delito en las literaturas de ambos países. La autora explica en su introducción sobre el desarrollo de la novela detectivesca en Cuba que el éxito del género debe mucho a un impulso político de propaganda en pro de la Revolución. De ello resulta que los autores cubanos de novelas policiales consideraron, en un primer período, todo delito como un acto contra el orden socialista del Estado revolucionario y contra el pueblo cubano. En el caso de México, por otro lado, el género neopolicíaco se dirige, sobre todo en la era post-Tlatelolco, contra el fracaso y la perversión de una Revolución de la que están abusando las autoridades. En esta visión, la mayoría de los delitos cometidos en el D. F. es tolerada y aun inspirada o motivada por los políticos, la justicia y las instituciones de orden público. Así es que la segunda parte del título se refiere a la persecución de los ciudadanos mexicanos por parte de los representantes del Estado.

El libro está dividido en cuatro partes ("Introduction: Latin American Detective Literature in Context"; "Cuba: Crimes against the State"; "Mexico: Crimes against Persons"; "Epilogue: Globalization and Detective Literature in Spanish"), cuya base la constituye un enfoque histórico, pasando de los orígenes del género hasta la actualidad más reciente. Esta perspectiva, ensanchada por explicaciones sobre los ambientes sociopolíticos, se combina con acercamientos más especializados y comparatistas a algunos temas centrales de las novelas detectivescas en ambos países. De esta manera se hace patente la posición peculiar de la novela negra cubana y de la (neo)policíaca mexicana en el contexto mundial, y sobre todo el desarrollo de su perfil peculiar desde los años sesenta. Con la intención de valorar la actualidad de la novela detectivesca, Braham se basa también en teorías literarias y culturales más recientes. Por su enfoque teórico y su método, sus citas bien seleccionadas y representativas, así como por sus referencias a las investigaciones sobre la literatura detectivesca en Cuba y México, consigue dar una visión muy amplia e informativa del fenómeno examinado.

Pese a que la información histórica sobre el desarrollo del género detectivesco se base en conocimientos en su mayor parte consabidos (véanse los estudios de Ilán Stavans o de Amelia S. Simpson), del conjunto resulta una visión panóptica muy condensada. Así se hace patente, en el contexto cubano, la intención de contribuir con la novela negra al proyecto socialista de construir una alternativa al modelo norteamericano y capitalista. Además, es fascinante ver cómo los representantes de la cultura oficial estilizaron el género policíaco "machista" para configurar un modelo cultural adecuado a la Revolución cubana, poniendo fin a la tradición modernista "feminizada". Desde los años ochenta y sobre todo los noventa, sin embargo, en el marco de la pérdida del paradigma soviético, de la crisis económica y de la crisis de legitimación política, el interés de los autores cubanos cambió, como muestra el caso de Padura Fuentes. Las novelas de este autor dan impulsos persistentes para sustituir el mito de la Revolución por una visión mucho más desilusionada: si la novela negra de antaño era muy socialista, pero poco realista, la novela contemporánea en Cuba, tal como la define Padura, es muy realista, pero poco socialista.

También en México, el abuso del mito revolucionario por parte de los representantes del Estado influyó mucho en el desarrollo del género hacia lo neopolicíaco. Sin embargo, la destrucción de este mito empezó ya en los años cuarenta con Antonio Helú, como indica Braham en su breve comentario sobre este autor. Rafael Bernal y Jorge Ibargüengoitia acaso hubie-

ran merecido un tratamiento algo más extenso. La investigadora se interesa más por Paco Taibo II, cuyas novelas son caracterizadas como "intracrónicas": reflejan una visión crítica de la sociedad mexicana por abordar las tensiones entre el discurso político y la triste realidad del pueblo mexicano, entre una historia "oficial" y una historia "paralela". La comparación entre el D. F., donde trabaja el detective de Taibo, Héctor Belascoarán Shayne, y el Harlem de Coffin Ed Johnson y Grave Digger Jones, los protagonistas de Chester Himes, permite reconocer la mexicanización de la novela *hard-boiled*. En ambas ciudades la fragmentación del ámbito urbano, el carácter polifacético del detective, así como la complejidad de las relaciones humanas y la imposibilidad de todo "saber", son reconocidas como expresión de una desmitificación posmoderna. Como prueban las investigaciones de Belascoarán, esta situación conlleva la imposibilidad de cumplir su tarea de detective: el ejercicio de su profesión le parece finalmente paradójico y absurdo, puesto que la solución de un asesinato no pone fin a la injusticia reinante.

El control de la sociedad por los medios, tratado por Carmen Boullosa, es otro tema que aborda Braham en el mismo capítulo, antes de presentar la *post-Belascoarán generation*, que continúa de una manera a menudo muy cínica su lucha contra la dominación de la sociedad por el totalitarismo político y mediático. En las novelas de este tipo, los crímenes se pueden basar en la información de la "nota roja", donde la brutalidad de los actos relatados sobrepasa incluso la imaginación de los autores. Esto explica por qué las novelas de Rolo Diez reflejan no sólo temáticamente sino también a nivel estructural y estilístico las rupturas internas en el seno de una sociedad que se encuentra ante un futuro acaso más apocalíptico que el presente.

En su epílogo, Braham traza su visión del porvenir del género en Hispanoamérica bajo la influencia de la globalización. Aunque su desarrollo aún sea incierto, afirma, con Leonardo Padura Fuentes la novela detectivesca progresará hacia el género negro, en el que se reúnen el delito, el caos y la alienación. Además, ya no se situará en un ámbito nacional, sino universal y transcultural, como lo prueba el número creciente de autores cubanos exiliados. En México, donde el género todavía está lejos de ser verdaderamente "popular", los autores contemporáneos se enfrentan con una actualidad cada vez más corrupta y caótica. De ello resulta el carácter posnacional, híbrido y posmoderno de este género, que combina elementos ficcionales con la historia nacional, y la crónica con la crítica literaria y la "nota roja". Por otro lado, y dado el hecho de que la realidad caótica desborda a veces las capacidades literarias y lingüísticas de los autores, éstos se apartan de la novela neopolicíaca para dedicarse a la literatura de ciencia ficción y de horror.

El libro de Braham se cierra con la previsión de que, debido a la globalización, la migración, los nuevos medios de comunicación, la transculturalidad y la hibridez de las culturas hispanoamericanas, en el futuro ya no será posible limitar los estudios a la novela negra de un solo país. Se borrarán los límites entre las novelas negras mexicanas, estadounidenses, cubanas y españolas, de tal manera que serán sustituidas por una nueva novela negra hispánica poshermenéutica y desterritorializada.

El estudio de la investigadora canadiense, en resumen, merece ser leído por todo aquel que se interese por el género (neo)policíaco hispanoamericano. Esta recomendación no pierde vigencia a pesar de las desproporciones en el tratamiento de algunos autores y temas, debidas acaso al hecho de que Braham reproduce en dos

capítulos información que publicó ya antes en dos artículos. También a esto se pueden atribuir algunas repeticiones en los comentarios que, en ocasiones, no son siempre muy precisas (por ejemplo: "Helú's plots and settings lack a distinct regionalist flavor in the sense that they depict neither social injustices nor problems unique to Mexico, but they are nonetheless distinctly Mexican and political", p. 69). Estas breves notas críticas terminan con la observación de que la autora, por un lado, insiste con razón en sus análisis en lo absurdo de querer disminuir la complejidad de una realidad híbrida y caótica (por ejemplo, cuando explica la discusión alrededor del "Mexican national character", p. 66). Por otro lado, esta convicción no le impide proclamar justamente en su epílogo, de una manera muy esencialista, que "Like Mexicans themselves, the *neopoliciaco* detective is scarred and cynical" (p. 106). Después de la lectura del libro, es obvio que el caso es mucho más complicado, tanto en la vida como en la ficción.

Frank Leinen

Michael T. Millar: *Spaces of Representation. The Struggle for Social Justice in Postwar Guatemala.* **New York, etc.: Lang (Latin America: Interdisciplinary Studies, 11) 2005. XII + 129 páginas.**

E. J. Westlake: *Our Land is Made of Courage and Glory. Nationalist Performance of Nicaragua and Guatemala.* **Carbondale: Southern Illinois University Press (Theater in the Americas Series) 2005. XIV + 158 páginas.**

Con la reciente aprobación del primer programa de grado en Estudios Centroamericanos en Estados Unidos, la Universidad Estatal de California (Northridge) está respondiendo a un renovado y creciente interés por la región. Los libros que se discuten a continuación son también una muestra de esta tendencia, que sin duda enriquece los estudios y conocimientos sobre las culturas centroamericanas.

El estudio de Michael Millar se basa en un análisis literario, cultural y socio-histórico de determinados modos discursivos, que buscan ya sea crear, ya sea apropiarse, de espacios para la representación de la experiencia histórica en Guatemala. Así, la ficción literaria, los documentos históricos, la literatura testimonial y la producción teatral popular conforman un corpus que establece variadas funciones en tanto medios para comprender, cuestionar y transformar una sociedad en crisis. Para ello, Millar limita el corpus a textos producidos en Guatemala tanto durante como después del conflicto armado de 36 años. Los análisis giran en torno a un conjunto de nociones como las de memoria, verdad, representación histórica y esclarecimiento histórico ("memory, truth, clarification and historical representation", p. 2). El estudio tiende a hacer énfasis en el periodo de pacificación y democratización en Guatemala, que la argumentación de Millar evidencia al acentuar que existe una discrepancia entre el discurso oficial de transformación social y los efectos que tales esfuerzos políticos producen en la vida cotidiana de la mayoría de los guatemaltecos. Es interesante constatar su distancia respecto de una noción, bastante limitada y extendida, de la literatura guatemalteca como una "literatura de resistencia", para llamar la atención sobre las formas en que los términos de lucha y resistencia social se han transformado en tiempos más recientes, los tiempos de la posguerra. Para él es relevante el papel que ocupa la producción cultural en los procesos de paz y reconciliación, a la vez que reconoce una continuidad histórica con respecto a los reclamos de justicia y a la creación y apropiación de espacios que permitan representaciones alternativas del pasado y de las experiencias humanas en Guatemala. En este sentido, una de las tesis que mejor representa al trabajo en su conjunto es que "[t]he analysis of these literary texts ultimately lays bare the ongoing struggle for control over historical truth which has become a key element of social, political, and cultural discourse in Central America" (p. 14).

A lo largo de los cinco capítulos, Millar conduce al lector por el análisis comparativo de un corpus muy heterogéneo. Inicia con sus lecturas de dos novelas de Arturo Arias para mostrar cómo "[h]istorical compilation, the social construction of memory, empirical verification, and storytelling all function simultaneously in the worlds of Arias' texts" (p. 13). Pasa luego a trabajar los dos informes publicados en la década de los 1990, el de la Comisión para el Esclarecimiento Histórico (CEH) y el de la Comisión para la Recuperación de la Memoria Histórica (REMHI). Su interés radica en llamar la atención, con una actitud muy crítica, sobre las nociones de verdad que proponen ambos informes y su manipulación por parte del discurso hegemónico, y el lugar central que ocupa la idea de "verdad histórica" en los procesos de paz en Guatemala. A continuación analiza dos novelas del autor e intelectual indígena Gaspar Pedro González, un defensor del movimiento pan-mayista, a la luz de las negociaciones identitarias que sus textos muestran. G. P. González representa para Millar una nueva postura de la participación indígena tanto en su creación de una nación guatemalteca multiétnica, multicultural y multilingüe como en su demanda por un lugar en el diálogo socio-político actual.

Para cerrar, Millar se ocupa de una obra de teatro creada y representada por la comunidad de Santa María Tzejá, ubicada en la región de Ixcán. *No hay cosa oculta que no venga a descubrirse, no hay secreto que no llegue a saberse* es una obra de teatro que surge de las experiencias y testimonios de los pobladores después de la guerra y el regreso de los refugiados, la cual se perfila como una "emergent cultural production that no longer understands catharsis and action as mutually exclusive" (p. 110), convirtiéndose en parte fundamental de un proceso de transformación social colectiva que continúa en tiempos de la posguerra.

Sin duda, la selección del corpus favorece el objetivo de Millar de poner en evidencia algunos de los procesos que abren otros espacios discursivos, como, por ejemplo, su firme argumentación de que la producción literaria guatemalteca ha dejado de ser un espacio exclusivo de representación de la burguesía intelectual ladina. Sería interesante agregar a la discusión hasta qué punto el canon literario se ha ampliado o visto fisurado por otras prácticas discursivas. Por otra parte, el estudio comprendería un debate aún más interesante si presentara y discutiera la noción de "justicia social", la cual no conlleva la misma significación ni las mismas referencias en todo Centroamérica. Pensemos, por ejemplo, en el caso de Costa Rica y su noción de "justicia social" como un atributo del Estado benefactor, mientras que la noción de "justicia social" presentada por Millar para el caso de Guatemala implica un reclamo, una ausencia, una búsqueda.

El trabajo de E. J. Westlake estudia comparativamente algunos textos de la producción teatral nicaragüense y guatemalteca del siglo XX. Los ejemplos seleccionados para el estudio se asumen como representaciones nacionalistas, es decir

que se indaga en las formas en que la nación es configurada por medio de la presentación de ciertas metáforas, las cuales funcionan con el objetivo de construir la nación, la historia nacional y una idea de continuidad nacional. Dicho de otro modo, presenta un interés por comprender las formas en que la nación es representada, lo cual implica la necesidad de comprender las formas en que ésta es construida. Westlake delimita su perspectiva partiendo de que toda ruptura en una historia nacional, como una revolución –y con ello remite tanto a la Revolución guatemalteca como a la Revolución sandinista– provoca un resurgimiento de la producción cultural. La autora enfoca además otro aspecto de una historia compartida por ambos países, y extensiva al resto del Istmo, que es la política de las intervenciones estadounidenses en la región. El libro examina la forma en que las obras teatrales escogidas representan un nacionalismo centroamericano particular que se caracteriza por la articulación de ideas como las de raza, carácter nacional e historia nacional, con el fin de mostrar cómo los textos "reveal the ways national identity is performed, legitimated, and deployed" (p. 3).

El libro se divide en tres partes: una primera sienta las bases teórico-metodológicas e históricas y procura una breve introducción al teatro nacional de ambos países, con muy poca referencia a los estudios centroamericanos que se ocupan del tema. En la segunda parte profundiza en la creación de una idea de "pueblo" y de "nación" desde dos figuras importantes de la literatura guatemalteca. En el capítulo que dedica a Manuel Galich se concentra especialmente en dos metáforas que sirven al propósito que la autora intenta develar: la familia y el mestizaje como ideas de nación; ambas parecen funcionar de manera casi idéntica en cuanto a la representación de una inclusión nacional. El otro capítulo que trata la cuestión de las metáforas es el dedicado a la producción dramática de Miguel Ángel Asturias. Aquí introduce un tema complejo, como lo es la cuestión étnica en Asturias: menciona la diferencia que se hace en el texto dramático entre población europea e indígena, sin llegar a profundizar en tal división ni en las consecuencias que esto tiene para su argumento. La tercera parte trata de la continuidad que ciertas obras dramáticas logran establecer con el pasado, así como la creación de una tradición y la reconstrucción de la historia con diversos fines. Aquí las tesis de Westlake cobran más fuerza y evidencian una mayor profundidad en el análisis. Para los casos que presenta en esta parte, Westlake sostiene que "nationalist drama presents its audience with a stable and recognizable nation, even at a moment of national redefinition, such as a revolution" (p. 96). En la última parte del estudio, la autora recurre, de alguna manera similar en la estructuración al estudio de Millar, al colectivo de mujeres nicaragüenses "Ocho de Marzo" y a sus representaciones teatrales de corte popular, como parte de un trabajo comunitario mucho más amplio. Este cambio en el objeto de estudio intenta demostrar cómo en la actualidad los procesos de *nation-building* se han desplazado y manifiestan una crisis en los procesos de representar la nación. Sin embargo, no deja de llamar la atención este giro hacia una manifestación cultural de corte popular y hasta cierto punto situada en los márgenes de la ciudad letrada, cuando a lo largo del trabajo la autora se ha concentrado en presentar las formas en que autores canónicos como, por ejemplo, Manuel Galich, Miguel Ángel Asturias, Pablo Antonio Cuadra y Alan Bolt representan y construyen una idea de nación y un sentido de cultura nacional.

Cabe destacar para finalizar que ambos trabajos convergen en una tendencia de los más recientes estudios centroamericanos, que defienden una aproximación a las literaturas de la región desde sus contextos históricos y políticos, superando nociones estáticas como las de "literatura nacional" y abriendo sus discusiones a dinámicas y procesos culturales más amplios y complejos.

Alexandra Ortiz Wallner

Victor C. Simpson: *Colonialism and Narrative in Puerto Rico. A Study of Characterization in the Novels of Pedro Juan Soto*. New York, etc.: Lang (Caribbean Studies, 14) 2004. XI + 169 páginas.

No abundando los trabajos monográficos acerca de Pedro Juan Soto (1928-2002), es digno de ser señalado todo intento de analizar su obra con un enfoque que abarca el conjunto de las novelas publicadas a partir de fines de los años cincuenta y hasta comienzos de los ochenta, novelas en las que se funda el prestigio del autor como figura emblemática de aquella generación de intelectuales puertorriqueños que frente a los cambios iniciados por Luis Muñoz Marín y su Partido Popular Democrático, abogaban por un nacionalismo político y cultural terminante e intransigente. Es conocido lo que dijo el mismo Pedro Juan Soto acerca de esa generación: "Todos surgimos a la sombra del Estado Libre Asociado y todos nos rebelamos" (*A solas con Pedro Juan Soto*, Río Piedras: Ediciones Puerto 1973, p. 72). De ahí resulta oportuno el enfoque de Victor Simpson, que pretende apoyar su investigación en *post-colonial theory*.

Como se aclara en el primer capítulo del libro, Simpson sigue a Ashcroft, Griffiths y Tiffin (*The Empire Writes Back.*

Theory and Practice in Post-colonial Literature, 1989), optando por una definición de *post-colonialism* "[which] speaks to the ideological, as opposed to the chronological, implications of the prefix 'post' and comprehends anti-colonial ideas including resistance, protest and nationalism" (p. 14). La base de la literatura "postcolonial" sería entonces "the historical experience of colonized peoples"; y como Puerto Rico sigue siendo una colonia, "[i]t is this strong historical focus that renders post-colonialism a useful context within which to study the novels of Pedro Juan Soto" (*Ibíd.*). Sin embargo, esa perspectiva teórica –declarada como "A Twenty-first Century Perspective"– ha quedado en proyecto, ya que Simpson sigue en su investigación caminos trillados, que no por ello son del todo equivocados, llevándolo a un análisis textual que en muchos aspectos convence.

Este análisis está centrado en los protagonistas de las cinco novelas examinadas –*Usmaíl* (1959), *Ardiente suelo, fría estación* (1961), *El francotirador* (1969), *Temporada de duendes* (1970) y *Un oscuro pueblo sonriente* (1982)– que según Simpson "are incapable of coping successfully with the social, political and cultural reality that confronts them", ya que como puertorriqueños viven "in a socio-political environment, spawned by the island's colonial domination by the United States, which is alienating and frustrating and which influences their behaviour directly or indirectly" (p. vii). En ese sentido, enfocando aspectos temáticos y de contenido, Simpson convence particularmente en su análisis de *Usmaíl*, la novela más conocida de Soto, afirmando que en ella "issues of colonialism, race and identity converge to create a powerful testimony of the agony which Puerto Rico and its dependencies suffer" (pp. 59-60). En cambio, es menos convincente cuando investi-

ga lo que llama "formal elements": para *Usmaíl* (someramente) las técnicas narrativas y las imágenes o metáforas que abundan en los largos párrafos descriptivos y que según el autor se caracterizan por su "overwhelming tone, [...] exaggerated in some cases" (p. 60). Prescindiendo del hecho que en esas partes descriptivas Soto elabora, con función de *leitmotiv*, unas correspondencias isotópicas que no son meros elementos "formales", éstos, por cierto, no son el objeto de la investigación y no merecen, por lo tanto, una mayor atención por parte del autor. Lo que sí hubiera merecido su atención y cuidado es una conceptualización de la figura literaria y de las estrategias de su "characterization", aspecto que falta por completo (Simpson no conoce ni siquiera a un clásico de la narratología como E. M. Forster). En cambio, hubiera podido desistir de las explicaciones contradictorias y vanas acerca de la supuesta diferencia, con relación al sentido político de las novelas de Pedro Juan Soto, entre "literatura de resistencia" y "literatura de "protesta", cuando afirma que es "definitely a literature of protest", but "seems to lack that strong element of militancy that would place it firmly in the category of resistance literature" (p. 18).

Frauke Gewecke

Miguel Dalmaroni: *Una república de las letras. Lugones, Rojas, Payró. Escritores argentinos y Estado*. Rosario: Beatriz Viterbo (Ensayos críticos) 2006. 241 páginas.

¿Por qué abordar la relación entre los escritores y el Estado en los inicios de la modernización argentina a comienzos del siglo XX? Un breve repaso del contexto histórico del período servirá para responder y valorar la importancia de los problemas planteados en este libro. En el cambio de siglo (del XIX al XX) la Argentina desarrolló un programa liberal de modernización y constitución de un Estado central, con una legislación y un sistema administrativo hasta entonces inexistente. La oligarquía contó a partir de entonces con un marco institucional para desarrollar sus intereses mediante una economía enteramente agrícola-ganadera integrada al orden internacional. Simultáneamente, el vasto proceso inmigratorio suscitó profundas transformaciones sociales, disputas por el capital económico-simbólico y relaciones de competencia en el mercado laboral. El Estado diseñó entonces una política de incorporación con el objeto de mantener a cargo de la élite la dirección del proceso. La cultura fue parte fundamental de esa política. En sus dos mandatos presidenciales Julio A. Roca se ocupó de convocar directamente a un conjunto de intelectuales. Escritores como Joaquín V. González, Leopoldo Lugones, Roberto Payró, Ricardo Rojas produjeron lo que Dalmaroni llama "una literatura escrita más para el sujeto estatal de la cultura que para el arte". Hubo un pacto por el cual sirvieron al Estado mediante el desarrollo de investigaciones, la escritura de libros por encargo, el diseño de reformas educativas y labores docentes, a cambio de una retribución económica y una legitimación social en tanto intelectuales que cumplían un rol considerado espiritual, superior y patriótico.

El libro es un aporte relevante que continúa y discute algunos aspectos de las investigaciones precedentes. Ángel Rama, Adolfo Prieto, Josefina Ludmer, Jorge B. Rivera, Julio Ramos o Graciela Montaldo, entre otros, explicaron cómo el surgimiento de un mercado cultural en las primeras décadas del siglo implicó para las prácticas culturales la posibilidad de desligarse en cierta medida de la esfera política, en el marco de un proceso de modernización verificable en el surgimiento de escritores profesionales, la inserción de éstos en el periodismo y la ampliación diversificada del público lector. Sobre esa base, Dalmaroni presenta elementos que matizan la cuestión y la vuelven más compleja, al mostrar cómo las dos instancias que solemos considerar claramente diferenciadas e incluso contrapuestas –Estado y mercado cultural–, lejos de responder a lógicas divergentes entre las que los escritores se vieran obligados a optar, constituyeron a veces espacios complementarios para las relaciones funcionales entre modernización literaria y modernización estatal. La expresión "república de las letras" sirve en este caso para nombrar una configuración histórica particular que aglutinó varios factores, a partir de la idea compartida por escritores y estadistas según la cual planificar el Estado (e inventar una nación) era la misión principal de las nuevas letras y los nuevos artistas. La innovación respecto de estudios anteriores es significativa, porque consiste en ver ahí no un rasgo arcaico o residual, sino emergente, en el marco de condiciones del todo nuevas en la Argentina: el naciente mercado cultural y su público en formación, el joven Estado moderno y su requerimiento de narrativas nacionales y subjetividades ciudadanas.

Para desplegar sus argumentos, Dalmaroni se detiene especialmente en los casos de Leopoldo Lugones, Ricardo Rojas, Roberto Payró: tres figuras que están entre las centrales del período y que, según demuestra la investigación, responden menos al modelo de letrado decimonónico que a la figura de escritor correspondiente a un imaginario moderno. Comenzaba por la propia autoimagen de los sujetos y combinaba la atención a los intereses del Estado (educar según una cierta idea de ciudadanía y de progreso, aportar el fundamento espiritual al orden político) con el servicio a sus propios intereses personales y corporativos (obtener retribución económica, legitimarse como escritores, promover la modernización de las letras).

Éstas son las hipótesis centrales pero no excluyentes del libro. Sus argumentos abren productivos "desvíos" donde el eje central se extiende a otros autores o problemas, y a veces, a tiempos cronológicamente más cercanos: cómo Borges leyó a Leopoldo Lugones, cómo Lucio V. Mansilla enunció en su lenguaje "irresponsable" de artista "los promotorios de incertidumbre" que como agente estatal no podía sino ignorar, cómo Juan José Saer encarnó la extrema posición antiestatal y antirrepresentativa, cómo César Aira es el artista que rehuye el riesgo de institucionalización.

En los intersticios del rumbo general del libro, hay un aspecto adicional que quisiera también señalar: el componente *local* y *situado* del estudio de Dalmaroni, ex estudiante y graduado de la Universidad Nacional de La Plata, y en la que es, desde hace varios años, profesor. Sin habérselo propuesto, su investigación enhebra, de manera lateral, algunos episodios que atañen a esa institución educativa y al rol de algunos de sus intelectuales. Me refiero a dos figuras de la Universidad Nacional de La Plata que el libro enfoca de manera más o menos secundaria y que manifiestan distintos modos de articulación entre cultura literaria y Estado, y que son reveladoras en cada caso de las condiciones históricas en las que actuaron desde un lugar de poder. Una de ellas es la del fundador de esa Universidad, Joaquín V. González, literato y estratega político-cultural del roquismo en los inicios del siglo XX, emergente de la

fracción reformista liberal que desde el riñón de la oligarquía encaró el problema de la "cuestión social" y contribuyó a crear una esfera pública en la que intervinieron representantes del pensamiento científico y las artes. La otra figura es la del ex docente de lenguas clásicas Carlos A. Disandro, cultor del perfil ultraderechista de Lugones, y fundador de la CNU (Concentración Nacionalista Universitaria), de activa participación en la violencia y exterminio paramilitar en los años setenta, cuyo nombre aparece en reiterados testimonios de sobrevivientes del terrorismo de Estado.

Este libro es un aporte específico a la historia de las relaciones entre cultura y política. También lo es a la historia crítica de la literatura, porque advierte en escritos cuyas virtudes estéticas sabe escasas, las intermitencias de algo que atribuimos al "arte", aquello que incluso en el marco de políticas culturales que planifican su sentido, conduce a los textos por caminos impensados, los extravía y los aleja con ventura de su destino previsto.

Geraldine Rogers

Sergio Waisman: *Borges and Translation. The Irreverence of the Periphery.* Lewisburg/Cranbury: Bucknell University Press/Associated University Presses (The Bucknell Studies in Latin American Literature and Theory) 2005. 267 páginas.

El libro de Sergio Waisman se inscribe en una línea cuyos hitos son, además de artículos como "Borges y la traducción", de Sergio Pastormerlo (1994) y "Borges y el civilizado arte de la traducción: una infidelidad creadora y feliz", de Rafael Olea Franco (2001), dos monografías fundamentales: *Invisible Work. Borges and Translation* (2002), de Efraín Kristal, centrado en las reflexiones de Borges sobre la traducción, en su obra como traductor y en la presencia de la traducción en sus cuentos, y *La Constelación del Sur. Traductores y traducciones en la literatura argentina del siglo XX* (2004), de Patricia Willson, dedicado en buena medida a la labor traductora de Borges en la revista *Sur* (ver reseña en *Iberoamericana* 18/2005, pp. 240-242).

En el primer capítulo, relativamente breve, Waisman esboza el contexto cultural de la traducción en Argentina como una práctica de escritura esencial en el desarrollo de la historia de su literatura. Centra su esbozo, para el siglo XIX, en las 'apropiaciones irreverentes' de Sarmiento en el *Facundo* (a través de la lectura que Piglia hace de Sarmiento), y para el siglo XX en la 'cultura de mezcla' (Sarlo) de los años veinte y treinta, focalizando la atención en la actividad de traducción en *Proa*, *Martín Fierro* y *Sur*, revistas en las que Borges colaboró decisivamente, y donde publicó ensayos sobre traducción y también traducciones. "Translation affords writers in the margin with the possibility of rereading, rewriting and recontextualizing originals from the center" (p. 40), observa Waisman al finalizar este primer capítulo, y propone aquí el ideologema básico del libro: la oposición asimétrica entre centro y periferia y el privilegio de esta última como espacio de reescritura irreverente del canon y de la tradición cultural del centro, como lugar de infidelidad creadora, a través de la traducción.

El segundo capítulo ("Borges on Translation: The Development of a Theory", pp. 41-83) incluye un *close reading* de los tres ensayos claves de Borges sobre la traducción: "Las dos maneras de traducir" (1926), "Las versiones homéricas" (1932) y "Los traductores de *Las 1001* *Noches*" (1935). El cuestionamiento de la noción de 'texto definitivo' y del axioma de la inferioridad de la traducción frente al original son los dos postulados centrales de Borges, que Waisman relaciona con "La tarea del traductor" de Benjamin y con las lecturas que de Benjamin hacen Derrida y De Man. En estas lecturas, el original no termina de ser definitivamente desalojado del lugar sagrado que tradicionalmente ocupa, observa Waisman, mientras que Borges desafía con irreverencia la prioridad del original. La traducción aparece así como "a powerful site of innovation and resistance for the periphery" (p. 43). Este capítulo comenta algunas traducciones de E. E. Cummings por Borges, en parte en colaboración con Bioy Casares, y una reflexión sobre la defensa que Borges hace de la aclimatación de las traducciones a la cultura traductora. Waisman valora positivamente la 'infidelidad creadora' y la 'irreverencia' cuando una cultura periférica traduce textos del centro, y la rechaza cuando una cultura central traduce textos periféricos, sosteniendo que "the ethics and aesthetics of translation are fundamentally different in the periphery than they are in the center [...] at least the consequences are not the same" (p. 81).

En el tercer capítulo ("Writing as Translation", pp. 84-123), Waisman lee en clave de 'infidelidad creadora' "El atroz redentor Lazarus Morell" y "Etcétera", de *Historia universal de la infamia* (1935). A continuación, analiza "Pierre Menard, autor del *Quijote*" (1939), "Examen de la obra de Herbert Quain" (1941), "Sobre el *Vathek* de William Bedford" (1943) y "El enigma de Edward FitzGerald" (1951) como comentarios sobre el proceso de traducción en tanto "mistranslation [...] an irreverent use of creative infidelities that takes advantage of spatial and temporal displacements to create new texts" (p.

120). Waisman concluye que la práctica de escritura basada en la traducción 'irreverente' crea un espacio nuevo e ilimitado para la producción narrativa en Argentina y, por extensión, en toda América latina (p. 120 s.).

Del mismo año que el texto sobre FitzGerald es el conocidísimo ensayo "El escritor argentino y la tradición", donde Borges sostiene (entre muchas otras cosas), que la condición marginal del escritor argentino y sudamericano en general le permite tomar elementos de todas las tradiciones y adoptarlos con "irreverencia" (Borges, *Obras completas* 1974, p. 273). El cuarto capítulo ("The Aesthetics of Irreverence: Mistranslating From the Margins", pp. 124-156) aplica esa idea a la lectura de "La muerte y la brújula" (1942), "La busca de Averroes" (1947) y "El Sur" (1953), y contrasta el uso de *La Divina Comedia* como pre-texto en "El Aleph" (1947) y en *The Waste Land* de Eliot: mientras que Eliot reforzaría mediante su uso de Dante el canon occidental presentándose como sucesor autorizado del poeta florentino, Borges como autor de la periferia, al desplazar paródicamente a Dante a las orillas rioplatenses estaría cuestionando las jerarquías del canon occidental y validando la capacidad del margen de participar en dicha tradición (p. 148).

El quinto capítulo ("Borges Reads Joyce: A Meeting at the Limits of Translation", pp. 157-201), a mi juicio el mejor del libro, está dedicado a la lectura que Borges hace de Joyce a partir de su traducción de la última hoja del *Ulysses* en 1925, pasando por las diversas reseñas y los comentarios sobre la obra del escritor irlandés, hasta llegar a la lectura del topos de la metempsicosis en "El acercamiento a Almotásim" y un análisis de las estrategias narrativas en "Funes el memorioso". En una nota sobre Joyce, Borges observa que su personaje Funes sería un lector ideal de *Ulysses*, porque, como sostiene Waisman, Joyce es para Borges un escritor empeñado en una representación mimética totalizante de la realidad. A partir de esa nota, Waisman propone una interesante lectura de "Funes el memorioso", en la que la relación entre Funes y el narrador es leída como tensión entre la estrategia narrativa joyceana, mimética y totalizante, y otra que apuesta a "resumir con veracidad" (Borges, *Obras completas* 1974, p. 488), como dice hacerlo el narrador que reconstruye la historia de Funes –y como lo hace Borges al traducir solamente la última hoja de *Ulysses* eliminando, además, una serie de referencias contextuales y aclimatando el texto traducido a su nuevo contexto rioplatense de lectura–. La última hoja del *Ulysses* en traducción de Borges es, dice Waisman, la primera hoja del *Ulises*, el punto de partida de un largo diálogo entre ambos escritores, y el punto de partida, también, de la recepción de la novela de Joyce en América latina (p. 200). Más allá de las diferencias evidentes y de la postura ambivalente de Borges respecto de Joyce, vincula a ambos, en la lectura de Waisman, el hecho de ser escritores de la periferia que mantienen una relación irreverente con el canon (p. 197).

El libro cierra con un epílogo en el que Waisman, traductor al inglés de *Nombre falso* y *La ciudad ausente* de Ricardo Piglia, aplica las reflexiones de Borges sobre la traducción a la obra de Piglia, que está basada en procesos de traducción sin dejar por ello de ser radicalmente original (p. 207). Allí la traducción funciona, dice Waisman, como acto de resistencia en la periferia (p. 16).

Waisman sostiene a lo largo del libro que Borges crea un sitio privilegiado desde donde innovar y renovar la literatura a través de las prácticas 'irreverentes' de la traducción y la lectura erróneas ("*mis*-translation", "*mis*reading"), aclimatando mediante una 'infidelidad creadora' las literaturas del centro en y desde la periferia. No es casual que en esta reseña se repitan una y otra vez esas fórmulas: Waisman recurre a ellas obsesivamente; hay páginas, en las que "irreverent"/"irreverence" aparecen cuatro o cinco veces. Posiblemente el afianzamiento de esa oposición en determinadas zonas de la crítica sobre Borges sea una consecuencia, no deseada por cierto, de la lectura propuesta por Sarlo en *Borges. A Writer on the Edge* (1993), escrito para relativizar cierta lectura descontextualizante de la obra del escritor argentino por parte de la academia europea y estadounidense, tal como ella la percibió a comienzos de los años noventa. Sin embargo, creo que Sarlo estaba lejos de construir una oposición que hiciera de Borges un escritor empeñado en primer término en subvertir desde el margen los valores del centro. Se trataba de contextualizar a Borges como escritor argentino, pero no de convertirlo en un agente de la subversión literaria por su posición en las "orillas", cimentando con ese paradójico privilegio la topografía dualista de centro y margen y cierto pintoresquismo periférico. El acento que Waisman pone en todo momento en lo que llamé más arriba el ideologema de la traducción periférica como irreverencia, remite a su lugar de lectura y enunciación en el campo de los estudios latinoamericanos en los Estados Unidos, a la perspectiva que construye lo que Nelly Richard llamara hace ya algún tiempo la "nueva centralidad de los márgenes", que nos tienta a muchos de quienes practicamos el latinoamericanismo fuera de América latina. Si la objetividad es alcanzable sumando perspectivas siempre parciales, y conscientes de serlo, como observa Donna Haraway cuando habla de "situa-

ted knowledges" (*Feminist Studies* 14, 3, 1988), entonces la de Waisman es una de ellas, legítima en la medida en que incorpore una reflexión sobre el lugar desde donde se articula, como un momento ineludible en la construcción de su objeto.

Una edición en castellano del libro de Sergio Waisman apareció en Buenos Aires en 2005 en la editorial Adriana Hidalgo con el título de *Borges y la traducción. La irreverencia de la periferia*, en traducción de Marcelo Cohen.

Andrea Pagni

Cuadernos Hispanoamericanos 667 (enero 2006): Dossier "José Donoso". Ca. 50 páginas.

Mary Lusky Friedman: *The Self in the Narratives of José Donoso (Chile 1924-1996)*. Lewiston/Queenston/Lampeter: The Edwin Mellen Press (Hispanic Literature, 90) 2004. V + 150 páginas.

El número 667 de los *Cuadernos Hispanoamericanos*, publicado con motivo del décimo aniversario de la muerte de José Donoso, dedica al escritor chileno su primera parte, el "dossier", que se compone de cuatro artículos. El primero de ellos aparece más bien como homenaje personal, en el que la autora se centra en la época que abarca las andanzas juveniles de Donoso hasta la publicación de su primera novela, presentándonos al escritor como una persona difícil, ensimismada e incomprendida por parte de su entorno familiar. El texto contiene gran cantidad de datos personales pero no está exento de una cierta locuacidad. El segundo artículo tiene como tema el libro *Conjeturas*, que es una versión novelada de la vida de Donoso, en la que la familia –con sus orígenes, sus casas míticas, sus rasgos de soberbia, sus ambigüedades– aparece como fuente inagotable de su narrativa. A continuación encontramos un fragmento de una conversación que Donoso mantuvo con la coordinadora del dossier, Josefina Delgado, y que roza temas como el amor en Proust y en sus propias novelas, o la construcción de sus personajes. Cierra este panorama donosiano un estudio con el título "José Donoso y la literatura latinoamericana en Italia" en el que el autor, repasando primero el mundo editorial italiano de los años sesenta y setenta y mencionando a los críticos más eminentes de la época, hace hincapié en la recepción de las obras de José Donoso en Italia que, en resumidas cuentas, es una "historia discontinua, irregular, incompleta" (pp. 38-39).

En su libro *The Self in the Narratives of José Donoso (Chile 1924-1996)*, que consta de ocho capítulos y una pequeña bibliografía, Mary Lusky Friedman intenta acercarse al escritor chileno desde diversos ángulos entrelazados todos por el tema de la creación de la identidad y su correspondiente base psicológica. Friedman empieza su libro con un estudio sobre la formación de la identidad en la concepción de Donoso a base de la procedencia social y la relación con el entorno familiar, concepción que se plasma sobre todo en su libro autobiográfico *Conjeturas*. Pasando por la influencia de las teorías de Lacan –destacada ya por otros críticos– y de la psicoanalista norteamericana Melanie Klein en Donoso, se llega a la función de lo que Donoso mismo llama "autoritario texto-previo-al-texto" (cit. p. 67), presente en casi todas sus obras. El propio Donoso lo resume en la fórmula "mi modo de sentir, de imaginar" (cit. p. 67), que, dicho de otra manera, es la materia prima que existe en el autor y de la que nacen sus obras.

En otro capítulo, la autora concretiza los conceptos básicos de la narrativa donosiana, estudiados anteriormente, en la novela *El obsceno pájaro de la noche*, según Friedman la obra maestra del chileno, para darle un nuevo enfoque al tema de la identidad en el capítulo final dedicado al motivo de los gemelos en *Donde van a morir los elefantes*, en el que muestra la posible cohabitación de elementos muy diversos y aparentemente contradictorios.

Convencida de que "[s]eldom has a writer attracted critics from so many branches of psychology and psychoanalisis as Donoso has" (p. 4), la autora se ha centrado precisamente en la importancia de la psicología en la narrativa del escritor chileno, presentando al lector un estudio amplio y detallado que puede servirle de guía por el complejo mundo psicológico de los personajes donosianos.

Astrid Böhringer

Lígia Chiappini/Maria Helena Martins (eds.): *Cone Sul: fluxos, representações e percepções*. São Paulo: Editora Hucitec (Linguagem e cultura, 38) 2006. 351 páginas.

Rivera está situado na fronteira uruguaia lindando com Santana do Livramento (RS). Entre as duas cidades há uma praça chamada *Internacional* e uma rua ampla, a *Avenida Sarandi*, um lugar de namoro para a juventude do lugar. Esta avenida, "tão importante para as relações internacionais, foi capaz de desafiar e derrotar uma regra elementar de trânsito, que proibia aos motoristas dos automóveis de trafegar aí muito lentamente. Ora, passar lentamente foi considerado fundamental para a paquera, logo, impossível aplicar essa lei. A *Sarandi* pode ser visto como um símbolo do Mercosul"(p. 11). As organizadoras do congresso, ambas profundas conhecedoras da realidade sulina e, em especial, da zona fronteiriça entre o Rio Grande do Sul e as repúblicas platinas, apresentam neste livro os resultados de um simpósio internacional, realizado pelo CELP Cyro Martins e pela Cátedra de Literatura e Cultura Brasileira da Universidade Livre de Berlim em Porto Alegre (2004).

A primeira parte é dedicada ao estudo dalguns dos principais ícones da cultura gauchesca. Anônio Hohlfeldt (pp. 21-71) traça um sugestivo panorama do gaúcho como tipo social, Lígia Chiappini (pp. 72-90) evoca o diálogo hipotético entre dois escritores fronteiriços –João Simões Lopes Neto e Javier de Viana– e Léa Masina (pp. 109-119) se debruça sobre o regionalismo sulino nas figuras de Alcides Maya e Eugenio Cambaceres. O ensaio mais instigante desta primeira parte talvez seja o trabalho de Denise Vallerius de Oliveira (pp. 143-156) sobre a identidade fronteiriça nos contos de Jorge Luis Borges: todo mundo sabe que o protagonista dos tais contos é o *orillero*, o homem da periferia portenha que não habita nem o campo nem a cidade. Tomando como ponto de partida "El Sur" (1944)[1], a narração mais autobiográfica do autor argentino, Denise mostra como o protagonista Johannes Dahlmann é, ao mesmo tempo, uma personagem emblemática e o *alter ego* do autor: em sua personalidade convivem a herança européia (o pastor evangélico) com o avô materno que exterminava os índios. Por trás de Dahlmann, metáfora do homem latino-americano, está o autor camuflado de tradutor e revela "o nacional

sem ser nacionalista e o local sem ser localista" (p. 153).

A segunda parte abre com uma panorâmica da mídia no espaço fronteiriço entre Uruguai e Brasil (pp. 218-233) e do papel dos imigrantes na cidade de Corumbá/Pantanal, em grande parte construída por três famílias sírias (pp. 253-263). Seguimos com um retrato do português brasileiro em relação ao espanhol no Cone Sul (pp. 274-285) e um excelente ensaio sobre a obra jornalística de José Hernández (pp. 286-295). O livro acaba com a história de uma plataforma académica, o "Grupo de Montevidéu", universidade virtual para além das fronteiras nacionais (pp. 322-329). Como Johannes Dahlmann do conto borgiano, os autores procuram vencer as barreiras lingüísticas e chegar a uma comunidade cultural que é, ao mesmo tempo, um espaço regional e um espaço universal onde tudo é possível, como na *Avenida Sarandi* entre Rivera e Santana do Livramento.

Albert von Brunn

---

[1] Jorge Luis Borges: "El Sur", en: *Obras completas*. Vol. I, Barcelona: Emecé 1996, pp. 524-529.

3. Historia y ciencias sociales: España

Albert Carreras/Xavier Tafunell (coords.): *Estadísticas históricas de España, siglos XIX-XX*. 3 Vols., 2ª ed. rev. y aum. Bilbao: Fundación BBVA 2005. 1434 páginas.

La primera edición de esta compilación de *Estadísticas históricas* apareció en 1989; en los años noventa del siglo XX se publicaron, además, toda una serie de compilaciones mayores (sobre producción agraria, nivel de vida, industrialización, progreso económico...) que permitieron que nuestros conocimientos sobre los precios, el transporte y la red ferroviaria, la Hacienda pública, la producción minera, etc. hayan avanzado considerablemente. Esto significa que una nueva edición de las *Estadísticas* no podía limitarse a poner al día los datos recopilados, sino que había que incluir nuevos capítulos, y que los viejos abarcaran nuevos temas y nuevas perspectivas. Ante todo han cambiado las introducciones a cada capítulo: ahora ofrecen estados de la cuestión que discuten en profundidad aspectos fundamentales de cada uno de los campos que abarcan. Por lo tanto, esta nueva edición de las *Estadísticas históricas* no es sólo un repertorio que se consulta para buscar un dato cuantitativo preciso, sino que se ha convertido en una obra de referencia con textos que conviene leer como una introducción al conocimiento histórico de la España contemporánea.

La actualización de las series se convirtió, para los autores y coordinadores, en un desafío de grandes proporciones, pues hubo que enfrentarse a la discontinuidad de muchas series. El despliegue de nuevos criterios estadísticos por parte de las nuevas administraciones democráticas, combinado con la emergencia de las Administraciones autonómicas y con las exigencias del sistema estadístico comunitario europeo, conllevaron la ruptura de numerosas series.

Las reformas de los capítulos no han dejado prácticamente ningún título tal como estaba, modificando significativamente todos los contenidos. Así, el capítulo "Clima" (Albert Carreras) incluye ahora tanto las precipitaciones como las temperaturas; el capítulo "Industria" (también de Albert Carreras) ha aumentado la sensibilidad territorial y la energética. El capítulo "Transportes y comunicaciones" (Antonio Gómez Mendoza/Elena San Román) incorpora las redes energéticas, y el capítulo "Renta y riqueza" (Leandro Prados de la Escosura/Joan Ramón Rosés) se abre a múltiples investigaciones nuevas, profundiza en los aspectos de distribución territorial y de distribución del ingreso y en los indicadores de desarrollo humano. Así se podrían seguir enumerando todos los capítulos, que cambiaron de autoría o de denominación, ampliando sus contenidos. Pero los cambios más importantes han consistido en la incorporación de capítulos completamente nuevos, en temáticas y autores, v. gr. "Educación" (Clara Eugenia Núñez) "Investigación y desarrollo: patentes" (José Patricio Sáiz), "Gobierno y Administración" (Jacint Jordana/Carlos Ramió), "Elecciones y política" (Juan J. Linz, entre otros).

Detrás de todas estas novedades cabe detectar dos grandes fenómenos: el progreso de la investigación cuantitativa española en ciencias sociales, y la aparición de compilaciones estadísticas internacionales de amplio espectro. Los compiladores se guiaron por la pauta que ofrecían las compilaciones de B. R. Mitchell (*European Historical Statistics, 1750-1970*), tratando además de poner la esta-

dística histórica española a la altura del
trabajo de Peter Flora (*State, Economy
and Society in Western Europe, 1815-
1975*). Esta segunda edición no contiene
sólo estadísticas básicamente económicas,
sino que ahora son demográficas, económicas, políticas y sociales.

Cada capítulo de estas *Estadísticas
Históricas* consiste en un núcleo de cuadros estadísticos, precedido de un ensayo
introductorio, de una guía de fuentes y de
una bibliografía. El esqueleto de la obra lo
constituyen las algo más de 5.000 columnas de datos, que han sido clasificadas en
el índice analítico. El espacio de referencia es el territorio del actual Estado español, y el tiempo cubierto son los siglos XIX
y XX, ante todo a partir de 1850 (pues es
entonces, cuando empiezan a aflorar
series completas), hasta el año 2001.

En España, ha aparecido más tarde
que en otros países europeos una historia
económica asentada en la cuantificación,
mientras se mantenía la vieja tradición de
carácter jurídico e institucional. Ello se
debía ante todo a la falta de voluntad política –no a la falta de capacidad técnica–
que se requería para vencer las resisten-
cias de quienes, con el desconocimiento,
pretendían perpetuar el fraude; a esto hay
que añadir, además, el corte traumático
producido en los años de la Guerra Civil
española y la poca confianza que mereci-
an las estadísticas de los primeros años
cuarenta. Considerando este trasfondo,
son tanto más de apreciar los materiales
desplegados en estos tres valiosos volúmenes. Si ya la primera edición se convirtió en un instrumento de referencia, esta
segunda edición, actualizada, revisada y
ampliada con nuevos capítulos y temáticas, y preparada por 25 autores, dejará una
huella profunda en el conocimiento de la
España contemporánea. Además, sitúa a
España en el selecto grupo de países que
dispone de colecciones de estadísticas his-

tóricas de amplio espectro temático y cronológico, contribuyendo, de este modo, al
desarrollo de los estudios comparativos.
La publicación se acompaña, en el primer
volumen, de un CD con la totalidad del
texto en formato PDF.

Walther L. Bernecker

Javier de Ybarra e Ybarra: *Nosotros,
los Ybarra. Vida, economía y sociedad
(1744-1902).* **Barcelona: Tusquets 2002.
904 páginas.**

Nosotros los Ybarra es una obra especial por muchas circunstancias. La primera
es que el "nosotros" del título corresponde
fielmente con el contenido de un libro que
emprende una peculiar reconstrucción de
los antepasados del padre y la madre del
autor –Javier Ybarra e Ybarra–, en una
narración que se inicia con el fundador de
la dinastía pero que se va ramificando en
las líneas principales de sus descendientes
a lo largo del siglo XIX, y que sigue asimismo los avatares de sus amigos, deudos,
clientes y socios, hasta desvelar una inmensa malla de personajes, a menudo em-
parentados con los Ybarra a través de
sucesivos matrimonios. Pero más allá de
esos lazos de parentesco, el libro lo que
pretende y consigue retratar es ese "nosotros" más amplio: lo que muchos autores
han llamado la "oligarquía" de Vizcaya, es
decir, la élite social de esa provincia, a su
vez estrechamente relacionada con las élites de otras provincias del país (Guipúz-
coa, Álava, Santander, Asturias, Sevilla,
Barcelona...) y con las élites madrileñas.
Una red de familias que pese a su carácter
geográficamente periférico ha ocupado un
lugar central en la vida económica española pero que también ha gozado de un peso
político muy superior al objetivamente

atribuible por su población o riqueza a Vizcaya, como va desgranando el autor al hablar de su influencia en la política comercial, en la ferroviaria o en la "imperial" y, como pone de manifiesto, en última instancia, la propia supervivencia de un régimen fiscal privilegiado como el concierto económico, incluso tras la abolición de los fueros. Una red de familias en la que los Ybarra asumieron durante largo tiempo la función de figuras nodales, capaces de articular a su alrededor negocios y empresas políticas diversas, copando puestos en consejos de administración pero también cargos municipales y provinciales.

Ese círculo amplio de familias que sembró de palacetes la margen derecha del Nervión y presidió desde ellos la sociedad bilbaina en el último tercio del siglo XIX y buena parte del siglo XX, sólo en los últimos 30 años ha ido viendo menguar su predominio social. En un País Vasco azotado por la violencia de ETA y dominado política y culturalmente por el nacionalismo (del que esa élite se ha hallado siempre bastante lejos), la reconversión industrial y la crisis bancaria, primero, y los procesos de fusión de los grandes bancos, después, han erosionado –aunque no destruido– las bases de su poder económico y han aflojado –como resultado de las diferentes estrategias adoptadas por sus miembros frente a las crisis– sus vínculos internos. No deja de ser significativo que el libro se abra con la narración por parte de Javier Ybarra del secuestro y asesinato de su padre por los etarras en 1977. En su versión de este triste suceso lo que más destaca es la falta de solidaridad de la mayoría de las familias de Neguri, incluidos muchos de los Ybarra, con los hijos de la víctima, una falta de solidaridad que –se defiende– condujo al terrible desenlace del secuestro. Pero en sus más de 800 páginas de texto, el autor únicamente llega al siglo XX en el primer

capítulo (además de en las múltiples notas a pie de página en las que deja constancia de sus relaciones con muchos de los descendientes de los personajes retratados), puesto que su relato acaba en 1902. De modo que este primer tomo, ya que se nos anuncia un segundo, sigue de forma minuciosa el período de construcción de la élite vizcaina, desde finales del siglo XVIII hasta el inicio del reinado de Alfonso XIII.

La profunda y explícita empatía del autor con el mundo que quiere historiar, reflejado en ese doble "nosotros", familiar y social, del título y del contenido, se manifiesta en un segundo rasgo peculiar del libro: la forma de narrar. Ybarra recurre una y otra vez a fórmulas novelísticas, retratando perfiles psicológicos, estados de ánimo, pensamientos íntimos, impresiones momentáneas e incluso reacciones corporales (palideces, gestos de sorpresas...) que si bien por lo general parecen verosímiles al lector, no dejan de ser invenciones más o menos fundadas. Es más, el autor toma partido sin recato por unos personajes frente a otros, repartiendo con fruición comentarios que reflejan que en sus largas lecturas de la correspondencia de los Ybarra, ha llegado a compartir muchas de las posiciones implícita o explícitamente plasmadas en las cartas, además de convertirse en albacea de una larga lista de comentarios transmitidos oralmente por sus allegados. El libro respalda reiteradamente la afirmación de Bourdieu sobre el amplio tiempo dedicado a las conversaciones sobre las personas y su posición dentro de las estructuras familiares y sociales entre quienes –como los Ybarra– cuentan con un elevado capital social, cuya reproducción depende estratégicamente de ese recordatorio permanente del quién es quién.

Todas estas observaciones sobre el observador no entrañan crítica alguna de su estrategia expositiva ni de la prolijidad de su relato ni siquiera de sus sistemáticas notas en las que nos recuerda que el descendiente de tal figura es amigo suyo, o que tal personaje es antepasado de su mujer. Por el contrario, no sólo no hay trampa ni cartón en un libro iniciado con un sonoro "nosotros", sino que nuestro observador es consciente de pertenecer personalmente al sujeto observado, una conciencia que contribuye a eliminar en sus páginas muchas de las taras propias de las estrategias de ocultamiento del autor propias de los relatos de los historiadores, y otorga a sus visiones el valor añadido del que comparte o cree compartir estilos, principios y actitudes con sus biografiados, lo que le induce a ponerlos de manifiesto, confiriendo una riqueza inusual al relato.

Cosa distinta es que con esa voluntad de no distanciarse no acabe atribuyendo a menudo a la élite vizcaína, un discurso más propio del presente del propio Javier Ybarra que de los tiempos que recorre. Porque el autor no es un historiador postsocial; ni siquiera un historiador cultural de la sociedad. Su identificación con sus biografiados no está acompañada de ninguna reflexión sobre las circunstancias de producción de su texto y de los textos que le sirven de base. Y una y otra vez sus comentarios están llenos de una concreta condición moderna. Nuestro autor se permite novelar, pero no omite –al menos no parece hacerlo– ninguna circunstancia "éticamente" reprobable de las actividades de sus ancestros: nos habla de la participación en el tráfico de negros, de las traiciones y engaños entre industriales y comerciantes, de los dobles juegos políticos y la compra de votos, de cobardías, de huidas, de descarnadas luchas por el poder, la riqueza y el reconocimiento público, de limitaciones intelectuales... Desde luego en su presentación de "la verdad", de lo "realmente acontecido", hay toda una visión de la modernidad y de las fuerzas inevitables del progreso y una naturalización radical de los

comportamientos y aspiraciones de sus protagonistas, además de una comprensión muy clásica de la historiografía. Ybarra defiende la moral puritana frente a cualquier forma de hedonismo y al tiempo muestra orgullo por el gusto refinado de sus antepasados. Da por supuestas las bondades del crecimiento económico, aunque nos recuerde marginalmente sus costes sociales y medioambientales, y recuerda con manifiesta satisfacción que los Ybarra siempre intentaron estar "a la última" desde el punto de vista tecnológico. Sus palabras están henchidas de elitismo meritocrático, de rechazo de la intolerancia religiosa y del desorden político, rasgos propios de un liberal de orden (como sus ancestros). Y comparte además las premisas del liberalismo fuerista, asociándose así a las posiciones políticas de los Ybarra decimonónicos. Como los fueristas liberales manifiesta su creencia en una cierta superioridad natural de los vascos que "se valían de su propia palabra para cerrar pactos que, en otras partes del globo, exigirían la intervención de contratos y buenos abogados" (p. 249), en su fuerismo espontáneo y esencial (frente a los comerciantes de San Sebastián que por no llevar apellidos vascos, y aunque estuvieran arraigados en la ciudad, no compartían las posiciones de sus congéneres de Bilbao, p. 283), en su laboriosidad (a diferencia de lo que ocurría en Sevilla, ciudad en la que "para ser respetado uno se entregaba al oficio del siesteo permanente", p. 317), en la eficacia de las instituciones forales desde todas las perspectivas (incluida la política ya que "allí donde había fueros la ley se respetaba sin algaradas ni pronunciamientos militares", p. 258)...

El libro de Javier Ybarra constituye por todas estas razones un auténtico diamante en bruto para la historia del País Vasco y también para la historia española en general. La abundantísima documentación manejada, la exactitud en la identificación de los personajes, la comprensión desde dentro –cuando menos desde dentro de las tradiciones orales de unos Ybarra concretos– de las estrategias y los juegos empresariales, políticos y sociales en que se mueven los protagonistas, es una parte del material que aguarda a quien se atreva con sus larguísimas páginas, que pese a la abundancia de nombres, fechas y detalles no resultan pesadas. Operaciones financieras, opciones técnicas, negocios específicos, relaciones personales, apuestas políticas, "buenas maneras", valores morales..., un sinfín de temas pueden y deben ser abordados de modo distinto a partir de la información que ofrece esta obra. La otra parte no menos rica del material son las interpretaciones explícitas y sobre todo las implícitas que da el autor de los "hechos" y los personajes. Puesto que no hay reflexión teórica ni tampoco una discusión historiográfica propiamente dicha, en un libro que está construido con medio centenar de referencias bibliográficas (en su mayor parte tomadas como fuentes de datos) y más de mil referencias documentales, pasa al primer plano un supuesto sentido común que dista mucho de serlo fuera de unas coordenadas específicas: las de Javier Ybarra e Ybarra, uno de "ellos", en los años de tránsito entre el siglo XX y el XXI. Sólo quien efectúe la lectura sosegada de ambos materiales podrá descubrir el valor real de esa inmensa biografía colectiva.

Juan Pan-Montojo

Valentina Fernández Vargas: *Sangre o dinero. El mito del Ejército Nacional.* Prólogo de Miguel Artola. Madrid: Alianza Editorial 2004. 285 páginas.

El título del libro es programático: *Sangre o dinero. El mito del Ejército Na-*

cional. Se refiere a un "sistema militar discriminatorio" que afectaba a un "grupo social concreto": jóvenes pobres (pp. 23 y 152). Un sistema discriminatorio por motivos económicos, que llevó a la separación de la sociedad española y no a pocas familias a la ruina por intentar rescatar a sus hijos. Así que Valentina Fernández Vargas, investigadora de la Unidad de Políticas Comparadas del Consejo Superior de Investigaciones Científicas, llega a la conclusión de que cumplir con el servicio militar en España no fomentó el "sentido nacional patrio" y que "no era un signo de cohesión social unido a la común obligación de defender la patria, sino demostración última de que no se ha podido contar con alguna de las posibilidades que permiten eludirlo" (pp. 189 y 194).

El libro se define por un "carácter dual", como lo denomina Miguel Artola en la presentación: por un lado se trata de un estudio historiográfico, por otro de una compilación de diversas fuentes de la época: transcripciones, fotografías, facsímiles, entre otros. En once capítulos Fernández Vargas brinda al lector un profundo análisis de setenta y cinco años de diferentes y diversas formas de eludir de manera legal el servicio militar en España y Ultramar.

En concreto, abarca el período desde la Ley de Reclutamiento de 1837 hasta la de 1912, que significó el punto final del sistema de redenciones. La primera etapa, de 1837 a 1868, se define de "implantación y crítica", en la cual los antiguos sistemas tontinarios que se remontaron al siglo XVII desaparecieron poco a poco o se convirtieron en compañías de seguros a quintas. El sexenio revolucionario (1868-1873) constituye la segunda etapa con los intentos de abolición del servicio militar durante la Primera República. Pero las guerras carlistas y el estallido de la guerra de los diez años en Cuba alejaron la República de sus ideales abolicionistas y llevaron al reclutamiento de un mayor número con unos 80.000 hombres. El tercer período abarca de 1874 a 1912, y se caracteriza por los intentos de reforma del sistema. En estos años tuvo lugar el desarrollo de una compleja red de seguros (a quintas modernos) –como lo fue, p. ej., el Banco Vitalicio de Cataluña– además que una diversificación en el mercado de los seguros que estaba estrechamente ligado con el desarrollo de un mercado financiero español, con préstamos e hipotecas.

La autora se basa para el análisis –amén de en una rica selección de fuentes impresas– en la amplia documentación correspondiente del Archivo General de la Administración, del Archivo Histórico Nacional, del Archivo Municipal de Madrid y del Archivo Municipal de Pamplona. Entre las fuentes claves para la elaboración del libro que aquí presentamos, se encuentran las *memorias* de las distintas compañías aseguradoras y las diversas revistas especializadas que aparecieron después de la Restauración. Para un acercamiento cuantitativo a los ingresos del Estado, producto de la redención del servicio militar, son de sumo interés las *cartas de pago*. (Entre julio de 1898 y enero de 1899 el 80% de los recursos ordinarios del tesoro provenía de las redenciones del servicio militar y de la marina.) El uso cuidadoso de las fuentes primarias caracteriza todo el trabajo de la autora: señala problemas y preguntas pendientes de la investigación que en algunas ocasiones se deben a una documentación incompleta o a la falta de acceso a los archivos de las actuales compañías, en algunos casos herederas de las históricas.

Pero los seguros a quintas sólo representaron uno de los diferentes caminos para eludir el servicio militar y, con sus corrupciones y corruptelas en unión con las crisis económicas a lo largo del siglo

XIX, no siempre el más conveniente. En el año 1877 el rescate valía unas 2.000 pesetas para la Península y 500 más para Ultramar. En la siguiente década la suma se estabilizó en 1.500 pesetas y 2.000 respectivamente. Entre la redención directa en metálico, el cambio de número o el abono de una póliza, la presentación de un *sustituto* fue la más económica. Jóvenes iletrados en grave situación económica, en muchos casos migrantes de zonas alejadas, se presentaron para sustituir a personas a tan sólo 200 pesetas. También en este tipo de negocio, en el *"tráfico de hombres"* (p. 141) el papel de las compañías de seguros fue importante. "[L]as guerras fueron magníficos negocios. Pero sólo para algunos" (p. 252). Entre ellos, seguramente, el Marqués de Comillas que no sólo salió ganando de las guerras en Ultramar y África con la Compañía Trasatlántica, sino también con el negocio de seguros a quintas. Sin duda, también para el Estado los ingresos de las redenciones fueron importantes. En el año 1892 se recaudó la respetable suma de casi 42 millones de pesetas. Pero fue la sociedad española la que aguantó las pérdidas fatales: falta de mano de obra, de inversiones necesarias y pérdidas humanas. Durante el "siglo bélico", las quintas de febrero provocaron en muchas familias verdadera "alarma social", fácil de comprender pensando que estadísticamente fue más peligroso el sólo hecho de alistarse en las filas del Ejército español que luchar en la guerra franco-alemana; acontecimiento que nos ha hecho recordar en su libro reciente John L. Tone (*War and Genocide in Cuba. 1895-1898*. Chapel Hill, NC: The University of North Carolina Press 2006). El sistema tampoco pudo satisfacer a los militares porque "entre sus malas prácticas generaba una tropa a la que era difícil adiestrar" (p. 276).

Con *Sangre o dinero* Valentina Fernández Vargas ha logrado desentrañar el complejo mundo de los seguros a quintas en particular, y las diferentes formas de rescate en general; ello sin olvidar señalar el respectivo impacto social, abriendo así el camino para futuras investigaciones.

Andreas Stucki

José-Carlos Mainer (ed.): *Ernesto Giménez Caballero. Casticismo, nacionalismo y vanguardia.* **Madrid: Fundación Santander Central Hispano 2005. LXVIII + 242 páginas.**

La presente antología reúne textos de la bibliografía más significativa de un autor singular, escasamente conocido y de perfiles un tanto difusos, como Ernesto Giménez Caballero (1899-1988). El lector –al menos el no especializado– agradecerá por ello la completa e iluminadora introducción a cargo de José-Carlos Mainer, en la que se van despejando un buen número de claves hermenéuticas sin las que la lectura de la antología podría resultar un tanto desconcertante. No en vano, y como se apunta en dicha introducción (p. XV), en la obra de Giménez Caballero se junta todo un "microcosmos" de tendencias y referencias muy relevantes en la cultura de su tiempo, desde la herencia noventayochista hasta la Generación del 27, pasando por Ortega y la Generación del 14, la erudición de Menéndez Pidal, y el histrionismo de Gómez de la Serna. Pero no por ello dejan de delinearse algunos hilos conductores, escueta pero elocuentemente formulados en el mismo título de la antología. Giménez Caballero recoge así la tradición nacionalista y liberal de las letras españolas, a la que incorpora tendencias de vanguardia –el futurismo, sobre todo, en polémica con el cubismo y el surrealismo–; lo cual, asumido desde una concien-

cia eufórica de crisis cultural radical en la que abunda la referencia nietzscheana y, mucho más aún, cierto fervor por los perfiles estéticos y políticos de la Italia mussoliniana, desembocará en el delirio fascista del "hombre nuevo".

Así, el primer texto de la antología, "Los toros, las castañuelas y la virgen", en el que, dejando a un lado la mera preocupación folklórica o costumbrista, se persigue una nueva hispanidad a través del rescate y la actualidad de sus cultos, sus mitos y sus símbolos más emblemáticos. Una curiosa reflexión –de perfil unas veces etnográfico, otras freudiano, otras literario, otras sencillamente confuso– en torno a la tradición taurina, el culto a la Virgen, el donjuanismo y su relación con el alma femenina sirve así de motivo para plantear toda una "resurrección de España" (p. 47), análoga a la vivida en los tiempos de la Contrarreforma. Otros dos textos incluidos en la antología se inscribirán en esta órbita. De alguna manera lo hace "Cuadrangulación de Castilla" (1929), aunque dibujando una mirada más vanguardista del paisaje castellano; y, con una continuidad más clara, "San José. Contribución para una simbología hispánica" (1930), en torno al culto del mismo como elemento definidor de la mujer tradicional española. Pero entre uno y otros textos encontramos "Eoántropo. El hombre auroral del arte nuevo" (1928), en donde aquella resurrección española se enlaza con la proclamación vanguardista no ya de un arte, sino también de un hombre nuevo, exultante y rebosante de regeneradora animalidad, cuya connotación fascista es ya más nítida. Siguen a continuación dos artículos de *La gaceta literaria* (1931), cuya lectura resulta inquietante. La programática y desconcertante adhesión a los principios republicanos formulada en "Ante la nueva justicia española. *La gaceta literaria*" y el estrambótico "Más orígenes literarios de los sucesos actuales y subversivos de España", traslucen, no ya algunas contradicciones de la época, sino también el confusionismo político del que las vanguardias nunca llegaron, quizá, a desprenderse, así como la siniestra inconsistencia de la ideología fascista en ciernes. La antología se cierra, en fin, con una selección de textos de 1935, no porque el autor no siguiera escribiendo hasta su muerte, pero sí más bien porque el desenlace de la inminente guerra y sus largas consecuencias significaron de alguna manera la consumación de su proyecto estético-literario. "Arte y Estado" plantea así algunos diagnósticos de la pintura cubista y de la arquitectura de Le Corbusier, para culminar en una reivindicación del arte como realización estética del Estado totalitario y nacionalista; misma que, en el caso español, encontraría todo un ejemplo en la plenitud de El Escorial.

La presente antología contribuye en definitiva al conocimiento de una obra relevante dentro del vanguardismo español, así como de los orígenes y evolución del fascismo en España. Arroja luz sobre la dimensión estética de su difusa gestación, su afinidad con la cultura fascista italiana y sus turbios lazos genealógicos con algunos referentes emblemáticos del acervo cultural español inmediatamente anterior.

Antolín Sánchez Cuervo

Abdón Mateos: *De la guerra civil al exilio. Los republicanos españoles y México. Indalecio Prieto y Lázaro Cárdenas.* Madrid: Biblioteca Nueva/Fundación Indalecio Prieto 2005. 268 páginas.

El libro de Abdón Mateos trata de un capítulo decisivo de la historia política del exilio español republicano después de la Guerra Civil española (1936-1939) cuando se definió ante todo en México la hegemonía entre las diferentes corrientes rivales del exilio y su política ante la dictadura franquista en proceso de consolidación. Contrario a lo que sugiere el subtítulo ("Prieto y Cárdenas"), la obra de Mateos no trata sólo de los primeros dos años del exilio sino que otorga casi el mismo espacio a la política del sucesor de Cárdenas en la presidencia mexicana, Manuel Ávila Camacho (1940-1946). Además, extiende el tema hasta la muerte de Indalecio Prieto en 1962, quien es claramente la figura central de la narración del libro. El trabajo representa la investigación más profunda sobre la actuación del líder socialista Prieto y su corriente dentro del Partido Socialista Obrero Español (PSOE) durante la primera década del exilio en México. Se basa en una amplia utilización tanto de fuentes publicadas como primarias de archivos mexicanos y españoles entre los cuales se encuentran algunos todavía no o escasamente aprovechados por otros investigadores.

Después de una breve introducción sobre el estado de la investigación y la situación de los archivos españoles, el autor presenta en el capítulo I una extensa descripción de las relaciones entre los políticos e intelectuales republicanos y sus homólogos mexicanos desde los tiempos de la Revolución Mexicana hasta las primeras décadas del exilio en México. Empero, Mateos resalta la "inexistencia de verdaderas relaciones orgánicas", es decir el predominio de relaciones a nivel personal, dado el sistema mexicano de partidos e instituciones políticos totalmente divergente del español o europeo en general.

El tema del capítulo II es la preparación política en la última fase de la Guerra Civil y la organización concreta durante el año 1939 de la evacuación de los refugiados republicanos hacia México por parte del gobierno de Lázaro Cárdenas y los líderes políticos del exilio, destacando especialmente el rol de Indalecio Prieto. Este último, hasta abril de 1938 miembro del gobierno del Frente Popular español y desde mediados de febrero de 1939 en México, era durante las últimas semanas de la contienda en España el político republicano más prestigioso e influyente que se encontraba en México. Aprovechando hábilmente la ausencia total de altos representantes diplomáticos y políticos de la República agonizante (el embajador Gordón Ordás ya había renunciado en marzo de 1939), se apropió, con la anuencia del presidente Cárdenas, de los considerables bienes procedentes de la Caja de Reparaciones del gobierno republicano que llegaron a finales de marzo en el yate *Vita* enviado por el jefe del gobierno, Juan Negrín, con el objeto de financiar la prevista instalación de miles de refugiados en México. Algunos meses más tarde Prieto consiguió la aprobación de la Comisión Permanente de las antiguas Cortes de la República para encargarse de la custodia y la administración de la valiosa carga del *Vita* por medio de la fundación de una nueva organización de ayuda, la Junta de Auxilio a los Republicanos Españoles (JARE), dominada por sus seguidores y enconada rival del Servicio de Evacuación de los Republicanos Españoles (SERE), creación anterior del gobierno negrinista.

A base de esta legitimación política Prieto se convirtió hasta la formación del gobierno de la República en el exilio en 1945 en el político republicano más poderoso, y no sólo dentro de su propio partido, el PSOE. En cambio, los fondos del SERE disminuyeron rápidamente por la costosa organización del transporte naval masivo de refugiados hacia ultramar, en la cual la JARE no participó hasta el año 1941, y finalmente a causa de su disolución y la incautación de la mayor parte de sus bienes por el gobierno francés a partir

de la invasión alemana en mayo de 1940. A las diferentes hipótesis sobre las causas de la suspensión, en el verano tardío de 1939, de los grandes transportes colectivos de refugiados hacia México, Mateos agrega su interpretación que atribuye un papel decisivo a Prieto en esta decisión del gobierno mexicano. Según él, "Prieto había persuadido al presidente Cárdenas para que suspendiera temporalmente nuevos embarques", principalmente por dos razones: primero, la falta de recursos de parte de México, así como de las organizaciones republicanas para garantizar la integración social y económica de una gran masa de inmigrantes en poco tiempo. Segundo, y más importante según Mateos, el plan político de Prieto de entrar en una negociación con el gobierno franquista para ofrecer la devolución de los bienes estatales en el extranjero a cambio de garantías de un retorno masivo de refugiados a España sin represalias, lo que fue rotundamente rechazado por el propio Franco. Aparte de que parece poco probable que Cárdenas supiera entonces de la iniciativa de Prieto, tratándose de un asunto confidencial aun en los círculos informados del exilio, los problemas de la instalación e integración social de los refugiados en México realmente existían aunque no debieran haber sido tan dramáticos como para imponer la suspensión inmediata de la evacuación masiva.[1]

---

[1] Véase otra explicación en mi artículo "Gilberto Bosques y la política mexicana de rescate de los refugiados españoles en Francia (1940-1942)"; en A. Sánchez Andrés *et al.* (coords.), *Artífices y operadores de la diplomacia mexicana, siglos XIX y XX*, México 2004, pp. 314-16, donde se resalta la frustración de las autoridades mexicanas ante "los pleitos domésticos" dentro del exilio español que obstaculizaron la organización efectiva de la evacuación y la movilización rápida de los fondos en posesión de los republicanos.

El capítulo III presenta una descripción bastante pormenorizada de las gestiones de Indalecio Prieto, en colaboración con el gobierno mexicano y sus diplomáticos en Francia de prestar ayuda y rescatar a miles de refugiados republicanos en el sur del país galo y en sus colonias norteafricanas, quienes se encontraban, después de la formación del gobierno Petain en Vichy, en peligro de ser entregados a España o a los ocupantes alemanes para ser utilizados en trabajos forzosos o incluso deportados a campos de concentración en Alemania.

El siguiente capítulo trata de los cambios, en parte considerables, de la política del sucesor de Cárdenas en la presidencia mexicana, de tendencias más moderadas, Manuel Ávila Camacho, ante el exilio español y la cuestión de la acogida de otros refugiados republicanos todavía atrapados en el sur de Francia. Ya desde el inicio de la presidencia de Ávila Camacho había fuertes rumores de que fuerzas influyentes dentro de la nueva administración estuvieran a favor de reanudar relaciones diplomáticas con el régimen de Franco. A diferencia de la actitud de Cárdenas, quien no intervenía en los asuntos de los organismos del exilio español, el nuevo presidente decretó ya en enero de 1941 que la JARE, bajo el liderazgo de Prieto, debía admitir en su consejo administrativo a representantes de confianza de su gobierno y reclamó su participación más directa en la selección de los refugiados acogidos en México. A finales del año 1942, cuando por la ocupación total de Francia por tropas alemanas ya no eran posibles transportes de refugiados a ultramar, Ávila Camacho acabó, por medio de otro decreto, completamente con la autonomía de los exiliados en la gestión de los recursos de la JARE, los cuales terminaron administrados por representantes del gobierno mexicano hasta su entrega definitiva en

1945 al nuevo gobierno republicano en el exilio.

El capítulo V muestra el cambio de la política de la administración avilacamachista ante el exilio a partir de la entrada de México en la Guerra Mundial hacia un apoyo incondicional a los republicanos contra el régimen franquista, que se estaba aislando cada vez más con la anticipada derrota de las potencias fascistas. En noviembre de 1943 se fundó en México, a iniciativa de Prieto y Diego Martínez Barrio, antiguo presidente de las Cortes republicanas, la Junta Española de Liberación (JEL) que agrupó a los partidos republicanos (liberales), los nacionalistas catalanes y la parte "antinegrinista" del PSOE. A partir de este momento empezó el declive de la dominación política de Indalecio Prieto, quien se veía suplantado paulatinamente como interlocutor privilegiado del gobierno mexicano por el presidente de la JEL, Martínez Barrio. En agosto de 1945 se reunieron por primera vez las antiguas Cortes republicanas en la Ciudad de México para constituir el primer gobierno republicano en el exilio. Prieto se mostró desde el inicio escéptico ante este proyecto político favoreciendo en cambio la formación de un gobierno provisional en España que realizara un plebiscito sobre el régimen, bajo la supervisión de las potencias occidentales, lo que redujo considerablemente su prestigio político dentro del exilio cuya mayoría apoyó la restauración de la República.

Los dos últimos capítulos del libro tratan de forma condensada de las relaciones entre los diferentes gobiernos mexicanos de la posguerra mundial hasta el restablecimiento de las relaciones diplomáticas con España en 1977, resaltando la continuidad de la política exterior mexicana de rechazo al régimen franquista. En el corto capítulo concluyente, además de dar un conciso resumen del libro, el autor se concentra en la descripción de homenajes ritualizados entre representantes del exilio y del gobierno mexicano durante las décadas de 1960 y 1970, calificándolos como "creciente mitificación del papel desempeñado por México en la ayuda a los republicanos", que se vinculó "estrechamente con los mitos legitimadores del régimen posrevolucionario". Aparentemente, a Mateos no se le ocurre la idea que el reconocimiento del gobierno republicano como única representación legítima de España podía haber tenido que ver con principios ya profundamente arraigados en la política exterior mexicana más allá de la legitimación interna del régimen corporativista autoritario, dado que México era el único país que rehusó entrar en relaciones diplomáticas con Franco hasta la muerte del dictador, ejemplo seguido de manera parecida en los casos de Cuba (1959) y Chile (1973), en los cuales México actuaba igualmente de manera solitaria, por lo menos a nivel latinoamericano.

El libro de Mateos tiene el mérito nada despreciable de tratar el tema del exilio por el ángulo de las relaciones políticas entre España y México, tema algo descuidado por la literatura académica comparado con las ya numerosas obras sobre los logros del exilio español en México en los campos del arte, las letras y sobre todo las ciencias. Mas el trabajo de Mateos corre el riesgo de caer en la mitificación política por estar muy centrado en la figura, sin duda importante, de Indalecio Prieto, por quien muestra claramente sus simpatías. El autor retrata al político socialista como un personaje casi infalible en la comprensión, evaluación y anticipación de constelaciones y desenvolvimientos políticos sin discutir sus fallas, como sus frustrados intentos de negociar, a veces sin consultar a sus propios aliados políticos, con representantes del régimen franquista o de la oposición monárquica

con escasas perspectivas de éxito. Por otra parte trata de forma más bien superficial la actuación de la corriente rival a la encabezada por Prieto, el llamado "negrinismo" que dominaba con el SERE la ayuda a los refugiados durante los dos primeros años del exilio, justificándolo con la escasez de fuentes. Otro aspecto problemático del libro es afirmar como hechos incuestionables lo que son más bien interpretaciones, a veces bastante audaces, del mismo autor, sin dar pruebas indiscutibles. Por ejemplo, afirma que existía una estrecha amistad entre Prieto y Cárdenas, basada en una conformidad ideológica y mutua admiración entre los dos hombres, lo que explica el presunto favoritismo del estadista mexicano hacia el español. No obstante, es bastante dudosa la conformidad política por las muy diferentes tradiciones ideológicas de las cuales ambos provinieron y sus posturas igualmente divergentes después de la Guerra Mundial, es decir, Prieto identificado estrechamente con la socialdemocracia occidental y anticomunista y Cárdenas más bien inclinado hacia el "antiimperialismo" tercermundista, pero independiente y democrático y no tan involucrado en los conceptos y confrontaciones de la guerra fría. Mateos explica el visto bueno de Cárdenas para que Prieto se ocupara de la custodia del "tesoro" del yate *Vita* con esta presunta amistad política y lo interpreta, además, como una decisión de principio que obligaba al mexicano a favorecer en el futuro siempre la línea y las decisiones políticas de aquél en detrimento del "negrinismo". Otros autores, sin embargo, no consideran la decisión de Cárdenas como parcial en favor de Prieto, sino como circunstancial debido a que éste era entonces el único representante republicano de alto rango que se encontraba en México. Más bien parece que la máxima del presidente mexicano hacia el exilio español era entonces no inmiscuirse en las querellas internas de los políticos republicanos.

No obstante las limitaciones expuestas, el libro reseñado representa un importante paso adelante en la investigación sobre las relaciones políticas entre el exilio español y México y debe ser seguido por estudios que incluyan mejor la corriente encabezada por Juan Negrín, hasta ahora insuficientemente tratada.

Benedikt Behrens

Luis Suárez: *Franco*. Barcelona: Ariel 2005. 1117 páginas.

El autor, un especialista en temas de la Baja Edad Media, publicó en 1984 una voluminosa obra, *Francisco Franco y su tiempo*, en ocho volúmenes y de 1999 en adelante, *Franco. Crónica de un tiempo*, en seis volúmenes. El libro por reseñar es una síntesis basada en esta última obra. Machaconamente insiste en la Introducción, una y otra vez, en que el historiador debe sustraerse a la influencia de juicios de valor, que no debe formular juicios sino "sólo" explicar sucesos, que debe registrar los hechos con "absoluta objetividad", que debe desatenderse de "posturas políticas", etc. Para sí, reclama "neutralidad objetiva". Resulta verdaderamente curioso que un libro tan proclive a las posturas de Franco repita tantas veces estas máximas de objetividad.

Suárez no quiere hablar de "franquismo", ya que "no se trataba de que un hombre con su partido tratara de llevar a cabo un programa. El Caudillo, como sus partidarios le llamaban, intentaba restablecer el principio de autoridad valiéndose de doctrinas y corrientes que ya existían" (pp. 1 y s.). Suárez parte de la idea de que, entre 1939 y 1975, hubo tres regímenes

políticos sucesivos y diferentes bajo la autoridad de Franco: el primero, bajo el impacto del Movimiento, trataba de parecerse a los totalitarismos imperantes a la sazón en Europa (aunque faltando uno de los rasgos esenciales de éstos, ya que el Partido nunca dominó al Estado, sino que fue a la inversa); el segundo, que coincidió con la victoria de los aliados y con la reorganización del mundo occidental, acentuó los rasgos del catolicismo, tratando de aproximarse a las democracias cristianas y buscando apoyo en los Estados Unidos, fase que culminó en 1953; el tercero, que cumplía los propósitos de un desarrollismo económico, era –siempre según Suárez– el inicio de una transición que empezó en 1959 y condujo a la reinstauración de la Monarquía.

Suárez está convencido de que en la trayectoria de Franco habían dos rasgos esenciales inalterables: la afirmación de los principios del catolicismo y la voluntad de que la restauración de la autoridad se rematara con un retorno a la Monarquía que Franco presentaba como una reinstauración y no como un simple restablecimiento.

Desde un principio, hay pocas dudas acerca de la postura ideológica del autor. Por poner un ejemplo: Suárez afirma que "Franco procuró una superación de odios [...] y, en un momento determinado, pretendió incluso que la onda de represalias, fruto de la contienda, había sido cerrada. Lo que no fue obstáculo para que la resistencia interior generara otras nuevas" (p. 3). ¡Así que fue la "resistencia interior" la que generó las represalias!

El voluminoso libro tiene 34 capítulos. Comienza con los "años de formación" de Franco, siguen los años de la República, a continuación seis capítulos sobre la Guerra Civil (pp. 33-115); muy extensos son los apartados dedicados a la Segunda Guerra Mundial, nueve capítulos en total (pp. 116-295), y los capítulos que se refieren a la segunda mitad de los años cuarenta (cuatro apartados, pp. 296-399). Los años cincuenta son analizados en cinco capítulos (pp. 400-548), y todo el resto del libro (casi la mitad) se ocupa del desarrollismo de los años sesenta, con sus giros políticos y las reformas tecnocráticas. Mientras que en la publicación de 1984 todavía se hablaba extensamente del Opus Dei y de los ministros "opusdeistas", en este libro se esquivan estas expresiones y se reemplazan continuamente por la denominación "tecnócratas". Lo que sigue invariable es el afecto que tiene el autor por la figura de Franco y la labor realizada por éste.

El libro de Suárez viene a sumarse a la ya vasta bibliografía sobre Franco y su época. Lejos de ser imparcial –una postura reclamada por el autor en la Introducción– es una detallada y positiva descripción de la figura del general que decidiría como ninguna otra la historia de España en el siglo XX.

Walther L. Bernecker

Miguel Ángel Marín Gelabert: *Los historiadores españoles en el franquismo, 1948-1975. La historia local al servicio de la patria*. Zaragoza: Institución "Fernando el Católico" y Prensas Universitarias de Zaragoza 2005. 396 páginas.

La historia de la historiografía española, a través de este libro, aborda un paso más del engranaje de conocimiento del siglo XX, de parte de la segunda mitad, período que por cercano, a menudo ha quedado relegado a escasas intentonas de análisis, sin profundidad. La obra, a través de un excelente aparato bibliográfico, y con una profusión de cuadros, gráficos y mapas, desgrana en tres grandes capítulos los avatares de la referida historiografía. El primero lo titula "Libros, revistas, compañeros. El proceso de normalización de las prácticas y el papel de la historia local"; el segundo, "España-Europa: el espejo deformante"; y el tercero, "La historiografía local en transición".

En la introducción el autor reflexiona y pone en alerta sobre las historiografías regionales, a partir de la España de las autonomías. No dudamos que el enfoque ha sido a veces tosco pero la generalización en clave española, presupone, quizás, restringir realidades nacionales dentro de un Estado que aunque no lo incluye en su carta magna, no por ello no existen. Cataluña, Euskadi, y puede que alguna zona más son algo más que una región autónoma y así se consideran. Además, como otros colegas ya han escrito, la formulación de la buena historia no pasa por publicar en Madrid o en Barcelona, por poner centros de irradiación cultural potentes, sino por las preguntas que se hace el autor para resolver cuestiones trascendentes, por el grado de resolución de éstas y por las referencias que ha usado para esclarecerlas. El tema no terminaría aquí. Cabría preguntarse el porqué la historiografía española no toma en consideración u omite referentes escritos de otras lenguas peninsulares, aspecto que por lo general no sucede de forma tan flagrante, a la inversa.

El autor señala los objetivos que persigue en cada capítulo. En el primero pretende "situar las coordenadas generales de la inserción del proyecto estatal de promoción de la formación de una comunidad con normas nuevas y prácticas diferentes a la de su predecesora, tras la década traumática de los años cuarenta". El segundo buscará encontrar la relación entre la normalización de prácticas en el interior y cómo afectó a la historiografía peninsular.

El tercero abordará el cambio entre 1965 y 1975, calificado como de "transición", en espera de la eclosión de la historia local.

"Libros, revistas, compañeros", con el que empieza el primer bloque, recupera las palabras sentidas, expresadas por vía epistolar, del historiador español Claudio Sánchez Albornoz, del choque que supuso para parte de los historiadores liberales, el socavón posterior del treinta y nueve, y de lo que les faltó, reflejado en estas palabras, en exilios externos, como alimento intelectual base de contraste y superación. El necesario intercambio de lecturas a través de libros y revistas y los nulos encuentros intelectuales con compañeros de ciencia, como eje de avance de la propia condición de historiador, se resquebrajó, en una España encerrada en sí misma, más muerta cultural que viva, donde se enseñoreaba el nulo debate y la controversia para el avance, tanto por los que faltaban porque habían tenido que marchar como por los que estaban atrapados por un sistema que les hacía enmudecer, a la sombra de unos otros, los más, serviles y seguidores de un sistema basado en la prebenda de los silencios. El mismo modelo Quadrado –organismo dependiente del Consejo Superior de Investigaciones Científicas–, será un fiel reflejo de una historia que no llegaba al estudio de la contemporaneidad, desde una base provincial, útil seguramente para unas determinadas zonas del país, y obsoleta y fuera de contexto en otras, que cuando pudieron estructurarse en libertad, lo hicieron de forma local o comarcal.

El segundo eje de análisis se articula entre las miradas y los desencuentros entre España y Europa. Una mirada que desde España sería más de ojeador que de participante, con las excepciones que se indican. Condicionantes como el idioma, "la práctica desaparición de la reflexión teórica y metodológica", resabios de apoltronamiento, escasez de incentivos profesionales, mentalidades en choque con realidades donde la libertad de expresión y de investigación no estaban cercenadas, no ayudarían a un aterrizaje de historiadores españoles a beber de corrientes historiográficas europeas. No extraña que fuera al revés, un tomar en consideración desde el exterior el territorio español –en algunos casos circunscrito a una nacionalidad periférica–, para emprender estudios de largo alcance, con nuevos métodos, y en ocasiones "ideológicamente comprometidos". Mientras, desde España, a menudo, se seguía con una historia sin garra, positivista.

El tercer estadio lo circunscribe al período entre 1965 y 1975, vislumbrando lo que califica como los indicios de una transición historiográfica con un impulso desde las universidades, con revistas de historia que iniciarían una andadura de reflexión y de eclosión. La concreción la ejemplifica en los casos de Mallorca y Zaragoza.

El libro, en conjunto, aporta un análisis sugerente de los avatares de la historiografía española, con sus retrocesos y avances, durante buena parte del período dictatorial. Sería útil complementarlo y no quedarse con la relación bibliográfica de algunos autores, sino comprobar la aportación real de su obra, por cuanto las sorpresas, quizás, serían mayúsculas.

Antoni Gavaldà

Javier Tusell: *Dictadura franquista y democracia (1939-2004)*. Barcelona: Crítica 2005. 479 páginas.

Dictadura franquista y democracia (1939-2004) es la última obra de Javier Tusell (1945-2005), quizás el historiador más público de la España democrática. Su militancia política en la derecha moderada le convirtió en un intelectual muy querido por un sector que en España cuenta con muy pocas cabezas intelectuales presentables. En la época de los gobiernos de la UCD (Unión de Centro Democrático, 1977-1982) y del PP (1996-2004) ocupó varios cargos administrativos en la gestión del patrimonio artístico e histórico. La derecha democrática de España encontró en Tusell un historiador respetable y riguroso con las normas científicas para combatir la breve hegemonía de los historiadores de la izquierda antifranquista en la Transición; o como el propio Tusell afirma: había que acabar con "la marxistización de la cultura en las ciencias humanas y sociales" del posfranquismo (p. 393).

Mientras en el ámbito divulgativo y mediático "revisionistas" infumables como César Vidal y Pío Moa (con el inexplicable respaldo de Stanley Payne) fabulan una larga conspiración izquierdista contra la II República que provocó la justificada reacción de Franco, vendiendo cantidades de libros inalcanzables para un historiador serio, Tusell se presenta como uno moderado y equilibrado. No justifica a Franco pero le quita el dramatismo de una dictadura particularmente sangrienta y represiva y reparte las responsabilidades entre la derecha y la izquierda, las dos con fuertes tendencias antidemocráticas y antiliberales.

Pocas veces, un historiador abarca en un libro un período histórico que coincide casi exactamente con su propia vida y ninguno se ha atrevido a tratar estos densos 65 años en un solo libro. El volumen es el catorce y último del proyecto editorial de Crítica "Historia de España" bajo la dirección de John Lynch. El origen de esta capacidad de escribir tanto sobre una época tan larga y compleja y la motivación de hacerlo están en el carácter periodístico y polémico del autor. Tusell siempre buscaba la resonancia pública y escribía para la

prensa, participaba en debates televisivos y tertulias radiofónicas, publicaba manifiestos como el de "En defensa de la democracia", pidiendo la dimisión de Felipe González (1995) o el contra de la Ley Universitaria del Gobierno Aznar (2001). Desde hace mucho tiempo había abandonado (o delegado a sus colaboradores) el trabajo investigador para dedicarse a la divulgación de ensayos sobre la historia más reciente de España. La obra aquí reseñada es una síntesis de estos ensayos.

Como consecuencia de este enfoque Tusell no cuida mucho las fuentes ni entra en los debates historiográficos, sino que ofrece una narración cronológica de la acción gubernamental y de las élites políticas. Las escasas informaciones contextuales sobre cambios sociales, económicos, culturales y geopolíticos figuran como escenificación para los protagonistas: los hombres que hicieron la historia española. Las fuentes más utilizadas son biografías y memorias. Así, metodológicamente, este libro parece de otra época, en la que no se conocían los avances historiográficos en campos como la historia social, de las mentalidades, de género, etc.

El estilo narrativo de Tusell se basa en asociaciones y comparaciones no siempre muy convincentes y hasta a veces arbitrarias. El comienzo de la primera época tratada, el franquismo, es considerada por Tusell como "una sociedad guerrera medieval donde se mezcla lo militar, lo político y lo religioso" (p. 11). Al dictador no se le puede comparar ni con Salazar ni con Mussolini pero sí con Tito, un "patriarca distante con rasgos no totalmente negativos" (p. 21). El régimen era "mucho más que una mera dictadura conservadora al estilo Primo de Rivera, pero mucho menos que una dictadura fascista" (p. 23). La dureza de la represión no se explica por la dictadura sino por su origen: una guerra civil, aunque conceda a regímenes democráticos como Francia e Italia después de 1945 más generosidad y, por lo tanto, una represión y limpieza más blanda (p. 30). En fin, el régimen del general Franco "no fue un sistema totalitario como otras dictaduras contemporáneas" (p. 269).

En las páginas siguientes hay mucha información sobre los personajes destacados del régimen, los falangistas, los hombres del Opus Dei, sus intrigas y peleas, sus acciones e ideas. Con ellos Tusell explica las políticas económica, exterior e interior del régimen. También aparecen los supervivientes del PSOE (Llopis, Prieto, Negrín), del PCE (la Pasionaria) y de la "Alternativa Monárquica" (don Juan de Borbón) en el exilio. Como adorno introduce en dosis pequeñas algo de cine, novela y arte de la época.

En la transición democrática construida por Tusell aparece otro elemento clave de la nueva historia de la derecha española: la transición la hicieron hombres valientes como don Juan Carlos de Borbón, pero no los hombres y las mujeres valientes de la oposición democrática en la calle, los centros de trabajo, las universidades, etc. "El proceso fue obra de protagonismos individuales y debe ser entendido como esencialmente imaginativo e inventivo" (p. 278). El artífice de la Transición, según Tusell, fue el presidente de las Cortes y del Consejo del Reino, Torcuato Fernández Miranda: "el libreto de la transición era suyo aunque el director fuera el Rey y el actor Suárez" (p. 282). Cabe señalar en este sentido las célebres palabras del historiador Rubén Vega García en el Encuentro de Historia Oral en Ávila en 1998: "La propia decadencia del movimiento obrero ha favorecido su olvido, privilegiando en contrapartida las versiones 'palaciegas' de la Transición, con interpretaciones basadas en políticas de salón, en la actividad de las élites y en proyectos –reales o supuestos– de labora-

torio. A la larga, ese ejercicio de prestidigitación ha terminado de construir una visión de nuestro reciente pasado que tiende a atribuir el advenimiento de la democracia a los conversos de última hora y parece asignar el papel de desestabilizadores o ilusos a quienes lucharon por ella durante largo tiempo en condiciones muy adversas".

El balance de la Transición española, interpretada por Tusell en el marco de la "tercera ola democratizadora que se inició en la Europa mediterránea, prosiguió en Hispanoamérica y concluyó en la Europa del Este" (p. 277), es netamente positivo debido a la "voluntad de olvidar", es decir, dejar sin persecución todos los crímenes cometidos por el régimen franquista hasta sus últimos días, y "sólo admite comparación con la realizada en Polonia" (p. 331).

La consolidación democrática bajo los gobiernos socialistas (1982-1996) recibe una valoración ambigua por parte de Tusell. Felipe González organizó una coalición entre los economistas neoliberales Miguel Boyer y Carlos Solchaga (ministros de Economía) y el aparato del Partido Socialista controlado por Alfonso Guerra. Modernización y liberalización económica, el fin del aislamiento internacional y la desideologización del socialismo español fueron los logros más destacables. Sin embargo, la consolidación dejó una "democracia de baja calidad" (p. 386). La corrupción y financiación ilegal de los partidos, la subordinación del Parlamento, del propio Partido Socialista, de la Fiscalía General del Estado y de los medios de comunicación públicos a los fines de la ejecutiva y, finalmente, el terrorismo de Estado de los GAL (Grupos Antiterroristas de Liberación) respaldan este juicio.

La última etapa recorrida por Tusell ocupa los dos gobiernos del Partido popular (1996-2004). Por tratarse de un gobierno ideológicamente afín, la evaluación de Tusell resulta sorprendentemente crítica. José María Aznar no despierta ninguna simpatía en Tusell y lo compara con la Dama de Hierro, demasiado autosuficiente y de estilo poco liberal: "De la Margaret Thatcher final, ídolo de los dirigentes del PP, se escribió que, arrellanada en su sillón, por su propia forma de comportarse parecía, como el monarca francés en su trono en 1789, provocar la revolución. Algo parecido se podría decir de Aznar" (p. 435). El hermetismo, la frialdad y su aparente inanidad le asemejan incluso, a juicio de Tusell, al personaje de Franco (p. 455).

Después de una primera legislatura aceptable y en minoría parlamentaria, en la segunda, con mayoría absoluta, el PP marchó hacia un neoconservadurismo político y un neoespañolismo ideológico. "Pensar España y conservar lo que funciona" (p. 444) era la divisa de Aznar. Pensando en la exitosa guerra de las Malvinas de Thatcher, Aznar se metió de forma exagerada en un conflicto con Marruecos (la ocupación del islote de Perejil en julio de 2002 por una patrulla marroquí) y buscaba una nueva "España grande" (p. 451) con una ciega alianza con Bush en la segunda guerra de Irak. Aznar actuó como una especie de "halcón avinagrado" (p. 451), se equivocó y tuvo que pagar el precio en las urnas en 2004. Sus políticas autonómica, judicial, educativa y de medios de comunicación consolidaron la baja calidad democrática, inventada por Felipe González.

Así termina el recorrido de Javier Tusell por los 65 años recientes de la historia española, un recorrido muy cercano a los protagonistas y élites políticos, pero demasiado alejado de la historia de la sociedad española.

Holm-Detlev Köhler

José Luis L. Aranguren: *La izquierda, el poder y otros ensayos*. Madrid: Editorial Trotta 2005. 141 páginas.

Recopilación de breves artículos de prensa redactados por el autor durante el período comprendido entre 1982, momento en el cual el Partido Socialista accedió al poder en España, y 1991. En total son 35 comentarios, a través de los cuales se recogen sus opiniones sobre algunas decisiones y acontecimientos políticos del período, pues se mezclan con su propio pensamiento político y social.

Se revisan aspectos de política interna y externa tal y como se dieron, o bien como deberían haberse aplicado, tras el resultado electoral. A pesar de que no se halla de acuerdo en todos los temas con el PSOE recoge su ideología y la comenta, pues observa que su gobierno constituye el primer paso para el establecimiento de un régimen democrático en España, que introduzca aspectos de la ideología reformista próxima a las propuestas del mayo del 68. Su pensamiento de izquierdas, tal vez idealista en cuanto a reformas sociales e igualdad de derechos se refiere, le lleva a separarse de algunos planteamientos defendidos por el citado partido.

Si bien la obra carece de interés para aquéllos que siguieron entonces de cerca los hechos por ser sus conclusiones muy evidentes, permite al lector ver definida la ideología de Aranguren en cuanto a temas tales como lo que debe ser un líder, la aplicación de la ética en el seno del Estado, o cómo habría de constituirse una moral democrática. El autor, atento siempre a los problemas sociales y morales, defiende una moral laica, pacifista, cercana a la protección de los derechos de las mujeres, los ecologistas y los movimientos alternativos que aportan otras formas de vida. La crítica a la religión católica, a la política armamentista americana, a la inclusión de

España en la OTAN, al capitalismo de la sociedad de aquella época y la necesidad de establecer reformas a nivel social, cultural o educativo se hallan presentes en sus escritos. Obviamente, su discurso en la actualidad nos parece muy fácil, pues la supresión paulatina a lo largo de la etapa de gobierno del Partido Socialista de varios planteamientos que persistían de la etapa franquista ha permitido alcanzar algunos de los puntos que él consideraba como dignos de tener en cuenta y llevar a cabo.

La caída de la política de bloques en Europa, la supresión paulatina de las distancias entre burgueses y proletarios, la escasa popularidad que ha ido adquiriendo el socialismo marxista tras el período de la Transición han traído consigo una serie de renovaciones: un acercamiento de la población hacia las asociaciones de carácter pacifista y no armamentista, un interés por practicar la ayuda al Tercer Mundo a través de ciertas ONG que suponen el inicio de una nueva ética no basada en presupuestos cristianos, sino laicos. Si los ciudadanos asumieran una participación activa en los ideales comunitarios y fueran responsables de sus actos no harían falta líderes, pero cada vez más la política ha quedado reservada a los profesionales que la ejercen y carece de interés para la mayor parte de la población. Hay una crítica a la conducta actual de algunas personas, pues no poseen auténticos valores en los que apoyar sus actos, y viven dominados por la carrera consumista, o el culto a la imagen personal a través del cuidado del cuerpo y sus complementos. A ello lo denomina maximización de la estética y minimización de la moral, del individualismo frente a la conducta colectiva y de carácter socializado.

A pesar de todo, Aranguren creía que el Partido Socialista, si bien se había convertido en un sistema incapaz de hacer frente a muchas propuestas por quedar inscrito en una sociedad global y hallarse condicionado por la aceptación de unos criterios comunes, había establecido a través de leyes concretas algunos cambios en la sociedad civil que han permitido alcanzar un sistema más igualitario en cuanto a la situación económica se refiere, si bien no en cuanto a nivel cultural y de gustos. Hasta su muerte en 1996, el citado autor se halló siempre atento a las circunstancias políticas y ejerció una reflexión moral sobre las mismas. Para él, heredero de la filosofía de José Ortega y Gasset, la moral era un ingrediente ligado a la ayuda social de los más necesitados y no se hallaba desligada de la práctica cotidiana. No se puede vivir de espaldas a los acontecimientos, sino que opinaba que el hombre debía participar en la resolución de los conflictos sociales a través de la colaboración por medio de asociaciones concretas y veía con tristeza cómo muchos se apartaban de ellos y de los valores utópicos que él había defendido durante su vida.

El análisis que ejerce de los distintos asuntos se basa en la toma de postura personal sobre los mismos: el nacionalismo, la tortura, la religión, algunos acontecimientos como la Expo 92 o los Juegos Olímpicos, etc… asoman en las páginas del volumen y constituyen la excusa para proyectar su propio pensamiento. Así pues, el valor del libro consiste en ser un complemento a otras obras previas: *Catolicismo y protestantismo como formas de existencia* (1952) o *Ética* (1958), por citar algunas en las cuales ya había abordado algunos aspectos desde un ámbito teórico.

M. del Carmen Riu de Martín

Banco de España (ed.): *El análisis de la economía española*. Madrid: Alianza Editorial 2005 (Servicio de Estudios del Banco de España). 638 páginas.

Este libro es el análisis más completo de la economía española más reciente, naturalmente desde la perspectiva del Banco de España. El análisis abarca sobre todo el período desde la entrada de España en la tercera fase de la Unión Económica y Monetaria europea (UEM) en 1999 hasta finales de 2004.

El libro contiene 19 artículos a los cuales no es posible referirse aquí detalladamente. Están organizados en cinco grandes partes: "Marco General" (3), "Elementos Analíticos" (2), "El Marco de las Políticas Macroeconómicas" (4), "El Funcionamiento de la Economía Española" (6) y "Aspectos Estructurales de la Economía Española" (4), más un anexo con anotaciones con respecto a fuentes estadísticas y además diez estadísticas macroeconómicas.

Las partes más importantes son seguramente las relacionadas con los mecanismos de funcionamiento y las que versan sobre los aspectos estructurales de la economía española. Llama la atención, sin embargo, que muy a menudo aparecen afirmaciones económicas básicas que según mi opinión están de sobra en este contexto, por ejemplo ¿qué son ciclos económicos? (p. 449); ¿qué se entiende bajo productividad y por qué ésta es importante? (p. 465 ss.) o afirmaciones básicas sobre competencia y análisis de la competitividad (p. 489 ss.).

Lastimosamente no se hace referencia a los aspectos de las diferencias económicas regionales en España y a su respectivo desarrollo, lo cual hubiera sido un muy buen complemento.

Günter Mertins

Ramón Tijeras: *Las guerras del Pirulí. El negocio de la televisión pública en la España democrática*. Barcelona: Random House Mondadori 2005. 366 páginas.

El periodista hace un análisis exhaustivo de la historia del ente público RTVE en la democracia. *Las guerras del Pirulí* –la torre de comunicaciones de TVE en Madrid, popularmente conocida como "el Pirulí"– es el título del libro en el que se ponen al descubierto las malversaciones financieras y las manipulaciones informativas que todos los gobiernos han hecho de RTVE. Desde un enfoque cronológico, sus páginas recogen el ir y venir de los distintos personajes a lo largo de los años y ponen de manifiesto algunas tramas ocultas, relaciones entre los dirigentes empresariales y periodistas y el ámbito de las productoras privadas, con total libertad, en el seno de TVE. Repasa las actuaciones de los partidos políticos que han ejercido el poder y su influencia sobre la calidad y la objetividad de la información. Presta especial atención al devenir político y económico y, aunque su tono es descriptivo, lleva al lector a la idea de una televisión pública en la que un buen número de personas y empresas se han enriquecido de un modo abusivo, contribuyendo a la deuda de dimensión astronómica que hoy tiene RTVE.

El origen, señala Tijeras, reside en el paso por la dirección general de RTVE de un grupo de personas vinculadas a Adolfo Suárez (él mismo desempeñó ese cargo entre 1969 y 1973) que instauraron una forma de gestión sin control sobre el gasto. El problema es que la llegada de José María Calviño, que conocía todas las irregularidades cometidas durante la etapa de Suárez, avivó las luchas entre clanes socialistas sin poner coto al problema. El PSOE tejió su propia red en torno al reparto de licencias de televisión privadas, mientras que el PP trató de compensar la situación cuando accedió al poder, configurando un mega grupo en torno a Telefónica y Antena 3, que resultó un fiasco espectacular que terminó con la llamada "fusión digital" y una única plataforma en manos del Grupo Prisa y de Jesús Polanco, su accionista mayoritario.

La aparición de las privadas abocó a RTVE a una sucesión inacabable de pérdidas. No contenta con esa merma los responsables se deciden a favor de la externalización. Esto es, comprar a productoras ajenas, a precios desorbitados casi siempre superiores al presupuesto inicial, programas que TVE podría haber hecho, rentabilizando equipos y motivando a un personal acostumbrado a un rendimiento profesional, para el que el autor tiene palabras muy duras. Tijeras pone en claro, que el negocio es de las productoras. En ocasiones esas productoras son empresas con una vinculación estrecha con directivos del ente o con altos cargos del PSOE o del PP, que en esto han actuado de la misma forma.

El autor incluye asimismo datos escalofriantes sobre los negocios perpetrados en TVE con los que ciertas personas, a costa de la deuda de RTVE, cubierta por el Estado, se han enriquecido. Extrañas historias como las operaciones en que se envolvió el PP en su intento por contrarrestar el imperio mediático de Jesús de Polanco para terminar reforzándolo, constituyen *Las guerras del Pirulí*.

Tanto PSOE como PP han multiplicado la deuda. García Candau fue el primer director general que presentó unas pérdidas millonarias en las deudas del ente y admitió que la cobertura de la guerra del Golfo supuso "una sangría económica" para RTVE. A partir de entonces esa deuda ha ido creciendo exponencialmente. Aznar, lejos de interrumpirla, la multiplicó por cinco, entre 1996 y 2004.

Las televisiones autonómicas y las privadas quedan aquí vistas en escorzo, y se echa de menos la acidez con la que el periodista disecciona la televisión pública. En los tres últimos capítulos, dedicados a la reordenación entera del marco audiovisual que comanda Carmen Caffarel –ex directora, como señala el autor, del departamento en el que él enseña– baja la voz crítica.

Ramón Tijeras ofrece una radiografía del poder en España para saber quiénes son algunos de los que se han enriquecido gracias a RTVE, quiénes controlan esa información y dónde están las alcantarillas por las que se ha escurrido esta monumental deuda acumulada. Esta obra, una investigación rigurosa, densa y bien documentada, responde a estas preguntas y a muchas más. El espectador sabe poco de lo que hay detrás y este libro es una oportunidad ideal para conocerlo.

Markus Riese

Ramón Peralta: *Teoría de Castilla. Para una comprensión nacional de España.* Madrid: Editorial Actas 2005. 161 páginas.

Las múltiples identidades que configuran España profundizan en estos albores del tercer milenio, mediante reformas estatutarias a veces polémicas, en el autogobierno que la Constitución de 1978 consagró. Resulta así de particular interés la publicación por parte de Ramón Peralta de un libro cuyo título busca amparo en el cientificismo que evoca el término *teoría*, y que defiende que si alguna región española buceara en su historia para proclamarse nacionalidad, ninguna podría hacerlo con más derecho que Castilla. La tesis que emana del libro resulta clara: no hay más nación que España y es Castilla quien la ha forjado mediante su "generosa y desprendida" aportación. Se trata primero de ver cómo Castilla emerge como nacionalidad medieval a causa del conflicto originado por la invasión islámica y de cómo, en segundo término, Castilla articula una renovada y unificada cristiandad hispánica, planteamiento que puede buscar polémica vigencia en las palabras que César Vidal escribe en el prólogo situándonos en la actualidad en un "momento de confusión que cuestiona la propia existencia de España".

La exposición de aspectos puramente históricos, jurídicos o lingüísticos, aunque en ocasiones resulte un tanto reiterativa, muestra en el libro un discurso coherente y convenientemente apoyado en la autoridad de especialistas como Sánchez Albornoz o Rafael Lapesa. Sin embargo, cuando el autor da el paso hacia su teoría étnico-nacional, presentando a Castilla como una especie de pueblo llamado a una universal misión, el hilo argumental se muestra frágil. Es indiscutible el sentido vertebrador peninsular de Castilla en el contexto de la Reconquista frente al Islam y también lo es su peculiar identidad frente al feudalismo europeo como consecuencia de la cantidad de campesinos libres que la lógica del sistema de presura generó. Pero la obra peca de una grandilocuencia verbal que, con expresiones como "territorio desde donde gestaría toda su colosal obra histórica", "inimaginado futuro de promisión" o "*universal destino* de Castilla", nos acerca a definiciones exitosas en épocas ya superadas. Algo parecido ocurre cuando el autor insiste en que nos encontramos ante la constitución de una nueva unidad étnica, síntesis de lo cántabro con aporte vascón, lo hispano-godo y lo celtibérico, con la lengua romance y el cristianismo como aglutinantes. Esta *etnogénesis* castellana, coincidente con las prime-

ras fases del proceso militar frente al Islam, será uno de los soportes argumentales del profesor Peralta en su *teoría* de Castilla, en un planteamiento que, no obstante, podrá generar legítimas dudas en un lector que considere que las bases humanas, religiosas y lingüísticas ya se ubicaban en el mismo solar en época tardorromana y visigoda y que por lo tanto concluir que estamos ante la aparición de una nueva etnia puede resultar exagerado. Del mismo modo, de un mayor dinamismo y de la probada peculiaridad identitaria castellana no es fácil colegir una "plena conciencia de su identidad colectiva nacional" o una "emergencia de una patria renovada".

La convivencia cultural en la España medieval es, por otra parte, tajantemente negada por el autor. Cierto es que compartir el solar peninsular resultó casi siempre conflictivo, pero también lo es, siguiendo entre otros a Domínguez Ortiz, que "el siglo XI aparece en el ámbito hispanomusulmán como un intermedio de paz religiosa y pacífica convivencia". Considerando que el libro juega con la historia medieval para la comprensión del presente, negar de forma absoluta estas rachas de entendimiento de las tres culturas podría conducirnos en el clima actual a pensar que ideas como la "alianza de civilizaciones" están abocadas a un determinismo de enemistad y no a un posibilismo de entendimiento. En este sentido, cuando Ramón Peralta dice que Castilla "nace en una época de sumo conflicto ideológico-religioso entre dos concepciones muy dispares de la vida, del hombre y de la sociedad: islamismo y cristianismo, Oriente y Occidente, sumisión y libertad", acierta en la noción de conflicto sin duda frecuente, pero expone como indiscutible un sistema dual que asimila la sumisión al mundo islámico y la libertad a la civilización cristiana.

Se desliza en el libro alguna impreci-
sión, como la que en la página 98 atribuye
la cesión del condado de Portugal por parte de Alfonso VI a su yerno Enrique de
Borgoña. Se trata en realidad de Enrique
de Lorena, en una interferencia debida
probablemente al origen del otro yerno del
rey, Raimundo de Borgoña, casado con
Urraca y padre del futuro Alfonso VII.
Antes, en la página 44, indica el autor que
el islamismo ha sido expulsado por completo del territorio peninsular en el siglo
XV, algo en rigor inexacto puesto que con
la capitulación de Granada en 1492 se permitió el mantenimiento de las formas de
vida musulmanas hasta que el endureci-
miento promovido por Cisneros llevó a la
expulsión mudéjar ya entrado el XVI, en
1502, permaneciendo además un islamismo latente, no explícitamente religioso
por la forzosa conversión pero sí de
costumbres, hasta la expulsión de los
moriscos en el siglo XVII.

Si del análisis de la historia, el derecho o la lengua se concluyese simplemente la consolidación de una identidad y no
se recurriese con insistencia a lo étnico y
lo nacional el trabajo aparecería sustenta-
do en más sólidos cimientos, aunque bien
puede ser que ese enfoque, sin duda polémico, dote a la obra de una originalidad
que vendría a completar su rigor en los
análisis históricos o jurídicos y a dar como
resultado un libro de interesante lectura.

José Manuel Rodríguez Martín

José Manuel Cuenca Toribio: *Historia*
General de Andalucía. **Córdoba: Almu-**
zara Editorial 2005. 1008 páginas.

La reconstrucción de los orígenes y
desarrollos históricos de un pueblo con-
forma un género del oficio de historiar que,

especialmente en las últimas décadas, viene alcanzando renovado protagonismo y
visibilidad editorial. El reabierto debate
sobre la identidad nacional de España y
sobre el sentido y perspectivas de las nacionalidades y regionalismos periféricos no
hace sino peraltarlo. En este punto, a escala
política son muy polifónicas las respuestas
y la discusión parece abrirse a dimensiones
de cierta polarización, y hasta de ambigüedades. Pero los historiadores, debe saberse,
trabajan y han trabajado rigurosamente asimismo sobre estos procesos políticos y culturales e incluso acerca de la lenta o más
dinámica sedimentación de los sentimientos de pertenencia territorial.

En esa coyuntura y sobre el esquema
de un laureado libro precedente, el profesor
Cuenca Toribio dibuja la rica personalidad
andaluza desde sus orígenes hasta la actualidad. Así, su objeto de trabajo no podía ser
más abarcador: hacer inteligible la secuen-
cia de un país de cultura verdaderamente
milenaria. Para concluirlo, el autor ha
movilizado todo un caudal de recursos
humanísticos, pero sobre todo sorprende
–una vez más– ese profundo conocimiento
suyo de la producción historiográfica más
reciente. El lector no dejará de apreciar –y
hasta admirar– el dominio interpretativo
sobre las diferentes edades y disciplinas
aquí expuesto, así como la visión y el conocimiento íntimo del sujeto barajado.

Centrada en un espacio territorial
determinado, muy consciente de las conti-
nuidades históricas de Andalucía y de sus
aportaciones universales –sin esencialis-
mos– y, a la par, extremadamente atenta a
las discontinuidades de este espacio amalgamador de hombres y culturas, en la obra
se muestra competencia para comprender
no sólo lo que hemos sido, sino asimismo
lo que verdaderamente somos, justamente
a partir de una mirada atenta al mejor
conocimiento y valoración del pasado. El
enjundioso tratado –más de mil páginas–

no carece en su proyección intelectual de cierta osadía y nos retrotrae, de alguna manera, al tiempo en el que los historiadores no se encerraban en las propias celdas académicas de la parcelación temática y cronológica, ofreciendo todo el texto aquí reseñado una sólida cultura ensayística y hasta enciclopédica.

Construido a partir de una axialidad cronológica muy equilibrada, este libro penetra en todas las etapas de la construcción histórica andaluza sin descuidar períodos, pero tampoco sin orillar debates ni controversias más permanentes en el ámbito de la historia, la cultura e incluso las artes.

Muy breve e instrumental en la presentación topológica del marco geográfico, sintético igualmente y hasta pericial en el capítulo dedicado a la prehistoria, la pluma del más publicado de los historiadores andaluces se torna evocadora y sugestiva en alguna de las fases históricas más universales del discurrir andaluz: tema tartesio, sobre todo Bética romana, Andalucía visigoda y, asimismo especialmente, presencia islámica. Los capítulos dedicados a la Baja Edad Media, el relativo a los siglos XVI y XVII e incluso el referido a la Andalucía dieciochesca constituyen ejemplos palmarios de maestría en el control del debate docto. Muy completo igualmente y abierto a la pluralidad de interpretaciones del siglo liberal y a sus insuficiencias en la región, el XIX es desmenuzado en el cuadro de sus esperanzas políticas, sociales y económicas, pero también en el de sus frustraciones. Paradójicamente a la condición contemporaneísta del autor, o tal vez por ello mismo, el siglo XX es dibujado con tonos más apretados –sobre todo en lo relativo al franquismo, indubitablemente todavía no suficientemente roturado en el solaz andaluz– y se peraltan en cambio las temáticas politológicas y economicistas que abarcan

hasta el proceso de la Transición a la democracia, e incluso se refieren a acontecimientos coetáneos.

Ya se ha afirmado que el libro intenta hermanar estructuraciones cronológicas y temáticas, constituyendo las segundas, en todo caso indistintamente, principio esencial de organización interna en un texto que posee asimismo ambiciones didácticas. Por ello el autor aborda tramas y núcleos temáticos que suelen repetirse en la mayor parte de los capítulos: población, aspectos económicos y sociales, derivas políticas, instituciones y cultura, fundamentalmente.

En otro orden de cosas, todo el texto constituye un señalamiento de tendencias interpretativas y de clarificación de no pocos debates. Ejemplificaremos a continuación sólo algunos casos justamente ponderados como característicos en orden a la relativa distinción cultural andaluza.

Precisamente, el profesor Cuenca no orilla la cuestión del *sincretismo amalgamador andaluz*, que reaparece como *ritornello* de su especificidad en todo el libro, ya desde los primeros contactos civilizatorios al tiempo de Tartesos (pp. 68-71). Asimismo vindica la necesaria peraltación del impulso latinizador, donde la marca de Roma y su penetración marca contrastes peninsulares en beneficio cultural del sur, gracias precisamente a su capacidad de asimilación (pp. 95-96 y 99) y, al fin, igualmente, su temprano contacto con el cristianismo, fortalecido al tiempo godo (pp. 214-218). En el tratamiento de la época musulmana el discurso alcanza la mayor sagacidad, marginando lugares comunes y prejuicios tan numerosos, por lo común, en este espacio de contrastes que fue la Andalucía islámica. La época cristiana en su conjunto, hasta el siglo XVIII, tratada en varios capítulos, constituye en sí mismo todo un monumento de erudición en orden a dibujar los perfiles

andaluces, pero en su imbricación española e incluso en su proyección americana. Y lejos de vaivenes y modas pendula-
res en las interpretaciones de los tiempos
más contemporáneos, Andalucía se nos
ofrece diferenciada en sus insuficiencias,
pero igualmente en sus potencialidades.
Especialmente lúcidos son los juicios
aparecidos en las páginas dedicadas a la
aparición del regionalismo en la región
(pp. 774-784) e incluso más tardíamente
los referidos al *andalucismo* del primer
tercio del xx (pp. 829-835).

Escrito con tonos estilísticos muy ági-
les y clásicos, e incluso adornado en ciertos
pasajes introductorios con pluma más
cadente y elegantemente pródiga, los
menos, todo el texto combina brío y personalidad a la par. Esta tensión de estilo
constituye toda una vindicación, también
un homenaje, a la Historia entendida asimismo como ejercicio relatado. Todo con-
forma una contribución insustituible y muy
rigurosa sobre el territorio español más
solicitado a escala histórica, donde las cualidades formales adquieren continuada presencia al servicio de la multiplicidad inter-
pretativa del contexto andaluz y de esa
vocación universal que le es tan propia. Por
todo lo antes referido *Historia General de
Andalucía* pertenece a la categoría de libros
que leemos, y que deseamos releer.

Muy agradablemente presentado, con
cierta prestancia en la encuadernación que
hace honor a este libro de referencia, completado en fin con un útil índice onomás-
tico, el volumen será muy apreciado por
quienes busquen bucear en la compleja y
prodigiosa trama de lo andaluz. Todo un
acierto publicístico de una joven editorial
andaluza, Almuzara, que va abriendo hue-
cos en el mercado editorial también a partir de publicación tan consistente y excepcional.

Fernando López Mora

Santiago de Pablo/Ludger Mees: *El
Péndulo Patriótico. Historia del Partido
Nacionalista Vasco (1895-2005)*. **Barce-
lona: Crítica 2005. 503 páginas.**

El Partido Nacionalista Vasco (PNV)
–fundado en 1895– ocupa sin duda un
lugar central en la sociedad vasca. Su larga y variada trayectoria es caracterizada a
menudo como un "péndulo" que desde su
fundación ha oscilado entre el pragmatis-
mo y la ortodoxia, entre la autonomía –tal
como ha sido instalada por el Estatuto de
Gernika del año 1979– y la independencia, sin perder de vista su eje principal, la
defensa de la patria vasca. El PNV "optó
desde muy pronto por refugiarse en una
calculada ambigüedad".

El libro de Santiago de Pablo y Ludger
Mees *El Péndulo Patriótico* abarca la historia del Partido Nacionalista Vasco entre
1895 y 2005. Se trata de un brillante y riguroso trabajo académico que pone de manifiesto el gran conocimiento de la materia
por parte de los autores. Santiago de Pablo
es catedrático de Historia Contemporánea
en la Universidad del País Vasco (UPV) y
autor de numerosos trabajos sobre el nacionalismo vasco durante el siglo xx. Ludger
Mees también es catedrático de Historia
Contemporánea en la UPV y ha trabajado
también extensivamente sobre el nacionalismo vasco, en especial sobre la época de
la Restauración (1903-1923). El libro ofrece además una interesante bibliografía y un
anexo. Éste, sin embargo, podría haber sido
más extenso.

El primer capítulo trata de los orígenes del nacionalismo vasco y la creación
del PNV por Sabino Arana en 1895. Esta
parte del libro desgraciadamente es algo
superficial: la doctrina aranista y sus principales factores hubiesen merecido más
atención por parte de los autores. Algo
corto se queda también el cuarto capítulo
sobre las actividades del PNV durante la

Segunda República (1931-1936), una época muy rica en acontecimientos de gran alcance tanto para la trayectoria del partido como para el desarrollo de la autonomía vasca. Otros capítulos en cambio ofrecen brillantes síntesis, sobre todo el segundo capítulo dedicado a la época de la Restauración tras la muerte de Arana y el tercero, dedicado al desarrollo del Partido Nacionalista Vasco durante la dictadura de Primo de Rivera. En esta época –hasta ahora escasamente estudiada– el PNV abandonó la actividad política casi por completo dedicándose a actividades sociales, al patrocinio de acontecimientos deportivos, etc. El siguiente capítulo se dedica a los acontecimientos durante la Guerra Civil (1936-1939).

De especial interés son los capítulos séptimo y octavo, en los que los autores abarcan los aproximadamente treinta años desde la posguerra hasta la Transición. Estas tres décadas, durante las que apareció ETA, han sido desgraciadamente hasta hoy muy poco estudiadas por la historiografía con referencia al Partido Nacionalista Vasco. Con estos dos capítulos, De Pablo y Mees ofrecen una aportación clave para entender mejor tanto la trayectoria del PNV en tiempos de Transición y democracia como las difíciles relaciones entre ETA y el PNV.

Los últimos dos capítulos abordan el desarrollo del partido desde 1975. Entre otros temas, los autores abarcan el papel que tuvieron los políticos del PNV durante la elaboración de la Constitución española, la redacción del Estatuto de Autonomía Vasco de 1979, la escisión de Eusko Alkartasuna (EA) en 1986, el Pacto de Ajuria Enea de 1988, el acercamiento entre el PNV y Herri Batasuna durante los años noventa, el pacto de Lizarra de 1998 y la tregua de ETA del mismo año.

Se trata indudablemente de un valioso resumen del desarrollo del PNV y de la situación política del País Vasco en la actualidad. Sin embargo, la gran complejidad tanto de las relaciones del Partido Nacionalista Vasco con otros partidos políticos en Euskadi como del papel que los nacionalistas vascos desempeñaron y desempeñan actualmente en las instituciones del Estado español hubiese merecido todavía más espacio en esta obra.

El péndulo patriótico es sin duda una obra básica imprescindible no sólo para conocer el pasado y el presente del PNV, un partido que desde su fundación hace más de 110 años ocupa un lugar clave en el País Vasco, sino que además sirve para comprender a fondo la tensión entre autonomismo e independentismo, tema central en el actual debate político en Euskadi.

Antje Helmerich

4. Historia y ciencias sociales: América Latina

Kirsten Mahlke: *Offenbarung im Westen.*
Frühe Berichte aus der Neuen Welt.
Frankfurt/M.: Fischer 2005. 347 páginas.

Ship of fools on the horizon Stumbling over cannibals is dangerous – even if it is just in texts, like the romanist and ethnologist Kirsten Mahlke, who presently teaches at the University of Constance, convincingly demonstrates in her brilliant book that is introduced, here. For if we (allegedly) come across cannibals, we reach the border of the known and familiar. This is why this subject is so interesting and will be for all times.

Cannibals – are always the others, our antipodes and reflections in a reversed world. When authors of the 16th and 17th century wrote about Indians, they mainly wrote about themselves. Knowing this is one thing, decoding it yet the far more difficult task. In Europe the 16th and 17th century was a time of fundamental theological and philosophical upheavals, a time in which after the collapse of medieval totality people looked for new identities.

This is the historical background against which Mahlke investigates and on the surface deals with the French attempts of colonization in America. According to Mahlke, their real, Protestant content, lies in the revelation for Christendom that is hidden in the nature and character of the New World, in the "appearance of the invisible, which view and idea serves for the recognition of God" (p. 36). While the Spanish historiography (apart from Fray Bartolomé de Las Casas OP and his companions) tried to justify the legitimacy of the conquest by means of diabolical description of the Indians, the Protestant French authors that Mahlke deals with, aimed at the grievance in their own moth-er-country: the persecution of Protestants that often led to the foundation of the colonies.

The book is divided in the four parts 'Protestant writing' and 'Florida', 'Brasil' and 'Canada' according to the regions in which the French tried to colonize America. The corresponding sources, Ribaut's *Histoire veritable de la découverte de la Terra Florida* (1563), Laudonnière's *Histoire notable de la Floride* (1586), Léry's *Histoire d'un voyage fait en la terre du Brésil* (1578) and even Lescarbot's *Histoire de la Nouvelle France* (1609) are histories in the sense of Herodotus – explorations and search for truth in unknown worlds.

Exceptionally interesting is Mahlke's elaboration on Brasil. Lery describes the Tupinambá, who lived in a region which is close to Rio de Janeiro these days, in a carnivalistic manner solely for the purpose of anti-Catholic polemic. The Indians serve as reflection of the fools who call themselves 'Christians' and expose their sinful being. The Tupinambá are naked, lascivious, obscene, dance continually, utter foolish talk, wear colourful feather head-dresses and clubs. In the illustrations of the text their attributes are parrot (for twaddle) and monkey (for folly). The outermost extreme of wordly-fleshy carnival is once more depicted by the cannibal. He denounces Catholicism as an institution that collects money for funeral services and practices 'theophagy' (p. 176). Lery laughs off the "Indian sin" and does not fail to point out that it is much more abominable to pursuit Protestants in France.

The reader is impressed and pictures himself with Mahlke on a safe Protestant trip along the cannibal-coast well supplied with shallows and shoals, when he is suddenly confronted with a text that contains many of the aforementioned Calvinistic elements – but was supposedly written by a Catholic: Dominique de Gourgues' *Histoire memorable de la Reprinse de la Floride* (1568). De Gourgues for the Spaniards, who before had massacred the inhabitants of the French colony in Florida, set in like an unpredictable thunderstorm and again made a shambles of it without making a new attempt of founding a colony. At the reader this evokes a feeling of shock and emptyness. Is this revenge, then, the revenge of the Catholics, of God or of the cannibals? From the historian's point of view it is absolutely correct that it would be too easy just to ignore the author and treat the text as totally autonomous and Protestant (p. 238). Searching for sense in history seems an eternal Odyssey, but that consoles only a little. It proves Mahlke's sincerity, when she jeopardises her credibility like this, but this should not fool us! Is it really true that de Gourgues was "unrefutable Catholic" (p. 236)? How trustworthy is the statement of the French Jesuit Charlevoix regarding this matter? Didn't Mahlke just question his credibility with hard facts – de Gourgues' way of acting and writing?

It is self-evident that Mahlke's investigation cannot be all-encompassing, she sometimes misses out on comparing fiction and 'historical truth': Which of the elements mentioned by Mahlke are purely Protestant metaphors, which overlap with real observations of the described Indian tribes and peoples? Although she provides detailed annotations for the main text, a short glossary would have been even more useful.

Taking the interesting overall representation and work into consideration that originates in Mahlke's doctoral thesis

from 2002, these aspects of critique are negligible. The systematics of Protestant writing is distinct and clear and an exceedingly useful key for the understanding of the French Americanae of the Early Modern Age.

Felix Hinz

Luis Millones Figueroa/Domingo Ledezma (eds.): *El saber de los jesuitas, historias naturales y el Nuevo Mundo*. Madrid/Frankfurt/M.: Iberoamericana/Vervuert 2005. 351 páginas.

El saber de los jesuitas... compila una serie de ensayos que abordan diferentes tipos textuales escritos por jesuitas, en el Nuevo Mundo y Europa, durante el período colonial. Las descripciones e interpretaciones del mundo natural americano, inscriptas en los textos de los misioneros, tienen como referente diversas regiones que conforman las Américas, como Nueva Francia, Nueva España, Nueva Granada, los Andes, Brasil y Paraguay. Los ensayos consideran, asimismo, cómo los modos de contacto establecidos entre los misioneros y los pueblos nativos habilitan formas de percibir, por parte de los jesuitas, el espacio natural y las propias comunidades. Estas modalidades de percepción y reflexión se desplazan desde una interpretación exegética de la realidad natural y moral, que responde a la voluntad divina, hasta la conversión del espacio en un ámbito de observación, descripción y análisis de la realidad circundante, en la que subyace una visión secularizada de la naturaleza.

El valor de la compilación de ensayos, a cargo de investigadores residentes en países de América y Europa, no sólo radica en la relevancia de los documentos escritos por los miembros de la Compañía de Jesús, sino también, y particularmente, en la publicación conjunta, en tanto manifiesta el carácter interdisciplinario que el volumen ofrece al lector.

En el estudio introductorio, los editores señalan los objetivos del proyecto, al tiempo que presentan una breve caracterización del período en el que se inscriben los textos, indicando que los misioneros arriban a tierras americanas con el doble propósito de evangelizar y educar a las comunidades nativas. De la misma manera, recorren los alcances particulares de los estudios que integran la compilación, proponiendo una lectura complementaria entre las distintas líneas de investigación. El volumen da cuenta de una aproximación, sin pretensión de exhaustividad, tal como anuncian los editores, a los textos que configuran el saber de los jesuitas; *saber* expresado en maneras de "ordenar, explicar, modelar y narrar la novedad del mundo natural americano" (p. 9).

La labor mencionada, fruto de la formación intelectual y de la interacción de los miembros de la Compañía con el mundo natural, les permitía reflexionar, desde una "posición dinámica" (p. 9), y les otorgaba la oportunidad de desarrollar particulares inquietudes como historiadores, lingüistas, naturalistas, etnólogos, entre otras prácticas. El resultado de la apertura hacia nuevas áreas de conocimiento también dio lugar a la circulación de datos, objetos y textos, producidos por los jesuitas. De este modo, la difusión de información mencionada habilitaba y consolidaba todo un circuito comunicativo y una red de intercambio "cultural y científico" (p. 15), poniendo en relación (no sin conflictos y contrariedades, en algunos casos) tanto a las comunidades nativas como a los miembros de la Compañía, dentro y fuera del territorio americano.

Si en un sentido amplio se puede decir que los ensayos del volumen indagan el estudio de lo natural y lo moral, en términos particulares cabría indicar que cada estudio da cuenta de una gama de inquietudes que van desde la apropiación simbólica de las regiones estudiadas por los misioneros hasta la creación de nociones etnográficas y científicas del mundo americano, reunidas éstas en una cuidada edición de la colección Teci, Textos y estudios coloniales y de la Independencia.

Tatiana Navallo

Heinz Krumpel: *Aufklärung und Romantik in Lateinamerika. Ein Beitrag zu Identität, Vergleich und Wechselwirkung zwischen lateinamerikanischem und europäischem Denken.* **Frankfurt/M. etc.: Lang 2004. 303 páginas.**

El análisis de la historia de las ideas en América Latina sigue siendo un tema poco trabajado en las universidades de habla alemana. Entre los investigadores que han estudiado intensivamente diferentes aspectos del pensamiento filosófico y social latinoamericano se encuentra el austríaco Heinz Krumpel. En los últimos años ha publicado tres libros sobre filosofía y literatura en América Latina, los cuales son fruto de largos años de docencia en varios países de la región.

El libro está organizado en cinco capítulos. En la introducción el autor señala, que se trata también de analizar los procesos de transferencia de conocimiento entre América Latina y Europa. El capítulo I nombra diferentes etapas del pensamiento y de la "conciencia histórica" en América Latina. La ilustración y el romanticismo se tratan en el capítulo II en cuarenta páginas. El capítulo III lleva el título "Apropiación y transmutación del pensamiento europeo", en el cual se presenta a Herder, la filosofía de la historia, pero también a Goethe, Schiller y Heine. "Pensamiento utópico y crítico" es el título del capítulo IV. El último capítulo contiene un resumen en cinco páginas.

Como ya indica el subtítulo y como se confirma en la parte final (p. 259), el libro no sólo trata del siglo de las luces y el romanticismo sino que reflexiona sobre el pensar y filosofar en América Latina en general. También se incluyen novelas y se hace referencia a debates actuales como, por ejemplo, sobre el posmodernismo. El autor es un partidario de la Ilustración y del intercambio intelectual entre América y Europa.

El estudio se dirige, según un anuncio de la editorial, no sólo a especialistas sino a un público más amplio. Un lector no informado y poco familiarizado con la historia de América Latina, sin embargo, tendrá algunas dificultades para ubicar la no pequeña cantidad de nombres que se mencionan en casi cada página del libro. Dónde enseñaron o estudiaron los autores mencionados no queda siempre claro. Se trata de un texto para personas o interesados que ya tienen algún conocimiento previo del pensamiento en la región.

En la introducción, Heinz Krumpel señala que en América Latina encontramos una "Ilustración con dios", en el transcurso del libro no profundiza demasiado sobre esto, aunque en algunas páginas toca aspectos del barroco. Tampoco se detiene en analizar más detenidamente las diferencias entre los países. Esto se debe en parte al hecho de que la historia de las ideas es presentada siempre en su interrelación con el desenvolvimiento en Europa. Parte del libro entonces es una narración de la recepción del pensamiento europeo en América Latina. El autor cumple de esa manera lo que ya anuncia en el título. Se trata de una presentación de la ilustración y del romanticismo en América

Latina y no de un libro sobre el pensamiento latinoamericano.

Nikolaus Werz

Margarita Serje: *El revés de la nación. Territorios salvajes, fronteras y tierras de nadie*. Bogotá: Universidad de Los Andes 2005. 296 páginas.

El trabajo de Margarita Serje, que se elaboró a partir de su tesis doctoral en antropología social y etnología presentada en la Ecole des Hautes Etudes en Sciences Sociales de París, investiga los obstáculos con los que se ve enfrentado el proyecto de la formación de un Estado firme con cobertura del territorio nacional en Colombia. Reparte el trabajo en tres partes, de las que la primera despliega metodología y terminología, mientras que las dos siguientes abordan el tema según un orden cronológico que se suspende e interrumpe de acuerdo con las muchas indagaciones particulares. El orden de los sucesos de las subhistorias reveladas en torno de dichas indagaciones, a veces es oblicuo a los grandes rasgos, que son la tardía época colonial, el largo siglo de las guerras civiles y la modernización a partir de los años veinte del siglo XX. El denominador común de esta historia, que se presenta como una gran colección de narraciones, es la persistente conflictividad violenta.

Las extensas áreas marginadas por el concentrado proceso de fundaciones coloniales, seguido por el proyecto del Estado capitalista integrado en la economía global, tradicionalmente fueron habitadas por poblaciones indígenas, frecuentemente reacias a ser integradas al proceso modernizador, sirvieron de refugio para los cambiantes grupos marginados y expulsados de dicho proceso, atrajeron a raíz de los diversos mitos de tierras de promesa a grupos muy dispersos de buscadores de suerte, presentaron barreras naturales al proyecto penetrativo del Estado debido a sus difíciles condiciones geoclimáticas, continuamente constituyeron circunstancias ideales para cualesquiera empresas ilícitas, para el contrabando, para el cultivo, procesamiento y despacho de drogas, para el secuestro, para la preparación de actos de sabotaje y, finalmente, conservaron relaciones sociales marcadas por la desconsiderada imposición de intereses mediante violencia, favoreciendo así lo anteriormente dicho.

En las ya mencionadas subhistorias esclarecedoras, para las que recopila, además de clásicos historiadores, un sinnúmero de fuentes particulares, crónicas, informes de testigos, viajeros, actas de la justicia y otros, cobra contornos un modelo de las fronteras internas que presentan impedimentos de muy variada índole para el proyecto del Estado, cuyo éxito depende fundamentalmente de la construcción de una malla vial de transporte a extensión nacional, de plantas hidroeléctricas y oleoductos y de la sujeción del territorio nacional al concepto moderno de producción y consumo. El esparcimiento de "mundos de frontera" constituye una característica de la historia colombiana. La frontera crea en sendos lados tierras salvajes de nadie, marcadas por la lejanía de un poder central. Varios grupos irregulares disputan al Estado el control de estos territorios cuya extensión asciende a la mitad del "gran rompecabezas", como el que luce Colombia, y todos coinciden en lucrarse de la ausencia de un poder monopolizado. Sobre todo en las mencionadas subhistorias, se logra plasmar un paradigma de explotación a través de economías extractivas y de enclave, que se basa en el complejo juego de legalidades e ilegalidades ligado a sus formas particulares de producción y comercialización: la usurpación, el esclavismo, la servidumbre, el "endeude", la imposición de la fuerza y la violencia.

Una de las tesis centrales, que no siempre se dejan cristalizar fácilmente, es la interdependencia de los "mundos de frontera" con los mundos altamente desarrollados, además totalmente integrados en las estructuras globalizadas del moderno sistema productivo, financiero y del intercambio internacional, en Colombia ubicados en los centros metropolitanos. De esta manera, la autora rechaza estrictamente los puntos de vista, que pretenden atribuir la existencia de dichos "mundos de la brecha" a la infancia de las instituciones democráticas y entenderlos como etapas pasajeras del entero progreso estatal y económico. Según ella, son ilusos estos puntos de vista e impiden, prácticamente, la percepción realista de la simultaneidad de estos dos mundos. Al demostrar los antecedentes desde el *espejo lejano* de la historiografía, Margarita Serje quiere contribuir a la comprensión de esta simultaneidad. Forma parte de esta tesis que los "mundos de frontera", identificados por la imposición del más fuerte y por la desprotección de los débiles, se hallan tanto en los barrios marginados de las metrópolis como en las vastas áreas alejadas de las mismas.

Semejante conservación de estos territorios de nadie remotos sostiene, en cierta medida, la represión colonial. La autora afirma que la acción colonial de pacificación guarda grandes similitudes con la línea de intervención actual del Estado en los territorios salvajes, oscilando ésta entre la oferta de diálogo, el intento continuo de cooptaciones y la amenaza de la intervención militar, convirtiendo así el habla del Estado en aquella de "un ventrílocuo". Logra entrelazar sus heterogéneas fuentes exploradas con destacados historiadores de Colombia como Francisco José Caldas, Agustín Codazzi, José María Samper, Francisco Zea entre otros de la era clásica, de la que se vale también de importantes novelistas. Ofrece esclarecedoras interpretaciones históricas de las obras de Jorge Isaacs o de José Eustasio Rivera. Comenta exhaustivamente descripciones de Alexander von Humboldt para percibir el impacto de la naturaleza, al que dedica el amplio primer capítulo de la segunda parte, atinadamente titulado "Nación y Paisaje". A sus resúmenes de historiadores contemporáneos como Orlando Fals Borda, Alfredo Molano o Marco Palacios añade útiles aclaraciones metodológicas. He aquí el verdadero valor del trabajo, pues su notable contribución a la formación del corpus de documentos constituye una herramienta importante para la labor historiográfica.

Su sustento teórico es un amplio concepto del contexto histórico, del que logra dar unos ejemplos impresionantes en sus subhistorias. Además de los sucesos y condiciones materiales, el contexto histórico se alimenta de las imágenes y representaciones, que a su vez reflejan el estado y su autocomprensión por el individuo, bien trátese con ellas de idealizar la riqueza y exuberancia de la naturaleza o bien de pintar una naturaleza devoradora. En este contexto se imagina la nación y las interacciones hechas posibles a través de él. Las visiones particulares de la naturaleza y de la naturaleza de las cosas son presentadas con el fin de mostrar, cómo el Estado nacional se relaciona con sus habitantes y sus paisajes e impone el orden de las cosas que sustenta la razón de ser de la nación moderna en el marco del devenir de la Economía-Mundo.

Las microinvestigaciones, p. ej. de la trayectoria de las colonizaciones y actividades ilegales en la Sierra Nevada de Santa Marta o en los Llanos Orientales, podrán servir de puntos de partida y orientaciones para futuros trabajos. Por otra parte, tratando la vista global hacia la historia colombiana, se extraña, en cierta medida, una estructuración del vasto material historiográfico que permitiría una periodización de la larga historia violenta y así una comprensión más profunda y específica de sus cambios. A pesar de lo transversal de la conflictividad violenta, son a menudo grupos muy diferentes de la población que se enfrentan, campesinos, trabajadores rurales e industriales, colonos, grupos subversivos, paramilitares o del ejército, grupos concurrentes involucrados en actividades ilícitas etc. El desarrollo de las estructuras económicas, de la producción, del apoderamiento de territorios, por su parte, también determina el carácter de los enfrentamientos, que pueden cobrar la forma de represiones, expulsiones hasta incluso intentos de extinciones. Sobre todo esto nos informa el trabajo, a veces mediante brillantes estudios pormenorizados que, en su cierta fragmentación, reflejan el estado de su objeto, el Estado colombiano y su historia violenta desde la época de la independencia.

Jochen Plötz

Magdalena León/Eugenia Rodríguez Sáenz (eds.): *¿Ruptura de la inequidad? Propiedad y género en la América Latina del siglo XIX*. Bogotá: Siglo del Hombre Editores 2005. 304 páginas.

A primera vista, el establecimiento de estados independientes y el triunfo de la ideología liberal en América Latina trajo pocos cambios para la parte femenina de la población. Ninguna de las repúblicas consideraba el otorgamiento de derechos políticos a las mujeres, y con la excepción de Bolivia y Costa Rica, los códigos civiles coloniales mantuvieron su vigencia hasta la segunda mitad del siglo XIX. Tal vez por este motivo, la mayoría de los estudios sobre mujeres latinoamericanas se ha concentrado o en la época colonial o en el período moderno propiamente dicho, es decir a partir de finales del siglo XIX o principios del XX. Los temas manifiestos y llamativos como el derecho al sufragio, derechos a una educación seria o el trabajo industrial femenino se han estudiado ya para muchos países, pero cabe preguntarse si estos desarrollos no han sido preparados por transformaciones anteriores menos patentes. Aunque la igualdad de género no figuraba entre las metas de la ideología liberal, la importancia que ésta daba a la libertad personal y económica, debe haber tenido algún efecto. En esta línea, los trabajos aquí reunidos analizan los cambios que trajeron consigo las modificaciones legales en los diferentes países latinoamericanos, y preguntan sobre los efectos para la posición de las mujeres. Se centran en los derechos que dan acceso a la propiedad, o sea la herencia y las posibilidades de tener propiedad dentro del matrimonio. Pero aparte de las mujeres casadas y sus derechos, que han sido el objeto principal de la investigación, varios artículos nos recuerdan que muchas mujeres pasaron gran parte de su vida como viudas, y que las leyes no siempre reflejan muy bien la situación cotidiana, sobre todo de las clases inferiores o medias.

El libro comienza con un extenso artículo comparativo de Carmen Deere y Magdalena León sobre los cambios legales en 14 países latinoamericanos que nos informa sobre las modificaciones respecto al régimen marital. Mientras que prácticamente todos los países considerados redujeron la mayoría de edad y de la edad requerida para contraer matrimonio sin consentimiento de los padres, la posibili-

dad de la separación de bienes dentro del matrimonio en vez de la comunidad de bienes o del régimen de bienes gananciales comunes variaba, así como variaba la abrogación del reglamento rígido de la sucesión y la introducción de la libertad de testar según región y época. Los efectos sobre la posición de las mujeres también variaban. Dependían de la combinación de los diversos reglamentos así como de la situación socio-política general. Generalmente, no obstante, las autoras ven una tendencia que favoreció un desarrollo hacia una equiparación de los derechos en términos de género.

Los artículos siguientes indagan con más detalle y profundidad en estos temas. Los análisis de Silvia Arrom sobre los códigos mexicanos de 1870 y 1884, así como de Blanca Zeberio sobre Argentina y Eugenia Rodríguez sobre Costa Rica corroboran la ambigüedad de los efectos de los cambios legales para las mujeres, así como una cierta continuidad con las tradiciones coloniales. No había ruptura de la inequidad sino una modificación gradual de la situación jurídica de las mujeres. Además, ésta no era tan mala en ciertos aspectos, como muestran los últimos dos artículos que enfocan la situación de las viudas. Muriel Nazzari analiza las protestas británicas contra las leyes de sucesión brasileñas. Las frecuentes reclamaciones de los cónsules y comerciantes británicos en Brasil de concederles la libertad de testar en vez de tener que dejar la mitad del patrimonio común para la viuda, como lo estipulaba el derecho brasileño, es un indicador de la importancia de estos reglamentos para el desarrollo económico. Nazzari explica que la acumulación de capital en Gran Bretaña fue favorecida no tanto por la primogenitura, como han sostenido varios autores, sino en gran medida por el derecho matrimonial que daba muy pocas posibilidades a las mujeres británicas de acceder a la propiedad, en contraste con las esposas y viudas brasileñas.

Las viudas limeñas, no tanto en su aspecto jurídico sino en el manejo de sus derechos en la vida cotidiana, son el objeto de estudio de Christine Hunefeld. Esta autora llega a la conclusión de que las mujeres eran capaces de agenciar sus negocios y valerse de los derechos económicos y sociales que tenían, aunque su situación no era siempre fácil y holgada.

En fin, todos los artículos reunidos aquí, de los cuales tres han sido publicados anteriormente en inglés en diferentes revistas, aportan un aspecto importante no solamente a los estudios de género y de las mujeres, sino en su conjunto nos dan una prueba impresionante de la importancia de estudiar desarrollos sociales desde la perspectiva jurídica. Los regímenes de herencia y de matrimonio y los discursos en torno a estos temas, analizados desde la perspectiva de género, nos revelan bastante sobre las estructuras sociales y económicas. Hay que felicitar a las editoras por reunir estos artículos y dar un impulso a esta tendencia de investigación que abre nuevas perspectivas y plantea nuevas preguntas.

Barbara Potthast

Donna Lee van Cott: *From Movements to Parties in Latin America. The Evolution of Ethnic Politics*. Cambridge: Cambridge University Press 2005. 276 páginas.

La politóloga norteamericana Donna Lee van Cott se ha especializado desde hace tiempo en temas de políticas étnicas, democracia y movimientos sociales en América Latina. En el presente libro pro-

pone, partiendo del notable auge de la presencia política de indígenas en varios países, algunas preguntas elementales de este tópico que son de eminente interés no solamente para los politólogos sino para todo interesado en entender las dinámicas políticas de los últimos años en gran parte de América Latina: ¿cómo se explica el progreso de partidos étnicos o de fuertes componentes étnicos, en un clima general de decadencia de los partidos políticos? ¿Y por qué hay algunos países con fuertes poblaciones indígenas donde, sin embargo, esta tendencia no se realiza? ¿Por qué y en qué condiciones los movimientos indígenas se transforman en partidos políticos?

Como se notará, estas preguntas, que se amplían y precisan en el libro, trascienden la problemática de lo étnico, alcanzando temas más amplios de la ciencia política como la naturaleza de los movimientos sociales en general y su relación con el sistema político. Desde el análisis de los movimientos indígenas se echan nuevas luces también sobre estos temas.

Van Cott se acerca a este abanico de temas desde dos ángulos, tomando como base tres países andinos con largas poblaciones indígenas (Ecuador, Perú y Bolivia) y tres países con escasa población indígena (Colombia, Venezuela y Argentina). Analiza primero los diferentes panoramas políticos en estos países en cuanto al sistema de partidos, la cultura política en general, el desarrollo de las izquierdas (suponiendo una relación importante entre los partidos de izquierda y los movimientos indígenas), y otros aspectos. Resulta que en los dos grupos de países hay convergencias y diferencias importantes, lo que le permite a la autora establecer un cuadro comparativo con diferentes variables, en el marco del cual se pueden analizar los comportamientos políticos de los distintos movimientos étnicos (la autora usa con frecuencia el término "étnico", pero de hecho su análisis se restringe a los movimientos indígenas, sin tomar en consideración, por ejemplo, los movimientos étnicos de las poblaciones de origen africano). Metodológicamente, este esquema permite un análisis fructífero, combinando los factores limitantes del sistema político como marco de referencia con los factores intrínsicos que derivan del carácter de los movimientos indígenas mismos. En este aspecto el libro de Van Cott representa sin duda un logro importante de la teoría política.

No obstante, cuando uno hace la prueba al ejemplo, los resultados no convencen del todo. El caso sobresaliente en el cuadro presentado es sin duda el del Perú. Como bien señala la autora, el Perú presenta condiciones muy similares a sus vecinos Ecuador y Bolivia: una gran población indígena con una larga historia cultural propia y muchos años de luchas sociales y políticas. Sin embargo, mientras en Ecuador y Bolivia crecieron de manera impresionante los movimientos indígenas y partidos políticos dominados por ellos, en el Perú no sucedió ni lo uno ni lo otro. ¿Por qué? Van Cott busca una parte de la explicación en la historia lejana –no sin razón pero un poco fuera de su esquema analítico–. Menciona la apropiación de buena parte de la cultura e identidad indígenas por el indigenismo mestizo de la primera mitad del siglo XX, lo que p. ej. permitió en el Perú elevar la figura de Túpac Amaru a héroe nacional mientras su equivalente Túpac Katari quedó satanizado por la clase dominante de Bolivia y pudo ser tomado como abanderado por los movimientos indígenas. Otros argumentos son menos convincentes, como el uso peyorativo del término "indio", la influencia de la ideología maoísta –interpretada como anti-étnica– en la izquierda peruana, o la mayor fragmentación de los movimientos indígenas peruanos, por la

influencia de esa izquierda. Son argumentos que tienden a tomar como causa explicativa lo que quedaría por explicar.

La otra gran diferencia explicativa que la autora presenta es el escaso espacio que el sistema político relativamente cerrado del Perú, especialmente durante el régimen de Fujimori, y la guerra con Sendero Luminoso hubieran dejado al desarrollo político de los movimientos indígenas. Pero ella misma señala que la guerra prolongada en Colombia no pudo contener un auge notable de los movimientos indígenas que al contrario en ella encontraron el reto para reivindicar con más ahínco su propia identidad y autonomía política –en condiciones políticas favorables por la constitución del 91, es cierto–.

El trabajo de campo del libro, publicado en 2005, se hizo mayormente en 2002 y 2003, conforme a las fuentes citadas por la autora. Por lo tanto, no tomó en cuenta el cambio mayúsculo en el sistema político peruano que significaba la aparición del movimiento "humalista" en el Perú que por poco ganara las elecciones presidenciales de 2006, pero que marcó fuerte presencia política y motivó debates ideológicos ya desde 2002. Si bien este partido, liderado por Ollanta Humala, no se autodefine como étnico sino como "nacionalista", lo étnico toma mucho espacio en su discurso, que fue calificado a veces incluso como racista y que le mereció el epíteto "etnocacerista", en alusión a la permanente referencia al mariscal Cáceres, de manera similar al uso de Bolívar por Chávez en Venezuela. El movimiento y partido de Humala es (y no solamente en la ideología y en su electorado –captó entre el 70 y 90 por ciento del voto en las regiones de población indígena mayoritaria–) el símil de los movimientos bolivianos y ecuatorianos discutidos por Van Cott. El humalismo acaparó gran parte de los líderes indígenas para sus filas, quienes pusieron reclamos indígenas en la agenda política (y los medios masivos) como pocas veces antes, entre ellos el derecho a hablar idiomas indígenas en el Congreso, un derecho que según Van Cott no importaba para los indígenas peruanos.

El análisis político que escrutina problemas actuales de movimientos sociales y políticos "en movimiento" siempre se expone a riesgo. El ejemplo peruano aquí no se ha presentado para ridiculizar las tesis de Van Cott. Al contrario, su esfuerzo analítico trae muchas reflexiones importantes, además de datos interesantes para cada uno de los países investigados. Más bien, el ejemplo nos invita a los politólogos a la modestia y conciencia de los estrechos límites de nuestros instrumentos analíticos frente a la diversidad y riqueza de la vida de la gente en movimiento.

Rainer Huhle

Sueann Caulfield/Sarah C. Chambers/Lara Putnam (eds.): *Honor, Status and Law in Modern Latin America.* **Durham: Duke University Press 2005. 331 páginas.**

Este tomo publica los resultados de una conferencia en la Universidad de Michigan en 1998 y de la subsiguiente colaboración de historiadoras de las universidades de North Carolina, Minnesota, Costa Rica y Pittsburgh. El libro refleja el creciente interés en relacionar el Estado/la nación a la categoría *gender*[1] y en las vin-

culaciones entre ley y vida social. También se muestra la tendencia de tratar relaciones de género no solo con referencia a la época colonial, a la cual se concentró primeramente la historiografía al respecto, sino investigar también el período complicado de transición del siglo XIX.[2]

El libro reúne la introducción y 13 contribuciones sobre los cambios de los conceptos de "honor" y "estatus" que se desarrollaron en las sociedades latinoamericanas durante el siglo XIX bajo la influencia del liberalismo y de la actuación de los Estados independientes. Los artículos muestran la creciente importancia de educación y "méritos" para el honor de las personas, la intervención de policía y justicia en conflictos alrededor de honor, y el afán de los gobiernos de establecer el orden burgués en las relaciones familiares y en el comportamiento de la gente en los espacios privados y públicos, así como la persistencia del dominio patriarcal en las relaciones de género.

La introducción de las editoras resume la existente historiografía sobre la heren-

---

[1]   Ejemplos: Elizabeth Dore/Maxine Molyneux (eds.): *Hidden histories of gender and state in Latin America.* Durham/London 2000. Barbara Potthast/Eugenia Scarzanella (eds.): *Mujeres y naciones en América Latina: problemas de inclusión y exclusión.* Madrid/Frankfurt/M.

[2]   2001. Donna Guy: *Sex and danger in Buenos Aires. Prostitution, family and nation in Argentina,* Lincoln/London 1991. Rossana Barragán: *Indios, mujeres y ciudadanos: legislación y ejercicio de la ciudadanía en Bolivia.* La Paz 1999. Conferencia: "De Patrias y Matrias: Género y Nación en las Américas", 29.11.-1.12.2006, Universidad de Bielefeld. Gertrude M. Yeager: *Confronting Change, Challenging Tradition, Women in Latin American History.* Wilmington 1994. Donna Guy: *White Slavery and Mothers Alive and Dead. The Troubled Meeting of Sex, Gender, Public Health and Progress in Latin America.* Lincoln/London 2000, Sarah C. Chambers: *From Subjects to Citizens, Honor, Gender, and Politics in Arequipa, Peru, 1780-1854.* University Park, Pennsylvania 1999. Christine Hunefeldt: *Liberalism in the Bedroom, Quarreling Spouses in Nineteenth-Century Lima.* University Park, Pennsylvania 2000.

cia colonial donde el honor dependió del nacimiento legítimo de padre y madre "de pura sangre", es decir blancos y sin herencia judía, y del alto rango social, condición para obtener cargos públicos. El rey fue la última instancia del honor que concedió privilegios y que pudo extinguir legalmente las manchas de un nacimiento ilegítimo o declarar que una persona pudo "pasar por blanco". Para mantener el honor fue únicamente importante lo que se registró públicamente, un embarazo "privado", es decir secreto, no dañó por ejemplo la virginidad de una Doña. Aunque el concepto de la elite social excluyó las capas bajas de la sociedad del honor, éstas desarrollaron ideas propias sobre comportamientos honorables o no-honorables. En el siglo XIX, las capas populares, que normalmente no pudieron adquirir los ingresos y la educación necesarios para llegar al honor según el concepto de la nueva elite social, mantuvieron sus propias ideas sobre honor, en un Estado liberal cuyos tribunales civiles y penales fueron más accesibles para ellas cuando querían defender su honor.

Por el espacio restringido que tengo para esta reseña cito sólo algunos artículos. Sarah Chambers muestra en su artículo sobre las primeras décadas del Perú republicano, que había más procesos sobre casos de "estupro violento" que en la colonia, mientras la violencia corporal contra esposa, hijos y empleados domésticos fue considerada asunto privado y no fue perseguida de oficio. El ciudadano libre cuyos derechos fueron protegidos fue concebido como una persona masculina, padre de familia con dependientes. El honor de las mujeres siguió dependiendo de su pureza sexual y virtud doméstica.

Peter Guardino investiga el sistema igualitario de cargos municipales en pueblos indígenas en Oaxaca 1750-1850, el cual, según él, no es algo de antes de la Conquista sino producto del desarrollo del siglo XIX, cuando el liberalismo abolió los privilegios de hidalguía. Muestra que las mujeres, a pesar de su importante papel económico en las comunidades, quedaron excluidas tanto de los cargos como de los puestos que uno pudo obtener a través de ellos.

Rossana Barragán analiza los códigos penal y civil de Bolivia de los años treinta del siglo XIX. La contradicción entre las formas legales modernas y el mantenimiento de la sociedad jerárquica no es, según ella, resultado de una modernidad inacabada, como lo postulan Marie Danielle Demélas (teoría del orden político importado, separado de la sociedad) y François-Xavier Guerra (teoría del carácter elitista de ilustración e independencia), sino que tiene un concepto de honor muy específico, heredado de la España colonial, que incluyó los unos y excluyó los otros. El ciudadano honorable que goza de los derechos civiles y políticos fue definido como hombre adulto, alfabetizado, no empleado doméstico, no indígena.

Laura Gotkowitz investiga procesos de calumnias e injurias ante tribunales bolivianos entre 1878 y 1954. Las demandantes fueron muchas veces mujeres de las capas sociales medias que se defendieron contra injurias que atacaban su honor sexual, expresadas por hombres que con estas injurias reaccionaron frente al creciente poder económico de las mujeres por su papel en la industria chichera mientras la economía artesanal de los hombres sufrió una crisis.

Lara Putnam describe cómo en Puerto Limón, en Costa Rica, *boomtown* bananera después de la década de 1880, mujeres que según la opinión de la elite social no tuvieron ningún honor se defendieron ante la justicia contra injurias: pobres inmigrantes del Caribe británico y español, lavanderas, vendedoras ambulantes, prostitutas, gerentes de cantinas. Putnam argumenta que tener los medios financieros para llevar un proceso y presentar muchos testigos en su favor era parte de ganar/recuperar un estatus social respetado.

Sueann Caulfield explica que las jóvenes muchachas en Río de Janeiro (1920-1940) vieron su propia sexualidad y honor de otra manera que la generación de sus padres, que insistió en la virginidad de sus hijas, y los jueces que miraron "las mujeres modernas", profesionales que se movían sin acompañamiento por la ciudad, como personas sin honor, amenaza al orden social. Las muchachas no pensaban haber perdido el honor con la desfloración y apreciaban el cese de control de parte de los padres con la pérdida de la virginidad.

Honor, status, and Law, según mi opinión es una obra muy meritoria, vale la pena leer la mayoría de los aportes en detalle.

Pero tengo que criticar un punto. A pesar de que no soy partidaria de explicaciones simples económico-estructuralistas, me parece un poco problemático que la economía, la propiedad y el poder económico y político que resulta del latifundismo juegue un papel tan subordinado en los textos (con excepción de Gotkowitz). El poder de excluir –a los indígenas, a los pobres– de un estatus honorable y de derechos políticos ¿no tiene que ver nada con la monopolización de la tierra y del capital en las manos de algunos hombres poderosos, particularmente cuando estos hombres son los parientes o amigos de diputados, ministros, alcaldes y jueces que disponen de los medios represivos privados y estatales? La exclusión de las mujeres de las capas sociales altas y medianas del poder político y la represión que sufren por sus propios maridos ¿no tiene ninguna relación con el hecho de que su propiedad es controlada por aquéllos? Me habría gustado leer una síntesis de la historia cultural y la historia social que reúna los conceptos innovadores de ambas y que vea el orden simbólico y cultural en las relaciones de sexos, clases y etnias, así como los factores económicos como base de las jerarquías entre estos grupos.

Ulrike Schmieder

Eugenia Scarzanella (ed.): *Fascisti in Sud America.* **Firenze: Le Lettere 2005. 258 páginas.**

The activities – both secret and overt, amongst the respective ethnic communities as well as in relation to the national governments of the time – of National Socialist Germany and Fascist Italy in Latin America continue to attract scholars even more than six decades after the regimes' ignominious disappearance at the end of the Second World War. The last couple of years have certainly seen the publication of a number of noteworthy studies about the subject. Based on a critical interpretation of new material available in recently opened Latin American archives as well as the re-examination of collections held in European countries, they explore these complex and by no means straightforward issues in some detail, thereby helping to shed new light on them and revising old assumptions. *O fascismo e os imigrantes italianos no Brasil* by Fabio Bertonha (Porto Alegre, 2001) has to be mentioned in this context as a valuable, sober contribution about Italy's relations with and interests in Brazil just like Jürgen Müller's earlier comparative study about the foreign organisation of the Nazi party, *Nationalsozialismus in Lateinamerika. Die Auslandsorganisation der NSDAP in Argentinien, Brasilien, Chile und Mexiko,*

1931-1945 (Stuttgart, 1997), in the case of Germany.

In many if not all ways the book edited by Eugenia Scarzanella also falls in this category. The five chapters – all written by Italian scholars based at Italian universities – deal with Brazil (Angelo Trento), Peru (Luigi Guarnieri Calò Carducci) and different aspects of Fascist activities in Argentina (Eugenia Scarzanella, Camilla Cattarulla, and Vanni Blengino). Indeed more than half of the book is dedicated to the latter, and the three chapters about Argentina are consequently much more detailed and concerned with more specific questions, as for instance Cattarulla's analysis of a survey by *Il Mattino d'Italia* from 1933, than the two chapters on Brazil and Peru, respectively. The choice of the countries reflects 'The interests and the expertises of the researchers' contributing to *Fascisti in Sud America* (p. VII), as Scarzanella admits frankly in the introduction. On the other hand, Argentina and Brazil were, as she also justifiably points out in the introduction, the two countries with the biggest Italian immigrant communities; and in Peru Italians, notwithstanding their small number, played an important role in the economy, and the country itself was of some geopolitical interest and importance. As understandable and plausible as the reasons for focusing on these three countries were, in terms of comparability chapters on Mexico and possibly Chile would have been warmly welcome.

At the same time, unlike most if not to say all edited volumes, the quality of the chapters in *Fascisti in Sud America* is of fairly high uniform standard. Trento, Guarnieri Calò Carducci, and Scarzanella use a wealth of material from archives as well as the available secondary literature published in English, Spanish, and Italian, whereas Cattarulla effectively uses read-

ers' letters sent to the foremost Italian daily published in Argentina, *Il Mattino d'Italia*. The one noticeable exception to this rule is the last chapter by Blengino. Simply reproducing articles from newspapers, in one case over almost five pages, is in no way a substitute for a critical engagement with the texts. Last but not least, *Fascisti in Sud America* would have deserved and certainly benefited from a more extensive introduction. It should have provided the proper framework for the different contributions, identifying the similarities and outlining differences between the chapters more clearly, for example. Scarzanella's introduction is simply too brief, basically limited to a summary of the five chapters, and this lamentable, for most of the case studies presented in the book are undoubtedly recommendable and informative, paying due attention to national and international developments.

Marcus Klein

Ricard Gomà/Jacint Jordana (eds.): *Descentralización y políticas sociales en América Latina*. **Barcelona: Fundació CIDOB 2004. 348 páginas.**

El libro editado por Gomà y Jordana se divide en dos partes: en la primera, se presentan nociones generales sobre los procesos de descentralización emprendidos en Latinoamérica, relacionándolos con la aplicación de políticas sociales y sus consecuencias. Las cinco contribuciones a la primera parte plantean funciones fundamentales del Estado como la gestión en pos del equilibrio macroeconómico, el fortalecimiento de instituciones, la disposición y entrega de servicios públicos de calidad y la capacidad para atender demandas sociales y ejercer mediación o arbitraje ante los conflictos dentro del ámbito privado, y describen su valoración por la sociedad para conceptualizar opciones viables de reformas descentralizadoras. En la segunda parte se analizan casos particulares de Argentina, Bolivia, Brasil, Chile, México y Uruguay, relacionándolos principalmente con el tema del poder y del desarrollo local y presentando algunos indicadores también para otros países del subcontinente.

A finales de los ochenta o inicios de los noventa es cuando los procesos de descentralización cobran fuerza en América Latina, tras concluir largos periodos de dictaduras. El reestablecimiento de la democracia, especialmente a través de la celebración de elecciones, legitimaba, de cierta manera, los procesos descentralizadores como parte de la modernización del Estado. La atomización, la corrupción y el cortoplacismo así como demás falencias en la gestión estatal resaltaron la urgencia de reformas.

Desde sus inicios, la descentralización se ha enfocado en las áreas sociales y la prestación y adecuación de servicios públicos. Existen países que han logrado cristalizar tanto la descentralización administrativa como la política y la fiscal. Sin embargo, también existen países que únicamente han aplicado fórmulas de desconcentración. Y una de las "lecciones" que pretende brindar la primera parte es advertir que un análisis crítico de las experiencias demuestra que al no considerar ciertas condiciones, los procesos descentralizadores incluso pueden tener efectos negativos sobre el tejido social preexistente, el hoy día denominado "capital social". El entrelazamiento de nuevas formas de participación activa ciudadana con funciones estatales (hasta la parcial sustitución de estas últimas) tiene que tomar en cuenta que la asistencia social prestada por el sector público estatal se

basa en la idea de derechos y no de caridad. Es crucial contrarrestar tendencias de paternalismo, de particularismo y de preferencias grupales. Otro resultado revelado a partir de los análisis empíricos muestra que procesos descentralizadores pueden favorecer desarrollos hacia la privatización. La participación ciudadana no debe ser incentivada a través de la implicación económica.

En Perú y Costa Rica, por ejemplo, la descentralización ha sido básicamente administrativa, mientras que las estructuras federales de países como México y Argentina han facilitado el desarrollo de los procesos de descentralización, al dar cabida a la misma tanto administrativa, como política y permitir -de esta forma- que los gobiernos subnacionales asuman total responsabilidad en áreas de dirección y control.

Los conflictos regionales suscitados en Bolivia desencadenaron un mayor protagonismo de los municipios o una mayor descentralización; hecho que se repitió en Colombia pero debido a tensiones territoriales. En Bolivia, se han descentralizado aspectos de salud y educación y se han conformado instancias de participación popular vinculadas directamente a las competencias transferidas: Organizaciones Territoriales de Base OTB, reconocidas en 1994 mediante la Ley de Participación Popular que les otorgó personería jurídica para actuar y participar en cualquier instancia pública o privada. En Chile, los municipios han asumido la responsabilidad de la gestión ambiental y turística, de la salud primaria y de la educación del nivel primario y medio.

Además, en este libro se aborda como una ventaja y también como una desventaja el tema de la participación popular. Por un lado se sustenta que la conformación de grupos con injerencia en la toma de decisiones de las autoridades locales, es totalmente legítima y válida al representar e incluir los intereses y aspiraciones de la comunidad. Y por otro lado, se argumenta que estos grupos excluyen a la mayoría de la gente, pues están conformados por las oligarquías locales y personas que han tenido acceso a cierto nivel de educación y formación, hecho que no es una constante en la sociedad latinoamericana, razón por la cual no representan sino sus propios anhelos.

Otro problema común que enfrentan los países de Latinoamérica se refiere a las débiles estructuras públicas del nivel nacional y subnacional que terminan impidiendo la continuidad del personal, así como de la ejecución de programas y proyectos. La corrupción y el clientelismo, dentro de la política latinoamericana, han sido –asimismo– impedimentos tradicionales para los cambios descentralizadores, necesariamente ineficientes además, si no son acompañados por profundos procesos de capacitación y equipamiento de las unidades regionales y locales.

Jochen Plötz

Barbara Fritz/Katia Hujo (eds.): *Ökonomie unter den Bedingungen Lateinamerikas. Erkundungen zu Geld und Kredit, Sozialpolitik und Umwelt.* **Frankfurt/M.: Vervuert 2005. 255 páginas.**

La antología presentada por las dos editoras se dedica a uno de los economistas alemanes más conocidos a base de sus trabajos sobre la economía latinoamericana. El enfoque de Nitsch no está orientado al análisis de datos cuantitativos para generar modelos abstractos, sino a un análisis muy complejo que investiga proble-

mas económicos en el contexto de constelaciones sociales. Además, la obra de Nitsch no es eurocéntrica; él siempre buscó posibilidades de incorporar a colegas de la región investigada en sus trabajos.

La antología sigue esta idea. Los artículos son exploraciones de la economía bajo las condiciones latinoamericanas, como se dice en el título. Estas exploraciones usan la perspectiva de Nitsch y están hechas por alumnos, colegas y amigos suyos. De esta manera origina un espectro complejo y variado, pero en cierto sentido bastante homogéneo.

La primera parte del libro trata de la dimensión regional en la economía: Marianne Braig define el lugar de los *area studies* en la ciencia de la economía, Stefan Collignon refleja la incorporación de la economía en la ciencia social y la importancia de las especificidades regionales. Elmar Altvater sigue con una investigación de la privatización de bienes comunes y constata un fenómeno paradójico: mientras que la privatización aumenta, la cantidad de los excluidos crece en la misma dimensión. Maria Angela D'Incao deja participar al lector de la historia de vida de una mujer de la clase baja brasileña que está excluida de muchas actividades y bienes que han sido privatizados por la clase alta.

Como el interés científico de Manfred Nitsch también fue la relación ecología-economía, Silvio Andrae y Manfred Niekisch tratan este tema, ejemplificado en estudios sobre la Amazonia.

La segunda parte se ocupa de otro tema de gran importancia para Manfred Nitsch: las preguntas de dinero, crédito y desarrollo en el contexto de los problemas sociales de América Latina. Reinhard Schmidt evalúa los micro-créditos como medio de la disminución de la pobreza, Kathrin Andrae refleja en este contexto las instituciones micro-financieras. A pesar de muchos problemas, el método de micro-créditos –en contra del *mainstream* económico– parece muy efectivo.

Los artículos siguientes están localizados a nivel macro-económico. Barbara Fritz pone en duda la afirmación de la escuela neoclásica, que constata una correlación positiva entre endeudamiento y desarrollo ("debt sustainability"). Katia Hujo combina un análisis macro-económico de las perspectivas de desarrollo con nuevas ideas político-sociales.

La tercera parte está dedicada a estudios regionales. Katarina Müller compara la reforma del sistema de jubilación en América Latina y Europa del Este. Es interesante observar que en este caso los modelos desarrollados en el Sur fueron exportados hacia el Este. Carmelo Mesa-Lago y Eva Maria Hohnerlein siguen con una comparación de las reformas latinoamericanas con la reforma recientemente realizada en Alemania. Anthony Dukes, Kristin Kleinjans y Helmut Schwarzer analizan las reformas en Colombia y Brasil.

Es evidente que un libro dedicado a un científico de reputación concluye con una apreciación del currículo académico. Hajo Riese realiza esto de una manera que no solamente acerca al lector al trabajo, a la potencia y los resultados de Manfred Nitsch: este artículo también es una conclusión del libro que reúne en una sola perspectiva los diferentes temas de Nitsch y de este tomo.

Axel Borsdorf

Anthony Hall: *Global Impact, Local Action: New Environmental Policy in Latin America*. London: Institute for the Study of the Americas 2005. 321 páginas.

Editado por Anthony Hall o livro reúne artigos de destacados pesquisadores e especialistas na Amazônia brasileira, como o próprio editor, Martin Coy, Philip M. Fearnside, Hervé Théry, Neli Aparecida de Melo, John Redwood, Dan Pasca, Judith Lisansky, David Cleary, Sérgio Rosendo, Fábio de Castro e Larissa Chermont. Apenas um texto se refere à Amazônia boliviana (Martina Neuburger). Todos eles foram apresentados anteriormente no III Congresso Europeu de Pesquisa sobre a América Latina realizado em Amsterdã em 2002. Trata-se de um livro muito importante para os interessados em conhecer o que ocorreu na região principalmente durante e após a ditadura militar no Brasil (1964-1984), com especial destaque às políticas públicas e aos investimentos e apoios do Banco Mundial nos anos 1990.

Os autores e autoras abordam com riqueza de dados empíricos e interpretação rigorosa temas como os processos migratórios internos, o papel da Amazônia no Protocolo de Kyoto, as posições discutíveis das principais ONGs internacionais, as mudanças políticas e conceituais ocorridas no Banco Mundial, a questão indígena e os problemas enfrentados para a demarcação de suas terras, o debate político e teórico em torno das definições de políticas públicas, o papel do PPG7 e das agências internacionais de fomento, a atuação dos cientistas e suas relações com as políticas públicas principalmente no período militar, o apogeu e a queda da Teoria dos Refúgios e a adoção de outros enfoques como os relacionados com as propostas participativas dos cidadãos e dos movimentos sociais, os conflitos pela posse de terra que envolvem comunidades indígenas, populações tradicionais e os novos habitantes vindos principalmente do sul do Brasil, o processo de elaboração e de aplicação das reservas extrativistas e as políticas estaduais bem sucedidas como as que foram implementadas no Acre, Amapá e Mato Grosso. Outros temas, como os relacionados com a pesca sustentável (Fábio de Castro) e sobre o uso e a prevenção do fogo (Clarissa Chermont) apresentam possibilidades de inovadores desenvolvimentos futuros, se buscarem perspectivas menos esquemáticas e mais políticas e culturais.

Em vários textos podemos observar os significados da ação e do assassinato de Chico Mendes, assim como o seu legado e influência na mudança de perspectivas políticas, sociais, econômicas, culturais e ecológicas para a região. Como que para lembrar que esse tempo de assassinatos ainda não foi superado, o livro é dedicado à irmã Dorothy Stang, assassinada em 2005, mas pouco se observou sobre a violência cotidiana sofrida pelos anônimos que não despertam o mesmo interesse dos governos, mídia e pesquisadores.

São feitas várias observações relacionadas com a educação ambiental, mas não há nenhum artigo específico sobre o tema, e os autores e autoras não explicitam como entendem essa área do conhecimento e como ela colabora (ou não) com o sucesso das políticas e ações realizadas.

Os autores e autoras adotam, sem críticas e ou observações, a noção de desenvolvimento sustentável difundida pelas agências internacionais e adotada em importantes centros de pesquisa, como se ela fosse hegemônica e consensual, não enfatizando as suas nuances e as diversas críticas que tem recebido de pesquisadores conceituados e influentes no Brasil e em outros países latino-americanos.

Embora o subtítulo do livro indique a abordagem das novas políticas ambientais na América Latina, a relação com o continente é mínima, ficando centrada na Amazônia brasileira e em algumas passagens que relacionam aspectos com os outros países limítrofes. As relações entre as políticas ambientais dos países da região mereciam um maior aprofundamento.

A bibliografia é um dos pontos altos do livro, apresentando trabalhos em várias línguas e publicações importantes, inclusive os dos pesquisadores brasileiros, alguns que se tornaram clássicos e referências obrigatórias, publicadas no Brasil e no exterior. Mas há alguns exageros, como a indicação bibliográfica de nada menos que 38 trabalhos de Philip M. Fearnside. É uma bibliografia extensa no que se refere aos documentos oficiais do governo brasileiro, do PPG 7 e do Banco Mundial assim como de documentos de restrito acesso produzidos por ONGs regionais ou instituições locais, como prefeituras.

Marcos Reigota

Silke Nagel: *Ausländer in Mexiko. Die Kolonien der deutschen und US-amerikanischen Einwanderer in der mexikanischen Hauptstadt 1890-1942.* **Frankfurt/M.: Vervuert 2005. 428 páginas.**

El estudio lleva al lector a conocer la historia de las colonias alemana y estadounidense en México desde el pre-Porfiriato hasta muy entrada la Segunda Guerra Mundial. Es por todos sabida la existencia de enormes conglomerados sociales de origen alemán en el Cono Sur de América, en especial en Argentina, Paraguay y Chile. Es asimismo notable el interés que han mostrado las investigaciones en el flujo migratorio alemán a lo largo de los siglos XIX y XX hacia esas regiones. Países como México sin embargo, no cuentan entre las naciones que desde su independencia en 1810 hubieran sido frecuentadas por aquellos ciudadanos alemanes que buscaban lejos de su patria otro lugar donde establecerse. Las llamadas colonias no tuvieron ni el impacto ni la fuerza económica que desarrollaron en otros países latino-americanos. Y es probablemente también el reducido número de migrantes el que hizo, que los estudios acerca de este fenómeno en México hasta el día de hoy sean relativamente escasos, aunque no hay que olvidar las investigaciones de Bernecker, Pohle y especialmente la que efectuó Brígida von Mentz con su grupo, desde el interior de la colonia alemana.

Ahora se publica el estudio realizado por Silke Nagel, un estudio serio y muy preciso acerca de las condiciones sociales, económicas y de política exterior de la colonia alemana a lo largo de un siglo para completar los estudios puntuales que hasta ahora se han realizado acerca de la migración alemana en períodos específicos de los últimos dos siglos en México. Para profundizar aún más en el desarrollo interno de la colonia alemana, Silke Nagel la compara con la americana, cuyo nacimiento es posterior y cuyo desenvolvimiento varía considerablemente del de la colonia alemana, en especial en relación con su identidad étnica y su vínculo con el país de origen. Otra diferencia sustancial es la distancia que hay entre los países de origen de los migrantes y México, en especial sus relaciones bilaterales y de política exterior. Y es aquí donde comienza el estudio de Nagel. Las relaciones políticas entre México y los Estados Unidos se caracterizan por el gran potencial de conflicto que significa su gran cercanía. Así, los primeros capítulos describen con minucia los problemas políticos que acompañan la usurpación del territorio mexicano del Norte por parte de los Estados Unidos. Una relativa armonía se establece a lo largo del Porfiriato, interrumpida al estallar la Revolución en 1910. Las consecuencias son un mayor intervencionismo por parte de los Estados Unidos tanto en este momento de trastornos bélicos en México, como posteriormente en los años veinte, durante el conflicto armado

entre la Iglesia y el Estado mexicano. Todos los datos historiográficos sugieren que los enormes intereses económicos que los Estados Unidos tenían en México se veían constantemente contrariados por las situaciones de inestabilidad política y social. Con la expropiación del petróleo es cuando México logra distanciarse de su vecino del norte. Si los intereses de los EE UU en México se limitaban a la explotación de materias primas, las relaciones con Alemania se reducían principalmente al comercio, como nos lo postula Nagel al analizar las relaciones de México con Alemania de 1850-1942.

A continuación, Nagel se ocupa de los problemas de la migración en los tres períodos analizados (Porfiriato, Revolución, Posrevolución). Distingue claramente entre la legislación reguladora de la inmigración y la de la colonización. El interés fundamental de México era el colonizar territorios poco poblados en el Norte y la introducción de grandes cantidades de capital. Nagel se ocupa aquí fundamentalmente del grupo de los mormones, como ejemplo de un tipo de colonia norteamericana y de los menonitas como colonizadores por parte de Alemania. Es allí donde se pueden encontrar las bases fructíferas de esta comparación, que por su dinámica y causas diferentes al inicio del texto aparece más bien algo artificial, pero que en el desarrollo del argumento alimenta con mucha base empírica la visión sobre una fase del desarrollo mexicano "hacia adentro" que muchas veces no ha merecido la debida atención.

Sin embargo, este tipo de colonización, que denomina "colonias agrarias" es solamente una parte de lo que Nagel considera "colonia" en el amplio sentido de la palabra. La comprende como un grupo étnico en constante interacción que participa en la vida económica del país en el cual reside (p. 14). Los fuertes vínculos sociales y económicos dentro del grupo se expresan por medio de asociaciones, escuelas y parroquias. Y así la última parte de este extenso y profundo estudio se abocará a las instituciones, alrededor de las cuales se desarrollan la colonia alemana y la colonia americana: la escuela, la parroquia, el club y las asociaciones de asistencia social y caritativas.

A diferencia de muchos estudios históricos, el de Silke Nagel ha sido estructurado de tal forma que, a pesar de la densidad de información, el lector no se siente impedido en el flujo de su lectura; el libro no sólo es elucidador y fuente de datos sumamente valiosos, sino que además es un libro que, pese a sus características historiográficas, es de amena lectura.

Günther Maihold

W. John W. Green: *Gaitanismo, Left Liberalism, and Popular Mobilization in Colombia*. Gainesville: University Press of Florida 2003. 365 páginas.

Este trabajo es el mejor aporte de la producción reciente sobre la emblemática figura colombiana de Jorge Eliécer Gaitán y el movimiento gaitanista. Celebramos este libro, tanto por la meticulosa explotación de fuentes primarias, como por la novedosa y convincente concepción del estudio. Gaitán fue, desde 1928 hasta su muerte en 1948, el personaje que más fascinó al pueblo colombiano. Según Green, fue *el* estadista del "liberalismo de izquierda", que desafió tanto al establecimiento del Partido Liberal como a la oligarquía conservadora. A su vez, el movimiento gaitanista fue, según Green, "a radical mobilization of popular agency in conflict with Colombia's hegemonic social and political system" (p. 271).

El libro se divide en una introducción a la temática, ocho capítulos y unas palabras a manera de conclusión. El primer capítulo abarca la tradición del "liberalismo de izquierda" en Colombia. En el segundo capítulo el autor proporciona un buen esbozo del comienzo y auge de la carrera política de Gaitán. Muestra a este estadista como un caudillo, caracterizado por sus ideas de justicia social (insistiendo en dos componentes de este concepto: la implementación del estado de derecho y la igualdad de oportunidades). Señala además que Gaitán se diferenciaba tanto del fascismo italiano como de otros populistas latinoamericanos de su época en cuanto justificaba la movilización de grupos sociales poco integrados en el sistema político. El tercer capítulo examina las primeras movilizaciones gaitanistas entre 1928 y 1935. La carrera política de Gaitán comenzó, según Green, con la masacre en las bananeras de Santa Marta en 1928, durante la época de la hegemonía conservadora, cuando el joven diputado y abogado se encargó de la investigación sobre el rol de la United Fruit y del Estado en ese episodio. Green insiste en que el movimiento que se identificó con los fines proclamados por Gaitán no fue controlado "desde arriba" por éste. Si bien Gaitán logró establecerse como líder de la Unión Nacional Izquierdista Revolucionaria (UNIR, 1933-1935), el gaitanismo tuvo sus propias raíces locales y sociales.

El siguiente capítulo abarca el período presidencial del líder liberal Alfonso López (1934-1936), quien logró consolidar el poder liberal a través de una alianza con el partido Comunista. Gaitán entonces perdió un poco de su carisma entre "el pueblo", aunque –como se demuestra en el siguiente capítulo– trabajó para consolidar su posición como líder y representante de un pueblo multiclasista. En el capítulo seis, Green analiza, de un lado, las costumbres y el funcionamiento de la práctica oligárquica y gamonal y, de otro, el gaitanismo. En esta parte investiga, en particular, la campaña presidencial de Gaitán en los años 1945 y 1946, cuando tuvo que enfrentar (como representante de la "voluntad del pueblo") al Directorio de los Liberales (que nominó candidato al intelectual Gabriel Turbay). El choque entre el "liberalismo oficialista" y el "liberalismo de izquierda" fue la principal razón por la que, tanto el Partido Liberal como los gaitanistas, perdieran las elecciones. No obstante, indica Green, los gaitanistas conservaron su capacidad para movilizar, no solamente a través de su larga experiencia, sino también por el desarrollo de su propia "ideología" (aunque poco coherente), lo que es el tema del capítulo 7. El gaitanismo no perdió fuerza cuando –una vez consumadas las elecciones– se reincorporó en el Partido Liberal para reconquistar de manera unida el poder (capítulo 8).

Con una mirada a largo plazo, Green interpreta el fenómeno gaitanista como prolongación y extensión de la tradición liberal de izquierda. Refiriéndose a la continuidad del liberalismo popular, dice en el último capítulo: "Of course not all mobilization was derivative of the Liberal left (as Colombia's drug traffickers and right-wing *paramilitar autodefensa* groups demonstrate), but popular liberalism formed the heart of the legacy" (p. 269). Lamentablemente Green no analiza hasta dónde Gaitán y el movimiento social que representaba fueron responsables de la polarización de la sociedad colombiana al estallar la Violencia. Aun con esto, el libro constituye un valioso aporte a la discusión, incluye reflexiones sobre los debates en la literatura existente y está escrito con un estilo ágil. Se recomienda a todos los estudiantes e investigadores de la historia política y social colombiana del siglo XX.

Thomas Fischer

Christine Ayorinde: *Afro-cuban religiosity, revolution, and national identity*. Gainesville: University Press of Florida 2005. 283 páginas.

En los últimos años apareció gran cantidad de libros y estudios dedicados a la problemática de "lo nacional" en Cuba. El renacimiento de este tema coincide, sin duda, con la creciente frecuencia de las manifestaciones de nacionalismo en la última década, no solamente en Cuba. Los autores de estas publicaciones (como ejemplos podemos mencionar *Imágenes e imaginarios nacionales en el ultramar español*, ed. Consuelo Naranjo Orovio, 1999, Louis A. Pérez Jr., *On becoming Cuban. Identity, Nationality, and Culture*, 1999 y Alejandro de la Fuente, *A nation for all: Race inequality and politics in twentieth-century Cuba*, 2000), o parten de las obras clásicas sobre los rasgos característicos de las naciones modernas, o presentan sus propios conceptos, en algunos casos poco tradicionales. Entre los últimos está, sobre todo, el libro reseñado, que por sus conclusiones suscitó una discusión entre los especialistas.

La autora esboza en los primeros capítulos de su texto la posición de la religiosidad afrocubana y, en los rasgos más generales, de toda la cultura afrocubana en la sociedad isleña desde la llegada de los primeros esclavos hasta el año 1959. En esta parte no traspasa Christine Ayorinde los marcos de la visión tradicional de la problemática, subrayando la importancia de la experiencia de la Guerra de los Diez Años para la liquidación parcial de las barreras entre lo afrocubano y lo criollo en Cuba. Tampoco sorprende la atención dedicada por la autora al concepto martiano de la "cubanidad". Lo que significa un aporte importante al estudio de la posición de la religión afrocubana en Cuba es la parte siguiente, donde la autora recopiló gran cantidad de opiniones oficiales sobre los cultos afrocubanos y sobre la problemática religiosa en general, por un lado, y, por otro, testimonios de los santeros y representantes de otros cultos, además de los de portavoces de las instituciones del gobierno responsables de la política religiosa en la isla. El análisis de este material desvela el cambio de la política del régimen hacia las religiones afrocubanas. La crítica –y hasta postura enemistosa– se convirtió en tolerancia, y este cambio inspira a la autora para presentar una conclusión pionera: el régimen quizás planea proclamar los cultos afrocubanos como religión nacional cubana. Christine Ayorinde no olvida mencionar el contexto más amplio del problema. En la Cuba de los noventa del siglo XX y principios del siglo XXI tiene el régimen al menos dos razones para apoyar estos cultos: el auge de las sectas afrocubanas significa una amenaza para la religión católica, y los cultos exóticos representan sin duda un fenómeno atractivo para los turistas, lo que tiene sus consecuencias para la economía cubana. A pesar de que la autora toma en cuenta también esta parte de la problemática, ve en el cambio de la política del gobierno castrista hacia la religiosidad afrocubana sobre todo un intento de hacer de ella una parte integral de la identidad nacional.

La conclusión de Christine Ayorinde es, sin duda, provocativa. La presentación de la postura del régimen de Castro hacia los cultos afrocubanos como un intento de proclamarlos "la religión nacional" es casi herética, tomando en cuenta la política de los regímenes comunistas hacia la religión en la mayoría de los casos. Un ejemplo existente de régimen comunista que aceptó la religiosidad de las capas amplias de la sociedad, considerando la religión como rasgo característico de su nación, no puede servir como argumento de verosimilitud en el caso cubano. El régimen comunista de Polonia, que aceptó el catolicismo como parte integral del sistema, fue obligado a esta política por razones históricas. La lucha contra la tradición de los siglos amenazaba las raíces del poder de los comunistas, y ellos, racionalmente, partieron de la situación existente. El caso de la santería, –y en menor medida de otros cultos afrocubanos– en Cuba es, sin embargo, diferente. El cambio de la santería desde una secta de la minoría de la sociedad (a pesar de que goza del respeto de gran parte de los cubanos de todas las capas sociales) a un símbolo nacional, supondría no solamente profundos cambios en la ideología del régimen sino también la reconstrucción de la religiosidad de la isla. Sin quitar importancia a las ambiciones del régimen castrista en lo que toca a la "ingeniería social", a mí me parece que la tolerancia de Castro a los cultos tiene sobre todo la razón económica mencionada arriba y la política, es decir, utilizar los cultos como arma en la lucha contra el catolicismo, que la autora también toma en cuenta. A pesar de mis dudas sobre la conclusión de Christine Ayorinde aprecio el libro considerándolo un aporte importante al estudio de la política, no solamente religiosa, del régimen de Castro.

Josef Opatrný

Hendrik Kraay/Thomas L. Whigham (eds.): *I Die with My Country. Perspectives on the Paraguayan War, 1864-1870*. University of Nebraska Press 2004. 257 páginas.

Esta compilación sobre la llamada Guerra de la Triple Alianza, editada por Hendrik Kraay y Thomas Whigham, es un libro remarcable. Mientras que la mayor parte de este género de compilaciones es

Iberoamericana, VII, 27 (2007)

una recogida más o menos coherente, a menudo subsiguiente a una conferencia o un congreso, en este caso los editores han reunido un número de contribuciones con un enfoque común centrado sobre un tema poco tratado por la historiografía actual. El libro es completado por un índice, datos personales de los autores y una parte de anotaciones referentes a cada artículo. Tres mapas y 18 ilustraciones forman la parte visual del libro. Los artículos tratan al mismo tiempo aspectos variados acerca de la representación artística de la guerra como de los efectos que tenía en los otros países beligerantes.

El lector recibe así una amplia visión de este conflicto que marcó profundamente el Paraguay y su historia por sus consecuencias demográficas. Se estima que el 60% de los varones paraguayos fallecieron en los combates y por plagas que trajo consigo la guerra. En los países que formaron la Triple Alianza contra el Paraguay, es decir Brasil, Argentina y Uruguay, las repercusiones no fueron menos graves. En Argentina la obligación de hacer el servicio militar fue la causa de las últimas sublevaciones de caudillos del Interior. De los contingentes uruguayos solamente el 10 % sobrevivieron la guerra. Los brasileños de origen africano que se enlistaron en el ejército imperial con gran ímpetu patriótico volvieron a la vida civil sin reconocimiento de sus servicios, si no habían perdido la vida.

En la introducción, los editores clasifican el conflicto en el contexto de la rivalidad luso-hispana en la región de La Plata, dan una breve síntesis del curso de la guerra y resumen los puntos claves de los diferentes artículos del libro. Además, ofrecen una visión de conjunto del conflicto en el contexto de los desarrollos después de la independencia.

Jerry Cooney describe la situación de los recursos económicos, de la adminstra-

ción y de la conducta de la guerra por el Paraguay en los años del conflicto. Demuestra cómo la concentración de todos los recursos de una sociedad agraria pudo resistir a la superioridad de los aliados durante muchos años.

Son tres los estudios sobre temas especiales. Barbara Potthast analiza la situación de las mujeres paraguayas en la guerra. Miguel que Ángel Cuarterolo escribe sobre las imágenes de la guerra y su representación en la fotografía y en las artes. Renato Lemos examina las cartas de Benjamin Constant como fuente para una visión directa sobre los acontecimientos que rompe con el discurso oficial y con la retórica propagandística de las autoridades.

Acerca de los países de la Triple Alianza, Juan Manuel Casal cuenta el destino de la división oriental uruguaya. Además, analiza la interpretación de la participación uruguaya en la guerra por los contemporáneos como una continuación del conflicto entre colorados y blancos en el Uruguay.

Dos artículos tratan temas brasileños. Hendrik Kraay describe el papel de los contingentes de brasileños de origen africano en la guerra y Roger Kittleson analiza la repercusión de la guerra en la cultura política de Rio Grande do Sul. En esta parte gauchesca del Brasil el servicio en la guerra fue una fuente de ambiciones políticas que ayudaron a incluir muchas partes de población en una ciudadanía nacional.

A pesar de semejanzas socio-económicas con Rio Grande do Sul, la Argentina experimentó una reacción directamente opuesta. Eso muestra Ariel Fuentes contundentemente en su artículo. Sobre todo las provincias de La Rioja y Catamarca fueron marcadas por una viva oposición al servicio militar. La resistencia se cristalizó aquí en las sublevaciones de Aurelio Zalazar y Felipe Varela.

La compilación de Hendrik Kraay y Thomas Whigham merece aprecio por su coherencia y la variedad de perspectivas. Queda claro que no puede dar una visión completa. Sin embargo algunos aspectos hubieran merecido más atención. Por ejemplo, la discusión del papel de la guerra sobre un supuesto desarrollo económico autónomo del Paraguay o el papel que jugó la guerra en la historiografía nacional del país. Eso pueden ser aportes que podrían completar las contribuciones que por sí mismas no dejan mucho que desear.

Frank Ibold

Laura Tedesco/Jonathan R. Barton: *The State of Democracy in Latin America: Post-transitional conflicts in Argentina and Chile.* **London/New York: Routledge 2004. 233 páginas.**

At the centre of this jointly written book is the claim that "The State and its role in social change has been marginalised as a theme of academic and political discussion in recent years". Analyses "of the institutions of the state" that academics, technocrats, and politicians alike have pursued, Laura Tedesco and Jonathan Barton argue in the introduction of *The State of Democracy in Latin America*, have narrowly focused on questions of rationalisation, modernisation, and efficiency, that is to say, they have "been subject to a process of discursive and active technification" (p. 3). Multidimensional interpretations of the state have been absent on the other hand, and this imbalance they want to address in their study. The authors embrace a construction of the state that sees and understands it 'as an overarching "idea" of social organisation,… as a "social contract" that provides

boundaries and defines practices within which social relations are shaped, and… as "institutions" of management and control (pp. 3-4). Paraphrasing the title from an influential book published in the mid-1980s, Tedesco and Barton thus want to bring this broadly defined state back into the scholarly discussion on Latin America. This is necessary, they argue, because of the various social and political problems afflicting contemporary Latin American societies, such as poverty, inequality, violence, and social unrest. As far as they are unconcerned, the state's dominant role has to be reasserted, and it no longer has to be downplayed or even ignored outright.

The book combines theoretical considerations with empirically informed case studies of Argentina and Chile, and it does so in a generally accessible and well-written way, free of jargon and unnecessarily complicated prose. The first chapter provides a selective discussion of theories of the state; it lays down the authors' multidimensional concept of the state; and it summarises the theoretical discussion about the issue (with an emphasis on the transitions from authoritarian rule and democratisation), all the while drawing a clear dividing line between their concept and the works of other authors. It is followed by a chapter on the development of the state in the sub-continent, starting, somewhat surprisingly, in pre-Columbian times but then concentrating on the 20th century, specifically Import Substitution Industrialisation, the authoritarian regimes of the 1960s and 1970s, democratisation, and finally the performance of the new democracies in the economic and social spheres. The chapters are too long for my taste, particularly the first half of the second one lacks a clear focus at times; they could and should have been merged. The narrative would have been sharper, and repetitions could have been avoided as well.

The two empirical chapters on Argentina and Chile, chosen because (at the time the manuscript was written at some point in 2003 presumably) "they currently lie at opposing ends of the spectrum in terms of the perceived successes and failures of democratic capitalist states" (p. 4), I found decidedly more interesting. Covering slightly more than half of the book, they provide good summaries of the countries' developments over the last three decades or so, full of insights and useful conclusions, but also assessments that will find its critics. Stating that "The success of the *Concertación por el No* in the 1988 plebiscite in Chile marked the end of the Pinochet era" (p. 59), for example, does not withstand closer scrutiny, nor does it seem justified to name Chile under Augusto Pinochet in one breath with Paraguay under Alfredo Stroessner and Bolivia under Hugo Banzer as a case of a personalistic dictatorship (p. 69). As for Argentina, I strongly feel that the authors underestimate the remarkable resilience Argentine institutions showed during the profound crisis at the turn of the millennium, which saw the country stumbling on the verge of an abyss (but not falling into it as a good many contemporary observers predicted).

In the end, and notwithstanding the disagreements a book of this scope will always create, Tedesco and Barton's study is certainly a fine one. The characterisation of the Latin American state after the return to democracy, provided in their conclusions, serves as a stern reminder of the profound difficulties the nations south of the Rio Grande face. The question is, as they point out, "for how long formal democracy can survive amidst such transparent economic and social exclusion" (p. 204). The case of Chile, which is one of the most unequal countries in the hemisphere but also politically stable and committed to an essentially neo-liberal economic model, suggests that democracy can survive. But it is also clear that far from serving as a role model for Latin America, or being the country that embodies the hopes of the regions, as Tedesco and Barton argue (p. 208), Chile has remained exceptional in many ways. The Venezuela of Hugo Chávez seems to provide the answers to the problems for many countries, although the doubts about democratic nature of the so-called Bolivarian revolution the authors express more than once are as justified as scepticism regarding the long-term viability of the economic model it propagates.

Marcus Klein

Índice de títulos reseñados

ÍNDICE HISTÓRICO ESPAÑOL

Publicación semestral

Fundada en 1953 por Jaume Vicens Vives

CENTRO DE ESTUDIOS HISTÓRICOS INTERNACIONALES
UNIVERSIDAD DE BARCELONA

ÍNDICE HISTÓRICO ESPAÑOL cumplió cincuenta años de publicación ininterrumpida, al mismo tiempo que se publicaba su número 120 (del volumen XLIV).

Es una revista de información y crítica bibliográfica, que desde 1953-54 se ocupa de dar a conocer la producción histórica referente a los territorios hispánicos, que van apareciendo tanto en las distintas Comunidades del Estado español como en otros países y en diferentes lenguas, proporcionando a la vez una valoración crítica de los libros y artículos de revistas especializadas.

Más de 300 colaboradores (profesores, investigadores y licenciados universitarios), no sólo de la Universidad de Barcelona, sino también de otras españolas y extranjeras, han redactado ya más de 163.200 reseñas bibliográficas, en los 120 números publicados, sobre temas que abarcan desde la Prehistoria hasta nuestros días.

ÍNDICE HISTÓRICO ESPAÑOL comprende todos los aspectos del campo de la historia, la arqueología y la antropología, el arte y la literatura, así como la metodología histórica y de las ciencias auxiliares, constituyendo una fuente de información indispensable para bibliotecas, universidades y centros de investigación del mundo hispánico.

A través de sus páginas pueden orientarse cuantas personas deseen estar bien informadas sobre los conocimientos actuales y el estado de la investigación histórica en los territorios peninsulares.

Se publican más de 2.000 reseñas anualmente y cada volumen posee un índice de autores y un completo índice alfabético de materias, para facilitar la consulta de su rico contenido.

Información y suscripciones: Secretaria de la Revista
FACULTAD DE GEOGRAFIA E HISTORIA
C/ Montalegre 8, 2º piso
08001 BARCELONA
Tel.: 93-4037505
Correo electrónico: carmeriu@ub.edu

Nuestra América
Revista de Estudios sobre la Cultura Latinoamericana

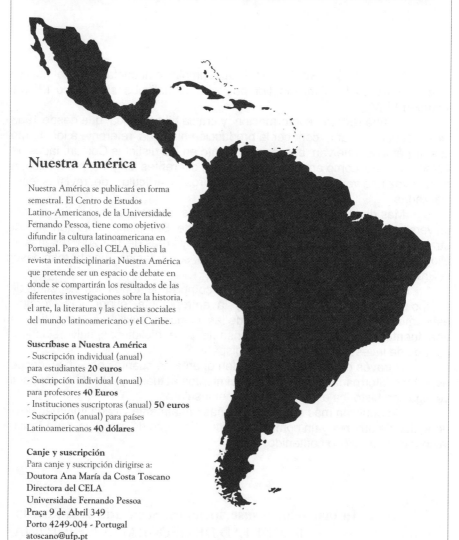

Nuestra América

Nuestra América se publicará en forma semestral. El Centro de Estudos Latino-Americanos, de la Universidade Fernando Pessoa, tiene como objetivo difundir la cultura latinoamericana en Portugal. Para ello el CELA publica la revista interdisciplinaria Nuestra América que pretende ser un espacio de debate en donde se compartirán los resultados de las diferentes investigaciones sobre la historia, el arte, la literatura y las ciencias sociales del mundo latinoamericano y el Caribe.

Suscríbase a Nuestra América
- Suscripción individual (anual) para estudiantes **20 euros**
- Suscripción individual (anual) para profesores **40 Euros**
- Instituciones suscriptoras (anual) **50 euros**
- Suscripción (anual) para países Latinoamericanos **40 dólares**

Canje y suscripción
Para canje y suscripción dirigirse a:
Doutora Ana María da Costa Toscano
Directora del CELA
Universidade Fernando Pessoa
Praça 9 de Abril 349
Porto 4249-004 - Portugal
atoscano@ufp.pt

 edições UNIVERSIDADE FERNANDO PESSOA

Novedades

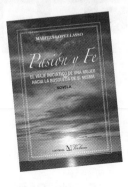

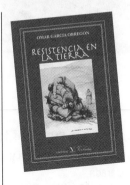

La poética de la ironía en la obra tardía de Juan Goytisolo

Brigitte Adriaensen
316 págs. 15,00 euros
ISBN: 978-84-7962-391-3

Estudio sobre un aspecto fundamental pero descuidado de la obra de Juan Goytisolo, la ironía, que desemboca en una reflexión sobre el tratamiento del Otro en la fase ulterior de la obra del autor. ¿Cuál es la relación entre la ironía con la alteridad por una parte y con la escritura laberíntica, vertiginosa por otra? A esta pregunta pretende responder este ensayo.

El nacimiento del cervantismo: Cervantes y el Quijote en el siglo XVIII

Antonio Rey Hazas
Juan R. Muñoz (Eds.)
488 págs. 35,00 euros
Verbum Mayor - Tapa dura
ISBN: 978-84-7962-357-9

Recopilación de los textos que fundaron la posición universal de Cervantes y del Quijote. Centrada en los textos españoles de la Ilustración neoclásica, pero también en la gran tradición europea, fundada en los textos de Bowle, Addison y Johnson, y de los románticos alemanes.

Pasión y fe

Maritza López-Lasso
312 págs. 12,00 euros
ISBN: 978-84-7962-390-6

Cercada por la intolerancia de quienes desean reducir el papel de la mujer a los roles tradicionales, la protagonista de esta novela de autora panameña debe enfrentarse en los ámbitos de su vida familiar y profesional a fuertes criterios de exclusión, presentes en algunas sociedades latinoamericanas. Nora, la protagonista, aprende que en la obediencia a la norma se encuentra la más ilegítima de las opciones. El grito de una mujer rebelde.

Resistencia en la tierra

Omar García Obregón
96 págs. 10,00 euros
ISBN: 978-84-7962-378-4

De la *Residencia* nerudiana hace el autor su *Resistencia en la tierra*. Un texto poético que no elude el compromiso con los temas más candentes de la historia contemporánea. Una obra crítica de la realidad circundante, de todos los juegos del poder, más allá de las posiciones partidistas. Omar García Obregón, poeta cubano, es profesor en Queen Mary, Universidad de Londres.

EDITORIAL  Verbum

Eguilaz, 6, 2º, Dcha. 28010 Madrid.Tel.: 91-446 88 41 - Fax: 91-594 45 59
E-mail: verbum@telefonica.net • www.verbumeditorial.com

n° 45, abril del 2007

CALIDAD DE LA DEMOCRACIA

VARIA

DISPONIBLES A TEXTO COMPLETO TODOS LOS ARTICULOS DE
AMÉRICA LATINA HOY EN
http://americo.usal.es/documentos/

AMÉRICA LATINA HOY se publica tres veces al año (abril, agosto y diciembre) y se incluye sistemáticamente en las bases de datos e índices bibliográficos: ISOC-América Latina, Reseau Amérique-Latine, Ulrich, Catálogo Latindex, HLAS, Hispanic Periodical Index (HAPI), Thompson Gale, IBBS, REDALyC y DIALNET

Esta es una publicación del Instituto Interuniversitario de Iberoamérica,
con Ediciones Universidad de Salamanca.
✉ latinhoy@usal.es

ISSN: 1130-2887